OFFENE FRAGEN.

Deutscher
Kunstverlag

Die Publikation wird unterstützt durch:

 Kanton Basel-Stadt

 Freiwillige Akademische
Gesellschaft Basel
seit 1835

OFFENE FRAGEN.

KUNSTWERKE ERWERBUNGEN SCHICKSALE

Provenienzforschung
am Kunstmuseum Basel

Herausgegeben von
Tessa Rosebrock

kunstmuseum basel

Die Provenienzforschung wird oft als etwas verstanden, das sich mit der Vergangenheit befasst – ein Versuch, zu klären, was früher geschehen ist, als ginge es darum, historische Kapitel abzuschliessen. Für das Kunstmuseum Basel ist sie jedoch von grundlegender Bedeutung für die Gegenwart und Zukunft. Sie spiegelt wider, wie wir unsere Rolle als öffentliche Institution verstehen: Transparenz, Verantwortungsbewusstsein für unsere Kunstwerke und unsere Geschichte sowie das Bemühen um eine glaubwürdige, ethisch fundierte Beziehung zu allen mit dem Museum verbundenen Personen bilden die Basis unserer Arbeit.

Mit einem Sammlungsbestand von fast 5.000 Gemälden und Skulpturen sowie rund 300.000 Arbeiten auf Papier hat das Kunstmuseum Basel eine grosse Verantwortung, wenn es um die Erforschung der Herkunft seiner Werke geht. Bereits 2016 konnte dank der Unterstützung des eidgenössischen Bundesamts für Kultur (BAK) das erste Forschungsprojekt zu Provenienzen hauseigener Sammlungsobjekte starten. Seit 2023 wird die Forschung auch durch die Rahmenausgabenbewilligung für aktive Provenienzforschung des Kantons Basel-Stadt (RAB) unterstützt. Insgesamt sind in den letzten neun Jahren vier Prüfungsprojekte im Bereich der Gemälde und Skulpturen realisiert worden. Jeweils drei weitere wurden beziehungsweise werden im Kupferstichkabinett und im Archiv des Kunstmuseums durchgeführt.

Neben diesen aus Drittmitteln finanzierten Projekten gab der Anspruch der Erb:innen nach dem jüdischen Sammler Curt Glaser aus Berlin, der 2020 mit einer «gerechten und fairen Lösung» gemäss den Washingtoner Prinzipien befriedet werden konnte, den ausschlaggebenden Impuls für das Haus, eine proaktive Haltung zur Provenienzforschung zu entwickeln. Der entsprechende Entscheid der Kunstkommission wie auch alle anderen Einigungen zu NS-verfolgungsbedingten Kulturgutverlusten werden seither auf der Website des Kunstmuseums www.kunstmuseumbasel.ch publiziert. Es wurde deutlich, dass eine fest etablierte Abteilung Provenienzforschung im Kunstmuseum gebraucht wird, die sich kontinuierlich und langfristig dem Thema der Herkunftsforschung widmet. Mit Hilfe des Kantons Basel-Stadt und der Ernst Göhner Stiftung gelang es 2021, diese ins Leben zu rufen.

Das vorliegende Buch gibt Einblicke in die komplexe und detaillierte Forschung, die seitdem am Kunstmuseum unter der Leitung von Tessa Rosebrock durchgeführt wird. Dass Fragen vorübergehend oder für immer offenbleiben, liegt in der Natur der Sache. Dennoch ist es uns wichtig, den bewegenden Schicksalen der jüdischen Vorbesitzer:innen unserer Werke Sichtbarkeit zu verleihen.

Ich danke Tessa Rosebrock und den zwei weiteren Autorinnen Katharina Georgi-Schaub und Vanessa von Kolpinski für die hervorragende Arbeit. Ich bedanke mich zudem bei der Arbeitsgruppe Provenienzforschung am Kunstmuseum für die professionelle Lösungssuche bei konkreten Ansprüchen, ihr Begleiten dieser Publikation und das Erarbeiten von Entscheiden, die von der Kunstkommission des Kunstmuseums Basel verabschiedet werden. Die Mitglieder der Arbeitsgruppe sind: Felix Uhlmann und Ralph Ubl, Präsident und Vizepräsident der Kunstkommission, Christoph Gloor, Präsident der Stiftung für das Kunstmuseum Basel, sowie Anita Haldemann, Stellvertretende Direktorin, und Tessa Rosebrock, Leiterin Provenienzforschung am Kunstmuseum Basel.

Museen werden als Gebäude, als Sammlung oder durch ihre Ausstellungen wahrgenommen. Doch ohne die Arbeit hinter den Kulissen wäre das alles nicht möglich. Forschung ist kein Nebenschauplatz der Museumstätigkeit – sie steht im Zentrum. Diese Publikation ist dem Ziel gewidmet, diese stille und zugleich präzise und engagierte Arbeit sichtbar zu machen. Sie würdigt das Engagement all jener, deren Tätigkeit selten im öffentlichen Raum erscheint, deren Sorgfalt, Fachwissen und Beharrlichkeit jedoch massgeblich das prägen, was ein Museum leisten kann.

Elena Filipovic, Direktorin
Kunstmuseum Basel

Dieses Buch gibt Einblicke in die Provenienzforschung am Kunstmuseum Basel. Es steht im Bemühen um *Transparenz*. Die Washingtoner Prinzipien von 1998 und ihre Folgeerklärungen, zu denen sich das Kunstmuseum bekennt, fassen dieses zentrale Anliegen im Umgang mit Raubkunst unter verschiedenen Ziffern:

Relevante Unterlagen und Archive sollen der Forschung zugänglich gemacht werden (Ziff. 2). Ressourcen sollen bereitgestellt werden, um die Forschung überhaupt möglich zu machen (Ziff. 3). Besonders eindringlich: «Es sollen alle Anstrengungen unternommen werden, Kunstwerke, die als durch die Nationalsozialisten beschlagnahmt und in der Folge nicht zurückerstattet identifiziert wurden, zu veröffentlichen [...].» (Ziff. 5). Die Informationen sollen zentral gespeichert (Ziff. 6) und potenzielle Anspruchsstellende ermutigt werden, sich zu melden (Ziff. 7).

Die Verpflichtung zu Transparenz und einer aktiven Erforschung der Bestände trifft in erster Linie diejenigen Häuser, die Kunstwerke besitzen. Sie verfügen über das Wissen und die Erfahrung, um Forschung zu betreiben und Werke mit problematischer Herkunft aufzufinden. Die Herausforderungen sind allerdings beträchtlich. Das Kunstmuseum besitzt fast 5.000 Gemälde und Skulpturen sowie im Kupferstichkabinett rund 300.000 Werke auf Papier. Viele Werke wurden zwischen 1933 und 1945 erworben; unzählige mehr kamen nach 1945 als Ankäufe, Schenkungen oder Legate ins Museum. Insbesondere die Handwechsel der letzten beiden Gruppen sind oft nur rudimentär dokumentiert. Bei Druckgrafiken und Abgüssen handelt es sich zudem in der Regel um Auflagenwerke, was die Identifizierung und Nachverfolgung zusätzlich erschwert. Vor diesem Hintergrund braucht Provenienzforschung personelle wie materielle Ressourcen und eine Strategie.

Die Schweiz hat zwar im März 2025 die gesetzliche Grundlage für eine unabhängige Kommission für historisch belastetes Kulturerbe geschaffen, doch fehlen im Gegensatz zu Frankreich, Deutschland, Österreich, den Niederlanden und dem Vereinigten Königreich (noch) Grundsätze für ein landesweit einheitliches Vorgehen. Das Kunstmuseum Basel hat daher 2022 eine *Strategie Provenienzforschung* verabschiedet. Neben dem Bekenntnis zu den Washingtoner Prinzipien und ihren Folgeerklärungen gibt sie Auskunft darüber, welche Bereiche wie untersucht werden sollen, wo Prioritäten zu setzen sind und was aus den Forschungsergebnissen folgt.

Angesichts der umfangreichen Sammlungsbestände des Kunstmuseums wurde die Untersuchung der sogenannten Galeriewerke (Gemälde und Skulpturen) vorgezogen. Die Prüfung der Arbeiten auf Papier steht hingegen noch am Anfang. Für diese gab es zwar drei vom Schweizer Bundesamt für Kultur (BAK) geförderte Kategorisierungsprojekte zu den Erwerbungen der Jahre 1933 bis 1945, aber Tiefenerforschungen sind bisher nur in Ausnahmefällen erfolgt. Selbstverständlich können auch Sammlungszugänge nach 1945 problematisch sein. Bis heute gelangen Kunstwerke, die ihren Eigentümer:innen während der Herrschaft der Nationalsozialisten entzogen wurden oder unter Zwang, also unfreiwillig, verkauft werden mussten, auf den Markt. Damit ist der verbreiteten Vorstellung entgegenzutreten, die Provenienzforschung sei «bald abgeschlossen». Mit einer Erledigung dieser aufwendigen Forschungsaufgabe ist in naher Zukunft nicht zu rechnen, und dies nicht nur aufgrund des Umfangs der Basler Bestände. Provenienzforschung entwickelt sich weiter. Es werden neue Quellen gefunden; Archivalien, die früher nur mittels aufwendiger Forschungsreisen gesichtet und erschlossen werden konnten, liegen heute in digitalisierter Form vor und sind teils sogar elektronisch durchsuchbar. Die internationale Vernetzung schreitet voran, und neue Erkenntnisse sind nie ausgeschlossen. Dennoch sind Ergebnisse der Provenienzforschung nicht selten eine Momentaufnahme.

Das gilt auch für den vorliegenden Sammelband. Er zeigt den Stand des Wissens des Kunstmuseums zum Zeitpunkt seiner Veröffentlichung. Notwendigerweise musste eine Auswahl getroffen werden, und so werden hier «Fälle» vorgestellt, die das Kunstmuseum für besonders bedeutend oder für ein breiteres Publikum als lesenswert erachtet. Die elf Essays erheben keinen Anspruch auf Vollständigkeit oder Richtigkeit in dem Sinne, dass die Erkenntnisse nicht erweitert werden könnten, im Gegenteil. Die Texte sind eine Einladung, sich mit dem derzeitigen Kenntnisstand des Kunstmuseums kritisch auseinanderzusetzen. Die Publikation zeigt neben Ergebnissen auch die Grenzen der Provenienzforschung auf. Richtigerweise vermitteln die Washingtoner Prinzipien zu den Beweisanforderungen, «dass aufgrund der verstrichenen Zeit und der besonderen Umstände des Holocaust, Lücken und Unklarheiten in der Frage der Herkunft unvermeidlich sind» (Ziff. 4). Was aber, wenn der ganze Fall gewissermassen eine einzige Lücke darstellt und selbst bei grosszügiger Auslegung der Washingtoner Prinzipien keine gesicherte Aussage über die Geschichte eines Werks getroffen werden kann? *Das Martyrium des Hl. Erasmus* aus der Altdorfer-Werkstatt, das von der Galerie Silberman gehandelt wurde, ist so ein Fall. Die Washingtoner Prinzipien machen hierzu keine Aussage.

Es mag sein, dass sich einzelne solcher Lücken infolge der Publikation schliessen lassen werden. Wenn nicht, lässt sich festhalten, was dieses Buch auch sein soll, nämlich eine *Würdigung der früheren Eigentümerinnen und Eigentümer* der besprochenen Kunstwerke. Es schildert die meist tragischen Geschichten dieser Personen, gepaart mit der allgemeinen Aufforderung, ihr Schicksal nicht zu vergessen. Auch dies ist ein zentrales Anliegen der Washingtoner Prinzipien, welche klugerweise offen von einer «gerechten und fairen Lösung» sprechen, die zwischen kulturguthaltender Institution und Anspruchstellenden gefunden werden soll (Ziff. 8). Nicht immer sind Rückgaben oder Entschädigungszahlungen das Ergebnis, vor allem nicht, wenn ein Anspruch als ungesichert oder zweifelhaft erachtet werden muss. Mindestens ebenso wichtig ist die Empathie für die Opfer und ihre Nachkommen. Empathie muss die Richtschnur jedweden Handelns sein. Das Kunstmuseum hofft, dass der vorliegende Band diesen (hohen) Anspruch einlösen kann.

Erfreulicherweise gibt es auch Fälle, wo dies gelingt. So zeigten sich die Nachkommen des Voreigentümers von Wilhelm Lehmbrucks *Torso der Grossen Stehenden* sehr glücklich ob der Veröffentlichung eines Texts über ihren Grossvater. Eine Würdigung kann auch Teil eines formellen Vergleichs sein. Im Fall von Camille Pissarros *La Maison Rondest, l'Hermitage, Pontoise* aus der Kunstsammlung Richard Semmel führte 2024 eine monetäre Kompensation zur gütlichen Einigung; im vormals vom Kunstmuseum Basel verhandelten Fall von Curt Glaser war eine Ausstellung über dessen bedeutendes Schaffen ein wesentliches Element. Solche Verpflichtungen sind für ein Museum immer auch eine Chance. Zusammen mit der gleichzeitig im Herbst 2022 stattfindenden Ausstellung *Zerrissene Moderne. Die Basler Ankäufe «entarteter» Kunst* konnte ein breites Publikum für die Fragestellungen translozierter Kunst gewonnen werden. Beide Ausstellungen waren sehr gut besucht.

Damit soll auch der gelegentlich geäusserten Befürchtung entgegengetreten werden, Provenienzforschung dränge sich in den Vordergrund, und die Geschichte des Werks «verdecke» dessen künstlerischen Wert. Das Publikum darf nicht unterschätzt werden. Nach meiner Wahrnehmung sind Besucher:innen sehr wohl dazu in der Lage, gleichzeitig die Bedeutung eines Werks wie auch seine möglicherweise problematische Herkunft zu erkennen. Und sie sind daran interessiert. Kunstgeschichte und Provenienzforschung gehen Hand in Hand. Sie ergänzen sich und sind selbstverständlicher Bestandteil der Arbeit am Kunstmuseum Basel.

Natürlich, und das sei nicht verschwiegen, ist und bleibt der Umgang mit Raubkunst schwierig. Die Debatte im Ausland und in der Schweiz wird emotional geführt, wie etwa die langwierige Einrichtung einer nationalen unabhängigen Kommission für historisch belastetes Kulturerbe gezeigt hat. Im Umgang mit «Fluchtgut» sind die Positionen ebenfalls umstritten. Die Kunstkommission hat in ihrem Entscheid vom 20. Dezember 2023 in der Sache Charlotte Gräfin von Wesdehlen festgehalten, dass in diesen Fällen Rückgaben möglich sind, allerdings die Ausnahme bilden. Mittlerweile hat sich am Haus eine Praxis etabliert, wie Werke vor Eingang in die Sammlung auf ihre Provenienz hin überprüft werden und wie bei an das Museum herangetragenen oder durch die Provenienzforschung aufgedeckten Ansprüchen verfahren wird.

Eine Restitution wird als Veräusserung angesehen, was gemäss dem kantonalen Museumsgesetz einen Antrag des Museums und der Kunstkommission (als höchstem Entscheidungsgremium der Öffentlichen Kunstsammlung Basel) sowie die Zustimmung der Universität Basel und den Entscheid des Regierungsrats des Kantons Basel-Stadt erfordert. Bei Entschädigungen spricht sich das Museum mit dem Regierungsrat ab. Würdigungen kann es in eigener Verantwortung vornehmen. In jedem Fall erfolgt aber vorab ein Entscheid der Kunstkommission, der sich mit den vorgebrachten Ansprüchen auseinandersetzt und die Haltung des Museums und der Kommission ausführlich begründet. Die Veröffentlichung dieser Entscheide auf der Website des Museums wie auch das vorliegende Buch mögen als Beitrag zu der erwähnten Transparenz und zur Würdigung der Opfer des Nationalsozialismus verstanden werden.

Felix Uhlmann, Präsident der Kunstkommission
Kunstmuseum Basel

«Provenienzforschung ist die konstruktivste Art von Geschichtsarbeit, die ein Museum leisten kann.»

(Shelly Kupferberg)[1]

PLÄDOYER

Wir sollen Geschichten erzählen und Menschen berühren, und Provenienzforschung kann das. Neben dem Aspekt der allgemeinen politischen Bildung führt die Integration von Provenienzforschung in den Museumskontext dazu, dass die Themenpalette in den Institutionen diverser wird. Denn je nach Sammlungsstruktur widmet sich diese Disziplin Unrechtskontexten, Minderheiten und aussereuropäischen Kulturen. Historie wird neu «verhandelt». Es wird versucht, Ereignisse der Vergangenheit objektiv zu beleuchten, um sie aus heutiger Perspektive zu bewerten. Tradierte Lokal-, Stadt- und Kunstgeschichte(n) können durch die Überprüfungsarbeit der Provenienzforschung gegebenenfalls anders wahrgenommen werden und im Zusammenhang mit den sie bedingenden menschlichen Schicksalen in einem neuen Licht erscheinen. Diese Form der Re-Evaluierung lädt a priori dazu ein, kontrovers diskutiert zu werden. Daher ist die Vermittlung der Ergebnisse Teil des gesellschaftlichen Auftrags und muss bei der Arbeit immer mitgedacht werden. Provenienzforschung, die im Verborgenen bleibt, macht wenig Sinn. Erst die transparente Offenlegung der Untersuchungsprozesse und Ergebnisse im Ausstellungs- und/oder Publikationskontext eröffnet den wichtigen Diskurs darüber, warum diese Forschung betrieben wird und was daraus folgt.

Zwischen potenziellen Anspruchsstellenden und der kulturguthaltenden Institution zu stehen, ist dabei das Los der Provenienzforscher:innen, und diese Spannung muss ausgehalten werden. Denn das wertvollste Ergebnis einer jeden Debatte wird ein geschärftes Bewusstsein sein.

1. Shelly Kupferberg ist Kulturjournalistin, Moderatorin und Autorin von «Isidor. Ein jüdisches Leben», Zürich 2022. Sie lebt in Berlin.

PROVENIENZFORSCHUNG AM
KUNSTMUSEUM BASEL

Seit einigen Jahren erforscht das Kunstmuseum Basel die Herkunft seiner Kulturgüter. Nach der Umsetzung mehrerer Förderprojekte des Schweizerischen Bundesamts für Kultur (BAK) wurde mit Hilfe der Ernst Göhner Stiftung eine feste Stelle für die Provenienzforschung eingerichtet. Sie soll langfristig die Überprüfung der Provenienzen der Werke aus der Sammlung garantieren. Seit 2021 existiert eine Abteilung Provenienzforschung am Haus. 2022 wurde durch die Kunstkommission der Öffentlichen Kunstsammlung Basel eine eigene *Strategie Provenienzforschung* verabschiedet, die das allgemeine Vorgehen, die Prüfstandards und die Qualität der wissenschaftlichen Recherche zu den Objekten definiert und seither als bindend gilt. Das Museum erklärt, dass neben NS-Raubkunst (im Einflussbereich der Nationalsozialisten entwendete respektive unter Zwang oder zu ungerechten Preisen verkaufte Kulturgüter) auch «Fluchtgut» (Emigrant:innenverkäufe in vermeintlich sicheren Drittländern ausserhalb des nationalsozialistischen Einflussbereichs) seiner besonderen Aufmerksamkeit unterliegt. Die betreffenden Werke werden in die Prüfung miteinbezogen und aktuell priorisiert untersucht. Im Fall von berechtigten Ansprüchen verpflichtet sich das Haus «gerechte und faire Lösungen» gemäss den Washingtoner Prinzipien zu suchen.

Auf dieser Grundlage wurde in den Jahren 2023 und 2024 ein Tiefenerforschungsprojekt realisiert, in dem 30 ausgewählte Kunstwerke aus ehemals jüdischen Sammlungen mit lückenhaften oder uneindeutigen Provenienzketten eingehend untersucht wurden. Die Mitarbeiterinnen der Abteilung Provenienzforschung haben Falldossiers erstellt, welche die Ergebnisse ihrer Recherchen zu den in ihrer Herkunft problematisch erscheinenden Werken (Gemälde, Skulpturen, Arbeiten auf Papier) im Sammlungsbestand dokumentieren und kontextualisieren. Hierfür wurden sämtliche auffindbaren und zugänglichen Quellen zu den Objekten in Archiven im In- und Ausland zusammengetragen und evaluiert. Proaktive Erbenrecherche half dabei, die jeweilige historische Erwerbssituation einzuordnen. Durch detaillierte Preisvergleiche konnten die vormals gezahlten Kaufsummen in Relation zum historischen Marktumfeld gesetzt werden. Elf Fallstudien aus

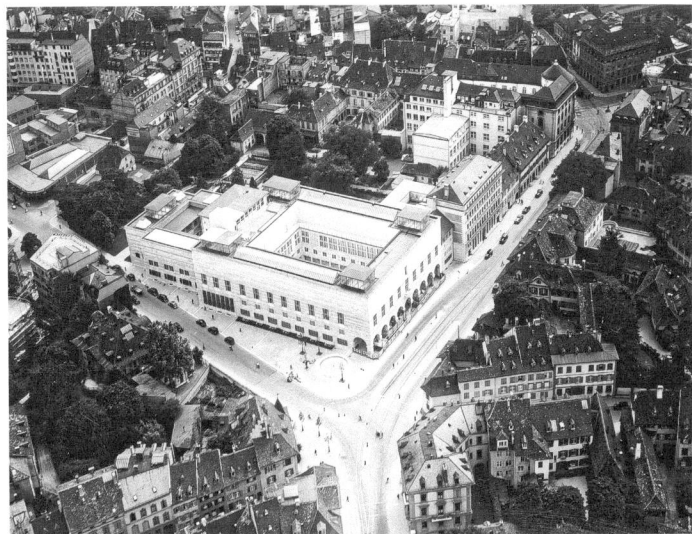

Luftaufnahme vom Gebäude des neuen Kunstmuseums, 1936

diesem Projekt, die zu Aufsätzen umgeschrieben wurden, bilden den Gegenstand der vorliegenden Publikation.

Die besprochenen Kunstwerke befanden sich entweder zwischen 1933 und 1945 in jüdischem Vorbesitz, wurden nachweislich in dieser Zeit von Opfern der NS-Verfolgung gehandelt, schieden auf ungeklärte Weise aus ihrem Eigentum aus und/oder gelangten nach Ende des Krieges durch Ankauf, Schenkung oder Legat in die Öffentliche Kunstsammlung Basel. Durch die Rekonstruktion der Wege der Kunstwerke wurden auch die Schicksale der jüdischen Familien wieder ans Licht befördert, denen diese einst gehörten. Im Rahmen der Untersuchungen rückt die Schweiz als Exil- und Transitland für vor dem Nationalsozialismus Geflüchtete in den Blick, und damit auch die eigene Institution im zeitlichen Kontext.

Trotz aller wissenschaftlichen Bemühungen und neuen Erkenntnisse, zu denen wenn möglich auch der Dialog mit den Nachfahren der ehemaligen Eigentümer:innen gesucht wurde, bleiben Fragen bestehen, die dazu einladen, die komplexen Fallbeispiele kritisch zu reflektieren. Einige dieser Erzählungen sind abgeschlossen, so dass ein klarer Handlungsauftrag und die entsprechende Reaktion des Museums abzulesen sind. In anderen Fällen bleiben die Geschichten offen, weil etwa die Kette der Handwechsel des Objekts trotz intensiver Recherchen unterbrochen bleibt (Lücke in der Provenienz), oder die Beurteilung des historischen Sachverhalts nicht eindeutig oder gar unmöglich ist. So ergibt sich auch der Titel *Offene Fragen*, der die Leser:innen gewissermassen teilhaben lassen soll am gedanklichen Prozess der Museumsleitung, wie mit diesen Objekten weiter verfahren wird.

ERZÄHLUNGEN

In den Essays, die chronologisch nach Eingangsjahren der Kunstwerke in die Sammlung geordnet sind, kommen unterschiedliche Themen zum Tragen. Der Ankauf des Lehmbruck-Torsos des von Ostpreussen nach Palästina ausgewanderten Anwalts Max Wistinetzki zeigt, wie nach dem Aus für die Moderne in Deutschland ab 1937 nach alternativen Märkten gesucht wurde. Sammler:innen nahmen dabei oft grosse Risiken in Kauf. Charlotte Gräfin von Wesdehlens Verkäufe an Museen in Basel und Zürich bilden den Hintergrund für den Aufsatz um Henri Rousseaus Gemälde *Apollinaire et sa muse*. Zu diesem Gemälde führt das Museum aktuell Gespräche. Der Beitrag zum in die Schweiz emigrierten Kaufmann Julius Schottländer aus Mainz beschreibt, wie über den Verkauf zweier Zeichnungen von Otto Meyer-Amden zwischen ihm und Museumsdirektor Georg Schmidt eine Brieffreundschaft entstand. Um die beeindruckende Romantikersammlung des Berliner Textilhändlers Julius Freund, die er bereits 1933 ins Kunstmuseum Winterthur verbringen liess, kreist der Text zu acht weiteren Blättern aus dem Basler Kupferstichkabinett. Die Gustave Courbet zugeschriebene Ölskizze *Le retour de la conférence* führt in die Lebensrealität von Theda Stückgold-Schayer ein, aus deren Nachlass das Werk kurz nach Kriegsende ans Kunstmuseum verkauft wurde. Mit dem Erlös wurden zwei geflüchtete Familienmitglieder unterstützt. Max James Emden, der bekannte Gründer zahlreicher europäischer Warenhäuser, übersiedelte bereits 1927 aus Deutschland ins Tessin. Seine Voreigentümerschaft an dem Gemälde *Bouquet de fleurs* von Camille Pissarro wurde erst durch die aktuellen Untersuchungen aufgedeckt. Bei diesem Bild ist nicht nachgewiesen, wann und wie es aus der Sammlung Emden ausschied und ob dies bedingt durch den Nationalsozialismus geschah. Das dramatische Verfolgungsschicksal von Hugo und Gertrud Simon wird am

Kunstmuseum Basel, Holbein-Kabinett im ersten Obergeschoss, 1939

Beispiel des Bildes *Mondaufgang am Meer* von Carl Gustav Carus erzählt. Der Text gewährt Einblicke in das Zusammenwirken von kantonalem Regierungsrat, Kunstkommission und Museumsleitung und ihre Zuständigkeiten. Eugène Delacroix' Gemälde *Die Auferweckung des Lazarus* zeigt die Kniffe auf, die parteikonforme Hamburger Museumsverantwortliche gegenüber dem Bankier Georges Behrens genutzt haben, um durch Inskription seiner wertvollen Bilder auf die *Liste der national wertvollen Kunstwerke* deren Verkauf ins Ausland zu verhindern. Der Aufsatz um ein Gemälde aus der Werkstatt Albrecht Altdorfers beleuchtet die Firmengeschichte der beiden jüdischen Kunsthandlungen Abris und Elkan Silberman mit Sitz in Wien und New York und Brüder Lion in München und Marienbad. Wie es dem klugen Investmentbanker Gustav(e) Michel Altmann durch internationale geschäftliche Verbindungen gelang, seine Familie vor Diskriminierung in Deutschland und später Frankreich zu schützen, vermittelt der Aufsatz über Pissarros *L'Étang de Montfaucault*. Auch der Berliner Unternehmer Richard Semmel besass ein Gemälde dieses Malers. Nachdem er es im Amsterdamer Exil verkaufen musste, ging es kurz darauf in eine Schweizer Privatsammlung ein.

Aus dieser wurde es Jahrzehnte später ans Kunstmuseum geschenkt. Für das Bild mit dem Titel *La Maison Rondest, l'Hermitage, Pontoise* wurde ein Kausalzusammenhang zwischen NS-Verfolgung und Verkauf nachgewiesen. Da zudem der Erlös zurück ins Deutsche Reich geflossen ist, leistete das Kunstmuseum den Erbinnen nach Richard Semmel 2024 eine Entschädigungszahlung, sodass seine Eigentümerschaft an dem Bild heute rechtmässig ist.

MUSEUMSGESCHICHTE

Die Institutionsgeschichte des Kunstmuseums Basel nimmt in diesem Band vergleichsweise wenig Raum ein. Sie spielt sich im Hintergrund der Fallbeispiele ab und bildet die Folie, vor der sich die einzelnen Erzählungen entfalten. Die Einbindung der Öffentlichen Kunstsammlung Basel in die Struktur des Kantons Basel-Stadt bedingt ein Wechselspiel und Ausloten von Verantwortlichkeiten zwischen Museumsdirektoren, Kunstkommissionsmitgliedern und Politikern. Deren Ablehnung hat dazu geführt, dass der deutsche Kunsthistoriker und Sinologe Otto Fischer mit seinem Versuch, das Haus als Konservator (Direktor) in Richtung Gegenwartskunst zu führen, in den frühen 1930er-Jahren scheiterte. 1938 trat er überraschend zurück.[2] Seinem Schweizer Nachfolger Georg Schmidt gelang es 1939 mit einem Sonderkredit des Kantons, 21 Kunstwerke, die vom nationalsozialistischen Staat als «entartet» diffamiert, beschlagnahmt und aus deutschen Museen entfernt worden waren, für Basel zu erwerben. In seinen eigenen Worten machte er das Haus so «zum Träger, einer zugleich eminent deutschen und eminent europäischen Aufgabe, nachdem die deutschen Museen gezwungen worden sind, diese Aufgabe preiszugeben.»[3] Der Kunsthistoriker Alfred Hentzen attestierte dem Kunstmuseum folglich 1956, nachdem «alle deutschen Museen ihrer Bestände zeitgenössischer Kunst beraubt» worden waren, «die beste und geschlossenste Sammlung der Kunst des 20. Jahrhunderts [zu sein], die irgendwo in Europa existiert.»[4]

Ebenfalls nur kurz angesprochen wird die Auslagerung der musealen Bestände infolge des Kriegsausbruchs nach Schloss Blankenburg und später ins Kunstmuseum Bern. Der Transport band unvorhergesehen viele finanzielle Ressourcen und schränkte dadurch die Möglichkeit für Ankäufe vorübergehend ein. Ab 1940 konnte das Museum seine Aktivitäten mit einem reduzierten Betrieb wiederaufnehmen. Ein Teil der in Basel verbliebenen Bestände wurde in wechselnden Präsentationen für das Publikum zugänglich gehalten. Zeitgleich stieg die Zahl der ins Kunstmuseum verbrachten Deposita. Diese temporären Leihgaben stammten von aus Deutschland Geflüchteten, die auf diese Weise einzelne Kunstwerke oder grössere Sammlungskonvolute vor Kriegseinwirkungen oder vor dem Zugriff der Nationalsozialisten zu schützen suchten. Nach dem Krieg ergingen 1945 zwei aufeinanderfolgende Bundesratsbeschlüsse, die die Schweizer Museen aufforderten, diese deutschen Einlagerungen vorläufig festzusetzen und an die Devisenstelle zu melden. Bis zur offiziellen Klärung der Eigentumsverhältnisse konnten sie aus dem Land nicht ausgeführt werden. Im Dezember 1945 folgte dann der schweizerische Raubgutbeschluss, der bestohlene Eigentümer:innen ermächtigte, verlorene Wertgegenstände gerichtlich zurückzufordern und es den Museen für einige Zeit untersagte, Kunstwerke aus ausländischem Vorbesitz ungeprüft zu erwerben. So sollte verhindert werden, dass durch den Einfluss des Nationalsozialismus entwendete oder von den Sammler:innen abgepresste Objekte in Schweizer Museumsbesitz übergingen – es war quasi die Geburtsstunde der Provenienzforschung in der Eidgenossenschaft. Das Interesse an der Herkunft von Neuerwerbungen nahm dann in den 1960er- bis 1990er-Jahren (nicht nur national) wieder ab, um 1998 mit den Washingtoner Prinzipien international ins allgemeine Bewusstsein zu rücken. In der Schweiz war die erste Antwort darauf der Bergier-Bericht, mit dem ein grosser Schritt in Sachen Aufarbeitung gelang. Nach einer erneuten Unterbrechung von etwas über zehn Jahren ging aus dem Legat Cornelius Gurlitt ans Kunstmuseum Bern 2013 eine neue, gestärkte Aufmerksamkeit für das Thema auf Bundesebene hervor.

Die Geschichte des Kunstmuseums Basel wurde durch seine Sammlungszuwächse in Form von Ankäufen, Schenkungen, Legaten und Dauerleihgaben geprägt. Die Provenienzprüfung von Neuerwerbungen vor Eingang in den Sammlungsbestand ist heute (wie 1945 kurzzeitig eingeführt) wieder Standard.

2. Die lange Zeit undurchsichtig gebliebenen Umstände von Otto Fischers freiwilligem Rücktritt im August 1938 in den gesundheitlich bedingten Frühruhestand sind umfassend in den Akten des Erziehungsdepartements dokumentiert. Vgl. StABS, DD7 Erziehungsakten 1938–1939. Zu Fischers und Schmidts Bemühen, die Öffentliche Kunstsammlung Basel für die moderne Kunst zu öffnen vgl. Anita Haldemann/Judith Rauser (Hrsg.), Der Sammler Curt Glaser. Vom Verfechter der Moderne zum Verfolgten, Ausst.-Kat. Kunstmuseum Basel (22. Oktober 2022 – 12. Februar 2023), Berlin 2022, sowie

Eva Reifert/Tessa Rosebrock (Hrsg.), Zerrissene Moderne. Die Basler Ankäufe «entarteter» Kunst, Ausst.-Kat. Kunstmuseum Basel (22. Oktober 2022 – 19. Februar 2023), Berlin 2022.
3. Georg Schmidt an Fritz Hauser, 17. Juni 1939, in: KMB, Archiv, O 001.067.009.
4. Vgl. Alfred Hentzen an Christoph Bernoulli, 19. Februar 1956, in: KMB, Archiv, assoziierte Bestände (Georg Schmidt zum 60. Geburtstag), o. Sign.

Kunstmuseum Basel, Blick in den grossen Innenhof, 1952

der historischen Betrachtung heraus lässt sich konstatieren, dass Geschäfte auch in Kriegszeiten manchmal «nur» Geschäfte waren. Das Interesse an der Herkunft der Objekte und an den Umständen, die zu ihrer Veräusserung führten, war nicht zwingend gegeben und hatte nur in Ausnahmesituationen Einfluss auf den gezahlten Preis. Aus heutiger Perspektive ist dies bemerkenswert und löst mitunter Befremden aus. Umso mehr Gewicht erhalten in den vorliegenden Essays die bewegenden Lebensgeschichten der einstigen Eigentümer:innen, die im Zusammenhang mit den Werken des Kunstmuseums hervortreten. Die Veröffentlichung dieser Aufsatzsammlung ist dabei mit der Hoffnung verbunden, möglichst viele Menschen zu erreichen und durch das Offenlegen neuer Quellen nicht zuletzt auch Forschung an anderen Institutionen oder innerhalb von Familien voranzubringen.

DANK

Dieses Buch ist eine Teamarbeit von Katharina Georgi-Schaub, Vanessa von Kolpinski und mir. Wir haben das aufwendige Forschungsprojekt 2023–2024 gemeinsam umgesetzt und im Anschluss die ausgewählten Fallbeispiele in Essays umgeschrieben. Für die enge und vertrauensvolle Zusammenarbeit bin ich sehr dankbar. Nicht alle benötigten Informationen waren unmittelbar verfügbar oder konnten durch Eigenleistung recherchiert werden. Daher gilt unser Dank allen Kolleg:innen, die in internationalen Museen, Auktionshäusern, im Kunsthandel, in Archiven und Bibliotheken oder freischaffend in der Provenienzforschung tätig sind, und die uns mit Quellen, Bildern und Hinweisen bei unseren Untersuchungen unterstützt haben. Wir danken dem Arbeitskreis Provenienzforschung e.V., insbesondere den Mitgliedern der Arbeitsgruppe «Fluchtgut», für angeregte Gespräche und fachlich hilfreichen Austausch. Gleiches gilt für die Mitglieder des Schweizerischen Arbeitskreises Provenienzforschung (SAP/ASP). Die Offenheit und das Interesse vieler Kunsthistoriker:innen, Historiker:innen und Rechtswissenschaftler:innen, die Kenntnisse zu ausgewählten Personen teilten, waren unentbehrlich für unsere Nachforschungen. Nicht zu vergessen die Dokumentalist:innen weltweit, die sich dafür einsetzen, dass die Datenverfügbarkeit online stetig wächst.

WAS WILL DIESES BUCH?

Die kunstgeschichtlichen Parameter eines Werks und die Ikonografie der jeweiligen Darstellung zu kennen, ist wichtig. Gleiches gilt für die aufgearbeitete Herkunftsgeschichte – die Objektbiografie und die früheren Eigentumskontexte. Sehr unterschiedliche Situationen können zu Sammlungseingängen in Museen führen. Insbesondere in Kriegszeiten ist praktisch jedes Szenario denkbar. Das Verhältnis der Institutionen zu den Vorbesitzer:innen ist nicht gleichgültig und soll mitberücksichtigt werden. Aus

Im Kunstmuseum gibt es zahlreiche Unterstützende, die für das Projekt im Einsatz waren. Zuerst sind hier Rainer Baum und Jennifer Rath vom Archiv des Kunstmuseums zu nennen, die durch ihren die Quellen betreffenden Kenntnisreichtum, aber auch durch die Klassifizierungs- und Verzeichnungsarbeit des Archivmaterials für die hiesige Provenienzforschung unentbehrlich sind. Weiterhin danken wir den Hausfotografen Max Ehrengruber und Jonas Schaffter, die für die Neuaufnahme einiger Kunstwerke von vorn und hinten sowie die Reproduktion von historischem Bildmaterial verantwortlich zeichnen. Der Austausch mit der Leiterin des Kupferstichkabinetts Anita Haldemann sowie den Sammlungskurator:innen Eva Reifert und Bodo Brinkmann und ihren Teams war unerlässlich und stets gewinnbringend für unsere Arbeit. Die Sammlungsmanagerin Svenja Held wie auch die Kolleg:innnen der Restaurierung, insbesondere Sophie Eichner und Annegret Seger, standen uns beim Umgang mit den Originalen zur Seite. Lena Lehmann im Kupferstichkabinett half bei Fragen zu einigen Zeichnungsprovenienzen. Andrea Walker hat die Provenienzforschung als Praktikantin beim Endspurt des Projekts verstärkt.

Unter den Mitgliedern der Kunstkommission, die als höchstes Entscheidungsgremium des Kunstmuseums die Entwicklung der Fallstudien und das Entstehen des Buchs mit grossem Interesse verfolgt hat und die Veröffentlichung unterstützt, sind Felix Uhlmann, Christoph Gloor und Ralph Ubl zu nennen. Zusammen mit Anita Haldemann, in ihrer Funktion als stellvertretende Direktorin und Bereichsleiterin Kunst und Wissenschaft am Kunstmuseum, haben sie sich intensiv mit den Fallstudien auseinandergesetzt, sie vorab gelesen und diskutiert. Diesem umfassenden ehrenamtlichen Engagement gilt höchste Anerkennung. Luzie Diekmann vom Deutschen Kunstverlag verdanken wir die umsichtige Koordination des Projekts, Michael Konze das aufmerksame Lektorat; Ilka Backmeister-Collacott das Korrektorat. Harald Pridgar ist für die besondere Gestaltung des Buchs verantwortlich und die Idee zu den Klappseiten, die den verhandelten Gegenstand beim Lesen allgegenwärtig machen.

Die mehrjährige Tiefenerforschung wie auch diese Publikation erfuhren grosszügige Unterstützung durch Mittel der Rahmenausgabenbewilligung für aktive Provenienzforschung in den kantonalen Museen (RAB) der Abteilung Kultur des Kantons Basel-Stadt. Ohne diesen finanziellen Support wären die Zusammenstellung der Ergebnisse und ihre Veröffentlichung nicht möglich gewesen. Die Freiwillige Akademische Gesellschaft Basel (FAG) und eine Basler Stiftung haben auf den letzten Metern jeweils einen beachtlichen Beitrag zur Finalisierung des Vorhabens geleistet. Auch hierfür unseren aufrichtigen Dank.

Ich persönlich danke Josef Helfenstein, Direktor des Kunstmuseums bis 2023, für die mir übertragenen Aufgaben, eine Abteilung aufzubauen, eine Strategie zu entwickeln, hausinterne Prüfprozesse zu etablieren und so die Provenienzforschung am Kunstmuseum Basel voranzubringen. Seiner Nachfolgerin Elena Filipovic danke ich für ihr Vertrauen. Weiterhin gilt mein besonderer Dank meiner Mitarbeiterin Katharina Georgi-Schaub, die nicht nur als Autorin einiger der hier versammelten Texte auftritt, sondern auch den redaktionellen Prozess und die sonstige Arbeit an dem Buch hervorragend mitgetragen hat.

Der Austausch mit den Nachfahren der Protagonist:innen dieser Texte war wichtig. Neben persönlichen Erinnerungen, die in guten Gesprächen mit uns geteilt wurden, verdanken wir ihnen einige der historischen Fotos in diesem Band. Hier seien namentlich Ilana Wistinetzki und Yoram Kedem sowie Thomas Schayer erwähnt, ausserdem Carlos Altmann, Cyril Deicha, der Rechtsvertreter der Erb:innen nach Richard Semmel und Max Emden, Olaf Ossmann, und die Erben nach Rita Janett.

Wir geben diese Arbeit jetzt in die Welt und versichern: Es geht weiter.

Tessa Rosebrock, Leiterin Provenienzforschung Kunstmuseum Basel

KATHARINA GEORGI-SCHAUB

VON OSTPREUSSEN ÜBER PALÄSTINA NACH BASEL.

STATIONEN EINER LEHMBRUCK-PLASTIK AUS DER SAMMLUNG VON MAX WISTINETZKI

Ende 1938 erwarb das Kunstmuseum Basel den lebensgrossen Steinguss *Torso der Grossen Stehenden* von Wilhelm Lehmbruck (Abb. 1). Die Entstehung des Werks mit seiner klassischen Formensprache datiert in das Jahr 1910, zu Beginn von Lehmbrucks Aufenthalt in Paris. In der französischen Hauptstadt beschäftigte er sich wiederholt mit dem Thema der Fragmentierung des menschlichen Körpers. Die Plastik ist das Ergebnis der Reduktion der im selben Jahr geschaffenen Ganzfigur *Grosse Stehende*.[1] Unter den Torsi des Künstlers ist sie der grösste. Der vorliegende Steinguss wurde spätestens Anfang 1920 realisiert, autorisiert durch Anita Lehmbruck (1879–1961), Witwe und Nachlassverwalterin des im März des Vorjahres durch Suizid aus dem Leben geschiedenen Künstlers. Im November 1938 wurde das Geschäft zwischen der Kunstkommission und dem Eigentümer, dem in Palästina lebenden Max Wistinetzki (1878–1950), für 2.000 CHF besiegelt.

CHRONOLOGIE DES ANKAUFS

Die Korrespondenz zu dieser Erwerbung geht bis in den Herbst des Vorjahres zurück: Am 11. September 1937 erhielt Museumsdirektor Otto Fischer (1886–1948) einen Brief von dem ihm bis dato unbekannten Prof. Dr. Rudolf Cohn (1862–1938), abgesandt von einer Adresse im damals unter britischem Mandat stehenden Palästina (Meged, Post Pardess Hanna).[2] Cohn bot dem Kunstmuseum zwei in seinem Besitz befindliche Gemälde von Lovis Corinth zum Ankauf an.[3] Ferner fragte er, ob Interesse bestehe an einem «weiblichen Torso von Lehmbruck, graugelber Stein, etwa 1,24 m hoch, erworben aus einer Ausstellung im Kronprinzen Palais in Berlin von der Witwe des Künstlers.»[4] Auf Fischers Interessensbekundung, die sich zunächst sowohl auf das Corinth-Bildnis als auch auf die Lehmbruck-Plastik richtete, später jedoch ausschliesslich auf Letztere konzentrierte, antwortete Cohn am 12. Oktober 1937 mit der Zusendung eines alten Fotos (Abb. 2) und präzisierte die Angaben aus seinem ersten Schreiben: Der Torso sei «bereits Anfang 1920, also kurz nach dem Tode des Künstlers gekauft und signiert.» Als Garant für die Qualität des Gusses führte er einerseits den Ausstellungsort, das Kronprinzenpalais der Berliner Nationalgalerie, an, andererseits den «Kunstexperten Dr. Ludwig Burchard», der den Ankauf seinerzeit vermittelt habe.[5]

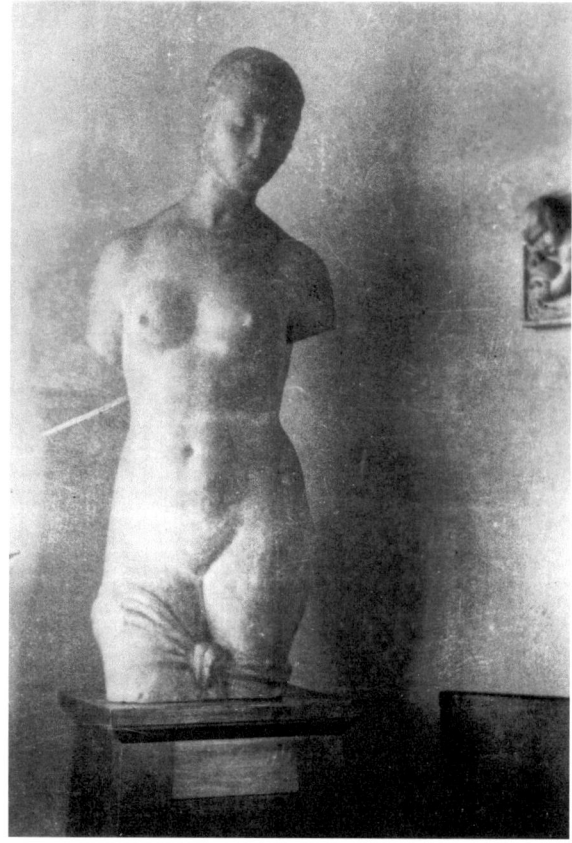

Rund zwei Monate später, am 14. Dezember 1937, informierte Otto Fischer seinen Korrespondenzpartner über das Ergebnis der am Vortag abgehaltenen Sitzung der Kunstkommission. Das Gremium habe sich interessiert an einem Ankauf der Plastik gezeigt, müsse diese jedoch vor Abgabe eines Preisangebots unbedingt vor Ort im Original besichtigen. Er schlug vor, den Torso von Lehmbruck «auf Ihre Kosten hierher zu senden».[6] Im Gegenzug bot er Hilfe bei der Erledigung der Einfuhrformalitäten an und signalisierte Unterstützung bei einem Verkauf an Dritte, sollte ein Geschäft mit dem Kunstmuseum Basel nicht zum Abschluss kommen. Nachdem die recht komplizierten Vorbereitungen für die Spedition geregelt waren, meldete Cohn am 4. April 1938, er habe gerade die Firma Kober & Jellinek in Haifa mit dem Transport der Plastik nach Basel beauftragt.[7]

Zweieinhalb Monate später konnte die Kunstkommission den im Foyer des Museums im 1. Obergeschoss aufgestellten Frauentorso besichtigen. Das Votum war zwar insgesamt positiv, man berichtete vom «Eindruck einer bedeutenden plastischen Schöpfung», andererseits wiesen Fischer und weitere Kollegen auf die «nicht sehr

Abb. 2: Fotografie der Plastik *Torso der Grossen Stehenden*, Beilage zum Brief von Rudolf Cohn an Otto Fischer, 12. Oktober 1937

WILHELM LEHMBRUCK (1881–1919)

TORSO DER GROSSEN STEHENDEN
1910 (GUSS: 1920)

Steinguss (Zementguss)
Höhe: 117 cm
Signiert seitlich am rechten
Oberschenkel: LEHMBRUCK

Kunstmuseum Basel, Inv. P 69
Ankauf 1938

PROVENIENZ:

1920 – November 1938:
Max Wistinetzki (1878–1950), Allenstein,
Ostpreussen (heute Polen) / seit 1934 Meged,
Palästina (heute Israel), angekauft bei
Anita Lehmbruck

November 1938 – heute:
Kunstmuseum Basel, angekauft bei
Max Wistinetzki

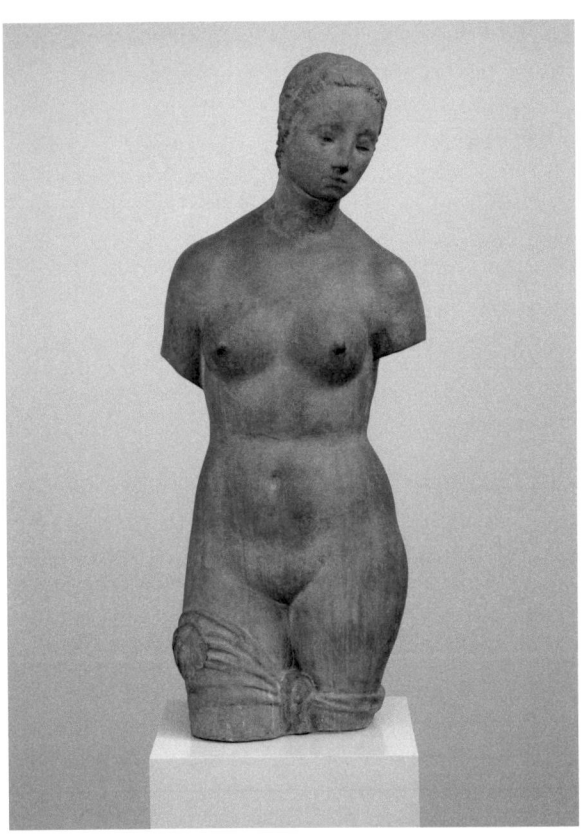

angenehme Materialwirkung und auf die Gefahr der Erhaltung hin [...]. Der Konservator wäre daher nur bei einem billigen Preis für eine Erwerbung.» Man entschied sich, dem Besitzer ein Angebot in Höhe von 1.500 CHF zu machen und «äussersten Falls bis Fr. 1'800 zu gehen».[8]

In einer kurzen Notiz vom 8. Juli 1938 teilte Cohn mit, dass es sich beim Eigentümer des Torsos um «Herrn Wistinetzki in Meged» handele, dessen Interessen er lediglich während seiner Abwesenheit wahrgenommen habe.[9] Fortan wurde die Korrespondenz mit Wistinetzki direkt geführt. Dieser zeigte sich in seinem ersten Brief enttäuscht über das niedrige Angebot von umgerechnet «noch nicht 70 Pfund», was den angebotenen 1.500 CHF entspricht. Er wies darauf hin, dass allein der Transport von Palästina in die Schweiz ihn «mehr als 12 Pfund (ca. 300 frc [recte circa 260 CHF])», gekostet habe.[10] Als Referenz für seine eigenen Preisvorstellungen nannte er ein knapp zwei Jahre zurückliegendes Angebot der Kunsthandlung Nierendorf, Berlin, vom September 1936, das sich auf «8 000 RM in Devisen» belaufen habe (circa 10.000 CHF nach Kurs im September 1936, und nach Abwertung des Schweizer Frankens im Herbst 1936 gut 14.000 CHF im Sommer 1938). Der Verkauf sei damals lediglich daran gescheitert, dass der amerikanische Kaufinteressent das Werk gerne im Original gesehen hätte, die Plastik sich jedoch bereits in Palästina befand. Abschliessend äusserte Wistinetzki die Hoffnung auf ein höheres Angebot oder auf Hilfe bei einem anderweitigen Verkauf.

Im Antwortschreiben vom 1. September 1938 wurde das Angebot tatsächlich von 1.500 auf 1.800 CHF erhöht,[11] reichte damit jedoch noch lange nicht an die Vorstellungen des Anbieters heran. Am 9. September nannte dieser als niedrigsten, für ihn akzeptablen Preis «besonders mit Rücksicht darauf, dass die Plastik in einer öffentlichen Kunstsammlung viele Besucher erfreuen würde [...] L.P. 120.- (2 500 fr)». Gleichzeitig führte er dabei aus, dass seine ursprüngliche Mindesterwartung bei 200 GBP gelegen habe (circa 4.160 CHF).[12] Die Preisvorstellungen des Verkäufers wurden an der vierzehn Tage später anberaumten Sitzung der Kunstkommission erneut besprochen, und man fasste bezüglich des weiteren Vorgehens folgenden Beschluss: «Lehmbruck: Frauentorso. Der Besitzer ist mit unserem zweiten Angebot von 1800 Fr. nicht zufrieden und verlangt 2500 Fr. Da momentan wohl wenig Gefahr für einen anderen Verkauf vorliegt, soll auf den 1800 Fr. beharrt werden.»[13]

1. Vgl. Dietrich Schubert, Wilhelm Lehmbruck. Catalogue raisonné der Skulpturen. 1898-1919, Worms 2001, Nr. 51.
2. Vgl. Rudolf Cohn an Otto Fischer, 11. September 1937, in: KMB, Archiv, F 001.030.003.000. Cohn war Professor für Innere Medizin und Pharmakologie in Königsberg; als Kunstmäzen war er u.a. mit Lovis Corinth und Heinrich Wolff befreundet. Nachdem er als Jude 1933 seines Amtes enthoben worden war, wanderte er noch im selben Jahr nach Palästina aus. Vgl. https://de.wikipedia.org/wiki/Rudolf_Cohn (14.1.2025).
3. Genannt sind *Der Athlet*, 1903 (vgl. Charlotte Berend-Corinth, Die Gemälde von Lovis Corinth. Werkkatalog, München 1958, Nr. 251, heutiger Aufbewahrungsort unbekannt) sowie *Porträt Charlotte Corinth in brauner Bluse*, 1910 (ebd., Nr. 429, heutiger Aufbewahrungsort unbekannt). Das Porträt wurde 1966 versteigert. Vgl. Graphik, Handzeichnungen, Aquarelle und Gemälde des 15.-20. Jahrhunderts, Aukt.-Kat. Karl & Faber, 17. Mai 1966, Los 226. Anschliessend befand es sich in der Sammlung des Kinderarztes Dr. Gustav Rau (1922-2002), der es dem Kinderhilfswerk UNICEF zur Veräusserung vermachte. 2013 erfolgte die Versteigerung. Vgl. Moderne Kunst und Sammlung Rau für UNICEF, Aukt.-Kat. Kunsthaus Lempertz, Köln, 25. Mai 2013, Los 660, www.lempertz.com/de/kataloge/lot/1013-1/660-lovis-corinth.html (14.1.2025).
4. Rudolf Cohn an Otto Fischer, 11. September 1937, in: KMB, Archiv, F 001.030.003.000.
5. Rudolf Cohn an Otto Fischer, 12. Oktober 1937, in: KMB, Archiv, F 001.030.003.000. Der erwähnte Ludwig Burchard (1886-1960) ist vor allem durch seine Forschung zu Peter Paul Rubens bekannt. Mit der Berliner Kunstszene war er nicht nur durch seine Forschungen am dortigen Kupferstichkabinett verbunden. 1935 verliess er aufgrund der antisemitischen Politik Deutschland und emigrierte mit seiner Familie nach England. Vgl. https://de.wikipedia.org/wiki/

Ludwig_Burchard). Sein Nachlass wird im Centrum Rubenianum in Antwerpen verwahrt. Vgl. https://rubenshuis.be/en/ludwig-burchard-collection (14.1.2025).
6. Otto Fischer an Rudolf Cohn, 14. Dezember 1937, in: KMB, Archiv, F 001.030.003.000, und Protokoll der Kunstkommissionssitzung, 13. Dezember 1937, S. 60-61, in: KMB, Archiv, B 001.001.016.000.
7. Vgl. Rudolf Cohn an Otto Fischer, 4. April 1938, in: KMB, Archiv, F 001.030.003.000.
8. Protokoll der Kunstkommissionssitzung, 23. Juni 1938, S. 115-116, in: KMB, Archiv, B 001.001.016.000.
9. Rudolf Cohn an Otto Fischer, 8. Juli 1938, in: KMB, Archiv, Erwerbungen 1938, P 69.
10. Max Wistinetzki an Otto Fischer, 22. Juli 1938, in: KMB, Archiv, Erwerbungen 1938, P 69. Aus Palästina schreibend, übermittelte Wistinetzki seine Preisvorstellungen in der Regel in der dort gängigen Landeswährung, also in Britischen Pfund (GBP). Umrechnungen durch die Verf. gemäss https://data.snb.ch/de/topics/ziredev/cube/devkuhism?fromDate=1931-12&toDate=1946-12 (14.1.2025).
11. Vgl. Kunstkommission an Max Wistinetzki, 1. September 1938, in: KMB, Archiv, Erwerbungen 1938, P 69. Die ab dem 1. September 1938 datierenden Briefe des Kunstmuseums Basel sind nicht mehr von Otto Fischer unterschrieben, sondern nur noch mit «i/Vertretung des Konservators». Fischer war im Sommer des Jahres von seinem Amt zurückgetreten.
12. Max Wistinetzki an Otto Fischer, 9. September 1938, in: KMB, Archiv, Erwerbungen 1938, P 69.
13. Protokoll der Kunstkommissionssitzung vom 25. September 1938, S. 139, in: KMB, Archiv, B 001.001.016.000, und Kunstkommission an Max Wistinetzki, 13. Oktober 1938, in: KMB, Archiv, Erwerbungen 1938, P 69.

Auf die Übermittlung der Position der Kunstkommission reagierte Wistinetzki mit einem handschriftlich verfassten Brief, der seine bedrängte finanzielle Lage spiegelt:

> «Durch den Umschwung in Deutschland habe ich nicht nur meinen Beruf, sondern auch den weitaus größten Teil meines beträchtlichen Vermögens verloren und bin wegen meines Alters nicht mehr in der Lage einen Beruf auszuüben. Für mich bedeutet daher selbst eine verhältnismäßig geringe Summe sehr viel. Sie haben zwar zu Ihrem ursprünglichen Gebot noch 300 frs zugelegt. Dieser Betrag deckt aber nur meine [letzten? – unleserlich] Auslagen für den Transport der Plastik von hier nach Basel. Ich würde also tatsächlich nur 1500 frs erzielen, also bei weitem nicht einmal meinen Gestehungspreis und nur etwa 1/6 des seiner Zeit von Nierendorf Berlin gebotenen Betrages. Es widerstrebt mir, auf alle diese Umstände hinzuweisen, aber meine finanzielle Lage zwingt mich leider dazu. Ich bitte mir baldgefl. mitzuteilen, ob Sie trotz allem Ihr Gebot von 1800 frs unter keinen Umständen erhöhen wollen [...]».[14]

Dieses Schreiben wurde in der Folgesitzung der Kunstkommission verlesen. Das Resultat schildert das Protokoll:

> «Prof. Simonius [der Kommissionsvorsitzende August Simonius (1885–1959)] regt eine letzte Erhöhung unseres Angebots auf Fr 2000.- an, womit sich auch der Kassier Herr Staechelin [Rudolf Staechelin (1981–1946)] einverstanden erklären kann, aber nur als unser letztes und zwar bis Ende November befristetes Angebot».[15]

Der Entschluss, «in Anbetracht Ihrer gewiss schwierigen Lage» das Gebot ultimativ und befristet auf 2.000 CHF (circa 96,25 GBP) zu erhöhen, wurde dem Verkäufer am 2. November 1938 mitgeteilt.[16] Ein Antwortschreiben Wistinetzkis, welches das Geschäft besiegelt, ist nicht überliefert, jedoch erkundigte er sich am 12. Dezember 1938, wann seine 2.000 CHF angewiesen würden. Am 19. Dezember bestätigte das Sekretariat des Kunstmuseums Wistinetzki die bereits zwei Wochen zuvor erfolgte Zahlung von 2.000 CHF an seine Bankverbindung in Haifa.[17]

BIOGRAFIE DES VERKÄUFERS

Aus der Korrespondenz mit dem Verkäufer der Lehmbruck-Plastik geht lediglich dessen Nachname hervor. Gemäss seinem Briefpapier praktizierte Wistinetzki als Rechtsanwalt und Notar in Allenstein/Ostpreussen (heute Olsztyn, Polen). Er strich die Adresse im Briefkopf durch und ersetzte sie durch die aktuelle Anschrift: «Meged, Palestine, Post Pardess Chanah» – eine kleine Siedlung rund 50 km südlich von Haifa.

Mithilfe der Angaben aus dem Briefkopf liess sich der an der Kaiserstrasse 42 gemeldete Rechtsanwalt Max Wistinetzki ermitteln (Abb. 3).[18] Die wichtigste Quelle zu dessen Biografie stellt seine Wiedergutmachungsakte im Berliner Landesarchiv dar.[19] Diese enthält einen sechseinhalb eng getippte Schreibmaschinenseiten umfassenden Lebenslauf, der

Abb. 3: Max und Klara Wistinetzki in Allenstein, o.D.

einen detaillierten Einblick in die Dimensionen seines Verfolgungsschicksals eröffnet.[20]

Geboren am 29. Januar 1878 in Thalheim, Ostpreussen, war Max Wistinetzki seit 1906 als Rechtsanwalt, seit 1912 auch als Notar in Allenstein zugelassen, wo er eine gut ausgestattete und offenbar erfolgreiche Kanzlei mit vier Angestellten betrieb. Am 23. März 1933 änderte sich das Leben des angesehenen Anwalts schlagartig, als er für sechs Wochen in Schutzhaft genommen wurde und ein Berufsverbot erhielt. Der gegen ihn vorgebrachte Vorwurf staatsfeindlichen kommunistischen Agierens entbehrte, wie Wistinetzki später gegenüber dem Wiedergutmachungsamt betonte, jeglicher Grundlage. Vielmehr habe es

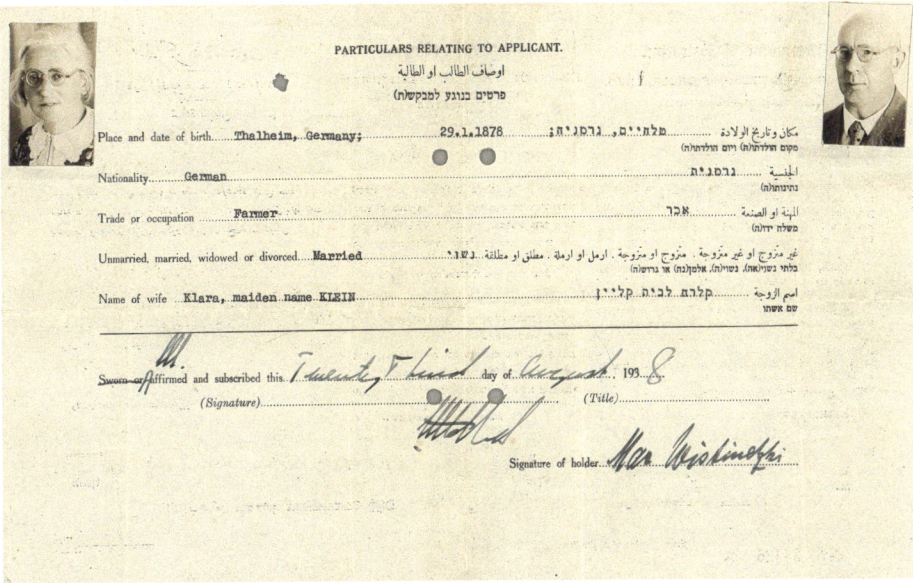

Abb. 4: Einbürgerungsurkunde von Max und Klara Wistinetzki für die britische Mandatszone Palästina, 23. August 1938

sich bei seiner Inhaftierung um einen persönlichen Racheakt mehrerer hochrangiger NS-Funktionäre gehandelt. Treibende Kraft war Erich Koch (1896–1986), seit 1928 Gauleiter in Königsberg.[21] Wegen von Wistinetzki gegen diesen erhobenen «schwersten Vorwuerfe[n]» hatte Koch einige Jahre zuvor in einem Gerichtsprozess einen Offenbarungseid leisten müssen. Nach der Machtübernahme der Nationalsozialisten war die Inhaftierung seines einstigen Widersachers offenbar eine seiner ersten Amtshandlungen gewesen.

Durch den Einsatz mehrerer Berufskollegen Wistinetzkis mit Beziehungen zur nationalsozialistischen Partei gelang seine Befreiung aus dem Gefängnis, wofür sie sich von ihm allerdings hohe Honorare bezahlen liessen. Unmittelbar nach der Rückkehr aus der Haft erhielt Max Wistinetzki Anfang Mai 1933 mehrere Morddrohungen. Zudem publizierte die Lokalzeitung die an ihn gerichtete Aufforderung, «Allenstein sofort zu verlassen». Das gegen Wistinetzki verhängte Berufsverbot sowie die in seinem Lebenslauf formulierte Erkenntnis, «dass in einem Staate, in welchem das Recht abgeschafft war, insbesondere fuer einen Juden, die Ausuebung des Anwaltsberufes unmoeglich» sei, veranlassten ihn, umgehend Konsequenzen zu ziehen. Am 5. Mai 1933 verliessen Max und seine Ehefrau Klara (geb. Klein) zusammen mit ihrem Sohn Johannes (Hans), hebräisch Jochanan (1916–1986), Allenstein und reisten zunächst nach Berlin, wo sie für einige Wochen bei Max' Schwester Olga (1881–1958) und deren Ehemann Paul Cohn unterkamen.

14. Max Wistinetzki an Kunstmuseum Basel, 22. Oktober 1938, in: KMB, Archiv, Erwerbungen 1938, P 69.

15. Protokoll der Kunstkommissionssitzung, 31. Oktober 1938, S. 10–11, in: KMB, Archiv, B 001.001.016.000.

16. Kunstkommission an Max Wistinetzki, 2. November 1938, in: KMB, Archiv, Erwerbungen 1938, P 69.

17. Vgl. Max Wistinetzki an Kunstmuseum Basel, 12. Dezember 1938, und Sekretariat der Öffentlichen Kunstsammlung an Max Wistinetzki, 19. Dezember 1938, in: KMB, Archiv O 001.031.021.000.

18. Vgl. Adreßbuch für die Regierungshauptstadt und den Landkreis Allenstein, Jahrgang 1927, S. 36, vgl. https://adressbuecher.genealogy.net/addressbook/entry/547470cf1e6272f5d0b9f770 (14.1.2025).

19. Zu den einzelnen Verfahren betreffend Max Wistinetzki vgl. LA Berlin, B Rep. 025-06, Nr. 3086/50 bis B Rep. 025-06, Nr. 3099/50. Die Aktensignaturen sind bislang noch nicht in der WGA-Datenbank verzeichnet.

20. Soweit keine andere Quelle genannt ist, entstammen die folgenden

Informationen Wistinetzkis Lebenslauf vom 1. Oktober 1949, in: LA Berlin, B Rep. 025-06, Nr. 3086/50.

21. Zur Biografie von Gauleiter Erich Koch, einem später als enger Gefolgsmann Hitlers für seine Brutalität berüchtigten Funktionär, vgl. https://de.wikipedia.org/wiki/Erich_Koch (14.1.2025), sowie den Eintrag im nationalsozialistischen Nachschlagewerk: Das Deutsche Führerlexikon, Berlin 1934, S. 241: www.ub.uni-koeln.de/cdm/ref/collection/dirksen/id/236503 (14.1.2025). Ausführliche wissenschaftliche Biografie von Ralf Meindl, Ostpreußens Gauleiter. Erich Koch – eine politische Biographie, Osnabrück 2007, online https://perspectivia.net/servlets/MCRFileNodeServlet/ploneimport_derivate_00011474/meindl_koch.pdf (22.1.2025). In Wistinetzkis Inhaftierung war auch der im März 1933 neu ins Amt gesetzte Allensteiner Oberbürgermeister Friedrich Schiedat (1900–1966) involviert. Vgl. https://de.wikipedia.org/wiki/Friedrich_Schiedat#:~:text=Friedrich%20(Fritz)%20Schiedat%20(*%206,April%201933%20bis%20Januar%201945 (14.1.2025).

Im Juni erfolgte die Weiterreise nach Frankreich, am 3. Januar 1934 die definitive Abmeldung aus Deutschland. Von Marseille aus schiffte sich die Familie im Winter nach Haifa ein. Das offizielle Einwanderungsvisum datiert vom 18. Februar 1934. Am 23. August 1938 erhielten Max und Klara Wistinetzki die palästinensische (seit 1948 israelische) Staatsbürgerschaft (Abb. 4).

Die von Max Wistinetzki formulierten Wiedergutmachungsansprüche reichen von Schaden an Eigentum, Schaden an Vermögen, Schaden durch Zahlung von Sonderabgaben bis zu Geldstrafen, Bussen und sonstigen Kosten. Insgesamt beliefen sich seine Forderungen auf 117.904,70 RM.[22] Besonders hart traf den Rechtsanwalt die Tatsache, dass ihm jegliche Verhandlungsmöglichkeit mit den zahlreichen Interessenten für seine Kanzlei verwehrt blieb. Diese hätten sich zur Zahlung von grosszügigen Beträgen für die Übernahme des «Goodwill» (also des immateriellen Geschäftswerts) bereit erklärt, der etwa seine umfangreichen Kundenkontakte umfasste. Weiterhin war Wistinetzki durch die überstürzte Ausreise aus Deutschland nicht in der Lage gewesen, seine Immobilien selbsttätig zu liquidieren. Für die Verwaltung einer Mietwohnung in Berlin sowie einer seiner Ehefrau gehörenden Ziegelei in Passenheim, südöstlich von Allenstein, war er gezwungen, einen Bevollmächtigten einzusetzen, der ihn offenbar um einen Grossteil der laufenden Einkünfte betrog und bei der 1935 erfolgten Liquidation übervorteilte. Ein von Wistinetzki angestrengter Prozess endete 1936 in einem für ihn äusserst ungünstigen Vergleich.

Nachdem die Anträge auf Wiedergutmachung des am 27. September 1950 verstorbenen Max Wistinetzki 1951 abgelehnt worden waren,[23] nahm sein Sohn Jochanan[24] das Verfahren des Vaters 1957 wieder auf. Seine Entschädigungsanträge geben Einblicke in die persönlichen Lebensumstände der Familie, sowohl bis zum Verlassen der Heimat als auch nach der Ankunft im Exil. Für sich selbst beantragte er ausschliesslich Ausgleichzahlungen für Schaden im beruflichen Fortkommen.[25]

In Max Wistinetzkis Entschädigungsakte finden sich mehrere eidesstattliche Erklärungen von Familienmitgliedern, unter anderem von Max' Tochter Esther Marianne Philippsborn, geborene Wistinetzki (*1907–?).[26] Die ältere Schwester von Jochanan hatte zum Zeitpunkt der Flucht von Eltern und Bruder mit ihrem Ehemann in Berlin gelebt, scheint ihnen jedoch bald darauf nach Palästina gefolgt zu sein.[27]

Esther Marianne schildert die privilegierten Umstände, unter denen die Familie dank der erfolgreichen beruflichen Tätigkeit ihres Vaters in Allenstein lebte (Abb. 5). So beschreibt sie die repräsentative 7-Zimmer-Wohnung, die sich an die Kanzleiräume anschloss, und das wertvolle Wohnungsinventar. An Kunstwerken nennt sie auch die hier interessierende Lehmbruck-Plastik: «Unter den Bildern, die er besass, waren 2 Corinths, ein Lesser-Ury, wertvolle Radierungen, eine grosse Skulptur von Lehmbruck, sowie kleine Skulpturen namhafter Künstler». Sie selbst und ihre Schwester[28] hätten eine gute Ausbildung, teils sogar im Ausland, erhalten und sie und ihr Ehemann seien nach ihrer Hochzeit von den Eltern in grosszügiger Weise beim Kauf und Umbau eines Doppelhauses in Berlin-Pankow unterstützt worden (Abb. 6a/b).

Aus der eidesstattlichen Erklärung geht zudem hervor, warum sich ihre Eltern, nachdem der weitere Aufenthalt in

Abb. 5: Die drei Kinder von Max und Klara Wistinetzki: Elisabeth, Jochanan und Esther Marianne, Studioaufnahme um 1920

„EIDESSTATTLICHE VERSICHERUNG!

Ich,die unterzeichnete Esther Marianne Philippsborn,geb. Wistinetzki,wohnhaft in Qiryat Yam,Israel bin am 22.12.07 in Allenstein,
Ostpreussen geboren. Ich versichere an Eidesstatt die Richtigkeit
nachstehender Angaben.

Der verstorbene Max Wistinetzki,früher wohnhaft in Allenstein,
war mein Vater.Er war von 1906 bis 1933 dort als Rechtsanwalt,später
auch als Notar tätig.Er hatte in Allenstein eine der grössten Anwalts-
praxen,beschäftigte einen Bürovorsteher und 3-4 weibliche Angestell-
te.Er war einige Jahre mit Rechtsanwalt Hans Westphal assoziiert.Das
Büro bestand aus 3 Räumen,die sich an die Wohnung anschlossen!Diese
bestand aus 7 Zimmern etc. und war mit wertvollem Mobiliar ausge-
stattet.Über die genaue Höhe des Einkommens meines Vaters kann ich
keine Angaben machen.Jedoch weiss ich ,dass er zu den grössten Steuer-
zahlern in Allenstein gehörte.Seine Klienten waren meist Kaufleute
und Grossgrundbesitzer,sowie die polnische Bank Ludovy.Sein Einkommen ermöglichte es ihm,jährlich mit meiner Mutter AUSLANDSreisen zu
machen,Kunstschätze und Literatur zu sammeln.Unter den Bildern ,die
er besass,waren 2 Corinths,ein Lesser-Ury,wertvolle Radierungen,eine
grosse Skulptur von Lehmbruck,sowie kleinere Skulpturen namhafter
Künstler.

Mein Vater war imstande mir und meiner Schwester in den Jahren
1926-1930 eine Berufsausbildung unter Verfügungstellung grosszügiger
Mittel zu gewähren.Ich besuchte von 1924-26 das Kindergärtnerinnen-
seminar des Pestalozzi-Froebel-Hauses in Berlin,studierte im Jahr
1928/2 9 am University College in London,besuchte danach zwei Jahre
das Wohlfahrtspflegerinnenseminar des Pestalozzi-Froebel-Hauses,berlin.
Meine Schwester studierte zur gleichen Zeit an den Universitäten
München und Breslau. Als ich im Jahre 1932 heiratete,erhielt ich eine
Aussteuer im Werte von etwa 15 000,-RM,ausserdem ein Doppelhaus im
Berlin-Pankow.Um dieses Haus rentabel zu gestalten,investierte mein
Vater erhebliche Beträge für Reparaturen und gewährte uns einen monat-
lichen Zuschuss von mehreren hundert Mark anstelle der noch unzurei-
chenden Einkünfte aus dem Haus.

Mein Vater besass noch ein Mietshaus in der Petersburgerstrasse
in Berlin,eine Ziegelei in Passenheim,auch besass er einen grossen
Personenwagen.

Die Inschutzhaftnahme meines Vaters erfolgte im März 1933 im
Zuge des Nationalsozialismus.Wie mein Vater mir später erzählte,
hatte er namens seiner Klientin,Frau Koch,deren Sohn den Gauleiter
Koch in Königsberg,zum Offenbarungseid laden lassen Als Koch sein Amt
als Gauleiter antratt,war die Inhaftierung meines Vaters eine seiner
ersten Handlungen.Meiner Schwester gelang es mit R.A. v.Lossbergs und
Dr.Banges Hilfe meines Vaters Befreiung zu erwirken.Dr.Bange nahm Bezug auf seine persönlichen Beziehungen zu hohen Nazifunktionären.Er
gab an ,dass es nur durch deren Intervenierung gelungen wäre,meinen
Vater zu befreien.Dafür liess Bange sich aussergewöhnlich hohe Honorare
bezahlen. Am gleichen Tag,an dem mein Vater in seine Wohnung zurückkehrte,erschien in der lokalen Zeitung die Warnung "dass,falls der
jüdische freigelassene Rechtsanwalt die Stadt nicht umgehend verlassen
würde,keine Sicherheit für sein Leben übernommen werden könne."Meine
Eltern und mein damals 16 jähriger Bruder reisten sofort unter Mitnah-
me nur ihrer persönlichen Sachen nach Berlin,wo sie bei meines Vaters
Schwester Frau Olga Cohn und deren Gatten Paul Cohn in Tempelhof,Siegert-
weg Unterkunft fanden.Anfang Juni verliessen sie auf Grund weiterer
Drohungen Deutschland und gingen nach Frankreich,wo sie bis zu ihrer
Auswanderung,die im Winter 1933/34 von Ma rseilles nach Palästina erfolg-
te,verblieben, Der Haushalt in Allenstein wurde von meinem verstorbenen
Vetter,Werner Fra nkenstein,aufgelöst.Zwei 5m.Lifts,eine Kiste mit
einem Konzertflügel wurden durch die Fa.Brasch & Rothenstein,Berlin nach
Palästina gesandt.

Mein Vater war seit seiner Studentenzeit überzeugter Zionist und
und spendete im Lauf der Jahre grosse Summen für zionistische Zwecke.
Er hatte im Jahr 1910 seine erste Palästinareise gemacht,im Jahr 1925
mit meiner Mutter die zweite.Damals erwarb er ein Baugrundstück in
der Panoramastrasse auf dem Karmel und

Abb.6a: Eidesstattliche Erklärung von Esther Marianne Philippsborn, geb. Wistinetzki,
Haifa, 1. September 1957

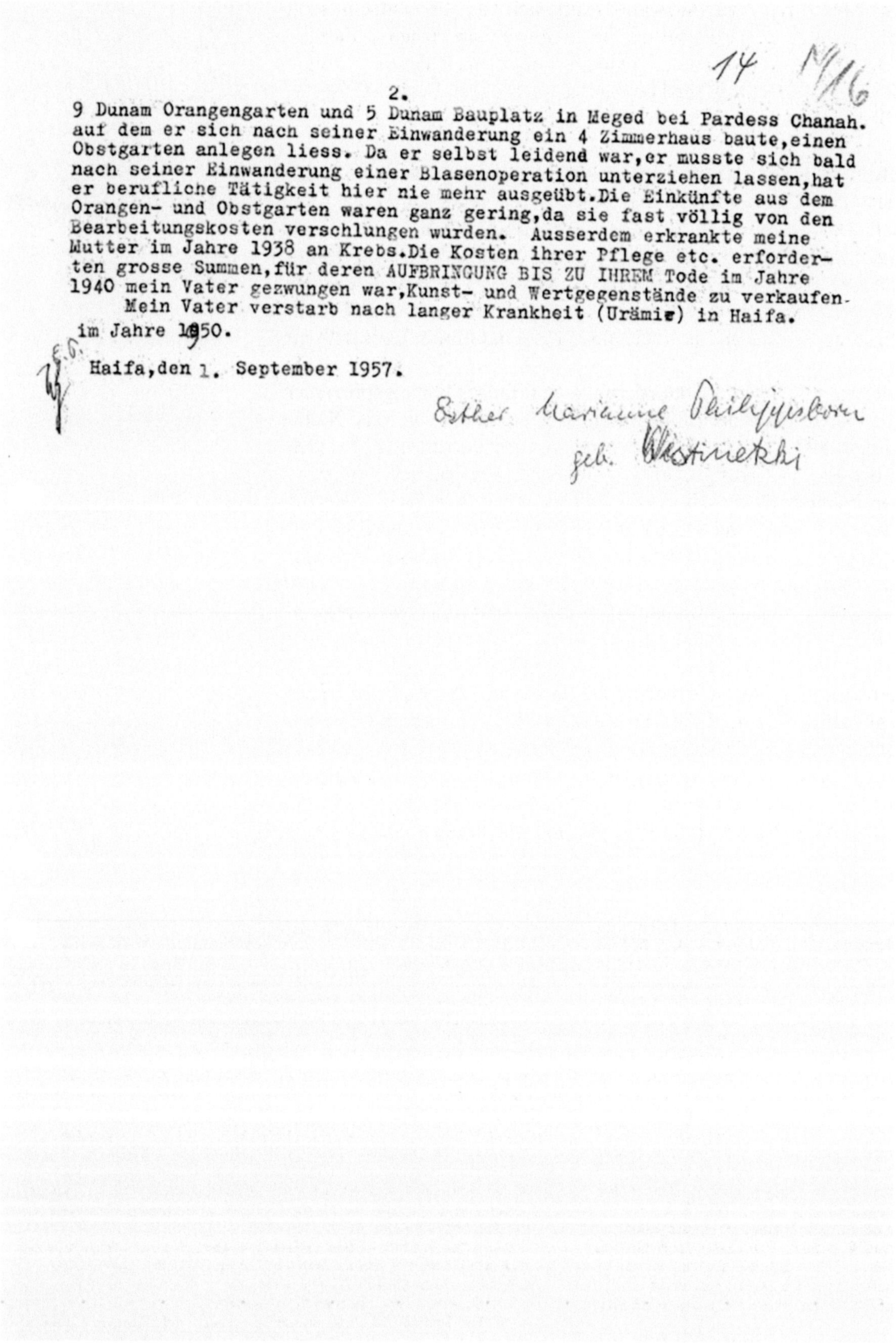

14 M/16

2.

9 Dunam Orangengarten und 5 Dunam Bauplatz in Meged bei Pardess Chanah. auf dem er sich nach seiner Einwanderung ein 4 Zimmerhaus baute,einen Obstgarten anlegen liess. Da er selbst leidend war,er musste sich bald nach seiner Einwanderung einer Blasenoperation unterziehen lassen,hat er berufliche Tätigkeit hier nie mehr ausgeübt.Die Einkünfte aus dem Orangen- und Obstgarten waren ganz gering,da sie fast völlig von den Bearbeitungskosten verschlungen wurden. Ausserdem erkrankte meine Mutter im Jahre 1938 an Krebs.Die Kosten ihrer Pflege etc. erforder- ten grosse Summen,für deren AUFBRINGUNG BIS ZU IHREM Tode im Jahre 1940 mein Vater gezwungen war,Kunst- und Wertgegenstände zu verkaufen.
    Mein Vater verstarb nach langer Krankheit (Urämie) in Haifa.
im Jahre 1950.

    Haifa,den 1. September 1957.

Esther Marianne Philippsborn
geb. Wistinetzki

Abb.6b: Eidesstattliche Erklärung von Esther Marianne Philippsborn, geb. Wistinetzki, Haifa, 1. September 1957

Allenstein unmöglich wurde, so rasch zur Auswanderung nach Palästina entschlossen:
Max Wistinetzki, so die Tochter, sei «seit seiner Studentenzeit überzeugter Zionist»
gewesen. Gemeinsam mit ihrer Mutter habe er mehrere Reisen nach Palästina unternommen und dabei 1925 in der Siedlung Meged bei Pardess Chanah «9 Dunam Orangengarten und 5 Dunam Bauplatz» erworben.[29] Hier liess sich die Familie ein 4-Zimmer-
Haus erbauen.

Abb. 7: Exlibris Max und Klara Wistinetzki

Die Bewirtschaftung des zum Grundstück gehörenden Orangengartens als Le-
bensgrundlage erwies sich als unrentabel. Nachdem beide Eltern wenige Jahre nach der
Ankunft im Exil ernsthaft erkrankten und insbesondere die Mutter sich bis zu ihrem Tod
im Jahr 1940 kostspieligen Krebstherapien unterziehen musste, sei ihr Vater, so schliesst
Esther Mariannes Erklärung, «gezwungen [gewesen], Kunst- und Wertgegenstände zu
verkaufen.» Die Wohnungseinrichtung aus Allenstein hatte ein Vetter nach dem Fortzug
der Eltern verpackt und in zwei Umzugslifts sowie einer Kiste mit einem Konzertflügel
nach Palästina gesandt.

Die Vertretung der Familie in den Rückforderungs- und Entschädigungsprozessen
übernahm Rechtsanwalt Joachim Beutner (1897–1963),[30] der Ehemann von Max' Nichte
Margarete, geb. Henschke (*1897–?). Auch von Margarete Beutner findet sich eine eidesstattliche Erklärung in der Entschädigungsakte.[31] In dieser bestätigt sie den Wohlstand
der Familie ihres Onkels, bei dem sie zwischen 1916 und 1927 mehrfach für längere Aufenthalte zu Besuch gewesen sei. Max und Klara Wistinetzki erscheinen in ihrer Schilderung als kunstsinnige Personen, die eine umfangreiche Bibliothek, eine grosse Porzellansammlung und Kunstwerke besassen (Abb. 7/8a–c). Eine «Originalstatue von Lehmbruck
(grosse Kniende)» war ihr als besonders erwähnenswert in Erinnerung geblieben, wobei
davon auszugehen ist, dass sie den Werktitel mit jenem der hier besprochenen Plastik
verwechselt hat.

Die Bemühungen von Jochanan Wistinetzki um Entschädigungsleistungen führten erst 1962 und auch nur teilweise zum Erfolg. Er selbst, der das Gymnasium Allenstein
im April 1933 ohne Abschluss hatte verlassen müssen und dem durch die Flucht das vom
Vater für ihn vorgesehene Jura-Studium verwehrt geblieben war, erhielt eine Pauschale in
Höhe von 5.000 DM für den Schaden im beruflichen Fortkommen.[32] Nach dem Militär-
dienst hatte er eine Laufbahn als Musiker eingeschlagen und war mittlerweile als Cellist

22. Die Forderungen im Einzelnen: Auswanderungskosten (6.912,20 RM, vgl.
Antrag Max Wistinetzki an Wiedergutmachungsamt Berlin, 17. April 1950, in: LA
Berlin, B Rep. 025-06, Nr. 3096/50); Kosten für den Transfer des Vermögens
(4.000 RM, vgl. Antrag Max Wistinetzki an Wiedergutmachungsamt Berlin,
17. April 1950, in: LA Berlin, B Rep. 025-06, Nr. 3094/50); sonstige Schäden:
Entschädigung für Untersuchungshaft (10.000 RM, vgl. Antrag Max Wistinetzki
an Wiedergutmachungsamt Berlin, 17. April 1950, in: LA Berlin, B Rep. 025-
06, Nr. 3086/50); Verlust des Goodwill-Anspruchs für die Anwaltskanzlei
(20.000 RM, vgl. Antrag Max Wistinetzki an Wiedergutmachungsamt
Berlin, 17. April 1950, in: LA Berlin, B Rep. 025-06, Nr. 3089/50); Honorare
für Vermögensverwaltung nach Auswanderung 34.647 RM, vgl. Antrag Max
Wistinetzki an Wiedergutmachungsamt Berlin, 17. April 1950, in: LA Berlin, B
Rep. 025-06, Nr. 3090/50); Anwaltshonorare (11.747,50 RM, vgl. Antrag Max
Wistinetzki an Wiedergutmachungsamt Berlin, 17. April 1950, in: LA Berlin, B
Rep. 025-06, Nr. 3091/50); Reichsfluchtsteuer (20.000 RM, vgl. Antrag Max
Wistinetzki an Wiedergutmachungsamt Berlin, 17. April 1950, in: LA Berlin,
B Rep. 025-06, Nr. 3095/50); zu viel gezahlte Einkommensteuer (8.000
RM, vgl. Antrag Max Wistinetzki an Wiedergutmachungsamt Berlin, 17. April
1950, in: LA Berlin, B Rep. 025-06, Nr. 3097/50); Gelder für die Erwirkung
der Entlassung aus der Haft (2.600 RM, vgl. Antrag Max Wistinetzki an
Wiedergutmachungsamt Berlin, 17. April 1950, in: LA Berlin, B Rep. 025-06, Nr.
3087/50).
23. Vgl. Beschlüsse der Wiedergutmachungsämter von Berlin, 15. Oktober
1951, in: LA Berlin Rep. 025-06, Nr. 3086/50 bis 3099/50. Auf die
Möglichkeit, die Anträge erneut bei der Entschädigungsbehörde

einzureichen, wird hingewiesen.
24. Nachfolgend wird die von ihm selbst gewählte hebräische Variante des
Vornamens verwendet.
25. Vgl. LAF-AfW, VA 205 810 (Ansprüche nach Max Wistinetzki) und VA 205 809
(Ansprüche des Johannes/Jochanan Wistinetzki).
26. Die nachfolgenden Informationen entstammen der eidesstattlichen
Erklärung der Esther Marianne Philippsborn vom 1. September 1957, in: LAF-
AfW, VA 205 810, M15–M16 (Ansprüche nach Max Wistinetzki). Mit dieser
Erklärung bezeugt sie zugleich ihren Erbverzicht zugunsten des jüngeren
Bruders.
27. Als aktuellen Wohnort gibt sie Qiryat Yam, Israel an.
28. Da sich von der genannten Schwester in den Unterlagen keine eigene
schriftliche Äusserung findet, muss wohl davon ausgegangen werden, dass sie
zum Zeitpunkt der Antragsstellung im Jahr 1957 nicht mehr lebte.
29. Das ursprünglich in Gegenden des ehemaligen Osmanischen Reichs gängige
Flächenmass Dunam entsprach knapp 1.000 m² (1 Ar). Vgl. https://de.wikipedia.
org/wiki/Dunam (14.1.2025).
30. Zu Joachim Beutner vgl. Simone Ladwig-Winters, Anwalt ohne Recht. Das
Schicksal jüdischer Rechtsanwälte in Berlin nach 1933, Berlin 2022, S. 149.
31. Vgl. Margarete Beutner: Eidesstattliche Erklärung, 20. Februar 1957, in: LAF-
AfW, VA 205 810 (Ansprüche nach Max Wistinetzki).
32. Vgl. Bezirksamt für Wiedergutmachung, Neustadt a. d. Weinstrasse, Feststellungsbescheid, 27. März 1962, in: LAF-AfW, VA 205 809 (Ansprüche des
Johannes/Jochanan Wistinetzki).

8a

8b

Abb. 8a–c: Kleinbronzen aus
der Sammlung von Max und Klara
Wistinetzki, Familienbesitz.
a. Johannes Götz (1865–1932),
*Balancierender Knabe auf
einer Kugel*, ca. 1888; b/c.
Unbekannter Künstler, Titel
und Entstehungsdatum unbekannt
(wohl 19. Jahrhundert)

8c

beim Polizeiorchester von Haifa engagiert (Abb. 9). Für seinen verstorbenen Vater erhielt Jochanan neben einer kleinen Haftentschädigung von 150 DM[33] eine vom Tag der Verhaftung bis zu dessen Todestag berechnete Kompensation für den Wegfall des beruflichen Einkommens in Höhe von 33.678 DM.[34]

Dies sind nach Stand der Akten die einzigen ausgezahlten Posten. Alle anderen Anträge für Ansprüche nach dem Vater wurden entweder aufgrund von Nichtzuständigkeit oder fehlenden Nachweisen abgelehnt oder vertagt. Jochanan Wistinetzki erklärte, dass sämtliche zum Zeitpunkt der Antragsstellung des Vaters im Herbst 1949 noch vorhandenen Originalbelege nach dessen Tod, wohl im Zuge der Wohnungsauflösung, vernichtet worden seien.[35]

VERHÄLTNISMÄSSIGKEIT DES GEZAHLTEN PREISES

Bemerkungen zur Marktsituation für Lehmbruck-Plastiken

Die Bewertung des Preises von 2.000 CHF, den das Kunstmuseum Basel Ende 1938 für die Lehmbruck-Plastik an Max Wistinetzki zahlte, ist nicht einfach. Bei dem 1910 entstandenen *Torso der Grossen Stehenden* handelt es sich um ein Auflagenwerk. Dietrich Schubert, der Verfasser des Werkverzeichnisses von Wilhelm Lehmbruck, kannte insgesamt neun Exemplare der Figur in Steinguss, die allesamt nach dem Tod des Künstlers hergestellt wurden.[36] Zum Zeitpunkt von Lehmbrucks Tod existierte offenbar lediglich ein vor 1914 in Bronze gegossenes Exemplar.[37] Als der deutsche Künstler Paris kurz vor Kriegsausbruch fluchtartig verliess, hatte er das originale Gipsmodell des Torsos zusammen mit anderen Modellen grossformatiger Werke in seinem Atelier zurücklasse: müssen. Während des Ersten Weltkriegs war die Fertigung von Bronzegüssen aufgrund der Materialknappheit verboten. Anstelle des verlorenen Gipsmodells nahm Lehmbruck, zurück in Deutschland, eine Surmoulage von dem genannten Bronzeexemplar ab, die als Ausgangsform für die anschliessend hergestellten Gussexemplare dienen sollte. Zur Ausführung der Steingüsse kam es jedoch im Falle des *Torsos der Grossen Stehenden* erst nach dem plötzlichen Tod des Künstlers. Ihre Herstellung wurde von Anita Lehmbruck überwacht. Den ersten bekannten Steinguss bestellte 1919 Ludwig Justi (1867–1957), der Direktor der Berliner Nationalgalerie.[38] Wenngleich die oben zitierte Angabe aus der Verkaufskorrespondenz, Wistinetzki habe das ihm gehörende Exemplar Anfang 1920 aus einer Ausstellung in der Berliner Nationalgalerie erworben, nicht belegt werden konnte, darf davon ausgegangen werden, dass es sich bei diesem ebenfalls um einen der ganz frühen posthumen Güsse handelt.[39]

33. Vgl. Bezirksamt für Wiedergutmachung, Neustadt a. d. Weinstrasse: Feststellungsbescheid, 10. Oktober 1962, in: LAF-AfW, VA 205 810 (Ansprüche nach Max Wistinetzki).

34. Vgl. Bezirksamt für Wiedergutmachung, Neustadt a. d. Weinstrasse: Feststellungsbescheid, 11. Mai 1962, in: LAF-AfW, VA 205 810 (Ansprüche nach Max Wistinetzki).

35. Vgl. Jochanan Wistinetzki: Eidesstattliche Erklärung, 28. März 1963, in: LAF-AfW, VA 205 810 (Ansprüche nach Max Wistinetzki).

36. Vgl. Schubert 2001, S. 195–197.

37. Zu den nachfolgenden Ausführungen vgl. Ursel Berger, «Posthume Werkentwicklung» am Beispiel von August Gaul, Wilhelm Lehmbruck und Aristide Maillol, in: Ausdrucksplastik (Bildhauerei im 20. Jahrhundert, Bd. 1, hrsg. v. Dies., Berlin 2002, S. 55–69, bes. S. 62–62, sowie Dies., Posthume Güsse bei Wilhelm Lehmbruck. Anita Lehmbruck als Nachlassmanagerin, in:

Posthume Güsse. Bilanz und Perspektiven, hrsg. v. Dies., Klaus Gallwitz und Gottlieb Leinz, Berlin/München 2009, S. 92–99, bes. S. 93–95.

38. Vgl. Staatliche Museen zu Berlin, Nationalgalerie, Ident.-Nr. B I 425, https://id.smb.museum/object/959431/gro%C3%9Fer-weiblicher-torso (14.1.2025).

39. Ursel Berger schreibt in ihrer Rezension von Schubert 2001, in der Zeitschrift für Kunstgeschichte 66, 2003, S. 122–139, hier S. 137, Anm. 59: «Die Berliner Nationalgalerie stellte für den Lehmbruck-Nachlass einen Raum zur Verfügung, nicht nur ‹zum Aufheben der Formen›, sondern auch ‹zum Anfertigen von Güssen›». Diese Bemerkung würde die Angabe von Rudolf Cohn zumindest stützen. In der von Berger angegebenen Quelle aus der Korrespondenz zwischen Anita Lehmbruck und Ludwig Justi konnte jedoch kein entsprechender Hinweis gefunden werden. Auch in den im Archiv des Lehmbruck Museums verwahrten «Gusskladden» gibt es keine historischen Angaben zu den frühen Güssen. Freundliche Auskunft von Andreas Benedict, Lehmbruck Museum Duisburg, 31. Oktober 2022.

Bislang konnte keine weitere Fassung des *Torsos der Grossen Stehenden* gefunden werden, die zwischen 1933 und Kriegsende verkauft worden ist. Es existieren lediglich archivalische Hinweise auf ein nicht mehr lokalisierbares Steinguss-Exemplar, das gemäss dem Autor des Werkverzeichnisses, Dietrich Schubert, im Juni 1935 vom Graphischen Kabinett Günther Franke, München, dem Direktor der Modernen Galerie in Prag angeboten wurde.[40] Der Angebotspreis lag bei 3.600 RM (um 1935 circa 4.440 CHF). Es darf vermutet werden, dass dieses Exemplar identisch mit jenem *Frauentorso* war, den Günther Franke (1900–1976) wenige Monate zuvor, im Februar 1935, auch dem Kunstmuseum Basel angeboten hatte. Hier hatte der Preis mit anfänglich 4.800 RM (circa 5.946 CHF), die der Kunsthändler nachträglich auf 4.000 RM (circa 4.956 CHF) reduzierte, sogar noch höher gelegen. Die Kunstkommission in Basel verfolgte das Angebot nicht weiter.[41]

Bei der Suche nach vergleichbaren Werken, die in dieser Zeit auf dem Markt verfügbar waren, wurden solche berücksichtigt, die a) dasselbe Material aufweisen, also Steinguss, auch als Kunststein oder Zement bezeichnet, b) deren Entstehung in die frühen Pariser Jahre ab 1910 fällt und die sich durch eine klassische Formensprache auszeichnen und c) deren Ausführung bis Anfang der 1920er-Jahre durch Anita Lehmbruck autorisiert wurde. Einschränkend muss dabei jedoch erwähnt werden, dass die Informationen zu den ermittelten Plastiken nicht in allen Fällen präzise genug sind, um eindeutig zu klären, um welches Werk es sich handelt und ob vor allem das Kriterium eines frühen, entweder noch vom Künstler selbst oder von seiner Witwe veranlassten Gusses erfüllt ist. Entfallen sollen die im Betrachtungszeitraum zahlreich auf dem Markt präsenten kleinen Terrakotten Lehmbrucks, die durchweg in einer niedrigeren Preiskategorie angesiedelt waren.[42]

Wistinetzki hatte sich bei seinem Verkaufsversuch vermutlich bewusst für den Schweizer Kunstmarkt entschieden, da er sich als Sammler mit jüdischem Hintergrund in Deutschland keine grossen Chancen ausrechnete. Als er im Herbst 1937, vermittelt durch Rudolf Cohn, erstmals mit dem Kunstmuseum Basel in Kontakt trat, waren kurz zuvor die Werke der von den Nationalsozialisten als «entartet» verfemten Künstler im Rahmen von Beschlagnahmeaktionen aus den deutschen Museumssammlungen entfernt worden. Hiervon war auch Lehmbrucks Œuvre betroffen.

Trotz Verbot seiner Kunst fanden auch nach 1937 noch vereinzelt Lehmbruck-Werke Absatz im deutschen Kunsthandel. Doch die Galerien verlagerten ihre Bemühungen zunehmend ins Ausland.[43] Die grössten Erfolge feierte Lehmbrucks Kunst ab den

40. Vgl. Schubert 2001, Nr. 52, S. 197.
41. Vgl. Günther Franke an Otto Fischer, 22. Februar 1935 und 23. März 1935, und Otto Fischer an Günther Franke, 3. April 1935, in: KMB, Archiv, F 001.028.006.000, und Protokoll der Kunstkommissionssitzung, 1. April 1935, S. 83. Die Plastik wird als «Frauentorso Paris 1910, Englischer Zement, Höhe 115» bezeichnet. Der *Torso der Grossen Stehenden* ist das einzige Werk Lehmbrucks aus den Pariser Jahren, dessen Masse den Angaben in etwa entsprechen.
42. Z. B. die drei Exemplare, die an der Auktion «Gemälde und Plastiken moderner Meister aus deutschen Museen» am 30. Juni 1939 bei Theodor Fischer in Luzern unter den Losen 72, 74 und 75 zum Aufruf kamen. Die Zuschläge in einer Spanne zwischen 1.200 und 1.600 CHF an amerikanische Sammler bzw. Händler wurden von Ferdinand Möller (1882–1956) als «ausserordentlich gut» bezeichnet. Vgl. Gesa Jeuthe, Die Moderne unter dem Hammer. Zur «Verwertung» der «entarteten» Kunst durch die Luzerner Galerie Fischer 1939, in: Angriff auf die Avantgarde. Kunst und Kunstpolitik im Nationalsozialismus, hrsg. v. Uwe Fleckner, Berlin 2007, S. 189–305, hier S. 252.
43. So kaufte der Hannoveraner Schokoladenfabrikant Dr. Bernhard Sprengel 1937 und 1939 bei Josef Nierendorf, Berlin, dem Bruder des nach New York emigrierten Karl Nierendorf, zwei Steingüsse von Lehmbruck zum Preis von 4.000 resp. 4.500 RM. Vgl. Anja Walter-Ris, Kunstleidenschaft im Dienst der Moderne. Die Geschichte der Galerie Nierendorf, Berlin/New York 1920–1995, Zürich 2002, S. 264, Anm. 180. Ferdinand Möller konnte ein Steinguss-Exemplar der *Büste Frau L.* (Schubert 2001, Nr. 50), den er im Januar 1938 für 4.000 RM bei einem Dresdner Privatsammler erworben hatte, im März desselben Jahres für 5.000 RM an den Regierungsbaumeister Direktor Max Lütze aus Berlin-

Zehlendorf veräussern. Vgl. Wareneingangsbuch der Galerie Ferdinand Möller 1935–1939, in: Berlinische Galerie-KA-N/F. Möller-81-B9, S. 52, Inv. 1667, http://dfg-viewer.de/show/?tx_dlf%5Bid%5D=http://dfg-viewer. berlinischegalerie.de/223628/Dokumente/223628.xml, sowie Verkaufsbuch V 1937–1943, Berlinische Galerie-KA-N/F. Möller-74-B2, S. 88, http://dfg-viewer. de/show/?tx_dlf%5Bid%5D=http://dfg-viewer.berlinischegalerie.de/223620/ Dokumente/223620.xml (14.1.2025). Letztlich blieben dies jedoch Ausnahmen.
44. Vgl. Walter-Ris 2002, Abb. 31, S. 243.
45. Vgl. Max Wistinetzki an Museum of Modern Art, New York, 21. August 1936, in: MoMA, Department of Painting and Sculpture, General Artist File Wilhelm Lehmbruck. Mit diesem Brief sondierte Wistinetzki ein Ankaufsinteresse und bat um eine Preiseinschätzung. Das Antwortschreiben konnte bislang leider nicht gefunden werden. Freundlicher Hinweis von Lynn Rother, Museum of Modern Art, New York/Leuphana, Lüneburg, 25. Januar 2025.
46. Vgl. Max Wistinetzki an Otto Fischer, 22. Juli 1938, in: KMB, Archiv, Erwerbungen 1938, P 69 Eine Anfrage bei der Galerie Nierendorf ergab, dass sich in den Archivmaterialien der fraglichen Zeit kein Hinweis auf Kontakte zwischen den Galerieinhabern und Max Wistinetzki findet. Leider sind auch keine Preisangaben zu dem oben genannten Exemplar des *Torsos* aus der Eröffnungsausstellung überliefert. Vgl. Susanne Trierenberg, Galerie Nierendorf, Berlin, an Katharina Georgi-Schaub, 10. Juli 2023, in: KMB, Abt. Provenienzforschung, Dossier Sammlung Wistinetzki.
47. Vgl. September-Ausstellung: Hodler, Lehmbruck, Stoecklin u.a., Kunsthalle Basel, 9. bis 30. September 1917.
48. Ursel Berger 2002, S. 60.

Abb.10: Eröffnungsausstellung *Contemporary Art* in den Galerieräumen der
Nierendorf Gallery, New York, Winter 1936/37

späten 1930er-Jahren in den USA, wo Museen und Sammler um seine Werke in Konkurrenz
traten. Die wichtigsten Händler in Bezug auf Lehmbruck in der neuen Kunstmetropole New
York waren Curt Valentin (1902–1954) und Karl Nierendorf (1889–1947), die unabhängig
voneinander im Winter 1936/37 aus Deutschland emigriert waren. Nierendorf präsentierte
in der Eröffnungsausstellung *Contemporary Art* in den Galerieräumen an der 20 West 53th
Street unter anderem ein Exemplar des *Torsos der Grossen Stehenden* (Abb. 10).[44]

Auch in dem von Wistinetzki erwähnten Briefwechsel mit der Kunsthandlung
Nierendorf vom September 1936 war von einem amerikanischen Interessenten die Rede.
Kurz zuvor hatte er den *Torso* nachweislich dem Museum of Modern Art in New York angeboten.[45] Zu diesem Zeitpunkt scheute er bei unklarem Geschäftsausgang jedoch offensichtlich noch den weiten Transportweg. Dass Nierendorf dem inzwischen in Palästina
ansässigen Wistinetzki zu diesem Zeitpunkt den exorbitant hohen Kaufpreis von 8.000
RM (circa 10.000 CHF) nannte, erscheint jedoch selbst bei der prinzipiell günstigeren
Marktlage in den USA kaum vorstellbar.[46] Warum Wistinetzki, als er ein gutes Jahr später
ernsthaft ans Verkaufen seiner Plastik dachte, nicht noch einmal den Faden zu Nierendorf aufnahm, muss offenbleiben.

Der Bildhauer Wilhelm Lehmbruck hatte sich nach seiner Rückkehr aus Frankreich und nach vorübergehendem Aufenthalt in Köln und Berlin 1916 in der Schweiz
niedergelassen. Ein Jahr, nachdem er sein Atelier in Zürich bezogen hatte, war er in einer
Gruppenausstellung in der Kunsthalle Basel vertreten. Mit 16 Plastiken, zahlreichen
Zeichnungen und Druckgrafiken war die September-Ausstellung 1917 seine grösste Schau
zu Lebzeiten in der Schweiz.[47] Dies könnte ein Anreiz für Wistinetzki gewesen sein, den
Kontakt mit Basel zu suchen.

Angebote von Lehmbruck-Plastiken an Schweizer Museen
In Deutschland hatte Lehmbrucks überraschender Tod im Frühjahr 1919 «wie ein Fa-
nal»[48] gewirkt, in dessen Folge innerhalb weniger Jahre zahlreiche Museen plastische
Arbeiten des Künstlers für ihre modernen Sammlungen erwarben. In der Schweiz blieb
das Interesse hingegen zunächst auf private Sammler beschränkt und es dauerte mehr
als ein weiteres Jahrzehnt, bis eine Plastik von Lehmbruck Aufnahme in eine öffentliche Sammlung fand. Vorreiter war das Kunsthaus Zürich: Am 31. Juli 1933 beschloss der
Vorstand der Zürcher Kunstgesellschaft den Ankauf des Steingusses *Weiblicher Torso* von

11a

11b

11c

Abb. 11a-c: Steingüsse von Wilhelm Lehmbruck.
a. *Hagener Torso*, 1910/11, Kunsthaus Zürich;
b. *Badende*, 1913, Bayerische Staatsgemäldesammlungen, Pinakothek der Moderne, München;
c. *Büste Frau L.*, 1910, ehemals Sammlung Hugo
Simon (1880-1950), Staatliche Museen zu Berlin,
Nationalgalerie

1911 (Abb. 11a).[49] Dieser Guss, auch als *Hagener Torso* bekannt, gehört zu den beliebtesten Werken in Lehmbrucks plastischem Œuvre.[50] Zudem handelte es sich nach Auskunft des Verkäufers Günther Franke um einen frühen, vom Künstler selbst verantworteten Guss. Nicht nur das Sujet, die Entstehungzeit und das Material sind mit dem Basler Objekt vergleichbar, sondern auch die dem Ankauf vorangegangenen Preisverhandlungen zeigen Parallelen zu dem fünf Jahre später am Rheinknie erfolgten Geschäft. Angeboten wurde das Werk in Zürich zunächst für 3.500 RM (4.200 CHF). Die Sammlungskommission hatte sich als Höchstpreis jedoch 1.500 RM (!) gesetzt – weniger als die Hälfte.[51] Am 7. Juli 1933 konnte Direktor Wilhelm Wartmann (1882–1970) mitteilen, dass sich der Preis auf 1.800 RM (2.200 CHF) reduziert habe. «[D]as hohe künstlerische Interesse das der Figur eigen ist» anerkennend, beschloss die Sammlungskommission, «sich wegen des geringen Unterschiedes zwischen unserem sehr niederen Angebot und dem jetzt geltenden Preis nicht aufzugeben.»[52], d.h. nochmals die eigenen Möglichkeiten zu prüfen. Tatsächlich kam der Ankauf zum Preis von 1.800 in Registersperrmark zustande, was durch den vergünstigten Währungskauf recht genau der geplanten preislichen Obergrenze der Zürcher Kommission entsprach.[53] Gleichzeitig mit dem *Hagener Torso* hatte Günther Franke dem Kunsthaus Zürich auch die *Badende* in terrakottafarbenem Kunststein von 1914 angeboten, worauf man dort aber nicht einging. Die Preisspanne lag zwischen 4.500 und 5.000 RM.[54] Vermutlich handelte es sich bei diesem Werk um die im Oktober 1935 von der Bayerischen Staatsgalerie für 3.400 RM (4.200 CHF) angekaufte und heute in der Pinakothek der Moderne in München befindliche Fassung (Abb. 11b).[55]

Dass die von Franke genannten Preise in etwa marktüblich waren, bestätigen etliche Angebote, die das Kunstmuseum Basel in den Jahren 1934 und 1935 erhielt. Im Frühjahr/Sommer 1934 standen gleich zwei Steingussversionen der *Büste von Lehmbrucks Gattin (Büste Frau L.)* von 1910 aus dem deutschen Kunsthandel zur Diskussion, die die Kunstkommission beide zur Ansicht kommen liess (Abb. 11c).[56] Der Kunstsalon Abels bot die Büste, laut der Galerie «noch bei Lehmbruck selbst erworben», für 3.300 RM (circa 4.000 CHF) an.[57] Etwas günstiger wäre das Exemplar von Alex Vömel (1897–1985), Düsseldorf, zu haben gewesen. 3.000 RM (3.600 CHF) verlangte dieser für das Werk. Im September des Vorjahres hatte er es bereits dem Basler Privatsammler Rudolf Staechelin angeboten, damals noch für 3.500 RM.[58] Beide Versionen liess die Basler Kunstkommission zurückgehen; ihr heutiger Standort ist unbekannt. Gegen das Angebot von Vömel bestanden materialtechnische Einwände, nämlich die unangenehme Wirkung der Oberfläche, bei der es sich um einen Zementüberzug gehandelt habe.[59]

49. Vgl. Kunsthaus Zürich, Inv. 2291. Vgl. Beschluss vom 31. Juli 1933, in: Sitzungsprotokoll der Sammlungskommission, 30. August 1933 Ib 3, in: Archiv ZKG/KHZ, 10.30.10.41. Vgl. Joachim Sieber, Kunsthaus Zürich, an Katharina Georgi-Schaub, 2. Juni 2023, in: KMB, Abt. Provenienzforschung, Dossier Sammlung Wistinetzki.

50. So Schubert 2001, Nr. 56. Schubert verzeichnet allein 32 Gussstein-Exemplare dieser Plastik. Mit ca. 70 cm Höhe ist sie deutlich kleiner als der *Torso der Grossen Stehenden.*

51. Vgl. Sitzungsprotokoll der Sammlungskommission, 2. Juni 1933 1c, in: Archiv ZKG/KHZ, 10.30.10.41.

52. Sitzungsprotokoll der Sammlungskommission, 7. Juli 1933 II. 2a, in: Archiv ZKG/KHZ, 10.30.10.41.

53. Vgl. Sitzungsprotokoll der Sammlungskommission, 30. August 1933 Ib 3, in: Archiv ZKG/KHZ, 10.30.10.41. Die Registersperrmark (auch Sperrmark oder Registermark) wurde im Sommer 1931 im Zuge der Devisenbewirtschaftung in Deutschland eingeführt. Die Begriffe bezeichnen in Reichsmark notierte Bankguthaben auf sogenannten Sperrkonten, über die nur mit Genehmigung der Deutschen Reichsbank verfügt werden konnte. Um den Export zu fördern, wurden Sperrmark im Ausland gehandelt und durften auf Antrag zum Kauf deutscher Waren genutzt werden. Auf Registerguthaben wurde ein Preisnachlass gewährt, der Anfang 1933 bei zunächst 10% lag, im Januar 1934 bereits auf 20% gestiegen war. Für den ausländischen Käufer entstand dadurch ein realer Preisvorteil. Vgl. https://

de.wikipedia.org/wiki/Sperrmark (14.1.2025). In den Folgejahren wurde die Möglichkeit zu Käufen in Sperrmark von Schweizer Kunsthändlern und Museen rege genutzt, wie das Merkblatt der Fides Treuhand-Vereinigung zu den sog. Markverkaufsgeschäften belegt. Abgedruckt bei Esther Tisa Francini/Anja Heuss/Georg Kreis, Fluchtgut – Raubgut. Der Transfer von Kulturgütern in und über die Schweiz 1933–1945 und die Frage der Restitution, hrsg. v. der Unabhängigen Expertenkommission Schweiz – Zweiter Weltkrieg, Zürich 2001, S. 515–517, Nr. 11.

54. Vgl. Sitzungsprotokoll der Sammlungskommission, 2. Juni 1933 Ib 3, in: Archiv ZKG/KHZ, 10.30.10.41.

55. Vgl. Bayerische Staatsgemäldesammlungen, Sammlung Moderne Kunst in der Pinakothek der Moderne München, Inv. Nr. B 214, www.sammlung. pinakothek.de/de/artwork/A0GObKoLdp (14.1.2025). Vgl. Theresa Sepp, Bayerische Staatsgemäldesammlungen, an Katharina Georgi-Schaub, 26. Juni 2023.

56. Vgl. Schubert 2001, Nr. 50. Schubert kennt insgesamt 12, jedoch möglicherweise teilweise später realisierte Gussstein-Exemplare. Die Figur misst ca. 80 cm Höhe.

57. Vgl. Kunstsalon Abels an Otto Fischer, 24. Mai 1934, in: KMB, Archiv, F 001.027.001.000.

58. Vgl. Alexander Vömel an Otto Fischer, 11. und 13. Juli 1934, in: KMB, Archiv, F 001.027.020.000.

59. Vgl. Otto Fischer an Alexander Vömel, 11. September 1934, in: KMB, Archiv, F 001.027.020.000.

Im darauffolgenden Frühjahr 1935 konnte Otto Fischer der Kunstkommission von gleich drei verschiedenen Lehmbruck-Steingüssen von Frauentorsi berichten. Die Preise gingen von 4.500 über 4.000 bis zu 1.800 RM. Beim erstgenannten handelte es sich um das bereits erwähnte, von Günther Franke angebotene Exemplar des *Torsos der Grossen Stehenden*. Das zweite von ihm für 1.800 RM offerierte Werk war eine weitere Fassung des im Sommer 1933 vom Kunsthaus Zürich zu eben diesem Preis erworbenen *Hagener Torso*.[60] Die Basler Kunstkommission beschloss, auf keines der drei Angebote einzugehen.[61]

Rund zweieinhalb Jahre sollte es daraufhin dauern, bis im Herbst 1937 das Skulpturenthema in Basel wieder aktuell wurde: Kommissionsmitglied Alfred Heinrich Pellegrini (1881–1958), selbst Bildhauer und Maler, wünschte, «man solle trotzdem nach guten Werken von Barlach und Lehmbruck weiter Ausschau halten». Vorausgegangen war die Ablehnung des Angebots eines Bronzegusses von Barlachs *Flötenbläser* für 2.000–2.200 RM.[62] In diese Zeit fiel auch die erste Kontaktaufnahme Rudolf Cohns mit Otto Fischer.

Inzwischen war in Basel eine neue Situation eingetreten: Die Öffentliche Kunstsammlung verfügte seit nunmehr etwa einem Jahr über den lang ersehnten grosszügigen Museumsneubau am St. Alban-Graben. Erstmals gab es Platz, endlich auch für den Aufbau einer Sammlung moderner Kunst. Wistinetzkis *Torso*, über den während des gesamten Jahres 1938 diskutiert wurde, war nicht die einzige Lehmbruck-Plastik, die in dieser Zeit zum Ankauf infrage kam. Seit dem Frühjahr 1938 beherbergte das Kunstmuseum die Sammlung des aus Deutschland nach Paris emigrierten jüdischen Kunstsammlers Hugo Simon (1880–1950), die zuvor, seit 1934, in Zürich eingelagert gewesen war.[63] Simon musste verkaufen und Basel erwog zunächst, einige Werke aus der renommierten Sammlung zu erwerben. Sehr schnell stellte sich jedoch heraus, dass die Preisvorstellungen von Simon und dem Kunstmuseum unvereinbar waren. Für den Kunststeinguss von Lehmbrucks «Frauenbüste ohne Arme», ein weiteres Exemplar des schon mehrfach genannten *Hagener Torsos*, verlangte Simon 5.000 CHF; die «Halbfigur eines jungen Mädchens, den Kopf nach links geneigt, nackte Brust und Arme, 82 cm», ein patinierter Steinguss, identisch mit der *Büste der Frau L.* (Abb. 3c), hätte sogar 7.500 CHF kosten sollen. Für zwei Terrakotta-Büsten seiner Sammlung veranschlagte Simon zusammen 10.000 CHF. Die Preisangaben stützten sich auf eine Bewertung, die Wilhelm Wartmann im März 1938 vorgenommen hatte.[64] Otto Fischer bezeichnete diese jedoch als «ungerechtfertigt hoch».[65]

Angemessen erschien ihm ein Betrag von 15.000 CHF für alle vier Plastiken, also die zwei Steingüsse zusammen mit den beiden Terrakotten. Demgegenüber schätzte Kunstkommissionspräsident Karl August Burckhardt-Koechlin (1879–1960) den Marktwert

60. Vgl. Günther Franke an Otto Fischer, 22. Februar 1935, in: KMB, Archiv, F 001.028.006.000.

61. Vgl. Protokolle der Kunstkommissionsitzung, 1. April 1935, S. 83, und 6. Mai 1935, S. 87, in: KMB, Archiv, B 001.001.014.000.

62. Vgl. Protokoll der Kunstkommissionssitzung, 25. Oktober 1937, S. 37, in: KMB, Archiv, B 001.001.016.000.

63. Vgl. den Beitrag zu Hugo Simon in diesem Band.

64. Vgl. Hugo Simon an Walther Bringolf (mit Schätzliste von Wilhelm Wartmann), 4. Dezember 1938, in: KMB, Archiv, F 001.031.017.000.

65. Otto Fischer an Regierungsrat Fritz Hauser, 14. Juni 1938, in: KMB, Archiv, F 001.031.017.000. Otto Fischer hatte Hugo Simon bereits in früheren Jahren auf sein überhöhtes Preisniveau aufmerksam gemacht. In einem Brief an Simon vom Herbst 1934, ein Bild von Caspar David Friedrich betreffend, monierte er den «unwesentlich hohen Preis. Ich möchte Sie deshalb von Vornherein darauf aufmerksam machen, dass Ankäufe für unsere Sammlung nur dann in Frage kommen, wenn die Preise den heutigen Verhältnissen und nicht denen von 1924–1929 entsprechend gestellt sind.» Otto Fischer an Hugo Simon, 20. November 1934, in: KMB, Archiv, F 001.027.017.000.

66. Vgl. Karl August Burckhardt-Koechlin an Otto Fischer 19. Mai 1938, in: KMB, Archiv, F 001.031.010.000.

67. Vgl. Galerie Raeber, Kommissionswaren: K320, S. 68, in: SIK-ISEA, HNA

213A.2 (Eingang April 1937, Verkauf Oktober 1937).

68. Ebd.: K 573 (Eingang Mai 1939, Verkauf August 1939).

69. Vgl. Max Wistinetzki an Otto Fischer, 9. Mai 1938, in: KMB, Archiv, Erwerbungen 1938, P 69.

70. Vgl. Eva Reifert, Ein neues Museumsgebäude und eine Weichenstellung für die Sammlung, in: Dies./Tessa Rosebrock (Hrsg.), Zerrissene Moderne. Die Basler Ankäufe «entarteter» Kunst, Ausst.-Kat. Kunstmuseum Basel (22. Oktober 2022 – 19. Februar 2023), Berlin 2022, S. 13–19, bes. S. 15–16. Zu Otto Fischers Einsatz für die Moderne vgl. Nikolaus Meier, Ars una. Der Kunsthistoriker Otto Fischer (1886–1948), in: Reutlinger Geschichtsblätter, Jg. 2011, N.F., Nr. 50, S. 147–208.

71. Zu den erwähnten Vorbehalten hinsichtlich des Materials vgl. Otto Fischer an Alexander Vömel, 11. September 1934, in: KMB, Archiv, F 001.027.020.000 sowie die Reaktion nach der Besichtigung der von Wistinetzki geschickten Plastik im Protokoll der Kunstkommissionssitzung vom 23. Juni 1938, S. 115–116, in: KMB, Archiv, B 001.001.016.000.

72. Vgl. Protokoll der Kunstkommissionssitzung, 13. Juni 1938, S. 110–111, in: KMB, Archiv, B 001.001.016.000.

73. Vgl. Protokoll der Kunstkommissionssitzung, 5. Juli 1938, S. 121, in: KMB, Archiv, B 001.001.016.000. Der tatsächliche Ankaufspreis betrug 14.600 CHF.

74. Vgl. Protokoll der Kunstkommissionssitzung, 22. November 1938, S. 8–9, in: KMB, Archiv, B 001.001.016.000.

beider Steingüsse zusammen auf 6.000 bis 7.000 CHF.[66] Die letztgenannte Einschätzung ist damit wieder im Preisspektrum der oben genannten Angebote zu verorten, was jedoch noch lange nicht bedeutete, dass man in Basel bereit gewesen wäre, diese Summe zu zahlen.

Auch beim Basler Kunsthändler Willi Raeber (1897–1976) wurde 1937 ein *Bildnis Frau L.* angeboten, das schliesslich für den wesentlich niedrigeren und eher dem Niveau der Wistinetzki-Plastik entsprechenden Preis von 2.150 CHF an Karl Nierendorf in New York verkauft wurde.[67] 1939 erfolgte, ebenfalls bei Raeber, der Verkauf eines nicht genau zu identifizierenden «Stehenden ½-Akt» aus ehemals Schweizer Privatbesitz an die Pariser Galerie St. Etienne für den vergleichsweise hohen Preis von 3.600 CHF.[68]

Dass Wistinetzki die Entwicklungen von Palästina aus mitverfolgte, ist eher unwahrscheinlich. Dennoch lässt sich festhalten, dass seine ursprüngliche Vorstellung, die Plastik nicht unter 200 GBP (circa 4.160 CHF) zu verkaufen,[69] ziemlich genau dem Preisniveau für vergleichbare Plastiken von Lehmbruck entsprach, die vom deutschen Kunsthandel in der Schweiz in den Jahren 1933 bis 1938 angeboten wurden (Abb. 12). Wistinetzkis Vorstellungen waren dabei substanziell niedriger als diejenigen von Hugo Simon. Allerdings zeigt sich auch, dass ein Ankauf zu diesen Konditionen in der Schweiz praktisch nie zustande kam, schon gar nicht durch eine öffentliche Sammlung. Neben der Qualität des Gusses spielte auch die Vielzahl an verfügbaren Werken eine Rolle. Die Angebotslage war so gut, dass man sich ermutigt fühlen konnte, hart zu verhandeln, oder auf ein günstigeres Angebot zu warten. Schliesslich lässt sich auch allgemein beobachten, dass das plastische Œuvre Lehmbrucks in der Schweiz nie die Konjunktur erreichte, wie dies in Deutschland zwischen dem Tod des Künstlers und dem Beginn der nationalsozialistischen Verfemung der Moderne der Fall gewesen war.

Sammlungsstrategie im Bereich der modernen Skulptur am Kunstmuseum Basel
Die Basler Kunstkommission erweiterte die Sammlung im Bereich der zeitgenössischen Kunst nur vorsichtig und stand insbesondere der Kunst des deutschen Expressionismus lange Zeit kritisch gegenüber.[70] Mit ihrem stets knappen Ankaufsetat setzte sie beim Ausbau der modernen Skulpturensammlung andere Prioritäten. So fielen just in die Zeit der Verhandlungen mit Wistinetzki intensive Gespräche über den Ankauf von Werken französischer Bildhauer des 19. Jahrhunderts, namentlich Auguste Rodin und Aristide Maillol. Arbeiten dieser Künstler wurden traditionell höher bewertet, als die ihrer deutschen Zeitgenossen. Zudem handelte es sich bei den diskutierten französischen Werken sämtlich um Bronzegüsse, die beliebter waren als das wiederholt als ästhetisch und konservatorisch schwierig bezeichnete Material des Steingusses.[71]

Am 13. Juni 1938 beschloss die Kunstkommission den Ankauf von Rodins *La Grande Ombre* (Inv. P 68) für 100.000 FRF (circa 12.200 CHF) bei der Giesserei Rudier in Paris.[72] Im Juli 1938 wurde Kassier Rudolf Staechelin autorisiert, an der Nachlassauktion der Sammlung von Harry Graf Kessler für Maillols *Le Coureur Cycliste* (Inv. P 67) 13.000–15.000 CHF zu bieten;[73] und im November, also zeitgleich mit dem ultimativen Angebot an Wistinetzki, verkündete die Kunstkommission, «den in diesem Jahr genommenen plastischen Anlauf durch eine letzte Anstrengung zum vollen Erfolg zu führen und auch entsprechend der Konjunktur noch einmal herzhaft zuzugreifen». Der Ankauf des Bronzegusses *Frauentorso vom Denkmal Blanqui / L'action enchainée* (Inv. P 71) von Maillol wurde daraufhin für 150.000 FRF (circa 17.750 CHF) beschlossen.[74]

Vor diesem Hintergrund erscheint der Lehmbruck-Ankauf letztlich als günstige Gelegenheit, die die Sammlungsverantwortlichen, vielleicht auch wegen der vielfältigen Angebote, gern ergriffen. Das Interesse für die auf einem gänzlich anderen Preisniveau angesiedelte französische Skulptur war wesentlich höher, und damit auch die Bereitschaft, den Budgetrahmen jenseits pragmatischer Überlegungen zu erweitern.

SYNTHESE

Die vorangegangenen Schilderungen zeigen, dass Max Wistinetzki für seine Lehmbruck-Plastik einen für ihn wohl enttäuschend niedrigen Kaufpreis erhielt. Seine ursprüngliche Erwartung, etwas über 4.000 CHF zu erzielen, entsprach ungefähr den Preisen, die auch die deutschen Kunsthändler in diesen Jahren für ihre Objekte verlangten. Die Wertschätzung von Lehmbrucks plastischem Œuvre in der Schweiz war nicht vergleichbar mit dessen hoher Anerkennung im Nachbarland vor 1937, und so wurden sämtliche ab 1933 angebotenen Lehmbruck-Werke von der Basler Kunstkommission abgelehnt. Die schliesslich gezahlte Summe für den *Torso der Grossen Stehenden* erscheint somit aus der Perspektive einer Schweizer Museumskommission als korrektes Geschäft und der entrichtete Gegenwert als durchaus angemessen. Das bestätigt auch der vergleichbare Preis, den das Kunsthaus Zürich einige Jahre zuvor für den *Hagener Torso* gezahlt hatte.

Dieser Abwägung von Angebot und Nachfrage steht das persönliche Schicksal des Verkäufers gegenüber. Die vorliegenden Informationen über Wistinetzki bestätigen, dass er ab 1933, unmittelbar nach der Machtübernahme der Nationalsozialisten, der Verfolgung aus Gründen der «Rasse» ausgesetzt war. Zu den Vorwürfen, die seine Inhaftierung rechtfertigen sollten, gesellte sich zudem eine politische Dimension, die von Funktionären der höchsten Ränge instrumentalisiert wurde. Etwas anderes als die Flucht blieb ihm daher kaum übrig. Ob die Basler Kunstkommission ermessen konnte, was das genau bedeutete, bleibt fraglich.

Dass Wistinetzki zu diesem frühen Zeitpunkt den Entschluss fasste, fern der Heimat einen Neuanfang zu wagen – im Sommer 1933 verliess er Deutschland und schiffte sich, zusammen mit seiner Familie, in den ersten Tagen des Jahres 1934 von Marseille aus nach Palästina ein – sollte ihm letztlich zum Glück gereichen. So blieb er vor etlichen in den Folgejahren sukzessive implementierten diskriminierenden Massnahmen gegen Jüdinnen und Juden in Deutschland verschont. Er konnte sein bewegliches Vermögen mit in die Emigration nehmen und entging später eingeführten Repressalien wie etwa der Zwangsablieferung von Silber und Edelmetallen oder der Judenvermögensabgabe. Die Schicksale weiterer Familienmitglieder, die vorerst beschlossen, in Deutschland zu bleiben, sprechen für sich: Allein drei von Max' Geschwistern verloren ihr Leben in Konzentrationslagern.

Mit der Emigration war Max Wistinetzki jedoch die Möglichkeit verwehrt, in seinem erfolgreich praktizierten Beruf als Anwalt tätig zu sein. Aus den von ihm brieflich kommunizierten Altersgründen wäre das auch an keinem anderen Ort möglich gewesen. Sich im unter britischem Mandat stehenden und gesellschaftlich gänzlich anders strukturierten Palästina niederzulassen, war vor dem Hintergrund des dort erworbenen Baulands und einer offenbar zionistischen Einstellung zwar nachvollziehbar, bedeutete jedoch unwiderruflich, dass er schon allein aufgrund der differierenden Rechtsordnung nicht weiter als Anwalt praktizieren konnte. Nachdem die anfänglichen Einkünfte aus Deutschland schneller aufgebraucht waren als gedacht, blieben nur noch die Kunstwerke zur Sicherung des Lebensunterhalts. Der Verkauf der Lehmbruck-Plastik ist somit, obgleich sich der Verkäufer seit etlichen Jahren im sicheren Ausland befand, als aus der Verfolgung resultierend anzusehen.

Die damalige Basler Kunstkommission war sich der finanziellen Bedrängnis, in der sich Wistinetzki befand, bewusst. Ihre rein wirtschaftliche Betrachtung des Geschäfts veränderte das aber nicht massgeblich. In der Hoffnung auf einen höheren Verkaufserlös wies Wistinetzki explizit auf seine Geldprobleme hin, mit einigem Erfolg: Der Ankaufspreis wurde zwei Mal erhöht und lag am Ende, wenngleich nach wie vor unter dem initialen Vorschlag des Verkäufers, über der Maximalsumme, welche die Kunstkommission ursprünglich zu investieren bereit gewesen war. Dem Einlenken auf das ultimative Angebot in Höhe von 2.000 CHF war seitens des Museums zunächst ein Beharren auf der

Zahlung von 1.800 CHF vorausgegangen, mit dem internen Verweis, es bestehe offensichtlich keine Gefahr, dass der Verkäufer einen anderweitigen Abnehmer finde. Die letzte, befristete Erhöhung des Angebots begründete Kommissionsvorsitzender August Simonius Wistinetzki gegenüber mit den Worten, «in Anbetracht Ihrer gewiss schwierigen Lage», und somit ausdrücklich mit der Anerkennung von dessen Notsituation.

Bei dem Entschluss, dem Verkäufer entgegenzukommen, vermischten sich vermutlich eine Reihe von Überlegungen: Das Geschäft wäre ohne die finale Erhöhung auf 2.000 CHF wohl nicht zustande gekommen. Infolgedessen wäre dem Museum das Kunstwerk entgangen, das, wenn nicht als unerlässlicher so doch immerhin als willkommener Sammlungszuwachs angesehen wurde. Die Kunstkommission hätte sich nach Scheitern des Geschäfts mit der Aufgabe konfrontiert gesehen, dem Eigentümer bei einem anderweitigen Verkauf behilflich zu sein. Der Rücktransport nach Palästina kam vermutlich schon allein aufgrund der hohen Speditionskosten nicht infrage. Wahrscheinlich rechnete die Kommission damit, dass sich Wistinetzki ein letztes befristetes Gebot in dieser für ihn so ungünstigen Verhandlungsposition nicht entgehen lassen würde, und dass eine moderate Erhöhung ausreichen würde, um den Verkauf zu besiegeln. Fernab vom europäischen Kunstmarkt muss der Abschluss des Geschäfts für ihn die letzte Chance gewesen sein, in absehbarer Zeit zu Geld zu kommen.

Das Kunstmuseum steht mit den Enkeln von Max Wistinetzki in freundlichem Austausch. Sie sind dankbar für die Würdigung ihres Grossvaters durch den vorliegenden Forschungsbeitrag.

TESSA ROSEBROCK

MUSEEN BEVORZUGT.

DIE KUNSTVERKÄUFE CHARLOTTE GRÄFIN VON WESDEHLENS IN DER SCHWEIZ

Im September 1940 erwarb das Kunstmuseum Basel das Gemälde *La muse inspirant le poète /
Apollinaire et sa muse* (1909) von Henri Rousseau. Verkäuferin war Charlotte Gräfin von
Wesdehlen (1877–1946), geschiedene von Mendelssohn-Bartholdy, geborene Reichenheim. Sie war deutsch-schweizerische Doppelbürgerin jüdischer Herkunft und musste
ihre Heimatstadt Berlin aufgrund der Verfolgung durch den nationalsozialistischen Staat
verlassen. Der Verkauf kam zustande, weil sie in der Schweiz keine Einkünfte hatte und
über ihr Vermögen auf deutschen Konten nicht verfügen konnte. Sie selbst begründete
das Geschäft damit, dass sie verkaufen musste – «car il le faut» schrieb sie an die Frau des
vermittelnden Kunsthändlers. Das Museum zahlte für das Werk 12.000 CHF, obwohl sowohl der Händler als auch der Museumsdirektor wussten, dass mindestens 20.000 CHF
angebracht gewesen wären. Auf dem freien Markt hätte das Bild wohl 40.000 CHF erbracht; Stimmen aus Zürich gingen sogar von 60.000 CHF aus.

PROVENIENZ

Das 1909 als Auftragswerk[1] für Guillaume Apollinaire (1880–1918) entstandene Gemälde
stellt den Dichter mit seiner Lebensgefährtin, der Künstlerin Marie Laurencin (1883/85–
1956) im Jardin de Luxembourg in Paris dar (Abb. 1). Wahrscheinlich war das Ende ihrer
Beziehung im Jahr 1912 der Anlass dafür, dass Apollinaire sich von dem Werk trennte.
Es gelangte als Kommissionsware[2] in die Hände des Pariser Kunsthändlers Paul Rosenberg (1881–1959). Aus dessen Galeriekorrespondenz geht hervor, dass der Berliner Bankier Paul von Mendelssohn-Bartholdy (1875–1935) im Frühjahr 1913 starkes Interesse an
Bildern von Rousseau bekundete. Rosenberg sandte Fotografien und später auch Werke
des Künstlers nach Berlin. Am 18. April 1913 befand sich das Gemälde *Le poète et sa muse*
bereits zur Ansicht bei von Mendelssohn-Bartholdy. Dies erwähnte er gegenüber Rosenberg im Zusammenhang mit der teils langwierigen Zustellung der Bilder via Eisenbahn:
«[...] il paraît qu'il y a assez souvent des retards au chemin de fer; le ‹poète et sa muse› n'est
arrivé qu'après une quinzaine chez moi.»[3] Am 11. Juni sandte Rosenberg Fotos von weiteren Rousseau-Werken in seinem Besitz. Da Mendelssohn-Bartholdy sie vor der Ankaufsentscheidung im Original sehen wollte, bat er am 25. Juni um Zusendung der Gemälde an
die Adresse seines Landhauses Gut Börnicke in Bernau/Mark Brandenburg.[4] Nach kurzen Preisverhandlungen erwarb er insgesamt drei Gemälde von Rousseau zum Preis von
17.500 FF; für das Bild *Apollinaire et sa muse* zahlte er 6.000 FF.[5] Um fehlerhaften Informationen, die sich teilweise durch die Literatur ziehen, entgegenzutreten, sei erwähnt, dass

1. Vgl. rückwärtige Aufschrift auf dem Keilrahmen «Guillaume Apollinaire, 202,
Bd. St. Germain», die den Eigentümer und dessen Adresse nennt. Dass es sich um
eine Auftragsarbeit handelt, belegen die im Zeitraum 1908–1909 verfassten Briefe
von Henri Rousseau an Guillaume Apollinaire, abgedruckt in: Les Soirées de
Paris, Nr. 20, 15. Januar 1914, S. 30–48.
2. Dies belegt eine Rechnung über 3.000 FF an Pierre Cloix (Zwischenhändler
für die Galerie Rosenberg), ausgestellt von Guillaume Apollinaire, für «Le poète et
sa muse», 17. Juni 1913, in: Pierpont Morgan Library, Paul Rosenberg Archiv, MA
3500.1. Die Zahlung an den Eigentümer ist erst erfolgt, als das Werk in Paul von
Mendelssohn-Bartholdy einen sicheren Abnehmer gefunden hatte.
3. Paul von Mendelssohn-Bartholdy an Paul Rosenberg, 18. April 1913, in: MoMA,
Paul Rosenberg Archives, I.A.48c, Bl. 359–360. Für ihre Hilfe mit den Rosenberg-
Archivalien danke ich Laurie Stein.
4. Vgl. Paul von Mendelssohn-Bartholdy an Paul Rosenberg, 25. Juni 1913, in:
MoMA, Paul Rosenberg Archives, I.A.48c, Bl. 378rv.
5. Vgl. Paul von Mendelssohn-Bartholdy an Paul Rosenberg: Telegramm (Berlin
927, 16.29, Angebot über 6.000 FF für «Poète et sa muse»), 13. Juli 1913 und Paul
von Mendelssohn-Bartholdy an Paul Rosenberg: Telegramm (Zahlungszusage
in Höhe von 17.500 FF für drei Rousseaus), 31. Juli 1913, beide in: MoMA, Paul
Rosenberg Archives, I.A.48.c, Bl. 376 und 365rv.
6. Vgl. Les Soirées de Paris, 15. Januar 1914, Paris 1914, S. 53.
7. Vgl. Henri Rousseau, Ausst.-Kat. Galerie Flechtheim (22. Februar – 20. März

1926), Berlin 1926, S. 119, Nr. 5.
8. Vgl. Christoph Bernoulli: Rechnung für «Henri Rousseau, Le poète et sa muse»,
1. September 1940, in: KMB, Archiv, O 001.004.002.000.
9. Vgl. Firma G. Staechelin, Söhne & Co. an Kunstmuseum Basel, 6. Dezember
1940, in: KMB, Archiv, O 001.004.002.000.
10. Vgl. Kunstmuseum Basel an Firma G. Staechelin, Söhne & Co., 18. Dezember
1940 und Konto-Korrent-Auszug für tit. Öffentliche Kunstsammlung Basel,
31. Dezember 1940, in: KMB, Archiv, Erwerbungen 1940, Inv. 1774.
11. Vgl. Georg Schmidt an Richard Doetsch-Benziger, 3. September 1940, in:
KMB, Archiv, O 001.004.002.000.
12. Vgl. Protokoll der Kunstkommissionssitzung, 2. September 1940, in: KMB,
Archiv, B001.001.018.000, S. 169.
13. Vgl. ebd.
14. Vgl. Inventarkarte aus der Werkakte und Rückzahlungsbeleg der Spende von
René Guggenheim an Richard Doetsch-Benziger über 100,- CHF, 21. Dezember
1940 aus der Ankaufsakte, beides in: KMB, Archiv, Erwerbungen 1940, Inv. 1774.
15. Vgl. Stefan Pucks, Von Manet zu Matisse – die Sammler der französischen
Moderne in Berlin um 1900, in: Johann Georg von Hohenzollern (Hrsg.), Manet
bis van Gogh. Hugo von Tschudi und der Kampf um die Moderne, Ausst.-Kat.
Nationalgalerie Berlin, München 1996, S. 386–390, hier S. 387.
16. Vgl. Julius H. Schoeps, Das Erbe der Mendelssohns. Biographie einer Familie,
Frankfurt 2009, S. 287–313, hier S. 303–305.

Abb. 1a/b:
Henri Rousseau, *La muse inspirant le poète / Apollinaire et sa muse*, 1909, recto und verso

HENRI ROUSSEAU (1844–1910)

LA MUSE INSPIRANT LE POÈTE/APOLLINAIRE ET SA MUSE
1909

Öl auf Leinwand
146,2 × 96,9 cm
Signiert und datiert
unten rechts in roter Farbe:
Henri Rousseau 1909

Kunstmuseum Basel, Inv. 1774
Ankauf 1940 mit Beiträgen von
Dr. h.c. Richard Doetsch-
Benziger, Karl Im Obersteg,
René Guggenheim und einem
ungenannt sein wollenden Spender

PROVENIENZ:

1909 – wohl 1912/13:
Guillaume Apollinaire (1880–1919), Paris

wohl 1912/13 – Juli 1913
Paul Rosenberg (1881–1959), Paris, in
Kommission von Guillaume Apollinaire

Juli 1913 – 1927:
Paul (1875–1935) und Charlotte (1877–1946)
von Mendelssohn-Bartholdy, Berlin,
angekauft bei Paul Rosenberg

1927 – 2.9.1940:
Charlotte von Mendelssohn-Bartholdy, ab
1930 Gräfin von Wesdehlen, Berlin/Genf,
nach der Scheidung von ihrem ersten
Ehemann übernommen

2.9.1940 – heute:
Kunstmuseum Basel, angekauft bei Charlotte
Gräfin von Wesdehlen, Genf, als Vermittlung
von Christoph Bernoulli, Basel

die Zeitschrift *Les Soirées de Paris* das Werk fälschlicherweise noch im Januar 1914 als «Collection Paul Rosenberg» ausweist,[6] und die Inventarkarte des Objekts im Kunstmuseum Basel für das Jahr 1922 zudem die nicht zutreffende Eigentümerschaft der Galerie Alfred Flechtheim vermerkt. 1926 wurde *Le poète et sa muse* tatsächlich in einer Ausstellung der Galerie Flechtheim gezeigt. Als Leihgeberin wird im Katalog «Frau Lotte von Mendelssohn-Bartholdy» gedankt.[7] Das Gemälde verblieb bis zur Scheidung des Paars im Jahr 1927 in gemeinsamem Besitz und ging dann in Charlottes alleiniges Eigentum über. Ein Zolletikett mit Datumsstempel auf der Rückseite des Werks belegt, dass es am 5. Oktober 1935 am Grenzübergang Brig in die Schweiz eingeführt wurde (Abb. 2). Es gelangte in die Wohnung Charlotte (seit 1930 in zweiter Ehe verheiratete) von Wesdehlens, 4 Avenue de Champel in Genf. Durch Vermittlung des Kunsthändlers Christoph Bernoulli (1897–1981) ging es mit Beschluss der Kunstkommission vom 2. September 1940 in den Bestand der Öffentlichen Kunstsammlung Basel ein.[8]

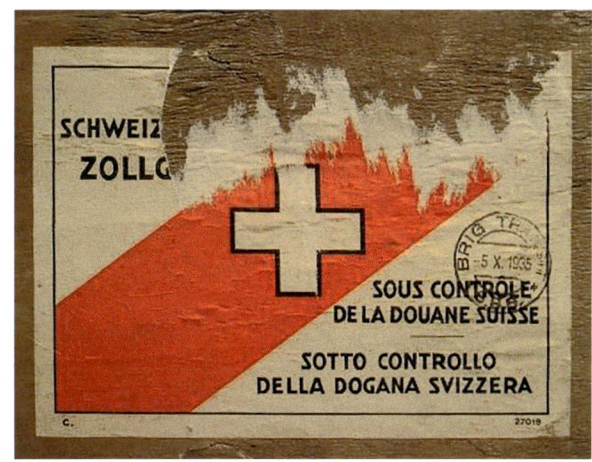

Abb. 2: Zolletikett auf dem Schmuckrahmen des Gemäldes, Stempelung Grenzübergang Brig, 5. Oktober 1935

EINGANG

Das Werk wurde gemäss Rechnung vom 1. September 1940 für 12.000 CHF erworben, die Rudolf Staechelin (1881–1964) am 6. September 1940 in Vorleistung für das Museum an Christoph Bernoulli überwies, zum Transfer an Charlotte von Wesdehlen.[9] Die Rückzahlung der Summe an Rudolf Staechelin, den Kassenwart der Kunstkommission, erfolgte am 18. Dezember 1940.[10] Weiterhin hat das Kunstmuseum eine Provision in Höhe von 1.500 CHF an Bernoulli für seine Vermittlungsleistung überwiesen.[11] Diese Zahlung wurde von dem Basler Sammler und Mäzen des Kunstmuseums, Dr. h.c. Richard Doetsch-Benziger (1877–1958), übernommen.[12] In der über den Ankauf entscheidenden Sitzung der Kunstkommission äusserte Museumsdirektor Georg Schmidt (1896–1965) die Hoffnung, diesen Aufwand perspektivisch auf verschiedene Schultern verteilen zu können.[13] Zusätzliche Unterstützer fanden sich in Karl Im Obersteg (1883–1969), René Guggenheim (1913–1954) und einem ungenannt bleiben wollenden Stifter (Georg Schmidt); die Beträge gingen rückwirkend Doetsch-Benziger zu.[14]

CHARLOTTE VON WESDEHLEN. SITUATION IN DEUTSCHLAND

Charlotte von Wesdehlen, geb. Reichenheim, geschiedene von Mendelssohn-Bartholdy, stammte aus einer sehr wohlhabenden jüdischen Familie (Abb. 3). Ihre Eltern, Margarete Oppenheim, geb. Eisner (1857–1935), und Dr. Georg Reichenheim (1842–1903) lebten im vornehmen Berliner Tiergartenviertel. Georg Reichenheim war Chemiker und Unternehmer. Die familieneigene Firma N. Reichenheim & Sohn betrieb erfolgreich mehrere Textilfabriken in Schlesien. 1888 wurden diese Produktionsstätten verkauft, und das Ehepaar widmete sich mit dem Erlös unter anderem dem Sammeln von Kunst. Sie begannen mit Kunstgewerbe und trugen zudem über die Jahre bedeutende Werke französischer Impressionisten zusammen. Nach dem Tod Georg Reichenheims heiratete Margarete den Chemiker und Agfa-Generaldirektor Franz Oppenheim (1853–1929). Auch er teilte ihre Leidenschaft für die Kunst. Mit Hilfe der Galerie Paul Cassirer bauten die zwei eine der bedeutendsten Cézanne-Sammlungen Deutschlands auf.[15] Weiterhin nannten sie Werke von Vincent von Gogh, Édouard Manet, Edgar Degas, El Greco und Francesco Guardi ihr Eigen.[16]

1902 heiratete Tochter Charlotte den Bankier Paul von Mendelssohn-Bartholdy. Als ihr Vater 1903 verstarb, erbten sie und ihre Mutter zu gleichen Teilen. Geschätzt handelte es sich jeweils um 4.700.000 RM, wodurch Charlotte im Alter von 26 Jahren finanziell unabhängig war. Sie und ihr Mann begannen ebenfalls, Kunst zu sammeln. Insbesondere als Sammler von Picasso erwarben sie sich einen über Deutschlands Grenzen hinausreichenden Ruf. Dazu kamen Werke von Vincent van Gogh, Edgar Degas, Édouard Manet, Claude Monet, Auguste Renoir, André Derain und Henri Rousseau. 1927 wurde die Ehe von Charlotte und Paul von Mendelssohn-Bartholdy geschieden. Die Kunstsammlung wurde unter ihnen beiden aufgeteilt, und Paul von Mendelssohn-Bartholdy zahlte fortan eine jährliche Unterhaltsrente von 120.000 RM an seine geschiedene Frau. Er heiratete Charlottes ehemalige Gesellschafterin Elsa von Lavergne-Peguilhen (1899–1986). Charlotte heiratete 1930 ebenfalls ein zweites Mal, den schweizerischen Rittmeister der Preussischen Armee a. D. Georges Frédéric Petitpierre Graf von Wesdehlen (1869–1959), gebürtig aus Neuchâtel/ Neuenburg. Diese Heirat verschaffte ihr die schweizerische Staatsbürgerschaft.[17] Das Ehepaar lebte in Berlin.

Abb.3: Charlotte Gräfin von Wesdehlen, Berlin, 1929

VERLUSTE AUFGRUND NATIONAL- SOZIALISTISCHER VERFOLGUNG

Aufgrund der zunehmenden Repressalien gegen die jüdische Bevölkerung plante Charlotte von Wesdehlen ab 1938 ihre Ausreise in die Schweiz. Ihr zweiter Ehemann wollte sie nicht begleiten. Er gab 1942 zu Protokoll, dass seine Frau Deutschland «wegen der Massnahmen gegen die Juden» verlassen habe und «von ihm getrennt» wohne.[18] Anfang 1939 wurde ein Verfahren zur Festsetzung der Reichsfluchtsteuer eingeleitet – die Behörden waren also über Charlotte von Wesdehlens Emigration informiert. Mit Bescheiden vom 20. Februar und 21. März 1939 wurde die Höhe der Reichsfluchtsteuer festgesetzt, die in einer Zahlung von 183.298 RM mündete. Zuvor war sie zur Zahlung der Judenvermögensabgabe in Höhe von 408.000 RM, zahlbar in vier Raten zwischen Dezember 1938 und August 1939, verpflichtet worden. 1939 wurde eine zusätzliche «Sühnerate» festgesetzt. In der Entschädigungsakte wird die Höhe der festgesetzten Judenvermögensabgabe auf insgesamt 620.000 RM beziffert, was eine enorme Summe darstellte.[19]

Ausweislich der Angaben ihrer Entschädigungsakte betrug Charlotte von Wesdehlens steuerpflichtiges Vermögen zu diesem Zeitpunkt 733.192 RM. Die jährliche Unterhaltsrente von ihrem geschiedenen Ehemann wurde in den letzten Jahren zunächst auf 90.000 RM und schliesslich auf 60.000 RM herabgesetzt. Weiter verfügte sie über ein Vermögen von etwa 400.000 RM, grösstenteils in Wertpapieren bei der Berliner Handelsbank und bei der Deutschen Bank, Depositenkasse am Bayerischen Platz. Daneben hatte sie die Nutzniessung an 300.000 bis 400.000 RM aus dem Nachlass ihrer verstorbenen Mutter. Infolge der Kapitalisierung der Unterhaltsrente sowie der Vorerbschaft wurde ihr gesamtes persönliches Vermögen zur Zahlung der Judenvermögensabgabe und der Reichsfluchtsteuer in Anspruch genommen.[20] Da ihre eigenen Mittel hierfür nicht ausreichten, wurden auch Zahlungen aus der Vorerbschaft realisiert.[21]

Georges Petitpierre de Wesdehlen blieb nach Charlottes Ausreise in die Schweiz allein in Berlin. Er verliess die eheliche Wohnung am Grossadmiral von Köster Ufer 87 (heute Schöneberger Ufer) und zog in die Saarlandstrasse 130. Er lebte von seiner Rittmeister-pension in Höhe von 235 RM und von den Kapitaleinkünften der Vorerbschaft seiner Frau am Nachlass von Margarete Oppenheim. Aufgrund der devisenrechtlichen Beschränkungen konnten weder der Nachlass noch die Kapitaleinkünfte ins Ausland transferiert werden. Nach Inkrafttreten der «11. Verordnung zum Reichsbürgergesetz» vom 25. November 1941 wurde ihm, der zwar selbst als «arisch» galt, jedoch in einer sogenannten jüdischen Mischehe lebte, der Zugriff auf das Nachlassvermögen Margarete Oppenheims durch die Deutsche Länderbank verwehrt.[22] Es lässt sich aber nachweisen, dass das Vermögen nicht eingezogen wurde.[23] 1951 beantragte Georges Petitpierre de Wesdehlen als Alleinerbe nach seiner 1946 verstorbenen Frau Entschädigung für den NS-verfolgungs-bedingten Schaden an Eigentum und Vermögen in Höhe von 1.193.554 RM. Die Behörde erkannte die Entschädigung für Judenvermögensabgabe und Reichsfluchtsteuer an. Der Anspruch wurde mit 49.931,51 DM brutto (30.071,51 DM netto) befriedigt. Ein weiterer Teilbetrag der Judenvermögensabgabe musste aufgrund von ausstehenden Unterlagen zurückgestellt werden.[24] Ab 1959 führte Georges Bruder, Heinrich Graf von Wesdehlen (1886–1975), das Verfahren vor den Wiedergutmachungsämtern weiter und erhielt einen Ausgleich von 44.998,29 DM für den Entzug der Wertpapiere und das verlorene Vorerbe seiner Schwägerin.[25] Zurückgelassene Werte und Kunstgegenstände im Berliner Haus und der «Schaden an Leben» von Charlotte von Wesdehlen wurden nicht entschädigt.[26]

VERKAUFSVERSUCHE VON KUNSTWERKEN IN DER SCHWEIZ – BASEL

Spätestens am 15. Dezember 1938 (Tag der polizeilichen Abmeldung in Berlin) ist Charlotte von Wesdehlen im Alter von 60 Jahren in die Schweiz ausgewandert.[27] Der eingangs erwähnte Zollstempel auf dem hier interessierenden Gemälde eröffnet auch die Möglichkeit, dass sie bereits im Oktober 1935 ins Land eingereist sein könnte. Sie war in der Lage, ein Konvolut von hochwertigen Kunstwerken mit sich zu nehmen und in ihre Wohnung in Genf bringen zu lassen. Später, im Jahr 1940, führte sie zudem grosse Mengen an Umzugsgut ein.

Bald nach ihrer Ankunft in der Schweiz begann Charlotte von Wesdehlen, Bilder ihrer Kunstsammlung zum Verkauf anzubieten. Dies geht aus der Korrespondenz des Basler Kunsthändlers Christoph Bernoulli hervor, mit dem die Geschwister Eleonora und Francesco Mendelssohn-Bartholdy, Grosscousins von Charlottes erstem Mann, sehr

---

17. Vgl. Akte des Oberfinanzpräsidenten (OFP) zu Charlotte von Wesdehlen, in: BLHA, Rep. 36 A [III], Nr. 39812, und Schweizerische Akte, BAR, E2001#1000/1553#3845*.

18. Vgl. Schweizerische Gesandtschaft in Deutschland an Abteilung für Auswärtiges, Bern, 25. Februar 1942, in: BAR, E2001#1000/1553#3845*.

19. Anmeldung von Ansprüchen gemäss Gesetz über die Entschädigung der Opfer des Nationalsozialismus, Gräfin Wesdehlen Charlotte und Anlage zum Entschädigungsantrag Graf von Wesdehlen No. 64355 (Schaden an Vermögen), in: LABO Berlin, Reg. Nr. 72812, D1 verso und D2–D5.

20. Vgl. RA Max Habicht an Eidgenössisches Politisches Departement, Bern (Herr Keller), 26. April 1955, in: BAR, E2001-08#1978/107#1310*.

21. Vgl. Entschädigungsakte Charlotte von Wesdehlen, in: LABO Berlin, Reg. Nr. 72812.

22. Vgl. Walther von Simson an Oberfinanzpräsident Berlin-Brandenburg, 20. Mai 1942, und Oberfinanzpräsident Berlin-Brandenburg an Geheime Staatspolizei Berlin, 15. Januar 1943, sowie Georges Petitpierre Graf von Wesdehlen an Oberfinanzpräsident Berlin-Brandenburg, 27. September 1944, sämtlich in: BLHA, Rep. 36 A II 39812.

23. Da Margarete Oppenheim ihre Tochter nur als Vorerbin eingesetzt hatte, fiel der

Nachlass nach Charlotte von Wesdehlens Tod an die Nacherben Else von Arnim, geb. Simson, und ihren Bruder Otto von Simson respektive ihre Nachfahren. Vgl. Deutsche Länderbank an Landgericht Berlin, 24. März 1961, in: LA Berlin, B Rep. 025-06, Nr. 1140/55, 145ff und Verfahren Else von Arnim und Otto von Simson ./. Deutsches Reich, in: LA Berlin, B Rep. 025-06, Nr. 33/52 und Nr. 34/52.

24. Vgl. Entschädigungsamt Berlin an Dr. jur. Auert: Teilbescheid Nr. 48021 auf Entschädigungsantrag vom 20. September 1951 bzw. 2. August 1955 des Herrn Georg Friedrich Petitpierre de Wesdehlen, 13. Oktober 1955, in: BAR, E2001-08#1978/107#1310*.

25. Vgl. Entschädigungsamt Berlin an Notar Dr. Auert: Bescheid Nr. 87629, in: LABO Berlin, Reg. Nr. 72812, D82–94.

26. Vgl. LA Berlin, B Rep. 025-06, Nr. 1139/55–1142/55; LA Berlin, B Rep. 025-06, Nr. 5400/59.

27. Vgl. Oberfinanzpräsident Berlin Brandenburg an Geheime Staatspolizei Berlin, 15. Januar 1943, und Geheime Staatspolizei Berlin an Oberfinanzpräsident Berlin Brandenburg, 20. Juni 1944, beide in: BLHA, Rep. 36 II 39812. In der dem Kunstmuseum vorliegenden Forderungsschrift der Anspruchsteller wird fälschlicherweise der 15. Dezember 1939 als Tag ihrer polizeilichen Abmeldung genannt. Vgl. Schink & Studzinski an Josef Helfenstein, 17. März 2021, S. 10.

verbunden waren und den sie auch selbst als «alten Freund»[28] bezeichnete (Abb. 4). Am 17. Juli 1939 schrieb Bernoulli an den Pariser Kunsthändler Paul Rosenberg und fragte, ob er Interesse an Werken von Rousseau habe, die er vielleicht demnächst aus Privatbesitz an die Hand bekommen werde.[29] Dieser meldete sich mit der Rückfrage, ob es sich um die Rousseaus der Frau von Wesdehlen handele. Er wisse um die kommende Marktfreiheit der Gemälde, und sowohl den *Pierre Loti* als auch den *Apollinaire* habe er selbst an sie verkauft. Persönlich sei er nur am Rückkauf des *Pierre Loti* interessiert.[30] Bernoulli bestätigte Rosenbergs Vermutung und erklärte, dass die Bilder ihm von dem deutsch-amerikanischen, in New York lebenden Kunsthändler Curt Valentin (1902–1954) «nachgewiesen worden» seien und noch nicht «aus Deutschland heraus wären». Valentin war davon ausgegangen, dass Charlotte von Wesdehlen die Einfuhr der Werke in die

Abb. 4: Der Kunsthändler Christoph Bernoulli, Basel, 1957

Schweiz nur mit Schweizer Unterstützung bewerkstelligen könne, weshalb er Bernoulli involvierte. Bernoulli erklärte gegenüber Rosenberg, dass er zurücktreten werde, falls Rosenberg bei diesem Geschäft als Handelspartner Valentins infrage komme, er sich ansonsten aber gern «mit dem ganzen Complex der Gräfin W.» befasse. Der Brief endet mit einem Kommentar über Charlotte von Wesdehlen:

> «Diese Dame ist übrigens nicht weniger schwierig, als ihre Verwandten desselben Namens, nur dass man es bei ihr mit nur einer – Verrückten zu tun hat, statt mit einem halben Dutzend.»[31]

Der Verkaufsversuch verlief ins Leere. Es sind keine Dokumente überliefert, die eine Fortführung der Diskussion zwischen Valentin, Rosenberg und Bernoulli nachweisen.

Beinahe ein Jahr später, am 12. Juni 1940, wandte sich Charlotte von Wesdehlen an Alice Bernoulli, geb. Meisel (1902–1982). Die Frau von Christoph Bernoulli, selbst Jüdin aus Berlin, war ihr wahrscheinlich von dort bekannt. Charlotte von Wesdehlen nannte ihr die Titel von insgesamt 13 Gemälden und bat um eine Schätzung durch ihren Gatten, da sie sich gezwungen sah, wenigstens eines davon zu verkaufen:

28. Charlotte von Wesdehlen an Franz Meyer (Präsident der Zürcher Kunstgesellschaft), 26. September 1940, in: Archiv ZKG/KHZ, Eingehende Korrespondenz, 10.30.30.143 «[...] vor vielen Wochen kam Herr Dr. Schmidt zu mir [unleserlich] Dr. Bernoulli, der ein alter Freund von mir ist, und so kam der Kauf des Basler Museums zustande.»

29. Vgl. Christoph Bernoulli an Paul Rosenberg, 17. Juli 1939, in: Nachlass Bernoulli, UBH - NL 322BV.

30. Vgl. Paul Rosenberg an Christoph Bernoulli, 19. Juli 1939, in: Nachlass Bernoulli, UBH - NL 322BV.

31. Christoph Bernoulli an Paul Rosenberg, 4. August 1939, in: Nachlass Bernoulli, UBH - NL 322BV.

32. Charlotte von Wesdehlen an Alice Bernoulli, 12. Juni 1940, in: Nachlass Bernoulli, UBH - NL 322BV.

33. Vgl. Henry Certigny, Le Douanier Rousseau en son temps. Biographie et catalogue raisonné, Bd. II, Tokyo 1984, Nr. 277, S. 592–595.

34. Vgl. ebd., Nr. 233, S. 474–477; Götz Adriani, Henri Rousseau. Der Zöllner - Grenzgänger zur Moderne, Köln 2001, S. 184–187.

35. Freundlicher Hinweis von Harry Joelson-Strobach, Kunst Museum Winterthur.

36. Vgl. Certigny 1984, Nr. 312, S. 676–677; Adriani 2001, S. 255–256.

37. Christoph Bernoulli an Georg Schmidt, 17. Juni 1940, in: Nachlass Bernoulli, UBH - NL 322BV.

38. Vgl. Georg Schmidt an Charlotte von Wesdehlen, 19. Juni 1940, in: Nachlass Bernoulli, UBH - NL 322BV.

39. Die Ausbürgerung erfolgte am 25. November 1941, vgl. Sektion für Rechtswesen und private Vermögensinteressen im Auslande an die Schweizerische Gesandtschaft London, 1. Juni 1945, in: BAR, E2001#1000/1553#3845*.

40. Charlotte von Wesdehlen an Georg Schmidt, 24. Juni 1940, in: KMB, Archiv, O 001.004.002.000.

«J'aimerais bien savoir de combien votre mari taxe mes tableaux afin de pouvoir comparer son évaluation avec celle des autres amateurs. Je vous dis en amie que je voudrais bien vendre, un tableau à présent, car il le faut ...»[32]

Auf der beiliegenden Liste werden folgende Werke von Rousseau angeführt:

1. *Apollinaire et sa muse*, 1909
   Öl auf Leiwand, 146 × 97 cm (heute im Kunstmuseum Basel)[33]
2. *Pierre Loti avec le chat*, 1906
   Öl auf Leiwand, 61 × 50 cm (heute im Kunsthaus Zürich)[34]
3. *Une Nature morte – fleurs dans un vase blanc* (très beau), 1910
   Öl auf Leiwand, 58 × 47 cm (von 1996 bis 2013 als Leihgabe
   im Kunstmuseum Winterthur)[35]
4. *Un très petit paysage sur bois* (Verbleib unbekannt).[36]

Weiterhin bot sie einen grossen Picasso an, einen grossen Juan Gris sowie sieben kleinere Werke von Pissarro, Renoir, Gauguin und drei «Constantindis» (Constantin Guys).

Christoph Bernoulli schrieb unmittelbar danach an Georg Schmidt und vermittelte die Adresse der Gräfin (Abb. 5):

«Es ist vorgesehen, dass das Kunstmuseum das Einführen der Bilder auf Freipässe besorgt, damit erwirbt aber auch das Museum das Recht als erstes um allfällig interessante Bilder zu handeln.»[37]

Schmidt meldete sich postwendend bei der Gräfin und bot seine Hilfe bei der Einfuhr an.[38] Diese reagierte überrascht, da sich die Bilder ja bereits in ihrer Genfer Wohnung befanden. Aufgrund der durch ihre zweite Heirat erlangten Schweizer Staatsangehörigkeit (bis 1941 hatte sie auch die deutsche Staatsangehörigkeit, danach wurde sie als Jüdin aus Deutschland ausgebürgert)[39] hatte sie die Werke als Umzugsgut unverzollt einführen können. Wann genau dies geschah, ist nicht geklärt. Allerdings durfte sie die Objekte, wie sie Schmidt erläuterte, nicht verkaufen, ohne den Einfuhrzoll rückwirkend zu entrichten. Hier erbat sie seine Hilfe:

«Je ne peux donc – suivant la loi suisse – vendre mes objets qu'après les avoir dédouanés, et c'est là que je vous serai [sic] très reconnaissante pour toute assistance que vous voudrez bien m'accorder en ce qui concerne les tableaux que vous avez l'intention d'acheter.»[40]

Sie bot an, nach Basel zu kommen und die kleineren Gemälde mitzubringen. Das Bild von Juan Gris und der *Apollinaire* seien zu gross für einen persönlichen Transport. Die Voraussetzung für ihr Erscheinen sei allerdings eine Zusage, dass Schmidt sicher etwas kaufen werde, da sie ansonsten kein Geld für die Reise ausgeben könne.

Abb. 5: Georg Schmidt am Schreibtisch im Kunstmuseum, Basel, o.J.

Schmidt schrieb zurück, dass sein Angebot, bei der Einfuhr zu helfen, wohl auf ein Miss-
verständnis zwischen ihm und Bernoulli zurückführen sei, und erklärte:

> «Wenn Sie die Bilder als Ihren Besitz, wenn auch mit der Zollklausel im Verkaufs-
> fall, herausbekommen haben, wird es auch keine Schwierigkeit haben, sie in der
> Schweiz an andere Orte zu bringen, sofern ein ev. Käufer den Zoll entrichtet.»[41]

Weiterhin vermittelte er, dass er zum aktuellen Zeitpunkt von Ankäufen absehen müsse,
da seine sämtlichen Mittel in die Evakuierung des Museumsbestands in bombensichere
Depots geflossen seien.[42] Da Schmidt sich dennoch sehr für den grossformatigen
Apollinaire interessierte, besuchte er Charlotte von Wesdehlen Ende Juli in Genf, wo er
den gesamten Bestand begutachtete. In einem Brief vom 1. August 1940 an Christoph
Bernoulli berichtet er – in irritierend despektierlichem Tonfall – von diesem Treffen
mit der «‹Hundelotte›[43], wie sie sehr zutreffend heisst», und dass er sie von ihren extrem
hohem Preisvorstellungen, den «Falsett-Höhen, heruntergeholt und auf den Boden der
Realitäten» gebracht habe, was «da sie unbedingt verkaufen zu müssen scheint, ziemlich
gut gelang». Weiter schrieb er:

> «Für uns kommt ernsthaft allein der ‹poète› in Frage, der aber sehr! Ich habe ihr
> als maximal heute realisierbaren Preis Fr. 20.000.- genannt. Für uns aber komme
> auch der auf keinen Fall in Frage. Wir könnten, wenn überhaupt, höchstens
> 15.000.- aufbringen. Aber auch das werde harzen. [...] Ich habe das Bild bereits
> im Hause und es schon einigen Kommissionsmitgliedern gezeigt. Die wollen zu-
> greifen, aber nur für 10.000.-. [...] Ich habe den Eindruck bekommen, wenn ich ihr
> 12.000.- auf den Tisch des Hauses legen würde, sie würde zugreifen.»[44]

Christoph Bernoulli antwortete von einer Italienreise:

> «Wunderschön, dass Lotte funktioniert und tut, was Du ihr empfiehlst. Es wäre
> schön, wenn Basel den ‹Poeten› behalten könnte. Schöne Ergänzung zu dem
> schon vorhandenen. Kann Doetsch nicht helfen und die Summe vorstrecken? Ich
> hoffe am 12. in Basel zurückzusein und will bis dahin noch denken, wo wir einen
> Überbrücker finden könnten.»[45]

Am 19. August 1940 informierte Alice Bernoulli Curt Valentin über Charlotte von
Wesdehlens Verkaufsangebot:

> «Die Hundelotte fängt durch den Druck der Verhältnisse an, Preise zu stammeln.
> Sie will nun für Juan Gris 40.000 Sfrs., Stillleben Rousseau 40.000 Sfrs., Picasso
> Alter Mann mit Harlekin 80.000 Sfrs., für den Pierre Loti 60 bis 70.000 Sfrs.,
> für die kleine Landschaft von Rousseau, die ich nicht sah, wegen derer sie schon
> verhandelt 300 L Sterling. ‹Apollinaire et sa muse› hat sie ans Basler Museum ge-
> schickt, aber eine Einigung wird kaum zustande kommen. Für dieses Bild hat sie

41. Georg Schmidt an Charlotte von Wesdehlen, 26. Juni 1940, in: KMB, Archiv, O 001.004.002.000.

42. Vgl. ebd.

43. Offenbar war der Name «Hundelotte» durchaus geläufig für die Gräfin. Alternativ wurde sie auch «die dicke Lotte» genannt. Vgl. Walter Feilchenfeldt an Tessa Rosebrock, 12. November 2021, in: KMB, Abt. Provenienzforschung, Dossier Sammlung Wesdehlen.

44. Georg Schmidt an Christoph Bernoulli, 1. August 1940, in: KMB, Archiv, O 001.004.002.000, und Nachlass Bernoulli, UBH - NL 322BV.

45. Vgl. Christoph Bernoulli an Georg Schmidt, 6. August 1940, in: KMB, Archiv,

O 001.004.002.000.

46. Alice Bernoulli an Curt Valentin, 19. August 1940, in: Nachlass Bernoulli, UBH - NL 322BV.

47. Georg Schmidt an Rudolf Staechelin, 26. August 1940, in: Nachlass Bernoulli, UBH - NL 322BV.

48. Vgl. ebd.

49. Rudolf Staechelin an Georg Schmidt, 28. August 1940, in: KMB, Archiv, O 001.004.002.000.

50. Georg Schmidt zit. n. Protokoll der Kunstkommissionssitzung, 2. September 1940, in: KMB, Archiv, B001.001.018.000, S. 169.

einstweilen keinen Preis genannt, aber da sie dringend Geld braucht, glaube ich, dass man mit einem Barangebot von 20.000 Sfrs. etwas erreichen könnte. Aber wie sollen sich Geschäfte mit den USA heute abwickeln? Bei diesen Schwierigkeiten? Und in Commission will sie nichts geben, das Museum ist eine Ausnahme. Und in die USA würde sie sowieso nichts geben.»[46]

Am 26. August 1940 sandte Georg Schmidt einen Erwerbungsvorschlag für das Gemälde in Höhe von 15.000 CHF an Rudolf Staechelin, der als privater Mäzen gefunden werden konnte. Er sah Folgendes vor:

«1.) Fr. 10'000.- bei Uebernahme des Bildes. Fr. 2'000.- bis 30. September 1940. Fr. 3'000 bis 30. Juni 1941 = 15.000. 2.) Dieses Angebot gilt nur für das Basler Museum, da höhere Angebote seitens Privater sofort erhältlich sind. 3.) Wenn das Basler Museum dieses Angebot ablehnt und sein Mittelsmann das Bild behalten will, dann ist der Preis Fr. 17'500.-, also letzte Rate 30. Juni 1941 Fr. 5'500.-. 4.) Wenn das Basler Museum ablehnt und sein Mittelsmann das Bild nicht für sich behalten will, dann steht das Bild bis 30. Juni 1941 dem Anbieter zur Verfügung. [...] Der Anbieter ist Christoph Bernoulli, der Mittelsmann sind Sie.»[47]

Aus sämtlichen Briefen geht hervor, dass Charlotte von Wesdehlen sehr dringend und kurzfristig Geld brauchte. Georg Schmidt schrieb als Kommentar zu diesem Ankaufsvorschlag:

«Ich halte diesen Vorschlag für durchaus loyal, denn ich bin tatsächlich überzeugt, dass privat sofort ein wesentlich höherer Preis zu erzielen wäre. Ich erwähne, dass das Bild von Amerika mehrfach angefordert worden ist. Nur die Tatsache, dass der Besitzer rasch realisieren muss, hat obigen Vorschlag ermöglicht. Alle Beteiligten wissen, dass es im Grund ein schandbar billiger Preis ist für dieses Bild, das zu den klassischen Hauptwerken Rousseaus gehört.»[48]

Am 28. August 1940 erklärte Staechelin, dass er bereit sei, 12.000 CHF auszulegen, aber nicht mehr, da «das Gemälde in unserer Sammlung nicht als unbedingt erforderlich bezeichnet werden muss und ein Ankauf nur durch eine äusserte günstige Preislage gerechtfertigt werden kann».[49] Georg Schmidt musste also die Kaufsumme noch einmal nach unten korrigieren, und Charlotte von Wesdehlen liess sich darauf ein. Für die Provisionszahlung an Bernoulli musste Schmidt weitere Unterstützer finden. Am 2. September fiel die Entscheidung für den Ankauf. Im Protokoll der Kunstkommission heisst es:

«Das Angebot des ‹Poète et sa muse› ist einer jener zu erwartenden Glücksfälle infolge des Krieges. [...] Henri Rousseau ist nicht nur aus rein künstlerischen, sondern auch aus kunstgeschichtlichen Gründen für unsere Sammlung höchst erwünscht. [...] Unter normalen Verhältnissen, d.h. bei offenen Wegen nach Amerika, wäre ein Preis von 30–40'000,- Schw. Fr normal gewesen. Dass ich den Preis von anfänglich 25'000,- Fr auf 15'000.- herunterbringen konnte, war schon erstaunlich. Dadurch, dass Herr Staechelin der Oeffentlichen Kunstsammlung bis zu Fr. 12'000.- zu kreditieren sich bereit erklärt hat, musste ich den Preis abermals zu verbessern suchen. Der letzte Preis lautete 12'000.- bar an die Besitzerin, 1'500.- an den Vermittler. Herr Richard Doetsch-Benziger hat uns die Fr. 1'500.- zugesagt in Erwartung, dass wir weitere Freunde des Museums für Beiträge gewinnen würden. Zwei Zusagen habe ich bereits, sodass der Preis für uns nun endgültig bei Fr. 12'000.- liegt.»[50]

Der Statthalter der Kunstkommission Prof. Gantner (1894–1974) kommentierte den Ankauf mit «kunsthistorisch und geschäftlich hocherfreulich!», Kommissionsmitglied Robert Hess mit «es ist eine ganz grosse Gelegenheit».[51]

Christoph Bernoulli mahnte am 6. September 1940, dass Frau von Wesdehlen auf ihre Bezahlung dränge.[52] Der Zahlungseingang wird am 10. September gegenüber Georg Schmidt bestätigt. Für weitere mögliche Geschäfte sandte Charlotte von Wesdehlen am selben Tag das Gemälde *Pierre Loti avec le chat* ans Kunstmuseum Basel (Abb. 6).[53] Sie war zu diesem Zeitpunkt also trotz der ungünstigen Konditionen an weiteren Verkäufen an das Museum interessiert. Am 17. September 1940 übernahm Bernoulli das Gemälde *Pierre Loti* aus der Obhut des Kunstmuseums, um es an Charlotte von Wesdehlen zurückzuschicken, da sie es angeblich verkauft habe.[54] Der tatsächliche Hintergrund für den Abzug des Bildes war ein Gerücht. Von Wesdehlen war zu Ohren gekommen, dass das Museum für den *Apollinaire* einen viel höheren Preis an Bernoulli gezahlt, sie selbst aber nur 12.000 CHF erhalten habe. Sie fühlte sich betrogen und bat um Aufklärung.[55] Christoph Bernoulli schrieb am 19. September 1940 an Georg Schmidt:

Abb. 6: Henri Rousseau, *Portrait de Monsieur X (Pierre Loti)*, 1906, Öl auf Leinwand, 146,2 × 96,9 cm, Kunsthaus Zürich

«Nach einem Telefon mit der ‹Gräfin› ergibt sich folgende Situation: Man hat ihr erzählt, ich hätte den Apollinaire für 25'000.- Fr an das Museum verkauft. Daraufhin grosse Wut auf Museum & mich. Also zurück mit der ‹Ware› Der Loti ist nicht verkauft, die Dame befürchtete nur einen zweiten Gangstercoup von mir. Nun muss ich Dich leider bitten, ihr zu schreiben, dass das Museum tatsächlich nur 12'000.- Fr. gezahlt hat & dass ich eine Provision (Höhe geht sie nichts an) von dritter Seite erhalten habe!»[56]

Mit viel brieflichem Aufwand gelang es Georg Schmidt, die Gräfin zu beruhigen.[57]

51. Ebd.
52. Vgl. Christoph Bernoulli an Georg Schmidt, 6. September 1940, in: KMB, Archiv, O 001.004.002.000.
53. Charlotte von Wesdehlen an Georg Schmidt, 10. September 1940, in: KMB, Archiv, O 001.004.002.000.
54. Vgl. Charlotte von Wesdehlen an Georg Schmidt, 17. September 1940, in: KMB, Archiv, O 001.004.002.000.
55. Vgl. Charlotte von Wesdehlen an Georg Schmidt, 18. September 1940, in: KMB, Archiv, O 001.004.002.000.
56. Christoph Bernoulli an Georg Schmidt, 19. September 1940, in: KMB, Archiv,

O 001.004.002.000.
57. Vgl. Georg Schmidt an Charlotte von Wesdehlen, 20. September 1940, in: KMB, Archiv, O 001.004.002.000.
58. Max Dreyfus an Wilhelm Wartmann, 11. September 1940, in: Archiv ZKG/KHZ, Eingehende Korrespondenz, 10.30.30.143.
59. Vgl. Wilhelm Wartmann an Franz Meyer, 14. September 1940, in: Archiv ZGK/KHZ, Eingehende Korrespondenz, 10.30.30.143.
60. Max Dreyfus an Wilhelm Wartmann, 23. September 1940, in: Archiv ZKG/KHZ, Eingehende Korrespondenz, 10.30.30.143.

WEITERE VERKAUFSVERSUCHE – ZÜRICH

Der von Charlotte von Wesdehlen zum Verkauf ihrer weiteren Kunstwerke herangezoge
ne Händler war Max Dreyfus (Antiquariat Emile/Henri Dreyfus) aus Zürich. Dieser trat
am 11. September 1940 in Verhandlungen mit Wilhelm Wartmann (1882–1970), dem Direk
tor des Kunsthauses Zürich (Abb. 7). Er schickte ihm eine Liste von Werken und gab vor,
dass er weitere Interessenten habe und das Kunsthaus daher rasch zuschlagen müsse.
Auch hier wurde die drängende Finanznot der Verkäuferin thematisiert:

> «Verschiedene unserer Kunden haben ihr reges Verkaufsinteresse mündlich und
> schriftlich bekundet, gewisse Umstände (Verhältnisse der Auftraggeber) machen
> es uns jedoch unmöglich, eine für längere Zeit verlangte Reservierung zu ge
> währen, sondern wir sind gezwungen, nach Möglichkeit die Realisierung zu for
> cieren, selbst wenn grössere Preiskonzessionen nötig sind.»[58]

Es folgen Angebote für Pissarro: 23.000; Sisley: 12.000; Gauguin: 25.000; Rousseau, Land
schaft: 14.000.

Dreyfus war beauftragt worden, als erstes eines der kleinen, leicht transportablen
Bilder zu verkaufen, bevor er die grossen und bedeutenderen Bilder aus Genf und Basel
holte. Wartmann war interessiert und besuchte Dreyfus kurzfristig. Nur drei Tage spä
ter berichtete er Franz Meyer-Stünzi (1889–1962), dem Präsidenten der Zürcher Kunst
gesellschaft, davon. Aus dem betreffenden Schreiben geht hervor, dass Dreyfus dem
Kunsthaus neben den «kleinen Impressionisten» auch alle anderen Werke der Gräfin
von Wesdehlen, inklusive Rousseaus *Apollinaire et sa muse* zur Disposition gestellt hatte.
Wartmann äusserte sein Interesse an allen drei Rousseaus – dem Blumenstillleben, *Pierre
Loti* und *Apollinaire*, wobei das Blumenstillleben für einen Sponsor namens Vogel-Sulzer
gedacht war. Wartmann plante, die Werke zeitnah zu besichtigen (Abb. 8).[59]

Zu diesem Zeitpunkt war *Apollinaire et sa muse* bereits seit elf Tagen an Basel ver
kauft. Dreyfus wusste offenbar nichts von dem Geschäft. Wartmann hingegen wurde auf
den günstigen Ankauf in Basel aufmerksam und informierte den Händler. Dieser ent
schuldigte sich für das versehentliche Angebot des verkauften *Apollinaire* und erklärte die
Verkaufsumstände des Bildes mit der «zwingenden Not» der Verkäuferin. Betreffend den
Pierre Loti verteidigte er die Preisvorstellungen seiner Auftraggeberin:

> «Bezug nehmend auf meinen Besuch kann ich Ihnen nur nochmals bestätigen,
> dass ich betreff des Vorkommnisses mit dem Gemälde APOLLINAIRE keine
> andere Erklärung finden kann, als dass die Besitzerin in dem Moment den Not
> verkauf tätigte, als sie in grösster Verlegenheit war. [...] Wenn die Dame mir nun
> vor einigen Tagen [...] die beiden grösseren Rousseau zustellen liess, so muss
> ich heute, nachdem ich durch Sie von dem Notverkauf zu sehr billigem Preise,
> Kenntnis erhalten habe, annehmen, dass dieser letztere sie in den Stand setzte,
> in Ruhe die Realisierung durch mich der beiden andern Rousseau abzuwarten.
> Aus dem gleichen Grunde wird sie mir am 17. ds. berichtet haben (also vor 5 Tg.)
> ‹Stilleben gebe ich nur für 40.000, den Pierre Loti für 38.000 ab, bestimmt nicht
> darunter.›»[60]

Aus dem Sitzungsprotokoll der Sammlungskommission des Kunsthauses Zürich vom
23. September 1940, in der «das Herrenbildnis von Pierre Loti» verhandelt wurde, geht
hervor, dass für die Erklärung des «Notverkaufs» kein Verständnis aufzubringen war:

> «Der verlangte Preis von Fr. 38.000 wird als zu hoch empfunden, besonders
> nach der überraschenden Mitteilung von Herrn Dr. E. Friedrich, dass das Basler

Abb.7: Wilhelm Wartmann, Zürich, 1962

Abb.8: Henri Rousseau, *Fleurs dans un vase blanc*, 1910
(auf der Staffelei im Kunsthaus Zürich, 1940er-Jahre)

Museum aus dem gleichen Bestand ein wichtigeres Stück statt für Fr. 60.000[61] für Fr. 12.000 erwerben konnte. [...] die Kommission beschliesst für das Herrenbildnis Fr. 8.000 zu offerieren und bis maximum Fr. 10.000 zu gehen.»[62]

Auf Nachfrage ihres Kunsthändlers bestätigte Charlotte von Wesdehlen den Verkauf des *Apollinaire* nach Basel:

«Zwar bin ich keinem Menschen eine Rechenschaft schuldig, da Sie mich jedoch darum bitten, bestätige ich hiermit, dass ich das Bild ‹Apoll. et sa muse› tatsächlich an das Basler Museum verkauft habe. [...] Ich bin Schweizerin und betrachte es als Ehre an ein Schweizer Museum zu verkaufen.»[63]

Nichtsdestotrotz verteidigte sie ihre Preisvorstellungen für *Pierre Loti* (nun mindestens 35.000 CH) und für das Blumenstillleben (40.000 CHF, allenfalls für 38.000 CHF) gegenüber Zürich, auch mit der Begründung, dass Herr Vogel-Sulzer ein Privatinteressent sei und Georg Schmidt ihr dereinst gesagt habe, dass «ein Museum nicht so viel zahlen könne, wie ein Privater.»[64]

Dreyfus erklärte die Haltung seiner Klientin gegenüber dem am Kauf von *Fleurs dans un vase blanc* interessierten Claus Vogel-Sulzer folgendermassen:

«Sie hat in ganz energischer Weise gegen die Folgerung Stellung genommen, dass der Notverkauf nun als Massstab für die Bewertung der anderen Gemälde gelten und von Einfluss auf die Preise sein soll. Den unkontrollierten Behauptungen von dritter Seite, die Besitzerin gebe die Gemälde zu je Fr. 20.000 ab, halte ich als Beweis des Gegenteils die oben erwähnten Briefe entgegen. [...] Ich glaube garantieren zu dürfen, dass eine Dame der hohen Gesellschaft wie Frau von W. es ist, niemals einer Drittperson einen anderen Preis genannt hätte. [...] Als Vermittler ist es meine Pflicht, sowohl die Interessen der Kommittenten als auch diejenigen meiner Kundschaft zu wahren. Konsequenterweise würde ich niemals einen Verkaufspreis verteidigen, der über dem Marktpreis stehen würde, so wenig ich es als gewissenhaft erachte, wenn eine bestandene Notlage für ein Unterangebot benützt wird, das keinesfalls dem Marktpreis entspricht. Dass aber sowohl Sie als auch Herr Dr. Wartmann einig sind, geht doch daraus hervor, dass Sie im Prinzip eine Verhandlungsbasis von Fr. 38.000 anerkannt hatten. Und wenn in einem Zeitpunkte, da die Impressionisten weit billiger zu haben waren, als heute, das Kunsthaus für einen nicht so interessanten Rousseau[65] Fr. 30.000 bezahlt hat, so wäre es ja nicht zu verstehen, dass es sich ein Werk wie den Pierre Loti nur [...] entgehen liesse, weil Drittpersonen, die von falschen Erwägungen ausgehen [...] es zu Wege bringen wollen, dass die Bilder nach Genf zurück gehen, damit sie nachher nach Basel gehen um dort zu verbleiben [...].»[66]

Dreyfus' Brief wurde an Wilhelm Wartmann weitergeleitet. Dieser schrieb direkt an Charlotte von Wesdehlen, in der Hoffnung, eine niedrigere Preissetzung zu erwirken. Er nahm sie bei ihrem Wort, dass es ihr als «Schweizerin eine Ehre» sei, an ein Schweizer Museum zu verkaufen. Die ihn interessierenden Werke *Pierre Loti* und das Blumenstillleben würden

61. Woher diese Schätzung stammt, ist unklar.
62. Sitzungsprotokoll der Sammlungskommission, 23. September 1940, in: Archiv ZGK/KHZ, 10.30.10, 41–42 resp. 43,44.
63. Charlotte von Wesdehlen an Max Dreyfus 16. September 1940, zit. n. Max Dreyfus an Claus Vogel-Sulzer, 24. September 1940, in: Archiv ZKG/KHZ, Eingehende Korrespondenz, 10.30.30.143.

64. Vgl. ebd.
65. Bei dem hier erwähnten Gemälde handelt es sich um das Werk *Frau im roten Kleid/La promenade dans la forêt* (1886), Inv. 2479, vgl. https://collection.kunsthaus.ch/de/collection/item/2697/ (21.12.2022).
66. Max Dreyfus an Claus Vogel-Sulzer, 24. September 1940, in: Archiv ZKG/KHZ, Eingehende Korrespondenz, 10.30.30.143.

Abb.9: Henri Rousseau, *La promenade dans la forêt*, um 1886,
Öl auf Leinwand, 70 × 60,5 cm, Kunsthaus Zürich

sich gut einfinden neben dem jüngst vom Kunsthaus erworbenen Rousseau *Frau im roten Kleid* aus Pariser Privatbesitz (Abb.9). Hinsichtlich des Preises führte er entschieden an, dass er keine von dem Basler Verkauf unabhängige Summe zu zahlen bereit sei:

> «Im Zusammenhang mit dieser Meldung [Verkauf des Apollinaire für 12.000 CHF] erweckte der Preis von Fr. 38'000 für jedes der beiden kleineren Bilder unweigerlich einiges Erstaunen, und die Bemerkung, dass der Direktor des Kunstmuseums in Basel eben ein geschickterer Käufer sei, als der Direktor des Zürcher Kunsthauses, lag begreiflicher Weise nahe.»[67]

Er schlug daher vor, bei einer Erwerbsgarantie für beide Bilder zum Preis von einem mit ihr ins Geschäft treten zu wollen.[68]

Charlotte von Wesdehlen lehnte dieses Ansinnen mit folgenden Worten ab:

«Wenn Max Dreyfus sagt, er hätte das Doppelbildnis je an der Hand gehabt, so ist mir jedenfalls davon nichts bekannt. Der Sachverhalt war der: vor vielen Wochen kam Herr Dr. Schmidt zu mir [unleserlich – wohl «über»] Herrn Ds. Bernoulli, der ein alter Freund von mir ist, und so kam der Kauf des Basler Museums zustande. Ich bin aus Deutschland ausgewandert und befinde mich nicht in der Lage den Museen der Schweizer Kunstgesellschaft Geschenke zu machen. Ich bedaure daher Ihre Bitte auf das Entschiedenste abschlagen zu müssen.»[69]

Trotz dieser deutlichen Absage dauerten die Verhandlungen mit dem Kunsthaus Zürich an. Am 2. Oktober 1940 schrieb Max Dreyfus, dass die beiden Rousseaus statt für 38.000 beziehungsweise 40.000 CHF nun zusammen für 60.000 CHF zu haben seien, ein Preis, der seine Provision von 20% bereits enthielte.[70] Wartmann antwortete dankend, erklärte aber auch, dass er nicht mehr als 45.000 CHF brutto aufbringen könne, und diese auch nur noch für kurze Zeit zur Verfügung stünden.[71] Dieses Argument bewegte Charlotte von Wesdehlen zum Einlenken und sie akzeptierte den Preis von 45.000 CHF für beide Werke, allerdings als Zahlung in brutto, was bedeutete, dass das Kunsthaus die Provision von Herrn Dreyfus vollständig übernehmen müsste.[72] Auch darüber wurde noch lange und intensiv verhandelt und der Zoll als preisminderndes Argument angebracht, woraufhin die Gräfin Wesdehlen am 22. Oktober erklärte:

«Meine Bilder sind als Schweizer Umzugsgut in die Schweiz gekommen – nach Genf, wo ich mein Domizil habe. Sie musten [sic], wenn überhaupt, hier in Genf verzollt werden. Deswegen schrieb mir Herr Dr. Schmidt von Anfang an, dass, wenn ein Schweizer Museum kauft, Zoll und Einfuhrgebühren fortfallen. [...] Ich verlange endgiltig 45'000.- Fr. (Fünfundvierzigtausend) von denen ich 5% an Herrn Dreyfus abgebe und nehme an, dass von der anderen Seite die andren 5% gezahlt werden. Ferner bitte ich Sie, mir zu schreiben, wie beiliegt. Ob es nun das Museum oder der Goenner ist, der die Bilder kauft, bleibt der Genfer Douane gegenüber doch voellig gleichgiltig.»[73]

An dieser Stelle erklärt sich von Wesdehlens Wunsch, an ein Museum zu verkaufen, nicht aus idealistischen Motiven, sondern aus der rein praktischen Erwägung heraus, die Zollgebühren zu umgehen. Dabei hätte sie keine hohe Abgabe zu erwarten gehabt. Kunstwerke wurden nach Gewicht verzollt. Für gerahmte Bilder wurden 1940 «130 CHF pro Zentner» (100 kg) erhoben,[74] und da das hier interessierende Gemälde 33,2 kg wiegt, wäre es bei dieser Summe oder einem darunterliegenden Wert geblieben. Die von Zürich begehrten Werke waren sogar kleiner und somit wahrscheinlich auch leichter als der *Apollinaire*. Allerdings hätte sie ihr «Umzugsgut» als neu Eingereiste überhaupt erst nach Ablauf von fünf Jahren in den Handel bringen dürfen, was die Vermeidung des Kontakts mit der Zollbehörde möglicherweise erklärt.

67 . Wilhelm Wartmann an Charlotte von Wesdehlen, 25. September 1940, in: Archiv ZKG/KHZ, Eingehende Korrespondenz, 10.30.30.143.
68 . Vgl. ebd.
69 . Charlotte von Wesdehlen an Wilhelm Wartmann, 26. September 1940, in: Archiv ZKG/KHZ, Eingehende Korrespondenz, 10.30.30.143.
70 . Vgl. Max Dreyfus an Wilhelm Wartmann, 2. Oktober 1940, in: Archiv ZGK/KHZ, Eingehende Korrespondenz, 10.30.30.143.
71 . Vgl. Wilhelm Wartmann an Charlotte von Wesdehlen, 14. Oktober 1940, in: Archiv ZKG/KHZ, Eingehende Korrespondenz, 10.30.30.143.
72 . Vgl. Charlotte von Wesdehlen an Wilhelm Wartmann, 15. Oktober 1940, in: Archiv ZKG/KHZ, Eingehende Korrespondenz, 10.30.30.143.
73 . Charlotte von Wesdehlen an Wilhelm Wartmann, 22. Oktober 1940, in: Archiv

ZKG/KHZ, Eingehende Korrespondenz, 10.30.30.143.
74 . Vgl. Thomas Buomberger, Raubkunst – Kunstraub. Die Schweiz und der Handel mit gestohlenen Kulturgütern zur Zeit des Zweiten Weltkriegs, hrsg. v. Bundesamt für Kultur und der Nationalen Informationsstelle für Kulturgüter-Erhaltung, Zürich 1998, S. 48. Buomberger hält fest, dass der Import von Gemälden (gerahmt oder nicht gerahmt) mit Bundesratsbeschluss vom 23. April 1935 der Zollposition 328/329 unterstellt wurde. Er bezieht sich auf die sogenannte Amtliche bzw. Bereinigte Sammlung (BS), deren Bestimmungen sich zwischen 1935 und 1948 nicht geändert haben. Vgl. Bereinigte Sammlung, Ausgabe 1935, S. 62 und Ausgabe 1948, S. 264. Freundlicher Hinweis von Simone Chiquet, Schweizerisches Bundesarchiv, Bern.

Trotz der Feststellung, dass das Kunsthaus als ein Schweizer Museum die angeführten Zollgebühren nicht entrichten müsste, konnte sie ihre Forderungen nicht vollständig durchsetzen. Am 30. Oktober erhielt sie für den Verkauf beider Bilder einen Scheck über 43.000 CHF, bei der die Provision für Max Dreyfus vom Museum im Vorfeld abgezogen worden war. Mehr monetären Spielraum hatte das Kunsthaus zu diesem Zeitpunkt nicht. Anders wäre der Ankauf nicht realisierbar gewesen, schrieb Wartmann.[75] In der abschliessenden Sitzung der Sammlungskommission wird der Vorgang wie folgt zusammengefasst:

> «Die Ankaufsfrage Henri Rousseau hat sich nach ziemlich weitläufigen Verhandlungen mit dem Zürcher Antiquar Henri Dreyfuss, der Eigentümerin des Bildnisses Pierre Loti und des Blumenstillebens, Gräfin Wesdehlen in Genf, und einem ihr befreundeten Herrn Dr. Feist damit geklärt, dass das Kunsthaus mit allen dreien zu einander in wenig durchsichtigen Beziehungen stehenden Personen die Unterhandlungen eingestellt und ein Zürcher Kunstfreund auf eigene Rechnung den Pierre Loti, sowie das Blumenstilleben, für zusammen Fr. 45'000 erworben hat. Dieser Kunstfreund und Freund des Kunsthauses, Herr Claus Vogel, erklärt sich bereit, für Fr. 22'000 das Bildnis Pierre Loti der Sammlung zu überlassen, wenn die Kommission es wünscht. Ebenso wird er für eine bestimmte Zeit das Stillleben zur Verfügung stellen, damit das Kunsthaus alle drei Rousseau, die Waldlandschaft, das Bildnis Pierre Loti und das Blumenstilleben, so nebeneinander zeigen könnte, wie sie während der Verhandlungen gelegentlich nebeneinander gehangen haben. Die Kommission begrüsst lebhaft diese Wendung der Dinge und beschliesst einstimmig, dem Vorstand den Ankauf des Bildnisses Pierre Loti für Fr. 22'000 zu beantragen.»[76]

Charlotte von Wesdehlen hielt auch nach diesem anstrengenden Verkaufsakt an Museumsverkäufen fest. So wird in der Sitzung der Sammlungskommission vom Kunsthaus Zürich am 15. Januar 1942 über den grossen Picasso *Leiermann mit Söhnchen* respektive *Saltimbanque assise avec garçon*[77] und einen *Blumenstrauss* von Alfred Sisley verhandelt. Die Gräfin Wesdehlen liess anfragen, wie viel das Kunsthaus für beide Werke gemeinsam zu zahlen bereit sei.[78] Am 24. Februar 1942 stand der Picasso erneut zur Debatte, diesmal

75. Vgl. Wilhelm Wartmann an Charlotte von Wesdehlen, 25. September und 17. Oktober 1940, in: Archiv ZKG/KHZ, Eingehende Korrespondenz, 10.30.30.143.
76. Vgl. Sitzungsprotokoll der Sammlungskommission, 7. November 1940 Ic, in: Archiv ZKG/KHZ, 10.30.10, 41–42 resp. 43,44.
77. Heute *Joueur de vielle et jeune arlequin* (1905), Inv. 2588, vgl. https://collection.kunsthaus.ch/de/collection/item/2329/ (22.12.2022).
78. Vgl. Sitzungsprotokoll der Sammlungskommission, 15. Januar 1942 IIe, in: Archiv ZKG/KHZ, 10.30.10, 41–42 resp. 43,44.
79. Vgl. Sitzungsprotokoll der Sammlungskommission, 24. Februar 1942 1, in: Archiv ZKG/KHZ, 10.30.10, 41–42 resp. 43,44.
80. Vgl. Sitzungsprotokoll der Sammlungskommission, 13. April 1942 IIc2, in: Archiv ZKG/KHZ, 10.30.10, 41–42 resp. 43,44.
81. Vgl. E-Mail Walter Feilchenfeldt an Tessa Rosebrock, 12. November 2021 und Walter Feilchenfeldt an Joachim Sieber, 15. November 2021, beide in: KMB, Abt. Provenienzforschung, Dossier Sammlung Wesdehlen.
82. Vgl. Sitzungsprotokoll der Sammlungskommission, 9. Juli 1948 Ib, in: Archiv ZKG/KHZ, 10.30.10, 41–42 resp. 43,44.
83. Vgl. The National Museum of Modern Art Tokyo, www.momat.go.jp/en/collection/o00751 (23.6.2023).
84. Vgl. Protokolle der Kunstkommissionsitzungen, 9. November 1948, S. 260; 23. November 1948, S. 262; 17. Dezember 1948, S. 265–266, in: KMB, Archiv, B 001.001.019.000.
85. Vgl. Douanes Suisse, Genève-Gare à la direction des douanes, Genève: Bestätigung, 8. Juni 1940 und Liste «Meubles appartenant à Mme la Comtesse de Wesdehlen et mis en case J. Véron, Grauer & Cie, faute place à l'appartement», in:

BAR, E6356F#2001/149#1263*.
86. Vgl. diverse Schreiben der Schweizer Zollbehörde an Charlotte von Wesdehlen im Dreimonatsrhythmus, u.a. 2. Oktober 1940, 5. April 1941, etc. in: BAR, E6356F#2001/149#1263*.
87. Vgl. Charlotte von Wesdehlen an Douane Suisse, Petite Vitesse, Genève-Cornavin, 15. Oktober 1940, in: BAR, E6356F#2001/149#1263*.
88. Vgl. Charlotte von Wesdehlen an Oberzolldirektion, 9. Dezember 1940 und Direktor der Zollbehörde an Charlotte von Wesdehlen, 7. Mai 1941 in: BAR, E6356F#2001/149#1263*.
89. Commune de Saint-Aubin-Sauges: Attestation, 6. August 1940, in: BAR, E6356F#2001/149#1263*.
90. Vgl. «Mobilier de Mme Ch. De Wesdehlen, Av. Champel 4, Gve., Liste des objets qui sont à transferer à St. Aubin», o. D., Anlage an St.-Aubin-Sauges: Attestation, 20. November 1941 und Eidgenössische Oberzolldirektion Bern an die Zollkreisdirektion: Autorisation de l'entreposage temporaire, 6. Mai 1941, in: BAR, E6356F#2001/149#1263*.
91. Vgl. Charlotte von Wesdehlen an Inspecteur des Douanes, 19. Juni 1941, und «Mobilier de Mme Ch. De Wesdehlen, Av. Champel 4, Gve., Objets à donner à l'hospice général» Anlage an Eidgenössische Oberzolldirektion an Zollkreisdirektion, 24. Juni 1941, in: BAR, E6356F#2001/149#1263*.
92. Charlotte von Wesdehlen an Direction des Douanes, Genf, 19. Dezember 1944, in: BAR, E6356F#2001/149#1263*. Die neue Adresse war 9, rue Ferdinand Hodler, Genf: «Da ich finanzielle Schwierigkeiten habe, sehe ich mich gezwungen, in eine andere Wohnung zu ziehen. Ausserdem möchte ich meine Möbel im April nächsten Jahres verkaufen.»

als Angebot der Gräfin von Wesdehlen für 11.000 CHF, nachdem sie zuvor erfolglos erst 26.000 CHF und dann 18.000 CHF dafür verlangt hatte. Der Kauf wurde aufgrund des günstigen Preises vollzogen.[79] Über ihren Juan Gris, *Bäuerin* (8.000 CHF), und eine *Flusslandschaft* von Sisley (15.000 CHF) wurde im April noch einmal in der Sammlungskommission debattiert, ohne dass eine Erwerbung daraus folgte.[80]

Zwei Jahre nach Charlotte von Wesdehlens Tod kam im April 1948 noch *La liberté invitant les artistes à prendre part à la 22ᵉ Exposition des Artistes indépendants* als letztes Angebot eines Rousseau über den Kunsthändler Dr. Walter Feilchenfeldt, Zürich, herein. Das Werk stammte ebenfalls aus der ehemaligen Sammlung von Charlotte von Wesdehlen und ihrem ersten Ehemann Paul von Mendelssohn-Bartholdy, gehörte allerdings zum Trennungsgut ihres Mannes. Es wurde von dessen zweiter Frau Elsa von Kesselstatt, geb. von Lavergne-Peguilhen (1899–1986, in zweiter Ehe mit dem Baron Max von Kesselstatt verheiratet), die es nach von Mendelssohns Tod 1935 geerbt hatte, auf den Markt gegeben.[81] Das Angebot erfolgte für 80.000 CHF, was dem Kunsthaus allerdings zu kostspielig war.[82] Das Werk ging an Paul Rosenberg und befindet sich heute im Nationalmuseum in Tokyo.[83] Wenig später, im Dezember 1948, kaufte das Kunstmuseum Basel über Feilchenfeldt und Bernoulli das Rousseau-Gemälde *Urwaldlandschaft mit untergehender Sonne*, Inv. 2225, für 105.000 CHF.[84] Auch wenn dieses Gemälde grösser und bedeutender und als Sujet sicher auch gefälliger war als die Erwerbungen der frühen 1940er-Jahre, ist die Preissteigerung für Werke von Rousseau in den Nachkriegsjahren beachtlich.

EXKURS: REGELUNG FÜR EINGEFÜHRTES UMZUGSGUT VON FLÜCHTLINGEN IN DER SCHWEIZ

Das Mobiliar, das von Charlotte von Wesdehlen im im April 1940 in die Schweiz verbracht werden konnte (rund 12.350 kg) und von dem ein Grossteil in ihre Genfer Wohnung gelangte, wurde regulär ohne die Entrichtung von Zollgebühren eingeführt. 4.000 kg an Möbeln, Kleinkunstwerken und Objekten, die sie aus Platzgründen nicht in die 4, Avenue de Champel übernehmen konnte, liess sie in ein Zollfreilager der Firma G. Véron, Grauer und Cie S.A. einbringen («cases plombées, Nr. 502, 509, 513»).[85] Ihr Zollfreischein für diese Objekte mit der Nummer 6013 musste immer wieder verlängert werden.[86] Ab Oktober 1940 versuchte sie, eine Erlaubnis zu erhalten, dieses Umzugsgut in das Haus ihres Mannes nach Saint Aubin (Nähe Neuchâtel) verschicken zu lassen,[87] was allerdings nicht ohne Weiteres möglich war, da die Behörden ihre Angabe, nun sogar über zwei Wohnsitze in der Schweiz zu verfügen, unglaubwürdig fanden und Zollfreiheit nur gewährt blieb, wenn die eingeführten Objekte von ihr persönlich genutzt wurden. Ein Verkauf der Objekte war für das ohne Einfuhrgebühren in die Schweiz verbrachte Umzugsgut während der ersten fünf Jahre gemäss dem «Règlement d'execution de la loi sur les douanes», Artikel 13, Nr. 7, d (Zollklausel), nicht möglich.[88]

Im November 1941 bestätigte die Kommune Saint-Aubin-Sauges, dass Gräfin von Wesdehlen sich in den Sommermonaten regelmässig im Haus ihres Mannes in Saint-Aubin aufhalte und es ansonsten unbewohnt sei.[89] Erst daraufhin gelang es, rund 1.800 kg Umzugsgut dorthin zu überführen.[90] Der Rest von rund 1.500 kg ging als Spende an das Hospice général in Genf, da Charlotte von Wesdehlen die fortlaufenden Lagergebühren im Zollfreilager nicht mehr zahlen konnte.[91]

Unter den Konditionen des Verkaufsverbots litt Charlotte von Wesdehlen noch im Dezember 1944. Da sie noch immer Geldprobleme hatte, hoffte sie, für das bevorstehende Jahr 1945 eine Veräusserungserlaubnis für ihre Möbel zu erhalten:

> «Comme j'ai des difficultés financières, je me vois dans l'obligation de changer d'appartement. Aussi je désire vendre mes meubles au mois d'avril prochain.»[92]

Doch die Behörde verweigerte die Verkaufsmöglichkeit. Denn die fünf Jahre zählten nicht ab dem Moment der Einreise des Besitzers oder des Umzugsgutes in die Schweiz, sondern ab dem Moment, da der Freipass (admise en franchise) ausgestellt worden war. Das war im Fall des Umzugsgutes von Charlotte von Wesdehlen der 8. Juni 1940.[93]

> «Aux termes des prescriptions légales en vigueur et des actes d'engagement que vous avez signés, vous devez utiliser, dans votre propre logement ou dans votre ménage, les objets importés en franchise et vous ne pouvez pas les aliéner dans le territoire douanier suisse, à titre gratuit ou onéreux, pendant les 5 années qui suivent l'importation, sans avoir acquitté au préalable les droits d'entrée. Le delai de 5 ans court à partir du jour de l'admission en franchise et de la signature des actes d'engagement et non dès la date de l'entrée en Suisse.»[94]

SYNTHESE

Charlotte von Wesdehlen ist es aufgrund ihrer durch ihre zweite Heirat erworbenen Schweizer Staatsbürgerschaft möglich gewesen, in die Schweiz einzuwandern und ihre Gemälde sowie, noch bis 1940, ihre Möbel als Umzugsgut zollfrei einzuführen. Allerdings war ihr als Neubürgerin ohne Entrichtung von Zollgebühren für fünf Jahre untersagt, ihr Eigentum zu verkaufen. Der Kunsthändler Christoph Bernoulli war hinsichtlich der Kunstwerke ihre erste Anlaufstelle. Dieser brachte den Direktor des Kunstmuseums Basel, Georg Schmidt, zur Vermittlung von Freipässen ins Spiel. Dafür sicherte er ihm ein Vorkaufsrecht auf die Objekte. Von dieser Zusage wich er auch nicht ab, nachdem klar wurde, dass Freipässe gar nicht nötig waren und ein Verkauf an private Abnehmer sicherlich mehr Erlös für seine Kundin erbracht hätte.

Anhand der von Alice Bernoulli gegenüber Curt Valentin vorgetragenen Preisvorstellungen der Gräfin für andere Werke lässt sich ablesen, dass Charlotte von Wesdehlen sicher mehr als 12.000 CHF für das monumentale Gemälde *Apollinaire et sa muse* erwartet hatte. Auf den Handel mit dem Kunstmuseum Basel liess sie sich dennoch ein, weil sie unmittelbar Bargeld benötigte und diese Summe kurzfristig gezahlt werden konnte.

In den Kaufverhandlungen mit dem Kunsthaus Zürich wurden ihrerseits höhere Summen gefordert. Das im Vergleich sehr viel kleinere Gemälde *Pierre Loti avec le chat* etwa taxierte sie auf 38.000 CHF respektive 35.000 CHF, das weniger bedeutende Blumenstillleben auf 40.000 CHF, später auf 38.000 CHF. Deshalb reagierte sie bei dem aufgekommenen Gerücht eines Verkaufs des *Apollinaire* für 25.000 CHF, von denen sie nur 12.000 CHF erhalten hatte, sehr verärgert gegenüber Christoph Bernoulli. Es ist davon auszugehen, dass Charlotte von Wesdehlen vor ihrer Einreise in die Schweiz niemals alleine mit Kunstwerken gehandelt hat. Somit waren ihre Preisvorstellungen nicht gefestigt. Doch im Vergleich mit den 30.000 CHF, die das Kunsthaus Zürich 1939 für das Gemälde *Frau im roten Kleid* gezahlt hatte, waren sie auch nicht gänzlich abwegig. Bei den Verhandlungen mit dem Kunsthaus Zürich blieb sie nach der Erfahrung in Basel härter. Ihre Geldnot zwang sie jedoch schliesslich, auch hier niedrigere Resultate zu akzeptieren.

Vergleicht man die Schriftwechsel zwischen der Gräfin und den Basler Protagonisten mit jenen aus Zürich, so fällt zunächst der wenig respektvolle und bisweilen abfällige Ton auf, in dem die Basler über ihre Geschäftspartnerin korrespondierten. Dieser lässt sich allerdings auch auf die saloppe, umgangssprachliche Diktion zurückführen, die im privaten Schriftverkehr zwischen den befreundeten Herren Schmidt und Bernoulli gängig war. Im Fall der Zürcher Akteure Wartmann und Dreyfus war der generelle Umgang förmlicher, doch zeigt sich im Falle Wartmanns ein mitunter fordernder Verhandlungston. Trotz des in Basel erzielten niedrigen Verkaufspreises hielt Charlotte von Wesdehlen gegenüber Zürich an der Formulierung «Bernoulli, der ein alter Freund

von mir ist» fest und berief sich auf Empfehlungen von Georg Schmidt im Zusammenhang mit Zollgebühren. Es wurde von ihr auch später nie ein Vorwurf im Zusammenhang
mit dem Geschäft formuliert. Aus heutiger Perspektive erscheint der Erlös jedoch tatsächlich unverhältnismässig niedrig im Vergleich zu den für andere Werke von Rousseau
in den Jahren 1939/40 gezahlten Summen.

Seitens der Nachfahren von Charlotte von Wesdehlens zweitem Ehemann wurde
ein Anspruch auf das Gemälde angemeldet und seine Restitution gefordert. Nach eingehender Prüfung des historischen Sachverhalts wurde diese Forderung von der Kunstkommission des Kunstmuseums Basel aufgrund der spezifischen Umstände des Ankaufs abgelehnt. Verhandlungen über eine finanzielle Entschädigung in angemessener
Höhe befürwortet das Museum hingegen. Der Austausch mit den Anspruchssteller:innen
dauert an.

93. Vgl. Direction des Douanes an Charlotte von Wesdehlen, 20. Dezember 1940, in: BAR, E6356F#2001/149#1263*.
94. Direction des Douanes an Charlotte von Wesdehlen, 22. Dezember 1944, in: BAR, E6356F#2001/149#1263*. «Nach den geltenden gesetzlichen Vorschriften und den von Ihnen unterzeichneten Verpflichtungsurkunden müssen Sie die zollfrei eingeführten Gegenstände in Ihrer eigenen Wohnung oder Ihrem eigenen Haushalt verwenden und dürfen sie während der ersten fünf Jahre nach der Einfuhr im Zollgebiet der Schweiz weder unentgeltlich noch entgeltlich veräussern, ohne zuvor die Einfuhrabgaben entrichtet zu haben. Die Fünfjahresfrist läuft ab dem Tag der zollfreien Einfuhr und der Unterzeichnung der Verpflichtungsurkunden und nicht ab dem Tag der Einreise in die Schweiz.»

VANESSA VON KOLPINSKI / TESSA ROSEBROCK

«OHNE DIE HITLEREI HÄTTE ICH MICH NIEMALS VON DEN KOSTBAREN BLÄTTERN GETRENNT.»

BRIEFDEBATTEN UM ZWEI ZEICHNUNGEN VON OTTO MEYER-AMDEN AUS DER SAMMLUNG JULIUS SCHOTTLÄNDER

Am 12. November 1940 schrieb der Basler Kunsthändler Christoph Bernoulli (1897–1981) an seinen befreundeten Kollegen Georg Schmidt (1896–1965), den Direktor des Kunstmuseums Basel, folgende Zeilen:

> «Herr Julius Schottländer, ‹Thalheim› in Ebikon-Luzern freut sich auf Deinen Besuch. Neben wenig interessanten Arbeiten von Picasso, Braque, Chagall, Nolde, Kampendonc [sic], Derain etc. etc. dürften Dich besonders interessieren die Blätter von Meyer-Amden. Es handelt sich vor allem um ‹Der Dialog›, ‹Mädchen mit Tassen› und ‹Gekreuzigte Figuren›. Herr Sch. scheint Beziehungen zum Nachlass zu haben. Er ist ein ziemlich entsetzlicher Schwätzer, und wird wahrscheinlich übertriebene Preise verlangen. Aber da er nach Amerika auswandern will, wird er wohl auf ein raisonnables Angebot eingehen.»[1]

Mit dieser Einschätzung der angebotenen Sammlung und ihres Verkäufers eröffnete er den Weg für beinahe ein Jahr andauernde Verhandlungen mit dem Kunstmuseum, die im Dezember 1941 zum Erwerb von zwei Werken des Schweizer Expressionisten Otto Meyer-Amden führten. Es wurden die Zeichnungen *Dialog II* und *Mädchen mit Tassen* angekauft, die in den ersten Jahren entstanden, in denen Meyer in Amden lebte,

Abb. 3: Julius Schottländer, Mainz, um 1931/32

was ihm seinen Namenszusatz einbrachte. Die umfangreiche Korrespondenz im Archiv des Kunstmuseums Basel bezeugt, dass sich Georg Schmidt während der zähen Preisdiskussionen mit Schottländer, die massgeblich von der Kunstkommission gesteuert wurden, tatsächlich nur für die Arbeiten des von ihm hoch verehrten Künstlers Otto Meyer-Amden interessierte.[2] Der intellektuell gefärbte Schlagabtausch der beiden von der Moderne Begeisterten, in dem sich kulturelle Ereignisse, Alltagsgeschehen, gesundheitliches Befinden und die finanzielle Bedrängnis Schottländers vermischen, blendet in seinem saloppen Ton die schwierige Lebenssituation des Verkäufers weitgehend aus. Diese klingt nur in einzelnen Randbemerkungen an sowie in dem Bemühen, Verkäufe zu realisieren (Abb. 3/4).[3]

JULIUS SCHOTTLÄNDER

Schmidts Verhandlungspartner Julius Schottländer (1887–1953) war ein deutschjüdischer Kaufmann aus Mainz, der im Grosshandel für Metall- und Eisenwaren tätig war. Er hielt Anteile bei der Paul Richter GmbH in Mainz.[4] Zusammen mit seiner Frau Gertrud (1893–1970) und seinen beiden Söhnen Franz Otto (1921–1993) und Bernhard Moritz (1924–1991) bewohnte er ein stattliches Haus in Mainz-Gonsenheim. Seit den frühen 1920er-Jahren interessierte er sich für zeitgenössische Kunst. Er war mit dem Stuttgarter Sammler Hugo Borst (1881–1953) bekannt und neben Otto Meyer-Amden auch mit einigen Malern der Stadt befreundet, etwa Willi Baumeister und Oskar Schlemmer.[5] Ausser ihren Werken umfasste seine Sammlung auch Objekte von Grössen der internationalen klassischen Moderne wie Pablo Picasso, Paul Signac, André Masson, Georges Braque, Marc Chagall, André Derain und Maurice de Vlaminck, Alexej von Jawlensky, Emil Nolde und Heinrich Campendonk.[6] Einen guten Einblick in Schottländers Bestände bot die Ausstellung *Moderne Malerei aus Mainzer Familienbesitz*, die im Sommer 1927 in der dortigen Stadthalle

Abb.1:
Otto Meyer-Amden,
Dialog II, um 1913–1916

Abb.2a/b:
Otto Meyer-Amden, *Mädchen mit Tassen*,
um 1917/18, recto und verso

OTTO MEYER-AMDEN
1885–1933

DIALOG II
UM 1913–1916

Bleistift auf Papier
40,4 × 31,6 cm
Unten rechts mit Bleistift
signiert: Meier

Kunstmuseum Basel
Kupferstichkabinett, Inv. 1941.154
Ankauf 1941

PROVENIENZ:

mindestens 1927 – Dezember 1941:
Julius Schottländer (1887–1953), Mainz/
Ebikon

Dezember 1941 – heute:
Kunstmuseum Basel, angekauft bei
Julius Schottländer

MÄDCHEN MIT TASSEN
(VERSO: SKIZZE VON
MOBILIAR)
UM 1917/18

Farbstift und Bleistift
auf Papier
(verso: Feder und blaue Kreide)
22,7 × 13 cm
Nicht bezeichnet

Kunstmuseum Basel
Kupferstichkabinett, Inv.1941.153
Ankauf 1941

PROVENIENZ:

vor Dezember 1933 – Dezember 1941:
Julius Schottländer (1887–1953), Mainz/Ebikon
wahrscheinlich direkt beim Künstler erworben

Dezember 1941 – heute:
Kunstmuseum Basel, angekauft bei
Julius Schottländer

stattfand und zu der er 27 Leihgaben beisteuerte (Abb. 5a-d).[7] Im Zuge der diskriminierenden Massnahmen gegen jüdische Bürger:innen im nationalsozialistischen Deutschland war Julius Schottländer im Mai 1938 gezwungen, seine Inhaberanteile an der Firma Paul Richter GmbH unter Wert zu verkaufen und seinen Beruf als Geschäftsführer niederzulegen.[8] Während der «Reichspogromnacht» am 9. November 1938 wurde ein Grossteil seiner Kunstwerke durch Vandalismus beschädigt. Sie konnten nur notdürftig restauriert werden.[9] Neben den von jüdischen Bürger:innen geforderten diskriminierenden Steuern und Abgaben wurde Schottländer im Juli 1939 auch zum Verkauf seines Grundstücks und des darauf befindlichen Hauses zugunsten des Deutschen Reichs gezwungen.[10] Immerhin konnte er auf der Grundlage von Sondergenehmigungen und durch Unterstützung des damaligen Oberbürgermeisters von Mainz, Robert Barth (1900–1942), fast über den gesamten Erlös verfügen.[11] Im August 1939 emigrierte Schottländer mit seiner Frau in die Schweiz (Abb. 6/7).[12] Zu einer Weiterreise in die USA, die Bernoulli im Eingangszitat andeutete, sollte es jedoch nicht mehr kommen. Ihre beiden Söhne flohen nach England. Bernhard verschlug es nach Leeds, wo er als Schweisser arbeitete und Abendkurse in Bildhauerei belegte. Nach dem Krieg startete er in London eine Karriere als Bildhauer. Sein Bruder ging von England aus weiter nach New York.[13] Schottländers Schwester Selma (1885–1943) konnte das Land nicht verlassen. Sie wurde 1943 im Konzentrationslager Majdanek ermordet.[14]

Abb. 4: Georg Schmidt in seinem Arbeitszimmer, Basel, 1953

Die Familie hatte auch nach ihrer Ankunft in der Schweiz noch Zugriff auf das in Deutschland verbliebene Vermögen. Im ersten Jahr der Emigration liess sie sich monatlich 200 RM senden, was jedoch ab März 1940 nicht mehr möglich war.[15] Da es dadurch an Einkommen fehlte, wandte sich Schottländer an den Basler Kunsthändler Christoph Bernoulli, um Kunstwerke aus seinem Besitz zu verkaufen.[16] Laut eigener Aussage hatte er einen Teil davon «infolge eines günstigen Zufalls» in die Schweiz retten können. Nach der Ausplünderung durch die Nationalsozialisten stellten sie seinen einzigen Besitz dar, wobei ihr ursprünglicher Wert durch den Vandalismus deutlich geschmälert worden war.[17] Dennoch waren die Kunstwerke dem Ehepaar bereits

1. Christoph Bernoulli an Georg Schmidt, 12. November 1940, in: KMB, Archiv, F 001.080.006.000.

2. Vgl. Georg Schmidt an Julius Schottländer, 30. Juni 1941, in: KMB, Archiv, F 001.080.006.000.

3. Vgl. Korrespondenz Schottländer/Schmidt von 1940 bis 1953, in: KMB, Archiv, F49; F45; F 78.03; F 79.11; F 80.06; O 27.08.

4. Vgl. Julius Schottländer: Antrag, 8. September 1943, in: LASp, J 10, Nr. 296, Bl. 3 und 119. Internationale Auktion und Sammlertreffen, Freunde historischer Wertpapiere, Frankfurt am Main, 28. September 2019, S. 110, www.fhw-online.de/en/FHW-Auction-119/ (26.9.2022).

5. Vgl. Anja Heuss, Ein Gemälde zeigt seine Wunde, in: Momente. Das Magazin zur Geschichte Baden-Württembergs, 4, 2017, Staatsanzeiger BW, https://archiv.staatsanzeiger.de/momente/rubriken/auf-spurensuche/auf-spurensuche-momente-42017/ (17.11.2023).

6. Vgl. KMB, Archiv, F 001.079.011.000.

7. Vgl. Moderne Malerei aus Mainzer Familienbesitz, hrsg. v. Verein für Kunst und Literatur, Ausst.-Kat. Stadthalle Mainz (23. Juli – 25. August 1927), Mainz 1927.

8. Vgl. Beschluss Wiedergutmachungskammer, 25. Juni 1951, in: LASp, J010_0000_00_000007_000097.

9. Auch Nachkriegsuntersuchungen konnten nicht eindeutig erhellen, wer genau für die Zerstörung der Einrichtung der Villa der Familie Schottländer

verantwortlich war. Vgl. LASp, H079_0000_00_001137_000000.

10. Vgl. Gütliche Vereinbarung, o.D., in: LHAKo, 0922.0000.00.009970.000090.

11. Vgl. Rückerstattungsforderung des Kaufmanns Julius Schottländer, 2. September 1950, in: LHAKo, 0922.0000.00.009970.000057.

12. Vgl. Antrag auf Ersatz von Schäden an Eigentum und Vermögen, 17. März 1951, in: LfF-AfW, VA 18 213.

13. Vgl. Heuss 2017 (17.11.2023).

14. Stammbaum der Familie Schottländer, www.millard-and-kleinsteuber-histories.com/uploads/1/2/0/3/12035742/schottlaender_-_1990s_document_by_lars_menk.pdf; www.millard-and-kleinsteuber-histories.com/schottlaender-origins.html (26.9.2022).

15. Vgl. Rückerstattungsforderung des Kaufmanns Julius Schottländer, 2. September 1950, in: LHAKo, 0922.0000.00.009970.000057.

16. Vgl. Julius Schottländer an Christoph Bernoulli, 8. Januar 1940, in: UBH - NL 322BV. Erst im November hat Bernoulli Georg Schmidt involviert. Vgl. Georg Schmidt: Mitteilung von Bernoulli (Notiz), 7. November 1940, in: KMB, Archiv, F 001.080.006.000.

17. Vgl. Julius Schottländer an Georg Schmidt, 14. Oktober 1945, in: KMB, Archiv, F 001.080.006.000: «Da ich jedoch nach der Ausplünderung durch die Nazis nur noch Bilder besitze, und diese nur infolge eines guenstigen Zufalles, hoffe ich auf Ihre guetige Mitwirkung in dieser fuer mich so wichtigen Angelegenheit.»

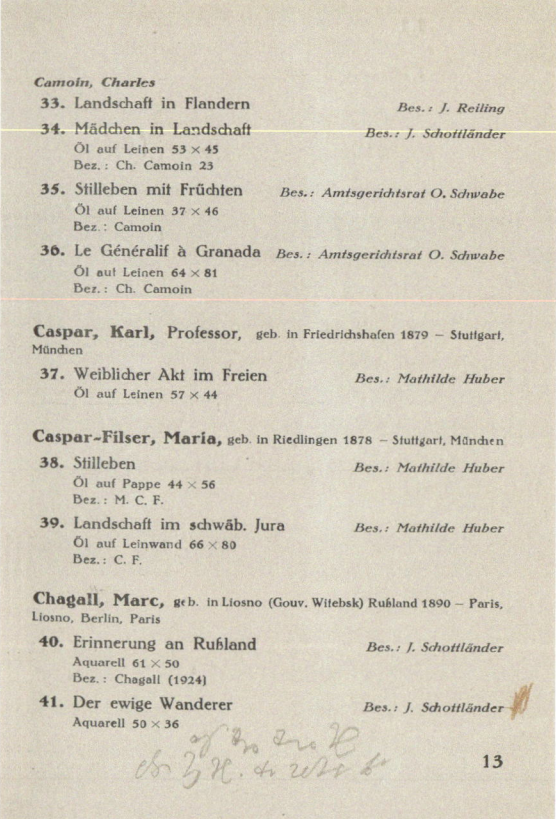

Camoin, Charles
33. Landschaft in Flandern   Bes.: J. Reiling
34. Mädchen in Landschaft   Bes.: J. Schottländer
    Öl auf Leinen 53 × 45
    Bez.: Ch. Camoin 23
35. Stilleben mit Früchten   Bes.: Amtsgerichtsrat O. Schwabe
    Öl auf Leinen 37 × 46
    Bez.: Camoin
36. Le Généralif à Granada   Bes.: Amtsgerichtsrat O. Schwabe
    Öl auf Leinen 64 × 81
    Bez.: Ch. Camoin

Caspar, Karl, Professor, geb. in Friedrichshafen 1879 – Stuttgart, München
37. Weiblicher Akt im Freien   Bes.: Mathilde Huber
    Öl auf Leinen 57 × 44

Caspar-Filser, Maria, geb. in Riedlingen 1878 – Stuttgart, München
38. Stilleben   Bes.: Mathilde Huber
    Öl auf Pappe 44 × 56
    Bez.: M. C. F.
39. Landschaft im schwäb. Jura   Bes.: Mathilde Huber
    Öl auf Leinwand 66 × 80
    Bez.: C. F.

Chagall, Marc, geb. in Liosno (Gouv. Witebsk) Rußland 1890 – Paris, Liosno, Berlin, Paris
40. Erinnerung an Rußland   Bes.: J. Schottländer
    Aquarell 61 × 50
    Bez.: Chagall (1924)
41. Der ewige Wanderer   Bes.: J. Schottländer
    Aquarell 50 × 36

                                                              13

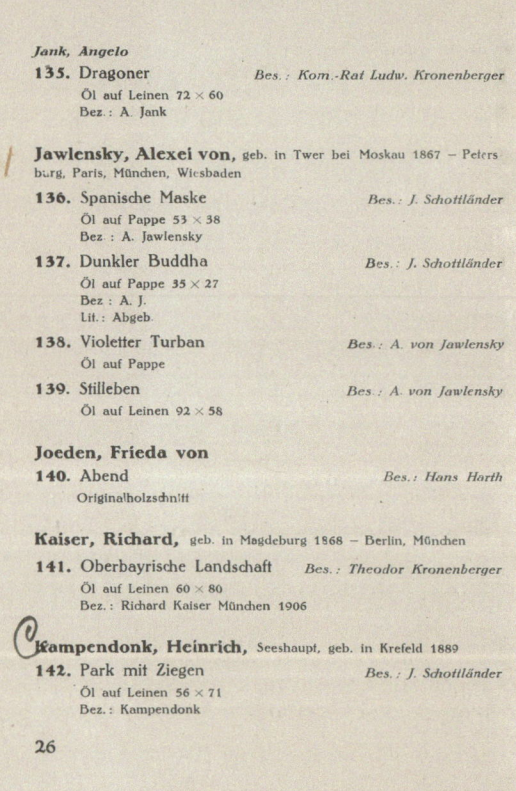

Jank, Angelo
135. Dragoner   Bes.: Kom.-Rat Ludw. Kronenberger
     Öl auf Leinen 72 × 60
     Bez.: A. Jank

Jawlensky, Alexei von, geb. in Twer bei Moskau 1867 – Petersburg, Paris, München, Wiesbaden
136. Spanische Maske   Bes.: J. Schottländer
     Öl auf Pappe 53 × 38
     Bez.: A. Jawlensky
137. Dunkler Buddha   Bes.: J. Schottländer
     Öl auf Pappe 35 × 27
     Bez.: A. J.
     Lit.: Abgeb.
138. Violetter Turban   Bes.: A. von Jawlensky
     Öl auf Pappe
139. Stilleben   Bes.: A. von Jawlensky
     Öl auf Leinen 92 × 58

Joeden, Frieda von
140. Abend   Bes.: Hans Harth
     Originalholzschnitt

Kaiser, Richard, geb. in Magdeburg 1868 – Berlin, München
141. Oberbayrische Landschaft   Bes.: Theodor Kronenberger
     Öl auf Leinen 60 × 80
     Bez.: Richard Kaiser München 1906

Kampendonk, Heinrich, Seeshaupt, geb. in Krefeld 1889
142. Park mit Ziegen   Bes.: J. Schottländer
     Öl auf Leinen 56 × 71
     Bez.: Kampendonk

26

Alexei v. Jawlensky: Dunkler Buddha

65

Abb. 5a–d: Ausstellungskatalog *Moderne Malerei aus Mainzer Privatbesitz*, Mainz 1927, Titelblatt und Seiten mit Werken von Julius Schottländer

dienlich gewesen: So war es eine Papierarbeit von Pablo Picasso, deren Abgabe ihm zur Ausreise in die Schweiz verhalf. Ein «kultivierter Nazi in Mainz» liess sich damit bestechen und half der Familie zu emigrieren.[18] Doch nicht alle Werke, die Schottländer in der Schweiz verkaufte, waren im Rahmen der Flucht eingeführt worden. Bereits im Dezember 1933, und damit sechs Jahre vor seiner eigenen Einreise, hatte er einige Zeichnungen als Leihgabe zur Gedächtnisausstellung des im selben Jahr verstorbenen Künstlers Meyer-Amden ins Kunsthaus Zürich gegeben – darunter die beiden Werke *Dialog II* und *Mädchen mit Tassen*. Anschliessend verblieben sie dort, bis die Verkaufsverhandlungen in Basel einsetzten (Abb. 1/2).[19]

Abb.6: Gertrud Schottländer, Aufnahme aus Reiseausweis, ausgestellt 1947

Abb.7: Julius Schottländer, Aufnahme aus Reiseausweis, ausgestellt 1947

VERKAUFSVERHANDLUNGEN

Infolge des von Bernoulli erhaltenen Hinweises auf die zum Verkauf stehende Sammlung wandte sich Schmidt Mitte Dezember 1940 an Julius Schottländer und bat um einen Besuchstermin.[20] Postwendend antwortete dieser mit Vorschlägen und bot Schmidt die persönliche Abholung vom Luzerner Bahnhof an, um von dort gemeinsam nach Ebikon zu fahren.[21] Bei diesem Treffen scheint sich ihre gemeinsame Bewunderung der Kunst Otto Meyer-Amdens und eine grundsätzlich ähnliche Haltung zu moderner Kunst und dem Zeitgeschehen offenbart zu haben. Nur so ist die offene, zuweilen auch ironische, ja zynische Diktion ihres nachfolgenden schriftlichen Austausches zu erklären (Abb.6/7).

Schmidt hielt fünf Blätter von Meyer-Amden, aber auch ein Aquarell von Signac sowie ein Werk von Braque und Chagall für interessant und bat um «ein regelrechtes Angebot mit Preisnennung». Weiterhin fragte er, ob die Werke vielleicht zur Ansicht geschickt werden könnten.[22] Am 11. Januar übersandte Schottländer die Papierarbeiten nach Basel; kurz darauf folgte das Angebot mit Preisen.[23] Für die Meyer-Amden-Blätter *Mädchen mit Tassen* und *Rose und Brief* verlangte er 1.600 und 1.800 CHF; für *Dialog* und *Gekreuzte Figuren* jeweils 4.800 CHF und für eine *Copie nach Leonardo* 800 CHF. Das Blatt von Signac sollte 1.400 CHF kosten, der Braque 1.900 CHF und der Chagall 2.500 CHF (Abb. 8).[24] Dass sich Schottländer nur zähneknirschend von den ausgewählten Zeichnungen trennte, zeigt das folgende Zitat aus dem der Preisliste beigelegten Brief:

> «Ich hätte nicht geglaubt, dass es Verhaeltnisse geben koennte, welche mich veranlassen koennten, Bilder aus meinem Besitze zu veraeussern, was besonders auf die Blaetter von OM [Otto Meyer-Amden] zutrifft mit welchem mich eine Jahrzehnte lange Freundschaft verband. Wenn jedoch eine Sammlung vom Range Ihres Museums sich entschliessen koennte, einiges vom Schoensten von dem Meister

18. Julia Schottländer an Vanessa von Kolpinski, 5. Oktober 2022, in: KMB, Abt. Provenienzforschung, Dossier Sammlung Schottländer: «I know that the great family cubist Picasso was handed over to a cultured Nazi in Mainz to facilitate their exit from Germany.»

19. Vgl. Wilhelm Wartmann an Julius Schottländer: Quittung, 12. Dezember 1933, in: Archiv ZKG/KHZ, Ausgehende Korrespondenz, Ausstellungen, 10.30.20.256, Bl. 230. Die zu diesem Zeitpunkt nicht verkauften Werke sind an Schottländers Privatadresse in Ebikon spediert worden.

20. Vgl. Georg Schmidt an Julius Schottländer, 18. Dezember 1940, in: KMB,

Archiv, F 001.080.006.000.

21. Vgl. Julius Schottländer an Georg Schmidt, 19. Dezember 1940, in: KMB, Archiv, F 001.080.006.000.

22. Vgl. Georg Schmidt an Julius Schottländer, 3. Januar 1941, in: KMB, Archiv, F 001.080.006.000.

23. Vgl. Julius Schottländer an Georg Schmidt, 12. und 14. Januar 1941, in: KMB, Archiv, F 001.080.006.000.

24. Vgl. Julius Schottländer an Georg Schmidt, 12. Januar 1941, in: KMB, Archiv, F 001.080.006.000.

16.I.41.
Sch.

JULIUS SCHOTTLANDER   Ebikon, Kanton Luzern den 12. 1. 41.

An das
K u n s t m u s e u m B a s e l ,
zu Haenden von Herrn Dr. Georg Schmidt,
B a s e l .

A n g e b o t .

Bezugnehmend auf Jhr Schreiben vom 3. ds. und meine Sendung v. 11. ds.
gebe ich Jhnen wunschgemaess die Preise fuer die zur Ansicht geschickten
Bilder an.
I. Otto Meyer-Amden

1. Maedchen mit Tassen   Frs. 1.600.--   1000.--
2. Gekreuzte Figuren   "   4.800.--
3. Rose und Brief   "   1.800.--   1000.--
4. Dialog   "   4.800.--
5. Copie nach Leonardo   "   800.--   500.--
   Die Nummern 1 & 4 sind Reproduktionen; die Preise verstehen sich fuer
   die Originale; No 4 ist das Einzige vorhandene Bild von OM, welches
   signiert ist.
II. Signac

6. Lac d'Annecy 1919   Frs. 1.400.--

 III. Bracque

7. La bouteille de marc 1914   "   1.900.--

IV. Chagall

8. Erinnerung an Russland   "   2.500.--   1500.--

Fuer die Echtheit der Bilder wird volle Garantie uebernommen.
Die Preise verstehen sich in schweizer Franken.
Ich mache darauf aufmerksam, dass die Bilder nur bis zum Empfang ver-
sichert sind, sodass es sich vielleicht empfehlen wuerde, wenn Sie Jhrer-
seits die Bilder gegen die verschiedenen Risiken versichern liessen.
Zahlungsbedingungen nach besonderer Vereinbarung.

Indem ich um Empfangsbestaetigung bitte, zeichne ich

                          Mit vorzueglicher Hochachtung

Abb. 8: Angebot für Werke aus der Sammlung Schottländer, 12. Januar 1941

von Amden von mir zu erwerben, so waere dies insofern fuer mich ein kleiner Trost, da ich dann wuesste wo ich von Zeit zu Zeit diese Bilder besichtigen koennte [...].»[25]

Schmidt bestätigte die Ankunft der Blätter, seine Antwort auf das Angebot musste allerdings bis zur nächsten Kunstkommissionssitzung warten.[26] Erst im Juni teilte er Schottländer deren Votum mit:

> «Ich habe Ihre Blätter kürzlich der Kunstkommission vorgeführt. Samt dem bewussten Herrn [Pellegrini] war die Kommission den Dingen künstlerisch sehr gewogen, aber nicht im gleichen Masse auch finanziell: das alte Lied also. Und überdies ist es meine Pflicht mit einzustimmen. [...] Am meisten Interesse ist vorhanden für: 1.) Meyer-Amden, Dialog; 2.) Chagall, Erinnerung an Russland. Aber man findet die Preise, Fr. 4'800,- und Fr. 2'500,-. ziemlich zu hoch. In zweiter Linie stehen: 1.) Meyer-Amden, Mädchen mit Tassen; 2.) Meyer-Amden, Rose und Brief. Aber ebenfalls zu hoch! Ich bin überzeugt, dass etwas möglich wird, wenn Sie mir ein anderes Gebot machen können.»[27]

Anders als von dem Absender erwartet, lenkte der Adressat nicht einfach mit einer niedrigeren Offerte ein. Stattdessen vermittelte er, dass er nach wie vor der Auffassung sei, einen «gerechten & billigen Preis» angesetzt zu haben. Darin würde er durch einige Ergebnisse der «Vente Fischer»[28] noch bestärkt:

> «Menzels ‹Heimgang aus der Kirche›, 15 × 11 cm gross, brachte Frs. 8.000.-, ein Aquarell des Waldmueller Frs. 7.500,-, ein unwesentlicher Brief von Picasso Frs. 1.000,-. Hierzu kommen noch die bekannten 15% der Firma Fischer.»[29]

Schmidt wusste zu entgegnen, dass diese Werke weder im Renommee noch stilistisch in irgendeiner Weise mit Meyer-Amdens Zeichnungen gleichzusetzen waren und das Geschäft auf dieser Grundlage zu scheitern drohte:

> «Zu den von Ihnen angezogenen Preisen für Menzel, Waldmüller und Picasso brauche ich Ihnen altem Hasen nicht zu sagen, dass Preise eine mathematische (oder physikalische?) Funktion der Nachfrage sind und dass es einen ‹gerechten Preis› nur im Märchen, z. B. im ‹Grünen Heinrich› gibt. In jedem konkreten Einzelfall ist der Preis genau die Summe, die der Käufer zu berappen gewillt (oder befähigt) und der Verkäufer zu akzeptieren gewillt (oder gezwungen) ist. Mit Schreiben vom 30. Juni habe ich Ihnen mitgeteilt, dass die Oeffentliche Kunstsammlung sich für den ‹Dialog› von O.M. und die Skizze von Chagall interessiert, dass sie aber nicht gewillt, weil nicht befähigt ist, die genannten Preise zu bezahlen, dass sie jedoch den Anbieter bittet, einen anderen Preis zu nennen. In Ihrem Schreiben vom 19. Juli erzählen Sie ein paar amüsante Geschichten, scheinen aber auf den erstgenannten Preisen zu beharren. Sie wissen, was die ‹handelsübliche› Folge sein müsste ...»[30]

In Julius Schottländer hatte der Museumsmann ein mutiges Gegenüber gefunden. Seine Begeisterung für die Kunst Otto Meyer-Amdens stärkte seine Einsatzbereitschaft und er

25. Julius Schottländer an Georg Schmidt, 14. Januar 1941, in: KMB, Archiv, F 001.080.006.000.

26. Vgl. Georg Schmidt an Julius Schottländer, 16. Januar 1941, in: KMB, Archiv, F 001.080.006.000.

27. Georg Schmidt an Julius Schottländer, 30. Juni 1941, in: KMB, Archiv, F 001.080.006.000.

28. Gemeint ist eine Versteigerung im Auktionshaus Theodor Fischer, Luzern.

Vgl. Sammlung Frau Hermine Feist, Wannsee; Mobiliar des Herrn M. Lausanne und der Frau B.W., Clarens, bedeutende Gemäldesammlung, Aukt.-Kat. Galerie Fischer 20.–24. Mai 1941, Luzern 1941.

29. Julius Schottländer an Georg Schmidt, 19. Juli 1941, in: KMB, Archiv, F 001.080.006.000.

30. Georg Schmidt an Julius Schottländer, 7. August 1941, in: KMB, Archiv, F 001.080.006.000.

verteidigte die Ursprungspreise, als ginge es dabei um die Ehrenrettung des von ihm so
überaus geschätzten Malers:

> «Nach wie vor bin ich der Auffassung, dass die von mir in Ansatz gebrachten Bewer-
> tungen als ‹billige› Forderungen anzusehen sind. Im Uebrigen hat die Wirklichkeit
> die Maerchen stets uebertroffen. Denken Sie an Rousseau, an Klee, an Modigliani,
> um nur 3 Namen zu nennen! Sie stimmen gewiss mit mir ueberein, dass OM alle drei
> künstlerisch uebertrifft. Weshalb sollen die Preise fuer Ihren grossen Landsmann
> niedriger sein? Im Gegenteil! Meine Preise sind viel zu niedrig. Besonders, wenn
> man in Betracht zieht, dass die 4 Blaetter, welche Sie sich ausgesucht haben, zu den
> schoensten des amdener Meisters zaehlen. In NY werden fuer Blaetter von Klee bis
> zu $ 1.500.- bezahlt; ich verlange fuer den ‹Dialog› etwas ueber $ 1.000.- Fuer das
> ‹Maedchen mit Tassen› nur ein Drittel dieser Summe. Soll dies wirklich zu viel sein?»[31]

Dennoch lenkte er nach dieser Erklärung ein und reduzierte seine Forderungen für das
Blatt *Dialog* um 800 CHF und für den Chagall um 500 CHF.[32] Als eine Antwort auf dieses
Entgegenkommen über einen Monat lang ausblieb, nahm er erneut Kontakt auf.[33] Schmidt
reagierte mit der Ankündigung der nächsten Kommissionssitzung und teilte ihm einen
Monat später das Ergebnis mit:

> «Unterdessen hat nun auch die Sitzung der Kunstkommission stattgefunden, der
> ich noch einmal die Frage der Meyer-Amden-Zeichnungen vorgelegt habe. Der
> Standpunkt der Kommission zur künstlerischen Seite hat sich dahin präzisiert:
> erste Wünschbarkeit ‹Dialog›, zweite Wünschbarkeit ‹Mädchen mit Tassen›, dritte
> Wünschbarkeit ‹Rose mit Brief›. Ich selber teile diese Ansicht vollkommen. Den
> ‹Chagall› habe ich für eine andere Gelegenheit zurückgestellt, um Meyer-Amden
> nicht zu gefährden. Erneut ist in der Kommission darauf hingewiesen worden, die
> genannten Preise seien nach wie vor sehr hoch im Vergleich zu dem, was in den
> letzten Jahren für Blätter von O.M. bezahlt worden ist. So hat denn die Kommission
> beschlossen, die ‹Rose mit Brief› fallen zu lassen und für ‹Dialog› und ‹Mädchen
> mit Tassen› Fr. 4.000.- zu bieten. Ich selber hätte auch einen etwas höheren Be-
> trag für verantwortbar gehalten, da ich von der künstlerischen Bedeutung O.M.'s so
> sehr durchdrungen bin. Darum würde ich mich ganz ausserordentlich freuen,
> wenn Sie auf unser Angebot eingehen könnten. Ich habe nicht das Gefühl, dass eine
> O.M.-Konjunktur in baldiger Aussicht steht, so sehr ich die Ueberzeugung habe,
> dass O.M. dies verdiente. Ich möchte Ihnen noch sagen, dass Herr Staechelin sich
> auf Anfrage seitens eines Kommissionsmitgliedes in sehr netter Weise über den
> Anbieter der O.M.-Blätter ausgesprochen hat. So nett sogar, dass ihm entgegnet
> wurde, uns gingen die persönlichen Verhältnisse des Besitzers nichts an! Immer-
> hin hat Herr Staechelin entscheidend dazu beigetragen, dass die Kommission
> schliesslich bis auf Fr. 4000,- gegangen ist!»[34]

Mit dieser Äusserung spielte Georg Schmidt auf die in der Sitzung stattgefundene Diskussion an (Abb. 9a/b). Nach Überlegungen, ob für beide Blätter zusammen 4.000 CHF
geboten oder lieber Einzelangebote für den *Dialog* in Höhe von 3.000 CHF und für das
Mädchen mit Tassen 1.000 CHF gemacht werden sollten, verlor der Professor für Kunstgeschichte Joseph Gantner (1896–1988) einige Worte über die Herkunft der Werke:

31. Julius Schottländer an Georg Schmidt, 10. August 1941, in: KMB, Archiv,
F 001.080.006.000.
32. Vgl. Julius Schottländer an Georg Schmidt, 10. August 1941, in: KMB, Archiv,
F 001.080.006.000.

33. Vgl. Julius Schottländer an Georg Schmidt, 23. September 1941, in: KMB,
Archiv, F 001.080.006.000.
34. Georg Schmidt an Julius Schottländer, 11. Oktober und 26. November 1941, in:
KMB, Archiv, F 001.080.006.000.

Reproduktionszwecken und 3. das Photographieren
seitens Dritter von Werken unserer Sammlung. Ueber
die Formulierung im Einzelnen sollte Prof. Simonius
noch seine Meinung aussprechen. Gantner: Ich bin
im Prinzip einverstanden. Die von uns verkauften
Photographien sollten den Aufdruck tragen "Repro-
duktionsrecht beim Photographen". Pellegrini: dass
einzelne Photographen das Autorrecht an der Photographie beanspruchen, andere nicht, ist eine leidi-
ge Tatsache. Konservator: ein übles Hemmnis sind
auch die 30 Jahre Schutzfrist im Bundesgesetz. 25
Jahre wären künstlerisch und wissenschaftlich er-
wünschter. Die Kommission stimmt dem Entwurf zu.

6. Angebote
Glasbild Hindenlang

Konservator: Hindenlang hat die Glasscheibe auf
eigenes Risiko ausgeführt, da sie nur so wirklich beurteilt werden kann. Ich beantrage Zustimmung, da
der Entwurf in der Ausführung sehr gewonnen hat.
Meyer: mir macht die Sache einen guten Eindruck.
Ich beantrage, dass sie provisorisch im Treppen-
haus aufgehängt wird. Simonius: dann wollen wir
endgültig beschliessen. So wird beschlossen.

Otto Meyer-Amden.

Konservator: Der Anbieter ist für den "Dialog" von
Fr. 4'800.- auf Fr. 4'000.- und für das "Mädchen
mit Tassen" von Fr. 1'600.- auf Fr. 1'300.- herun-
tergegangen. Pellegrini: ich habe leider keine
O.M. Preise erfahren können. Jedenfalls waren sie
zu seinen Lebzeiten sehr niedrig. Hat unser Anbieter
die Blätter billig gekauft? Konservator: er hat O.M.
persönlich gekannt und hat ihn mannigfach unterstützt zu einer Zeit, da O.M. noch unbekannt war.
Ich finde Fr. 4000.- für den "Dialog" immer noch zu
hoch. Nehmen wir also nur das "Mädchen". Gantner:
der "Dialog" ist etwas Einzigartiges. Wäre es nicht
möglich, dass die Emanuel Hoffmann-Stiftung ihn
kauft? Simonius: dann könnten wir das "Mädchen"
kaufen. Frau Sacher: ich glaube, O.M. ist für die
Stiftung ein Grenzfall. Konservator: die Abgrenzung
wird für die Stiftung zunehmend schwierig werden,
da die Kommission in ihrer heutigen Zusammensetzung
mit den Stiftungsbestimmungen kaum divergiert.
JmObersteg: wir sollten nichts kaufen, was zu teuer
ist. Machen wir auf 2000 ein festes Angebot.
Gantner: das wäre doch zu wenig. Der "Dialog" ist
am Rande der Emanuel Hoffmann-Stiftung. Simonius:
O.M. ginge gut auf Birmann-Fonds für nächstes Jahr.
Konservator: ich stelle den Antrag, für beide
Fr. 4000.- zu bieten, zu verteilen auf 1941 und 42,
wenn dieses Angebot nicht angenommen wird, dann für
das "Mädchen" allein Fr. 1000.- zu bieten.

Hindenlang

Meyer-Amden

Abb.9a: Auszug aus dem Protokoll der Kunstkommissionssitzung, 28. Oktober 1941

Pellegrini: ich stelle den Antrag für "Dialog"
allein Fr. 3000.- zu bieten. Das "Mädchen" ist
doublett. Simonius: ich stimme dem Antrag des Konservators zu. Meyer: das geht zu weit, so grossartig
O.M. auch ist. O.M. ist und bleibt ein Einsamer.
Ich bin für das "Mächen" allein. Hess: diese Preise
sind immer noch übersetzt. Gantner: die Preise
sind hoch. Ich kenne den Besitzer, er hat O.M.,
Baumeister u.a. grosszügig unterstützt. Jetzt geht
es ihm schlecht. Für uns stellt sich einfach die
Frage: wollen wir oder wollen wir nicht. Staechelin: ich kenne den Anbieter ebenfalls; in Deutschland
war er ein uneigennütziger Freund der Künstler. Als
Jude lebt er jetzt in der Schweiz. Konservator:
O.M. ist in der Schweizer Kunst kein "Einsamer",
sondern einer der wichtigsten Anreger. Wir sollten
den Ehrgeiz haben, die O.M.-Sammlung zu werden!

In der Abstimmung wird mit 6 : 1 Stimmen grundsätzlich beschlossen, den "Dialog" zu kaufen.
Dann werden die Anträge Pellegrini und Konservator:
"Dialog" für Fr. 3000.-, oder beide für Fr. 4000.-,
einander gegenübergestellt. Mit 4 : 5 wird der
Antrag Konservator angenommen. Frau Sacher: Wenn
das Angebot 4000.- für beide Blätter angenommen wird,
gebe ich Fr. 1000.- daran, da ich den "Dialog" für
höchst erwünscht betrachte. Simonius: ich danke
Frau Sacher für diese wertvolle Hilfe.

Zbinden.

Konservator: nach unserer Ablehnung ist Zbinden zu
verschiedenen Kommissionsmitgliedern gegangen. Ich
fand es daher loyal, ihm zu versprechen, sein Gesuch um einen Ankauf noch einmal vor die Kommission
zu bringen. Persönlich bin ich nach wie vor gegen
einen Ankauf, da wir, zusammen mit dem Kunstkredit,
von Zbinden genug und Besseres haben. Hess: wie weit
sollen wir auf die Ankäufe des Kunstkredits Rücksicht nehmen? Simonius: da uns die Kunstkreditan-
käufe zur Verfügung stehen, sollen wir sie von Fall
zu Fall berücksichtigen. Staechelin: auf Reklama-
tionen sollten wir grundsätzlich nicht eintreten.
Meyer: wir sollten einmal darüber reden, wie die
Auswahl der Kunstkreditbilder für die Galerie erfolgt. Sollte die Kommission nicht über jedes
einzelne Bild beschliessen? Simonius: der Konservator soll uns einmal berichten, was vom Kunstkredit
ausgestellt ist. Meyer: unsere Sammlung bekommt auch
durch die Schiessfonds-Ankäufe einen Charakter, der
nicht erwünscht ist! Konservator: so höre ich Herrn
Meyer gerne reden! Eine Abstimmung darüber, was
vom Kunstkredit im Einzelnen aufgenommen werden soll
oder nicht, ist schwierig, da dies von den ständig
wechselnden Platzmöglichkeiten abhängt. Im Einzelnen muss die Hängung elstisch sein. Der Ankauf
Zbinden wird abgelehnt.

Abb.9b: Auszug aus dem Protokoll der Kunstkommissionssitzung, 28. Oktober 1941

«*Gantner:* die Preise sind hoch. Ich kenne den Besitzer, er hat O.M., Baumeister u.a. grosszügig unterstützt. Jetzt geht es ihm schlecht. Für uns stellt sich einfach die Frage: wollen wir oder wollen wir nicht. *Staechelin:* Ich kenne den Anbieter ebenfalls; in Deutschland war er ein uneigennütziger Freund der Künstler. Als Jude lebt er jetzt in der Schweiz. *Konservator:* O.M. ist in der Schweizer Kunst kein ‹Einsamer›, sondern einer der wichtigsten Anreger. Wir sollten den Ehrgeiz haben, die O.M.-Sammlung zu werden! In der Abstimmung wird mit [...] 4:5 der Antrag Konservator angenommen. *Frau Sacher:* Wenn das Angebot 4000.- für beide Blätter angenommen wird, gebe ich Fr. 1000.- daran, da ich den ‹Dialog› für höchst erwünscht betrachte.»[35]

Schottländer war froh, dass «nunmehr eine Verhandlungsbasis geschaffen worden ist», willigte aber nicht schriftlich ein. Stattdessen kündigte er für die nächsten Tage seinen persönlichen Besuch in Basel an.[36] Bei diesem scheint er die Summe von 4.000 CHF für beide Blätter akzeptiert zu haben, da diese im Inventarbuch des Kupferstichkabinetts so notiert wurde.[37] Während der Austausch mit Georg Schmidt trotz divergierender Preisvorstellungen durchgehend freundlich blieb, sind die Briefe Schottländers an Christoph Bernoulli, der den Verkauf ja vermittelt hatte, in einem schärferen Tonfall verfasst. Insbesondere nachdem die Auszahlung des Erlöses nach Abschluss des langwierigen Geschäfts (Schottländers Erstkontakt zu Bernoulli datierte von Anfang 1940)[38] nicht sofort erfolgte, wurde Schottländer sehr fordernd:

«Sie haben recht, Basel scheint tatsaechlich in China zu liegen. Aber so sehr ich die chinesischen Braeuche & Dinge liebe, so haette ich doch geglaubt, dass Basel nach wie vor in der Schweiz liegt, und dass dort kaufmaennische Geschaefte in handelsueblicher Art geregelt werden, so wie mir dies aus meiner frueheren Taetigkeit her bekannt ist. Denn Geduld habe ich in dieser Angelegenheit genug bewiesen [...]. Am 5. Sept. 40. haben Sie mir erstmalig geschrieben; am 23. Dez. war Herr Schmidt bei mir in Ebikon; am 11. Jan. sandte ich dann die Bilder. Die 11 Monate, die seitdem verstrichen sind, bewiesen meine Langmut & Geduld. Nachdem aber das Kunstmuseum am 3. Dez. 41. zwei der Bilder erworben hat, so glaube ich nichts unbilliges zu verlangen, wenn ich Sie bitte, Herrn Dr. Schmidt zu veranlassen, dass der finanzielle Teil der Angelegenheit in den naechsten Tagen geregelt wird. Es tut mir natuerlich leid, dass Herr Dr. Schmidt erkrankt ist, [...] aber ich glaube & hoffe es, dass seine Erkrankung nicht so schlimm ist, dass er die Bezahlung nicht anordnen lassen koennte. Sie duerfen nicht vergessen, dass heute praktisch gesehen, der Wert des Geldes, gemessen an der Kaufkraft tagtaeglich sinkt, und ich bin auf Grund der politischen Ereignisse davon ueberzeugt, dass die eigentliche Teuerung erst einsetzen wird. [...] Sie sehen, dass ich alles andere wie schweigsam bin. [...] Schon Ihr Kollege Flechtheim sagte: Plappern gehoert zum Kunsthandel.»[39]

Schmidt und Schottländer schrieben sich auch nach dem Geschäftsabschluss weiter und tauschten sich über Kunstdinge und aktuelle Ereignisse aus. Als Aufhänger dienten dabei oft Schmidts zahlreichen Beiträge in der Neuen Zürcher Zeitung und der National-Zeitung sowie Reden und Katalogvorworte. Soweit der eifrige Leser Schottländer Zugriff darauf hatte, verfolgte er die publizistische Aktivität des Museumsmanns und kommentierte

35. Protokoll der Kunstkommissionssitzung, 28. Oktober 1942, in: KMB, Archiv, B 001.001.018.000, S. 229–230.

36. Vgl. Julius Schottländer an Georg Schmidt, 28. November 1941, in: KMB, Archiv, F 001.080.006.000.

37. Vgl. Eintrag zu Inv. 1941.153, Otto Meyer-Amden, *Mädchen, Tassen tragend*: «Zusammen mit 1941.154 [Otto Meyer-Amden, *Der Dialog*], Fr 4000. Davon

übernahm Frau Sacher Fr 1000 als Geschenk.», in: KMB, Archiv, A 001.011.003.000, Inventare 1932–1941 (Kupferstichkabinett).

38. Vgl. Julius Schottländer an Christoph Bernoulli, 8. Januar 1940, in: UBH - NL 322BV.

39. Julius Schottländer an Christoph Bernoulli, 16. Dezember 1941, in: UBH - NL 322BV.

sie, meist mit Bewunderung. Er bat aber auch um Hilfe bei Kunstverkäufen von Freunden und forderte gelegentlich sogar Veröffentlichungen ein – so geschehen nach dem Tod Oskar Schlemmers, als er Schmidt um einen öffentlichen Nachruf für den Maler bat (Abb. 10).[40] Im Jahr 1943 ging fast alle zwei Wochen ein Schreiben aus Ebikon in Basel ein.

Da Schottländer deutlich mehr Zeit als sein Gegenüber hatte, verlief der Austausch nicht immer ausgewogen. Als einmal mehrere Briefe Schottländers unbeantwortet blieben, schickte er ein trockenes

Abb. 10: Oskar Schlemmer, *Innenraum mit fünf Figuren*, 1928, Öl auf Leinwand, 45,5 × 90 cm, Kunst Museum Winterthur, ehemals Sammlung Julius Schottländer

Schreiben mit der Bitte um Rücksendung eines von ihm an Schmidt entliehenen Artikels über Chagall. Zynisch gab er an, keine Antwort zu erwarten, da «die Museumsdirektoren in Basel allzusehr mit Arbeit ueberhaft zu sein scheinen». Das sei im Ausland anders. Sein jüngster Brief an den Direktor des Museum of Modern Art in New York sei nach fünf Tagen eine Antwort wert gewesen.[41]

Um den Tonfall zu vermitteln, in dem sich die beiden Herren begegneten, sei hier Georg Schmidts Antwort auf diesen Brief zitiert:

> «Lieber Herr Schottländer, Aber, aber: Muni [Abkürzung für den schweizerischen Begriff Munizipalstier – Gemeinde-Stier] ganz bös! Bin ich in Ihrer Achtung gesunken – 1944: ‹Lieber Herr Dr. Schmidt›, 1945: ‹Sehr verehrter Herr Dr. Schmidt›, 1946: ‹Sehr geehrter Herr Dr. Schmidt›! Vor mir liegt nun der ganze ‹Akt Julius Schottländer›, mit vielen Briefen, die ‹ihn› wohl erreichten, die sich aber selbst beantworten mussten, da ‹er› innert nützlicher Frist ganz einfach nicht die Zeit hatte, den Ball zurückzuwerfen. Er (der ‹er› in Basel) gehört halt leider zu den Leuten, an denen von allen Windrichtungen gezerrt und gezehrt wird. Der ‹er› aus Ebikon aber ist ein Einsiedler, der es zu Zeiten nicht sein möchte und Zeit dazu hat, es nicht zu sein.»[42]

Als Antwort folgte umgehend eine Nachricht aus Ebikon: «Sehr verehrter Herr Dr. Schmidt: Der Vergleich mit dem ‹Muni› ehrt mich ausserordentlich [...].»[43] Inmitten ihrer scherzhaften Konversation finden sich auch immer wieder Referenzen auf das aktuelle politische Geschehen und die Lebenssituation Julius Schottländers. Als im Mai 1944 die Schutzbergungen von Kunstwerken mehrfach in den Tageszeitungen thematisiert wurden, meldete sich der «Ebikoner» mit der Bitte, seine acht Werke, die er seit Beginn der Verkaufsverhandlungen 1940 als Leihgaben im Kunstmuseum belassen hatte, nicht zu vergessen.[44]

Schottländer und Schmidt trafen sich in ihrer Bewunderung für zeitgenössische Kunst und ihrem sozialdemokratischen Denken. So kommentierte Ersterer Schmidts Vorwort im Katalog der Ausstellung *Konkrete Kunst*[45], die im Frühling 1944 in der Basler Kunsthalle stattfand, mit folgenden Worten:

«Am erfreulichsten schien mir die Internationalitaet der Schau gewesen zu sein. Sie sprechen von ‹fast einem Maerchen›... Nein – es ist ein Maerchen. Wann wird man endlich aufhoeren von dem ‹Nationalen› als dem ‹Wert› zu sprechen?? Kosmopoliten wollen wir wieder werden, wenn der Spuk der Nazis wieder verschwunden sein wird. Aber dies brauche ich Ihnen nicht zu sagen.»[46]

Im Jahr 1945 sah es kurzfristig so aus, als könne das Ehepaar Schottländer doch noch nach Amerika ausreisen und Georg Schmidt verfasste eine Schätzung ihrer Kunstwerke für das Konsulat der USA (Abb. 11).[47] Was nicht ausgeführt werden sollte, musste vor Ort verkauft werden, und als Verkäufer wurde wiederum Christoph Bernoulli herangezogen. Aus seiner erneuten Kontaktaufnahme geht Schottländers Kritik an den Schweizer Behörden im Umgang mit den Geflüchteten hervor.

«In irgend einer absehbaren Zeit besteht nun die Moeglichkeit, dass die Uebersiedlung nach USA doch zur Tatsache werden koennte, was schon im Interesse der Schweiz liegt, worauf man immer wieder in den Traktaetchen, die sich an Emigranten und Fluechtlinge wenden, unter die lange Nase gerieben erhaelt. Also moechte ich etwas tun, um einen Teil jener Bilder abzustossen, die ich nicht mit nach USA nehmen möchte. Koennen Sie hier etwas tun? Verkaufen? [...] Von vorneherein mache ich mir keine Illusionen, aber viele kleine Summen addieren sich doch mit der Anzahl.»[48]

Doch zur Ausreise kam es nicht. Das Ehepaar Schottländer blieb in der Schweiz. Nach Ende des Krieges suchte Schottländer mehrfach weitere Verkäufe anzustossen. In grösseren Abständen meldete er sich bei Schmidt, der daraufhin versuchte, Kunstwerke seiner Sammlung an Privatpersonen zu vermitteln.[49] Da das nicht immer von Erfolg gekrönt war, ergriff das Paar auch selbstständig Initiativen. So im Frühling 1947, als sich Gertrud Schottländer in Abwesenheit ihres Mannes bei Georg Schmidt nach alten Schätzpreisen erkundigte, die ihr Mann ihm 1944 für die nicht verkauften Papierarbeiten von Otto Meyer-Amden genannt hatte, welche sich nach wie vor als Leihgaben im Kunstmuseum Basel befanden. Schmidt vermittelte: «Gekreuzte Figuren Fr. 5'000.-; Brief und Rose 2'800.-; Kopie nach Leonardo Fr. 1'000.» Die Angaben überstiegen die Schätzungen von 1941 noch einmal um 200, respektive 1.000 und 200 CHF. Schmidt erklärte der Sammlergattin (wie auch einst ihrem Mann), er halte

«diese Preise für prohibitiv hoch. Ich glaube, dass es, leider noch sehr lange gehen wird, bis Otto Meyer-Amden so hohe Preise erzielen wird. Das hat, wie Sie wissen, mit meiner ausserordentlichen künstlerischen Schätzung O.M.'s nichts zu tun.»[50]

40. Vgl. Julius Schottländer an Georg Schmidt, teilweise Willi Baumeister zitierend, 26. April 1943: «Gestern Abend erhielt ich die traurige Nachricht von Frau Schlemmer, dass unser lieber Oskar verstorben ist. [...] Darf ich Sie bitten einen Nachruf zu schreiben? Wuerdig unseres gemeinsamen Freundes. Wenn irgend moeglich mit Bildern. Das ‹Werk› kann sich hiermit einen Denkstein setzen.» und 11. Mai 1943: «Wann kommt der groessere Nachruf im ‹Werk›, im ‹Du› oder sonstwo? Mit Bildern? Ich warte hierauf. Um diese Aufgabe werden Sie kaum herumkommen. Ans Werk! Ans Werk!», beide in: KMB, Archiv, F 001.080.006.000.

41. Vgl. Julius Schottländer an Georg Schmidt, 7. Juli 1946, in: KMB, Archiv, F 001.080.006.000.

42. Georg Schmidt an Julius Schottländer, 9. Juli 1946, in: KMB, Archiv, F 001.080.006.000.

43. Julius Schottländer an Georg Schmidt, 17. Juli 1948, in: KMB, Archiv, F 001.080.006.000.

44. Vgl. Julius Schottländer an Georg Schmidt, 2. Mai 1944, in: KMB, Archiv, F 001.080.006.000.

45. Vgl. Konkrete Kunst, Ausst.-Kat. Kunsthalle Basel (18. März – 16. April 1944), Basel 1944.

46. Vgl. Julius Schottländer an Georg Schmidt, 17. Mai 1944, in: KMB, Archiv, F 001.080.006.000.

47. Vgl. Georg Schmidt an Julius Schottländer u.a. 17. Oktober 1945, in: KMB, Archiv, F 001.080.006.000.

48. Julius Schottländer an Christoph Bernoulli, 5. Oktober 1945, in: UBH - NL 322BV.

49. Vgl. Julius Schottländer an Josef Müller, 17. Juni 1948, und Julius Schottländer an Georg Schmidt, 11. Juli 1947, in: KMB, Archiv, F 001.079.011.000.

50. Georg Schmidt an Gertrud Schottländer, 12. März 1947, in: KMB, Archiv, F 001.079.011.000.

17.X.45.

JULIUS SCHOTTLANDER

Ebikon/Luzern/14/10/45
Fone: 201.60 u/Breitschmidt
Luzern

Herrn
Dr. Georg Schmidt, Kunstmuseum
B a s e l .

Sehr verehrter Herr Dr. Schmidt:
Vielen Dank fuer Jhre prompte Antwort; dies umso mehr, als mir aus der "NZ"
bekannt ist, wie sehr Sie mit Arbeit ueberhaeuft sind, zumal aus der Berichterstattung dieser Zeitung nur ein kleiner Ausschnitt Jhrer umfangreichen Taetigkeit bekannt wird.-
Wenn ich dessen ungeachtet "Maule", so wollen Sie mir dies nicht uebel nehmen. Die Taxe muss moeglichst ueberzeugend sein & dazu wird es notwendig
sein, dass sie auf dem so schoenen Papier Jhres Museums geschrieben und
von Jhnen ausgestellt sein muesste.   Sie/
Es ist mir natuerlich klar, dass es ihnen etwas peinlich beruehrt, wenn Sie
so ohne weiteres meine Angaben zu den Jhrigen machen sollen. Aber in diesem
Falle sollten Sie im Interesse der guten Sache, d. h. der Moeglichkeit
meiner Auswanderung nach USA Jhre Bedenken ueberwinden und meinem Wunsche
entsprechen. Die Taxe wird in den Archiven der USA-Behoerden verschwinden.
Sollte ich sie je zurueckerhalten, verpflichte ich mich ausdruecklich, sie
an Sie zurueckzusenden.- Wenn Sie es fuer richtig ansehen, die Bilder nochmals zu besichtigen, wuerde ich mich sehr freuen, Sie hier bei uns begrues-
sen zu koennen; an und fuer sich duerfte dies aber an dem Resultat kaum
etwas aendern.-
Zu Jhren persoenlichen Einwaenden wegen der von mir eingesetzten Bildpreise
sei folgendes bemerkt:
Herrmann Huber: Hier verweise ich auf die beigefuegte Karte des Zuercher
                Kunsthauses; an und fuer sich teile ich Jhre Meinung.
Jawlensky   : Diese Maske ist die schoenste dieser Art des Freundes von
               Klee und Nolde
Schlemmer   : M.E. einer der besten Repraesentanten der "entarteten Kunst
Nolde   : Herr Dr. v. Frey, der neulich einmal bei mir war, fand
               diesen Nolde als besonders schoenes Bild. Ob dieser Preis
               zu erzielen ist, lasse ich mit Jhnen dahingestellt. Nolde
               ist gewiss zur Zt. unterbewertet.
Vlaminck   : Hier halte ich den Preis ohne weiteres fuer den "Marktpreis"
               Bei Piscator erzielte ein viel schlechterer V. 2.600.-

Zu Jhrer weiteren Orientierung teile ich Jhnen noch mit, dass ich natuerli
auch nach Buergschaften von Freunden aus USA besitze; da ich aber keine
nahen Verwandte in USA habe, gebrauche ich noch als weitere Unterlage einen
Vermoegensnachweis. Da ich jedoch nach der Auspluenderung durch die Nazis
nur noch die Bilder besitze, und diese nur infolge eines guenstigen Zufalles, hoffe ich auf Jhre guetige Mitwirkung in dieser fuer mich so wichtigen Angelegenheit.-
Meiner Dankbarkeit duerfen Sie gewiss sein. Vielleicht kann ich mich einmal erkenntlich zeigen, wenn Sie mich spaeter in New York besuchen.
Dann besuchen wir das Museum of modern Art zusammen; bummeln in der 57th
Street; gehen auf die New Yorker Messe: Coney Island etc. etc.
Indem ich Jhnen nochmals fuer Jhr Entgegenkommen danke, bin ich mit den
besten Gruessen
                                    Jhr stets ergebener

Anlagen.

Abb.11: Julius Schottländer an Georg Schmidt: Bitte um Schätzgutachten seiner Sammlung für die
Einfuhr in die USA, 14. Oktober 1945

Bis 1949 gelang es Schottländer nicht, einen Käufer für seine noch im Kunstmuseum verbliebenen Meyer-Amden-Blätter zu finden. Zwar reduzierte er in diesem Jahr seine Preise ein wenig, doch sie blieben weiterhin aussergewöhnlich. Auf Anraten von Schmidt liess er die Blätter im August zu Gutekunst & Klipstein nach Bern schicken, um auf einer Versteigerung nach Kunden zu suchen. August Klipstein kommentierte die Sendung der Schottländer-Blätter gegenüber Schmidt mit den Worten: «Ueber die [hohen] Limiten bin ich entsetzt, wenigstens was Meyer-Amden anbetrifft. Schliesslich sind die Arbeiten nicht besonders important.»[51] So wurde auf der Auktion auch kein einziges Werk verkauft.[52] Gegenüber Schmidt zeigte sich Schottländer enttäuscht, aber die Kunst seines Freundes verteidigte er weiter:

> «Klipstein war ein voelliges Fiasko. [...] Das mangelnde Interesse für OM ist wirklich erstaunlich. Eigentlich eher ein Fiasko der schweizer Sammlertaetigkeit als ein solches von Dr. K. bezw. von mir. Liotard ist gesucht und wird hoch bezahlt [...], aber der vielleicht groesste malerische Kuenstler, welchen die Schweiz in den letzten 50 Jahren hervorgebracht hat, findet keinerlei Nachfrage, und dabei nehme ich fuer meine Blaetter in Anspruch, dass sie aus der besten Zeit des OM stammen. Die ‹gekreuzten Figuren› sind m. E. die frueheste abstrakte Komposition eines schweizer Malers, aber solche Dinge werden nicht gesucht, sondern bewusst vernachlaessigt. Sie sagen nun mit einem gewissen Recht, ich sei Partei und wolle vielleicht zu hohe Preise haben. Aber gemessen an gleichwertigen Malern unserer Zeit sind meine Preise absolut gerecht, was Sie auch selbst zugegeben haben. Ohne die Hitlerei haette ich mich niemals von den kostbaren Blaettern getrennt, aber nunmehr bin ich durch die Krankheit finanziell so weit zurueckgekommen, dass ich unbedingt etwas unternehmen muss, und da denke ich in erste Linie wieder an Sie und das Kunstmuseum Basel.»[53]

Vier Monate später meldete er sich erneut.

> «In der Zwischenzeit bin ich wieder in die Faenge der dreifachen Krankheit geraten und ebensovielen Medizinern, dabei wills immer noch nicht wieder besser mit Bronchitis, Niere und Magen/Darm gehen. Der Mensch ist ein empfindliches Tier, besonders wenn er aelter wird. Wie stehen meine Chancen bei Ihnen und Ihrem Museum. Immer noch keine Mittel für OM? Sind nunmehr meine Preise nicht bescheiden? Die Chemie arbeitet immer noch gut, besonders die Pharmakologie! Schlucke ich doch ununterbrochen Produkte von Sandoz und Geigy. Digilanid, etc. Unternehmen Sie doch bitte etwas!»[54]

Doch dem Museum fehlten die Gelder und so antwortete Schmidt humorvoll:

> «[E]s tut mir ausserordentlich leid [...] erfahren zu müssen, dass Sie abermals krank geworden sind. Ich wünsche Ihnen von Herzen baldige Genesung. Leider kann ich Ihnen das nicht bieten, was zu dieser Genesung sicher wesentlich beitragen würde, nämlich die Mitteilung, dass Sandoz und Geigy Ihre OM's als Entgelt für das Gift, das Sie von diesen Firmen zu schlucken genötigt sind, für das Museum gekauft haben.»[55]

---

51. August Klipstein an Georg Schmidt, 29. August 1949, in: KMB, Archiv, F 001.079.011.000.

52. Vgl. August Klippstein an Georg Schmidt, 11. Januar 1950, in: KMB, Archiv, F 001.079.011.000.

53. Julius Schottländer am Georg Schmidt, 15. Dezember 1949, in: KMB, Archiv,

F 001.079.011.000.

54. Julius Schottländer an Georg Schmidt, 1. Mai 1950, in: KMB, Archiv, F 001.079.011.000.

55. Georg Schmidt an Julius Schottländer, 5. Mai 1950, in: KMB, Archiv, F 001.079.011.000.

Bis in die 1960er-Jahren waren noch Kunstwerke vorhanden, die Schottländer und ab 1953 dessen Frau gerne abgestossen hätten. Doch wie aus einem Brief an Bernoulli herauszulesen ist, hatten die vielen misslungenen Versuche bereits Mitte der 1940er-Jahre zu Verbitterung und erhöhtem Misstrauen gegenüber dem Kunsthandel geführt:

> «In den naechsten Wochen werde ich mich wieder einmal mit dem ‹Umgang mit Kunsthaendlern› frei nach Knigge befassen. Mit Ihnen bin ich einig, dass ich hier hinzulernen muss. Was waere, wenn Sie sich als ‹teacher› dieser ‹Kunst› betaetigen wuerden? Durch die ‹taktvolle› Art und Weise, mit der ich in den letzten 13 Jahren, seis im ‹Tausendjährigen Reich›, seis in der aeltesten Demokratie der Welt, behandelt worden bin, bzw. noch werde, ist der Takt, wenn er ueberhaupt einmal vorhanden war, gruendlich verloren gegangen. Im Kunsthandel ist es scheinbar so, dass wenn man die Dinge beim Namen nennt, als ‹Taktlos› bezeichnet wird. Im weiland III. Reich hat man aus lauter Takt z. B. ueber KZ & aehnliche Dinge niemals gesprochen.»[56]

PREISGESTALTUNG UND -BEWERTUNG

Die dargelegten Preisverhandlungen und das Eingangszitat Bernoullis deuten an, dass Schottländer zu hohe Preise forderte – doch lässt sich dies objektiv bestätigen? Ursprünglich verlangte Schottländer 6.400 CHF für die zwei Zeichnungen *Mädchen mit Tassen* und *Dialog*. Erhalten hat er vom Kunstmuseum 4.000 CHF. Ein landesweiter Vergleich mit um 1941 an andere Schweizer Museen bezahlten oder bei Auktionen erzielten Verkaufsergebnissen für Arbeiten Meyer-Amdens liesse es zu, der Frage nach der Angemessenheit des Kaufpreises zumindest in Ansätzen auf den Grund zu gehen. Da der öffentlichkeitsscheue Künstler allerdings bereits 1933 verstorben war, die künstlerische Anerkennung seines Œuvres erst langsam ab den 1950er-Jahren einsetzte und sein Bruder Paul Meyer den Nachlass eher zusammenhielt, als Kunstwerke daraus zu verkaufen, ist die Bewertung der Preise im marktüblichen Sinne deutlich erschwert. Ein Markt für Werke von Meyer-Amden war nach der Aktion «Entartete Kunst» 1937 – auch in der Schweiz – quasi inexistent. Auch in anderen Schweizer Museen liegen keine zeitgenössischen Angebote mit Preisangaben oder entsprechende Versicherungswerte aus der Zeit um 1940 vor.[57] Aus dem Kunstmuseum Basel selbst konnte lediglich ein Vergleichspreis von 1942 für ein recht untypisches Werk des Künstlers herangezogen werden, das deutlich günstiger von der Galerie Bettie Thommen erworben wurde. Für 600 CHF fand die Kreidezeichnung *Ostereier* Eingang in den Bestand (Abb. 12).

Das einzige aufgefundene vergleichbare Auktionsergebnis von Dezember 1940 erbrachte mit 190 CHF für das Blatt *Knabenakt von vorn in einem Zimmer* weniger als ein Viertel des Basler Kaufpreises für das günstigere Werk aus der Schottländer-Sammlung.[58] Insofern scheint die von Schottländer

Abb. 12: Otto Meyer-Amden, *Ostereier*, o.J., Farbstift und Bleistift auf Papier, 22,5 × 20,5 cm, Kunstmuseum Basel, Kupferstichkabinett

erhaltene Zahlung für die damaligen Verhältnisse durchaus gut, wenn nicht sehr gut gewesen zu sein. Bei späteren Verkaufsbemühungen erkannte Schottländer das auch indirekt an:

> «Wer kauft aber OM? Sie sind vermutliche der Einzigste in der Schweiz. [...] Da sich niemand um OM bemüht, haben Sie Chancen.»[59]

In Ermangelung anderer Werte wurden die von Schottländer im Dezember 1934 nach der Zürcher Ausstellung selbst festgelegten Versicherungswerte der zwei Zeichnungen (3.800 CHF) mit dem Verkaufspreis von 1941 verglichen. Die Angebotspreise der Zeichnungen, die aus dieser Ausstellung ins Kupferstichkabinett des Kunstmuseums eingingen, sind bekannt. Sie lagen alle zwischen 75 und 3.000 CHF.[60] Der Vergleich konnte aber nicht 1:1 erfolgen, da 1936 – analog zu Frankreich und unter anderem zum Erhalt der Wirtschaftlichkeit und der Exportstärke der Schweiz – der Schweizer Franken vom Bundesrat um 30% abgewertet wurde; zudem veränderte sich dessen Kaufkraft während der Kriegsjahre. Um dieser Problematik zu begegnen, wurde der US-Dollar als Orientierung herangezogen.[61] Die stark schwankende Schweizer Inflationsrate zwischen 1934 und 1941 ist allerdings nicht mit eingerechnet worden, da es unklar bleibt, wie sich die bekannten Teuerungsraten für Konsumgüter auf Preise von Kunstwerken – also Luxusgüter – auswirkten.[62] Im Ergebnis sind für die Werke beim 1941er-Verkauf 25% weniger gezahlt worden als der 1934 ausgewiesene Versicherungswert, mithin 37% weniger als der 1940 ursprünglich von Schottländer verlangte Preis. Hierbei darf aber nicht vergessen werden, dass Schottländer seine Versicherungswerte 1934 eigenständig festgelegt hatte und sie somit keiner objektiven Schätzung entsprechen. Letztlich kann dieses System des Preisvergleichs auch nur als Anhaltspunkt gewertet werden, vernachlässigt es doch eine generelle Beurteilung zur Preisentwicklung von moderner Kunst auf dem Schweizer Markt in den 1930er- und 1940er-Jahren.

Belegt ist, dass Schottländer den Verkaufspreis erhielt und frei über ihn verfügen konnte.[63] Dennoch widmete er sich als 53-jähriger Geflüchteter ohne Arbeitserlaubnis dem subsistenzwirtschaftlichen Ackerbau in Ebikon zur Finanzierung seines Lebensunterhalts, was besonders im Vergleich zu seiner vorherigen Stellung als Geschäftsführer eines grossen Konzerns eine gravierende Umstellung bedeutete. Ab 1944 sah er sich sogar mit der Sorge konfrontiert, für drei Monate in ein Schweizer Arbeitslager eingezogen zu werden, was aber schliesslich doch nicht geschah.[64]

56. Julius Schottländer an Christoph Bernoulli, 21. September 1945, in: UBH - NL 322BV.

57. Kontaktiert wurden folgende Institutionen, die Werke von Meyer-Amden verwahren: Aargauer Kunsthaus, Aarau; Kunstmuseum Bern; Museum zu Allerheiligen, Schaffhausen, Sturzenegger-Stiftung; Kunst Museum Winterthur; Kunsthaus Zürich; Sammlung Oskar Reinhart «Im Römerholz», Winterthur.

58. Vgl. Kolorierte Schweizer Stiche: Aquarelle und Handzeichnungen [...], Aukt.-Kat., Doktor August Klipstein, Vormals Gutekunst und Klipstein, Bern, 5.-7. Dezember 1940, https://doi.org/10.11588/diglit.11395#0068, Auskunft Galerie Kornfeld.

59. Julius Schottländer an Georg Schmidt, 4. April 1952, in: KMB, Archiv, F 001.079.011.000.

60. Vgl. Wilhelm Wartmann an Julius Schottländer: Quittung, in: Archiv ZKG/KHZ, Ausgehende Korrespondenz, Ausstellungen, 10.30.20.258, Bl. 499. Das Kunstmuseum Basel kaufte aus der zweiten Station dieser Ausstellung in der Kunsthalle Basel 1934 zwei Gemälde und zehn Papierarbeiten zu folgenden Preisen: Inv. 1622 *Gesamtkomposition III*, 3'000 CHF; Inv. 1624 *Entkleidung*, 1'800 CHF; Inv. 1934.57 *Rastende Radfahrer*, 800 CHF; Inv. 1934.53 *Knabenakt*, 250 CHF; Inv. 1934.54; *Sich ausziehender Knabe*, 250 CHF; Inv. 1934.1–3 *Weberfamilie*, 3-tlg, je 750 CHF; Inv. 1934.126-129, 4 Zeichnungen (75–180 RM = 92 CHF, 123 CHF, 123 CHF und 222 CHF).

61. Umrechnungskurs USD – CHF Dezember 1940: 23,201 Ct. = 1 CHF, Juni 1941: 23,206 Ct. = 1 CHF, hier gilt zu beachten, dass die Federal Reserve Bank keine

Umrechnungskurse nach Juni 1941 für den Schweizer Franken publiziert hat; November 1934: 32.4713 Ct. = 1 CHF. Das initiale Angebot von Dezember 1940 von Schottländer kann also mit ca. 1.484,88 USD = 6.400 CHF berechnet werden. Der Kaufpreis betrug ein Jahr später 1941 entsprechend 928,24 USD = 4.999 CHF. 1934 kann der Versicherungswert mit 1.231,85 USD = 3.800 CHF beziffert werden. US Federal Reserve, Foreign Exchange Rates, https://fraser.stlouisfed.org/title/federal-reserve-bulletin-62/february-1941-21034, S. 183 (1.3.2025).

62. Ca. 20% laut Institut für Banken und Finanzplanung, www.ibf-chur.ch/SWISS-MACRO-CHARTS/Preisindizes-Schweiz-1926-ff-/ (1.3.2025).

63. Vgl. Julius Schottländer an Christoph Bernoulli, 16. Dezember 1941, in: UBH - NL 322BV.

64. Vgl. Julius Schottländer an Georg Schmidt, 2. Mai 1944, in: KMB, Archiv, F 001.080.006.000: « [...] aber ich bin ein grosser Faulenzer & befasse mich zur Zt. nur mit dem Ackerbau, wobei unter Umstaenden die Aussicht besteht, gemaess neuester kantonaler luzerner Verfuegung, in ein Arbeitslager fuer 3 Monate eingewiesen zu werden, vom 16. bis 65. Lebensjahr; tolerierte Emigranten.» Arbeitslager in der Schweiz waren nicht gleichzusetzen mit den gleichnamigen Lagern und ihren lebensbedrohlichen Verhältnissen in Deutschland oder Polen. Dennoch wurde dort ein starkes Mass körperlicher Arbeit gefordert und Familien wurden zumindest zeitweise getrennt. Vgl. Jürg Stadelmann, Umgang mit Fremden in bedrängter Zeit. Schweizerische Flüchtlingspolitik 1940-1945 und ihre Beurteilung bis heute, Zürich 1998, S. 75, 120–121.

65. Vergleich 602/II/4, o.D., in: LfF-AfW VA 18 213, Bl. 189.

NACHKRIEGSSITUATION

Vor dem Hintergrund der bundesdeutschen Nachkriegsgesetzgebung zu Wiedergutmachungs-, Restitutions- und Entschädigungsansprüchen stellte die Familie Schottländer mehrere Anträge auf finanzielle Kompensation ihres Schadens sowie auf die Rückgabe des Hauses. 1957 wurde ein Vergleich bezüglich Schaden an Eigentum von Hausrat und explizit zur Abgeltung der Zerstörung und Beschädigung der Gemäldesammlung zwischen den Erben Schottländers und dem Wiedergutmachungsamt in Mainz über 65.000 DM geschlossen.[65] In ihrem Antrag vor dem Wiedergutmachungsamt legt Gertrud Schottländer dar, dass Werke nicht nur beschädigt oder zerstört wurden, sondern teilweise auch in der Schweiz zur Finanzierung des Lebensunterhalts und für Krankenhausrechnungen verkauft werden mussten. Sie bezeichnete diese Verkäufe als «Verschleuderung ‹per occasion›», suggerierte also eine Veräusserung unter Wert (Abb. 13).[66] Der Wiedergutmachungsentscheid hingegen erwähnt nur die Zerstörung und Beschädigung der Werke im Zuge der Novemberpogrome 1938 als Grund für die erbrachte Leistung. Unklar bleibt also, ob die vergleichsweise hohe Entschädigungssumme[67] auch auf die in der Schweiz laut Gertrud Schottländers Einschätzung zum Teil unter Wert verkauften Objekte angerechnet werden kann.[68] Weitere Entschädigungszahlungen für Geschäftsinhaberanteile, die Abgabe von Silbersachen und die Rückübertragung der Immobilie und des Grundstücks folgten – allerdings grösstenteils erst Ende der 1950er-Jahre.[69]

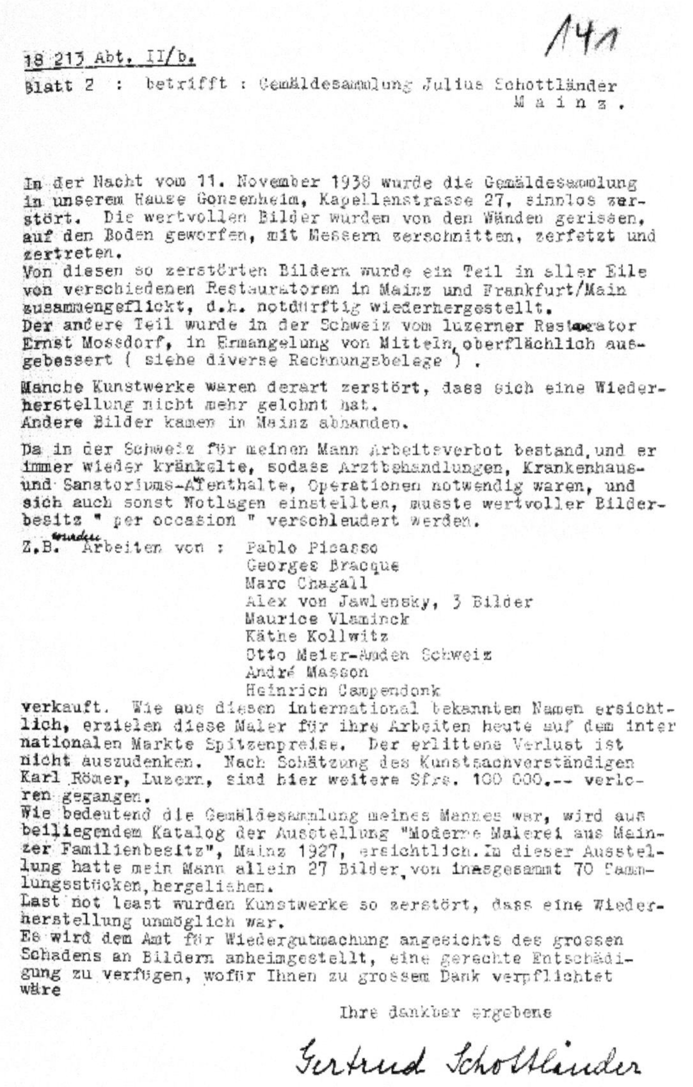

Abb. 13: Auszug aus dem Wiedergutmachungsantrag von Gertrud Schottländer, 1950er-Jahre

SYNTHESE: WAR DER BASLER PREIS «RAISONNABEL»?[70]

Aus den vorangegangenen Darlegungen kann geschlossen werden, dass die Rechtmässigkeit des Verkaufs der beiden Zeichnungen durch Schottländer gegeben war. Die Verbringung der Objekte ins unbesetzte Ausland, in dem er nicht durch nationalsozialistische Gesetze benachteiligt wurde, war bereits 1933 erfolgt und er hatte die Wahl, an wen er seine Objekte veräusserte. Über den Verkaufspreis konnte er frei verfügen; seine Vermögensinteressen wurden von Museumsdirektor Georg Schmidt gewahrt. Eine Verkaufsabsicht, unabhängig von der durch den Nationalsozialismus eingetretenen Verfolgungssituation, kann jedoch nicht zuletzt aufgrund des Titelzitats eindeutig verneint werden. Die Überlegungen konzentrieren sich also auf die Frage nach der Angemessenheit des Verkaufserlöses. Laut Vergleichen und zeitgenössischen Kommentaren scheint Schottländer den höchstmöglichen Preis von Schmidt für seine Zeichnungen erhalten zu haben. Es lässt sich im selben und in den folgenden Jahren kein einziges Beispiel im schweizerischen Kunsthandel finden, bei dem eine so hohe Summe für Zeichnungen von Meyer-Amden gezahlt wurde. Dass diese niedriger ausfiel als Schottländers Eingangsforderung, ändert nichts an dem Umstand, dass seine Preisvorstellungen sowohl vom Kunsthandel als auch von der Basler Kunstkommission als überzogen beurteilt wurden und es offenbar auf diesem Niveau keine Absatzmöglichkeit für Werke des Künstlers gab. Dass Georg Schmidt, der ein vergleichbarer Verehrer der Kunst Meyer-Amdens wie der Eigentümer war, die Werke für ein öffentliches Museum kaufte, stellte für Schottländer einen «Trost» dar, und auch nach dem Krieg blieben Schmidt und Schottländer einander freundschaftlich verbunden. Der Museumsdirektor engagierte sich im Namen des Sammlers für den Verkauf weiterer seiner Werke an nationale und internationale Kunsthändler (Abb. 14).[71] Dennoch ist klar, dass die Veräusserung der Blätter 1941 an das Kunstmuseum Basel nach der endgültigen Zugriffsverweigerung auf das Sperrkonto in Deutschland erfolgte und somit ein unmittelbarer Zusammenhang mit mangelnden Geldmitteln bestand.

Julius Schottländer hat sich, wie geschildert, zu seiner Zeit in Deutschland, aber auch bei Kunstverkäufen in der Schweiz für ihm bekannte künstlerische Positionen seiner Gegenwart eingesetzt, allen voran für die Malerei und Zeichenkunst des Schweizers Otto Meyer-Amden, als dessen Freund er sich mehrfach erklärte. Neben der zwischenmenschlichen Nähe lag diesem Engagement auch ein Glaube an Fortschritt und Qualität des deutschen Kunstschaffens während der Weimarer Republik zugrunde. Der Umstand, dass er Deutschland verlassen und Teile seiner Sammlung verkaufen musste, minderte seine Überzeugung nicht – selbst nicht im schwierigen schweizerischen Exil.

Abb. 14: Willi Baumeister, *Seilspringerin*, 1928, Öl auf Leinwand, 111 × 80,5 cm, Staatsgalerie Stuttgart, ehemals Sammlung Julius Schottländer

66. Vgl. Gertrud Schottländer zur Gemäldesammlung Julius Schottländer, Sachentschädigung 18213, o.D., in: LfF-AfW, VA 18 213, Bl. 141.

67. Laut Bundesrückerstattungsgesetz von 1957, § 51, war die Höchstsumme der Entschädigung an Eigentum auf 75.000 DM festgelegt. Harald König, Rückforderung finanzieller Wiedergutmachungsleistungen, über: Kunstverwaltung des Bundes, https://kunstverwaltung.bund.de/DE/Provenienzforschung/Fachaufsaetze/_documents/4RueckforderungKVDB.html (27.4.2023).

68. Hier muss bedacht werden, dass die Werke, die Gertrud Schottländer unter den Verkäufen nennt, nicht nur von Meyer-Amden stammten, sondern auch einige der im Eingangszitat von Bernoulli erwähnten Künstler und Objekte umfassten, die er für «wenig interessant» hielt. Die Qualität der Werke scheint also trotz der bekannten Namen zumindest für den Kunsthändler nicht überzeugend gewesen zu sein.

69. Vgl. Beglaubigte Abschrift, Vergleich, 13. Juni 1951, in: LHAKo, 0922.0000.00.009970.000177. Die Regelung aus dem Vergleich der

Entschädigungen zog sich beidseitig bis Ende der 1950er-Jahre hin. Schottländer musste den 1939 gezahlten Verkaufspreis des Anwesens im Gegenzug für die Restitution des Grundstücks und des Hauses 10:1 zurückzahlen, da er über Teile des Verkaufserlöses hatte verfügen können. Vgl. Rückerstattungssache Gertrud Schottländer, 5. März 1958, in: LASp, J010_0000_00_007056_000022; Beschluss Wiedergutmachungskammer, 25. Juni 1951, in: LASp, J010_0000_00_000007_000097.

70. Christoph Bernoulli an Georg Schmidt, 12. November 1940, in: KMB, Archiv, F 001.080.006.000.

71. Georg Schmidt an Julius Schottländer, 6. Juli 1946, in: KMB, Archiv, F 001.080.006.000. Verkäufe sind unter anderem an Curt Valentin, New York, erfolgt. Nach dem Tod ihres Mannes 1953 erbte Gertrud Schottländer den verbliebenen Kunstbestand und verkaufte daraus Werke über den deutschen Kunsthandel. Diese gingen teilweise auch in Museen ein, wie Willi Baumeisters *Seilspringerin* in der Staatsgalerie Stuttgart (Abb. 14) oder Oskar Schlemmers *Innenraum mit fünf Figuren* (Abb. 10) im Kunst Museum Winterthur, vgl. Heuss 2017.

TESSA ROSEBROCK

GEFEIERT, ABER SCHLIESSLICH IN ALLE WINDE VERSTREUT.

DIE SAMMLUNG JULIUS FREUND IN DER SCHWEIZ

CARL BLECHEN
(1798–1840)

ITALIENISCHES GEHÖFT, o.J.

Bleistift und Feder,
aufgezogen auf Papier,
20,3 × 34 cm
Unter der Darstellung rechts
mit Bleistift signiert: Blechen

Kunstmuseum Basel
Kupferstichkabinett, Inv. 1942.27
Geschenk von Dr. Fridtjof Zschokke,
Basel 1942

Abb. 7

KÄTHE KOLLWITZ
(1867–1945)

*SCHWANGERE
MUTTER MIT
ZWEI KINDERN*, o.J.

Kohle auf Papier
59,8 × 40,7 cm
Unten rechts mit
Bleistift signiert:
Käthe Kollwitz

Kunstmuseum Basel
Kupferstichkabinett, Inv. 1987.18
Schenkung Hans Jakob Oeri, Basel 1987

Abb. 8

PROVENIENZ 1–6:

[...]

Spätestens 1927 – 17.12.1933:
Julius Freund (1869 – 1941), Berlin

17.12.1933 – 21.3.1942:
Dr. Gisèle Freund (1908–2000), Buenos Aires, Tochter
von Julius Freund, Geschenk von Julius Freund

21.3.1942:
Auktion Sammlung Julius Freund, Galerie Fischer, Luzern
(aus dem Besitz von Frau Dr. G. Freund, Buenos Aires)

21.3.1942 – heute:
Kunstmuseum Basel, angekauft bei der Auktion der
Galerie Fischer

PROVENIENZ 7:

[...]

Spätestens 1927 – 17.12.1933:
Julius Freund (1869 – 1941), Berlin

17.12.1933 – 21.3.1942:
Dr. Gisèle Freund (1908–2000), Buenos Aires, Tochter
von Julius Freund, Geschenk von Julius Freund

21.3.1942:
Auktion Sammlung Julius Freund, Galerie Fischer, Luzern
(aus dem Besitz von Frau Dr. G. Freund, Buenos Aires),
Los 148

21.3.1942:
Dr. Fridtjof Zschokke (1902–1993), Basel, angekauft bei
der Auktion der Galerie Fischer

21.3.1942 – heute:
Kunstmuseum Basel, als Geschenk von
Dr. Fridtjof Zschokke

PROVENIENZ 8:

[...]

Spätestens 1927 – 17.12.1933:
Julius Freund (1869 – 1941), Berlin

17.12.1933 – 21.3.1942:
Dr. Gisèle Freund (1908–2000), Buenos Aires, Tochter
von Julius Freund, Geschenk von Julius Freund

21.3.1942:
Auktion Sammlung Julius Freund, Galerie Fischer, Luzern
(aus dem Besitz von Frau Dr. G. Freund, Buenos Aires),
Los 56

21.3.1942 – Datum unbekannt:
Willi Raeber (1897–1976), Basel, angekauft bei der
Auktion der Galerie Fischer, eventuell im Auftrag von
Konrad Meister

Datum unbekannt (circa 1942) – mindestens
1947:
Konrad Meister, Basel, bzw. seine Tochter Frieda
Meister, wohl angekauft über Raeber

Datum unbekannt – 1987:
Dr. Hans Jakob Oeri (1921–1987), Basel

1987 – heute:
Kunstmuseum Basel, als Geschenk von
Dr. Hans Jakob Oeri

ADOLPH VON MENZEL
(1813–1905)

*BLICK AUF
HOFGASTEIN,* 1874

Bleistift auf Papier, teilweise
stark gewischt
20,9 × 13,3 cm
Auf der Rückseite mit Bleistift signiert,
bezeichnet und datiert: Adolph Menzel /
chez et à son ami Herrmann / Villa
Herrmann / Hofgastein 8. August 1874

Kunstmuseum Basel
Kupferstichkabinett, Inv. 1742.33
Ankauf 1942

Abb. 1

HANS VON MARÉES
(1837–1887)

STUDIE ZUR KOMPOSITION
UNSCHULD, wohl vor 1883

Bleistift auf Papier
48,5 × 34,7 cm
Nicht bezeichnet

Kunstmuseum Basel
Kupferstichkabinett, Inv. 1742.32
Ankauf 1942

Abb. 2

MAX LIEBERMANN
(1847–1935)

*BADENDE KNABEN
AM STRAND,* 1904/06

Bleistift, weiss gehöht,
auf gelblichem Papier
26,4 × 37,7 cm
In der Darstellung unten links
mit Bleistift signiert: MLiebermann

Abb. 3

Kunstmuseum Basel
Kupferstichkabinett, Inv. 1742.31
Ankauf 1942

KÄTHE KOLLWITZ
(1867–1945)

DIE GEFANGENEN, 1908

Bleistift auf grün-grauem Papier,
o. l. und u. r. aufgeklebte Fragmente
vom gleichen Papier
33,9 × 43,3 cm
Unten rechts mit Bleistift signiert
und nummeriert: |

Kunstmuseum Basel
Kupferstichkabinett, Inv. 1942.28
Ankauf 1942

Abb. 4

KÄTHE KOLLWITZ
(1867–1945)

MÜTTER. VERWORFENE ZWEITE FASSUNG DES SECHSTEN BLATTES DER FOLGE *KRIEG,* 1919

Kreidelithografie (Umdruck)
auf Vergé
54,9 × 64,7 cm
Unten rechts mit Bleistift
signiert und bezeichnet:
Käthe Kollwitz / Mütter

Kunstmuseum Basel
Kupferstichkabinett, Inv. 1942.30
Ankauf 1942

Abb. 5

KÄTHE KOLLWITZ
(1867–1945)

TOD UND KINDER, 1923

Kohle auf hellgrauem Papier
47,5 × 61,8 cm (grösste Masse)
Unten rechts mit Kohle signiert
und datiert:
Käthe Kollwitz / 1923

Kunstmuseum Basel
Kupferstichkabinett, Inv. 1942.29
Ankauf 1942

Abb. 6

Georg Schmidt (1986–1965), der Direktor des Kunstmuseums Basel, ersteigerte am 21. März 1942 auf der Auktion *Sammlung Julius Freund. Aus dem Besitz Dr. G. Freund Buenos Aires* in der Galerie Fischer, Luzern, sechs Zeichnungen des 19. und 20. Jahrhunderts (Abb. 1–6): eine Landschaft von Adolf von Menzel, eine Aktstudie von Hans von Marées, eine Badeszene von Max Liebermann und drei Figurendarstellungen von der Hand Käthe Kollwitz. Fridtjof Zschokke (1902–1993), damals Schmidts wissenschaftlicher Adjunkt (Assistent), kaufte auf dieser Veranstaltung privat eine Zeichnung von Carl Blechen, um sie nachfolgend dem Kupferstichkabinett des Museums zu schenken (Abb. 7). Eine weitere Kollwitz-Zeichnung, eine Schwangere mit zwei Kindern darstellend, wurde bei dieser Versteigerung von dem Basler Kunsthändler Willi Raeber (1897–1976) erworben. Er kaufte wahrscheinlich im Auftrag des ebenfalls aus Basel stammenden Sammlers Konrad Meister (Abb. 8). Diese Papierarbeit ging nach 1947 in die Sammlung Hans Jakob Oeri (1921–1987) über, der sie 1987 dem Kunstmuseum vermachte.

Abb.9: Julius und Clara Freund mit ihren Kindern Hans und Gisela, Berlin, 1911

Bei der Versteigerung der Sammlung Freund im März 1942 in Luzern handelte es sich um einen bekannten «Fluchtgut»-Verkauf, der seit Langem erforscht ist. Sämtliche Losnummern des Auktionskatalogs sind in der Lost Art-Datenbank als Verlustmeldungen publiziert. Dass das Kupferstichkabinett des Kunstmuseums Basel über sieben [sic] Direktankäufe aus dieser Auktion verfügt, wird sogar im Wikipedia-Eintrag zur Julius Freund (1869–1941) erwähnt.[1]

In Deutschland gab es bereits mehrfach Rückgaben von Objekten aus der Auktion Freund: 2005 aus den Beständen der Kunstverwaltung des Bundes (drei Gemälde von Carl Blechen und ein Aquarell von Anselm Feuerbach), 2009 aus den Staatlichen Kunstsammlungen Dresden (70 Kunst- und Mappenwerke, die Hans Posse [1879–1942], Sonderbeauftragter Adolf Hitlers, für den Aufbau des «Führermuseums» in Linz erworben hatte und die in der Elbstadt verblieben waren)[2] und 2016 aus dem Saarlandmuseum Saarbrücken (sechs Zeichnungen von Max Slevogt). Weiterhin gab es mehrere gütliche Einigungen mit dem Handel und mit Privatpersonen.[3] Die Republik Österreich verweigerte 2016 die Herausgabe von zwei Zeichnungen und einem Aquarell von Carl Blechen sowie einem Blatt von Carl Georg Anton Graeb aus der Albertina an die Erb:innen nach Freund.[4]

Die vier 2005 durch die Bundesrepublik Deutschland zurückgegebenen Werke von Blechen und Feuerbach waren Gegenstand der ersten Empfehlung der Beratenden Kommission NS-Raubkunst. Die Erbengemeinschaft Julius Freund begehrte ihre Herausgabe «da die Veräußerung allein aufgrund wirtschaftlicher Schwierigkeiten [der Familie Freund] notwendig gewesen sei, die ausschließlich auf den nationalsozialistischen Verfolgungsmaßnahmen beruhten.»[5]

1. Vgl. https://de.wikipedia.org/wiki/Julius_Freund_(Unternehmer) (3.2.2025).
2. Nach einer gütlichen Einigung kauften die Dresdner Kunstsammlungen die Werke von den Erben nach Freund zurück.
3. Vgl. Nathalie Neumann. Max Slevogt und sein Berliner Sammler Julius Freund, in: Gregor Wedekind u.a. (Hrsg.), Max Slevogts Netzwerke. Kunst-, Kultur- und Intellektuellengeschichte der späten Kaiserreichs und der Weimarer Republik, Berlin/Boston 2021, S. 139–150, hier S. 149–150.
4. Vgl. www.provenienzforschung.gv.at/wp-content/uploads/2016/06/Freund_

Julius_2016-06-23.pdf (10.2.2025); den Entscheid kommentiert Pia Schölnberger, Zur (Nicht)Restitution der Sammlung Julius Freund. Zum Umgang mit «Fluchtgut» vs. «Raubgut» in Deutschland und Österreich (2004–2016), in: Bulletin Kunst & Recht, 1, 2018, S. 69–80.
5. Empfehlung der Beratenden Kommission in Sachen der Erben nach Julius und Clara Freund, Pressemitteilung, 12. Januar 2005, www.beratende-kommission.de/de/empfehlungen#s-freund-bundesrepublik-deutschland (3.2.2025).

BIOGRAFIE UND SAMMLUNG
JULIUS FREUND (1869–1941)

Über Julius Freund existiert nur wenig Literatur.[6] Allein der Auflösung seiner Kunstsammlung wurden in jüngerer Zeit einige Texte gewidmet.[7]

Der 1869 in Cottbus geborene Julius Freund absolvierte nach dem Abitur eine Ausbildung zum Textilhändler in dem Erfurter Konfektionsgeschäft Wilhelm Dresel (1852–1927). Später leitete er dessen Filiale in Berlin und heiratete 1902 Clara (1878–1946), eine der drei Töchter des Firmeninhabers. Noch im gleichen Jahr wurde Freund zum Teilhaber seiner Firma, die sehr erfolgreich in der Produktion von Herrenanzügen und Damenmänteln, vor allem aber durch die Erfindung des Hosenrocks war. Das Kleidungsstück entwickelte sich in dieser Zeit, da Fahrräder auch für Frauen in Mode kamen, zum absoluten Verkaufsschlager.[8] Das Berliner Geschäft in der Niederwallstrasse 13/14 hatte teilweise über 100 Angestellte. Das Paar war also mit beträchtlichem Wohlstand ausgestattet.[9] Wenige Jahre nach der Eheschliessung wurden die beiden Kinder geboren: Hans Max (1905–1988) und Gisela (1908–2000), die sich später Gisèle nannte und Fotografin werden sollte (Abb. 9/10).[10] Sie studierte als eine der ersten Frauen in Frankfurt bei Theodor W. Adorno und Max Horkheimer Soziologie. Ihre massgeblich im Pariser Exil entstandenen Porträtfotos von Schriftsteller:innen, Künstlern und Kunstliebhabern machten sie weltberühmt. Sie verewigte alle Kulturgrössen ihrer Zeit: Walter Benjamin, James Joyce, Simone de Beauvoir, Jean-Paul Sartre, George Bernard Shaw, Jean Cocteau, André Malraux und viele mehr.[11]

Abb.10: Gisèle Freund, Selbstporträt mit Rolleiflex, 1952

Im Jahr von Giselas Geburt bezog die Familie eine repräsentative 7-Zimmer Wohnung in der Haberlandstrasse 7 im Bayerischen Viertel von Berlin-Schönefeld.[12] Die erfolgreichen Geschäfte ermöglichten dem Kunstliebhaber Freund den raschen Erwerb zahlreicher Kunstwerke. Insbesondere der Kunst des deutschen 19. Jahrhunderts galt seine Aufmerksamkeit, und hier vor allem der Grafik (Abb. 11). Vorlieben des Sammlers sind klar in der Romantik zu erkennen. Ganz vorne stand für ihn Carl Blechen, der wie Freund aus Cottbus stammte und von dem er 23 Gemälde und 20 Arbeiten auf Papier besass. Bei seinen Ankäufen liess Julius Freund sich von Guido Josef Kern (1878–1953) beraten, der als Museumsassistent an der Berliner Nationalgalerie arbeitete und 1911 eine umfassende Monografie über Blechen verfasste.[13] Auch zu dem Werkbestand Julius Freunds äusserte er sich publizistisch.[14] Neben Blechen besass dieser auch Werke von Caspar David Friedrich, Gerhard von Kügelgen, Max Liebermann, Johann Christian Clausen Dahl, Carl Gustav Carus und Johann Gottfried Schadow. Gemäss dem Kunsthistoriker Helmut Börsch-Supan zeigte die Sammlung eine deutliche Prägung durch die 1906 in Berlin veranstaltete *Jahrhundertausstellung deutscher Kunst (1779–1875).*[15] Freunds Auswahl an Berliner Malerei spiegele das «Aufklärerisch-Bürgerliche» der Zeit wider, einen Grundzug, den er auch im Wesen des Sammlers erkannte.[16]

Mit der Zeit entwickelte Freund eine anerkannte Expertise. So schrieb Adolph Donath (1876–1936) 1925 in seinem Buch *Technik des Kunstsammelns* über ihn:

«Julius Freund [...] ist auch einer der passioniertesten Amateure der modernen Handzeichnung. Er hat mit die besten Menzel, eine köstliche Reihe, die selbst dem Forscher von Beruf Überraschungen bietet, und hat alles um Menzel herum bis zu den sozial bewegten Blättern der Kollwitz. Und es ist eine Freude zu sehen, wie jedes Blatt ‹registriert› wird, die einzelnen Künstler-Serien in separaten Kartons verwahrt werden, und wie sich dann die ganze Sammlung dem mächtigen Sammlungsschrank einfügt, auf dessen oberen Fläche noch ein Pult befestigt ist, um hier die Blätter aufstellen und prüfen zu können. So eine Art von Handzeichnungssammlern, wie sie Freund repräsentiert, mag man schon zu den Wissenschaftlern rechnen.»[17]

<u>Abb.11</u>: Interieur der Wohnung Freund. Handzeichnungsschrank unter Werken von Krüger, Blechen und anderen Künstlern, Berlin, 1925

Wie geschildert bestanden neben der Vorliebe für Meister der deutschen Romantik auch Verbindungen zu einigen modernen Künstler:innen. So ging der sozial engagierte Hans Baluschek (1870–1935), von dem sich rund 30 Werke in der Sammlung Freund befanden, in dessen Haus ein und aus; mit Käthe Kollwitz (1867–1945) und ihrem Mann Karl (1863–1940) bestand ein freundschaftliches Verhältnis.[18] Allein in der erwähnten Fischer-Auktion 1942, die mit 359 Losnummer nur rund die Hälfte des Kunstbesitzes Freund abbildete, kamen 19 Papierarbeiten der Künstlerin zum Angebot.[19]

Den Gesamtumfang der Sammlung Julius Freund belegt die sogenannte Gerson-Liste. 1927 hatte Julius Freund seiner Frau als Ausgleich ihrer Erbansprüche an die Firma seines Schwiegervaters die Kunstsammlung überschrieben. Dadurch wurde er rechtlich zum Alleineigentümer der Firma Dresel.[20] Zu diesem Anlass erfasste der Notar Georg Gerson (*1887–?) sämtliche Kunstwerke in einer Liste. Sie umfasst 90 Seiten und führt über 700 Kunstwerke an.[21] Fünf Jahre vor der Machtübernahme der Nationalsozialisten und zwei Jahre vor der Weltwirtschaftskrise spiegelt das Dokument das Ergebnis von 25

6. Eine frühe Schilderung von Freund als Sammler stammt von Alfred Donath. Vgl. Adolph Donath, Technik des Kunstsammelns, Berlin 1925 (= Bibliothek für Kunst- und Antiquitätensammler, Bd. 28), S. 134. Später Helmut Börsch-Supan, Der Blick für das Schöne – Der Blick für das Wirkliche. Die Sammlung Julius Freund, in: Hans Joachim Neyer, Gisèle Freund, Ausst.-Kat. Akademie der Künste (4.–30. Dezember 1990), Berlin 1988, S. 71–77.
7. Der Aufarbeitung der Geschichte um die Auflösung der Sammlung Freund haben sich erstmals schweizerische Wissenschaftler:innen gewidmet. Vgl. Thomas Buomberger, Raubkunst – Kunstraub. Die Schweiz und der Handel mit gestohlenen Kulturgütern zur Zeit des Zweiten Weltkriegs, Zürich 1998, S. 360–361 und 375; Esther Tisa Francini/Anja Heuss/Georg Kreis, Fluchtgut – Raubgut. Der Transfer von Kulturgütern in und über die Schweiz 1933–1945 und die Frage der Restitution, Veröffentlichung der Unabhängigen Expertenkommission Schweiz – Zweiter Weltkrieg, Zürich 2001, S. 75–78 und 225–230. Nachfolgend hat sich insbesondere Nathalie Neumann mit der Materie auseinandergesetzt und sich durch die Veröffentlichung einer Vielzahl von Beiträgen um die Familie und die Geschichte ihrer Kunstsammlung verdient gemacht. Vgl. u.a. «Besondere Köstlichkeiten» – Die Sammlung Julius und Clara Freund: Aufbau, Auswahl und Verbleib, in: Peter Mosimann/Beat Schönenberger (Hrsg.), Fluchtgut – Geschichte, Recht und Moral. Referate zur gleichnamigen Veranstaltung des Museums Oskar Reinhart in Winterthur vom 28. August 2014, Bern 2015, S. 53–69; Dies., Der Berliner Sammler Julius Freund (1869–1941) und seine Werke Carl Blechens. Erwerb, Ausstellungen und Verbleib, in: Beate Gohrenz/Kilian Heck (Hrsg.), Vergewisserung. Zur Rezeptionsgeschichte der Werke Carl Blechens, Berlin 2018, S. 131–138; Dies. 2021, S. 139–150.
8. Vgl. Bettina de Cosnac, Gisèle Freund. Ein Leben, Zürich/Hamburg 2008, S. 27.
9. Vgl. Neumann 2015, S. 56.
10. Zur Biografie der Fotografin vgl. de Cosnac 2008.
11. Zu Gisèle Freund und ihrer Pariser Zeit vgl. Nathalie Neumann. Gisèle Freund (1908–2000), Eine Pariserin aus Berlin, in: Mythos Paris. Fotografie 1860–1960,

Ausst.-Kat. Saarlandmuseum Moderne Galerie Saarbrücken (9. Dezember 2023 – 10. März 2024), Dresden 2023, S. 75–87. Ihrem Œuvre wurden zahlreiche Publikationen und Ausstellungen gewidmet, vgl. u.a. Gisèle Freund: Itinéraires, Ausst. Kat. Centre Georges Pompidou (12. Dezember 1991 – 27. Januar 1992), Paris 1991.
12. Vgl. Neumann 2021, S. 141.
13. Vgl. Guido Josef Kern, Karl Blechen. Sein Leben und seine Werke, Berlin 1911; Gisèle Freund. Fotografische Szenen und Porträts, hrsg. v. Janos Frecot und Gabriele Kostas im Auftrag der Hamburger Stiftung zur Förderung von Wissenschaft und Kultur, Berlin 2014.
14. Vgl. Guido Josef Kern, Neues über ältere Berliner Meister, in: Der Kunstwanderer. Zeitschrift für alte und neue Kunst, für Kunstmarkt und Sammelwesen, Jg. 12, 1930, 1./2. Juniheft, S. 353–357 (in dem Beitrag wird Freund nicht namentlich erwähnt. Seine Eigentümerschaft ist als «Berliner Sammler» verschlüsselt).
15. Vgl. Die Deutsche Jahrhundert-Ausstellung. Ausstellung deutscher Kunst aus der Zeit 1775–1875 in der Königlichen Nationalgalerie, Berlin 1906. Katalog der Gemälde, München 1906.
16. Vgl. Börsch-Supan 1988, S. 74.
17. Donath 1925, S. 134.
18. Vgl. Neumann 2021, S. 58; Dies., «... ist der Sammler Julius Freund mit seiner Frau bei mir» – Käthe Kollwitz und Julius Freund, in: Käthe Kollwitz und ihre Freunde, Ausst.-Kat. Käthe-Kollwitz-Museum Berlin (26. Juni – 15. Oktober 2017), Berlin 2017, S. 75–78; zu Freund als Sammler auch Dies. 2021, S. 141–145.
19. Vgl. Sammlung Julius Freund. Aus dem Besitz von Frau Dr. G. Freund, Buenos Aires, Aukt.-Kat. Galerie Fischer, Luzern, 21. März 1942.
20. Vgl. Neumann 2021, S. 143.
21. Vgl. Urkunde aus dem Notariat Dr. Georg Gerson, die Übertragung des Eigentums an der Kunstsammlung des Herrn Julius Freund (1869–1941) an seine Frau Clara Freund, geb. Dresel (1878–1946) betreffend, ausgestellt am 30. Juni 1927, in: Amtsgericht Schöneberg, U-Rolle-Rep. 048, Karton 489-91, Nr. 102/1927.

Jahren erfolgreicher Sammeltätigkeit.[22] Die Überschreibung an Clara scheint eine reine Formalität gewesen zu sein, denn Julius Freund trat weiterhin als Repräsentant der Kunstsammlung auf und kümmerte sich auch fortan allein um die Werke.

Bettina de Cosnac, die Biografin Gisèle Freunds, beschrieb den Sammlertyp Freund folgendermassen:

Abb. 12: Sammlerstempel Julius Freund (JF) auf der Rückseite von Carl Blechen, *Italienisches Gehöft*, o.J., Kunstmuseum Basel, Kupferstichkabinett

«Jedes Bild, das er kaufen wollte, löste den vehementen Protest der Familie aus, die nicht einsah, wie man zwei- oder gar fünftausend Mark für ein einziges Bild ausgeben konnte. [...] Da Julius Freund jedoch dickköpfig und vor allem beharrlich war und lieber auf einen Wagen mit Chauffeur verzichtete als auf den Erwerb von Kunstwerken, konnte er sich immer wieder gegen den Willen seiner Familie durchsetzen. Letztlich trug er in knapp 30 Jahren eine von Experten hochgeschätzte Sammlung mehrerer hundert Gemälde [und zahlreicher Papierarbeiten] zusammen.»[23]

Bis 1933 lieh Freund seine Werke auch vielfach zu Ausstellungen in Deutschland. So nahm er 1923 und 1926 mit mehreren Gemälden an den beiden Corinth-Ausstellungen der Berliner Nationalgalerie teil[24] und schickte 1926 elf Gemälde zur Ausstellung *Berliner Kunst* nach Nürnberg.[25] 1927 war er mit Zeichnungen an einer Liebermann-Ausstellung in der Galerie von Paul Cassirer beteiligt,[26] und auf der Ausstellung des Berliner Kunstvereins von 1929 *Hundert Jahre Berliner Kunst* zeigte er fast ein Fünftel seiner bekannten Sammlung.[27]

Seine Begeisterung für die Kunst Carl Blechens liess Freund 1931 auch an das Kunstmuseum Basel herantreten. Mit dem Vorschlag einer monografischen Ausstellung offerierte er dem damaligen Direktor Otto Fischer (1886–1948) seinen gesamten Bildbestand:

«Da ich in meiner Gemäldesammlung eine grosse Anzahl von Werken dieses Künstlers besitze, so ist ein Überblick über das gesamte Schaffen dieses Malers ermöglicht. Es sind ca. 20 Gemälde meist kleineren Formates. Die Bilder möchte ich Ihnen als Leihgabe für einige Monate, ohne irgendwelche Kosten für Sie überlassen.»[28]

22. Vgl. Neumann 2015, S. 54–55; Gisèle Freund spricht demgegenüber von einer fünfzigjährigen Sammeltätigkeit ihres Vaters. Vgl. Gisèle Freund, Gespräche mit Rauda Jamis, München/Paris/London 1993, S. 129.

23. de Cosnac 2008, S. 28.

24. Vgl. ZA Berlin, ID 8136J Nr. 1931/1779, Archiv Nr. 858 (Anfrage zur Versicherung der Leihgaben).

25. Die Ausstellung *Altes Berlin – Neues Berlin*, Nürnberg 1926 (Norishallen), organisiert 1926 vom Albrecht-Dürer-Verein, wurde 1925 ebenfalls in Berlin gezeigt. Vgl. ZA Berlin, ID 8136J Nr. 1926/1311, Archiv Nr. 604.

26. Vgl. Karl Scheffler, Ausstellung bei Paul Cassirer von 275 Zeichnungen von Max Liebermann aus den Sammlungen Bruno Cassirer, Frau Fürstenberg-Cassirer, Julius Freund, Frau Mauthner, etc. (Kunstausstellungen Berlin), in: Kunst und Künstler, Jg. 25, 1927, Heft 11, S. 443–444.

27. Vgl. Max Schlichting (Hrsg.), Hundert Jahre Berliner Kunst. Im Schaffen des Vereins Berliner Künstler, Ausst.-Kat. Berliner Kunstverein, Berlin 1929.

28. Vgl. Julius Freund an Otto Fischer, 20. September 1931, in: KMB, Archiv, F 001.024.006.000.

29. Vgl. Otto Fischer an Julius Freund, 6. Oktober 1931, in: KMB, Archiv, F 001.024.006.000.

30. Julius Freund an Otto Fischer, o.D. (Oktober 1931), in: KMB, Archiv, F 001.024.006.000.

31. Vgl. Kunstmuseum Basel, Vertretung des Direktors an Otto [sic] Nathan: Empfangsbestätigung, 21. Oktober 1931, in: KMB, Archiv, F 001.024.013.000.

32. Erwähnt bei Neumann 2021, S. 143.

33. Vgl. Freunds eigenen Beitrag über die besondere Qualität seines Kügelgen-Bestands: Julius Freund, Drei unbekannte Portraitzeichnungen Casp. Dav. Friedrichs von Gerh. v. Kügelgen, in: Der Kunstwanderer. Zeitschrift für alte und neue Kunst, für Kunstgeschichte und Sammelwesen, hrsg. v. Adolph Donath, Jg. 10, 1928, 1./2. Februarheft, S. 246–248.

34. Vgl. www.marquesdecollections.fr/FtDetail/6d5aa27d-d4af-b542-ac54-0f3a14b45934 (3.2.2025)

35. Freund kaufte das Gemälde beim Auktionshaus Rudolph Lepke auf der Versteigerung Gemälde neuerer Meister: Nachlass Prof. Karl Frenzel, Berlin; Carl Blechen-Sammlung aus Berliner Privatbesitz, usw., Aukt.-Kat., Rudolph Lepke, 9. Februar 1915, Nr. 116 (als Blechen) für 6.900 Mark. Vgl. https://digi.ub.uni-heidelberg.de/diglit/lepke1915_02_09 (22.10.2024). Zum Auktionsergebnis vgl. Der Kunstmarkt, Jg. 12, 1915, S. 88. Freundlicher Hinweis von Harry Joelson-Strobach, Kunst Museum Winterthur, an dieser Stelle auch für weiteren wissenschaftlichen Austausch herzlich gedankt sei. Bei Neumann 2015, S. 56–57, und Dies. 2018, S. 132, und Dies. 2021, S. 140, wird abweichend das Ankaufsjahr 1903 genannt und das Bild als Julius Freunds erster Ankauf überhaupt angegeben. Tatsächlich wurden die *Kreidefelsen* auch damals bereits von Rudolph Lepke gehandelt, nur kann Julius Freund seinerzeit nicht der Käufer gewesen sein. Vgl. https://digi.ub.uni-heidelberg.de/diglit/lepke1903%5F10%5F06 Nr. 58 (22.10.2024).

36. Meldung von Julius Freund und Jacques Hirsch über die Löschung der oHG Damenmäntelfabrik Wilhelm Dresel aus dem Handelsregister, 13. April 1929, in: LA Berlin, Handelsregisterakte A Rep. 342-02 – 39630.

37. Vgl. de Cosnac 2008, S. 47.

38. Das auf 1818 datierte Gemälde tauchte unter der Losnummer 58, *Kreidefelsen auf Rügen. 3 Personen Staffage* im Auktionskatalog vom 7. Oktober 1903 (Katalog Nr. 1350) des Berliner Rudolph Lepke's Kunst-Auctions-Haus auf. Im Katalog wurde das Bild als Werk von Carl Blechen angeboten. 1920 schrieben die Kunsthistoriker Kurt Karl Eberlein und Freunds Kunstberater Guido Joseph Kern die Arbeit Caspar David Friedrich zu. Vgl. Kurt Karl Eberlein, «Friedrich der Landschaftsmaler», in: Genius. Zeitschrift für werdende und alte Kunst, München, Jg. 1920, S. 88-95, hier S. 94, und Helmut Börsch-Supan, Der impressionistische Blick. Fritz Nathan und die deutschen Romantiker, in: Götz Adriani (Hrsg.), Die Kunst des Handelns. Meisterwerke des 14. bis 20. Jahrhunderts bei Fritz und Peter Nathan, Stuttgart 2005, S. 49.

39. Vgl. Fritz Nathan an Oskar Reinhart, 27. Februar 1930, in: ASOR 67/67: «Von Herrn Freund in Berlin hatte ich einen Brief, dass er sich von dem Friedrich nicht trennen will.»

Fischer war erfreut, konnte aber weder einen Raum noch ein Zeitfenster disponieren. Er schlug vor, die Gemälde vorerst zur Aufbewahrung zu übernehmen und sie gern «zeitweilig» präsentieren zu wollen.[29] Postwendend schrieb Julius Freund zurück:

> «Infolge Ihres geschätzten Schreibens [...] habe ich Herrn Dr. Fritz Nathan in München veranlasst, 8 Bilder von Carl Blechen nach Basel zu senden. Für Ihr freundliches Entgegenkommen bin ich Ihnen sehr verbunden und ich hoffe, dass Sie im Laufe der Zeit auch einmal Gelegenheit haben werden, diese Bilder auszustellen. Gerade dieser Maler, dessen grosse Bedeutung als genialer Landschafter Professor Max Liebermann erst vor einigen Tagen in der Akademie der Künste besonders hervorgehoben hat, verdient es, auch ausserhalb Deutschlands mehr Beachtung zu finden.»[30]

So gingen im Oktober 1931 acht Gemälde als Leihgaben in die Öffentliche Kunstsammlung Basel ein: 1. *Italienische Prozession*, 2. *Mühlental bei Amalfi*, 3. *Pommersche Küste (Rügen)*, 4. *Capri*, 5. *Lesender Mönch*, 6. *Havelufer mit Bäumen*, 7. *Pifferaro* und 8. ein *Stillleben*.[31]

   In den Jahren 1932/33 trat Freund auch als Unterstützer des Märkischen Museums Berlin hervor und überliess dem Haus einige Leihgaben, unter anderem von Max Slevogt.[32] Voller Stolz lieh er seine Bilder und war sich ihrer Qualität bewusst.[33] Viele seiner Gemälde und Papierarbeiten sind rückwärtig mit einem Monogrammstempel «JF» (Lugt 1454c) gekennzeichnet.[34] Von den Basler Blättern ist ausschliesslich die Zeichnung Carl Blechens markiert (Abb. 12).

VERLAGERUNG DER SAMMLUNG

Ein wichtiger Ankauf für die Sammlung Freund war im Jahr 1915 *Kreidefelsen auf Rügen* (Abb. 13). Das heute zu den berühmtesten Werken von Caspar David Friedrich zählende Gemälde war damals noch Carl Blechen zugeschrieben.[35] 15 Jahre später sollte sein Verkauf die Auflösung der Kollektion einleiten. Denn nach der Finanzkrise 1924 und dem Zusammenbruch der Börsen 1929 gab es finanzielle Engpässe in der Firma, die dazu führten, dass Freund und sein Gesellschafter Jacques Hirsch die Damenmäntelfabrik Wilhelm Dresel am 13. April 1929 auflösten.[36] Einen Teil des aus der Liquidierung gewonnenen Vermögens verbrachte Freund ins Ausland, und er trennte sich auch von einigen Gemälden.[37] Möglicherweise hat auch die zwischenzeitlich erfolgte Abschreibung der *Kreidefelsen* aus dem Œuvre von Freunds Lieblingsmaler Blechen seinen Teil dazu beigetragen, es abzugeben.[38] Durch Vermittlung des Kunsthändlers Fritz Nathan (1895–1972) gelangte das Gemälde an den Schweizer Sammler Oskar Reinhart (1885–1965) in Winterthur. Dieser hatte schon zu Zeiten Interesse an dem Werk bekundet, als Freund noch

Abb. 13: Caspar David Friedrich, *Kreidefelsen auf Rügen*, 1818, Öl auf Leinwand, 90 × 71 cm, Kunst Museum Winterthur, Stiftung Oskar Reinhart

nicht bereit war, es zu veräussern.[39] In einem Brief vom 25. August 1930 wies Nathan Reinhart dann darauf hin, dass das Gemälde nun überraschend doch verkauft werden solle, und obwohl auch amerikanische Käufer daran interessiert seien, «Herr Freund es [...] vorzöge, das Bild in Europa zu wissen.»[40] Der von Freund eingangs geforderte Preis betrug 60.000 RM. Nathan wollte ihn mündlich nachverhandeln und war erfolgreich.[41] Für sehr wahrscheinlich 50.000 RM, die in Schweizer Franken auf ein niederländisches Auslandskonto überwiesen wurden, wechselten die *Kreidefelsen* am 25. September 1930 schliesslich den Besitzer.[42] Nach Abzug der üblichen Provision von 10% für Fritz Nathans Vermittlungsleistung erhielt Freund 45.000 RM für das Bild.[43]

Nathan war so etwas wie der «Haus- und Hofhändler» des wohlhabenden Sammlers aus Winterthur. Er tätigte für ihn Geschäfte auf Auktionen und besichtigte Kunstwerke bei Privatpersonen oder Händlern in seinem Auftrag. Insgesamt unterstützte er ihn beim Aufbau seiner Sammlung, indem er ihn mit Sammlern seines Bekanntenkreises in Verbindung brachte – so auch mit Julius Freund (Abb. 14).[44]

Als die *Kreidefelsen* nach Winterthur gelangten, waren die Nationalsozialisten bereits aktiv in Deutschland, doch wie so viele andere glaubte auch Julius Freund nicht, dass die NSDAP an die Macht kommen würde und war davon überzeugt, dass seine patriotische Gesinnung ihm Schutz böte. Er definierte sich selbst nicht als Jude und auch die Familie praktizierte ihren Glauben nicht. Zwar sorgte er sich um seine Kinder aufgrund ihrer linkspolitischen Aktivitäten, intervenierte aber nicht.[45] Nichtsdestotrotz begann Julius Freund ab Oktober 1930 mit der Suche nach einer externen Unterbringungsmöglichkeit für seine Sammlung. Er plante, die Adresse Haberlandstrasse 7 aufzugeben, und «mit seiner Wohnung umzuziehen.»[46] Dies geht aus einem Briefwechsel mit Oskar Reinhart hervor, mit dem Freund seit dem Verkauf der *Kreidefelsen* im schriftlichen Austausch stand.[47] Es ist unklar, was diesen Entschluss motivierte.

Da nicht sofort ein geeigneter Ort zur Unterbringung zu finden war, bat der mittlerweile 60-jährige Julius Freund auch hier Fritz Nathan um Hilfe. Dieser fragte sowohl den Generaldirektor der Bayerischen Staatsgemäldesammlungen in München, Friedrich Dörnhöffer (1865–1934), als auch Werner Teupser (1895–1954), den Direktor des Museums der Bildenden Künste Leipzig, ob sie Freunds Romantikersammlung in ihre Obhut nehmen würden. Beide erklärten sich bereit, kleine Teile bei sich aufzubewahren, jedoch nicht den Gesamtbestand.[48] Ausserdem nutzte Nathan seine Kontakte in der Schweiz und wandte sich an Paul Fink (1875–1946), den Konservator des Kunstvereins im Kunstmuseum Winterthur:

40. Vgl. Fritz Nathan an Oskar Reinhart, 25. August 1930, in: ASOR 67/70.

41. Vgl. Fritz Nathan an Oskar Reinhart, 1. September 1930, in: ASOR 67/70.

42. Zu Vorgang und Datum vgl. Fritz Nathan an Julius Freund, 10. Oktober 1930, in: ASOR 67/71; Fritz Nathan, Erinnerungen aus meinem Leben, Zürich 1965, S. 86. Im Archiv Oskar Reinhart hat sich keine Zahlungsquittung erhalten. Im Wikipedia-Artikel zu dem Gemälde wird der gezahlte Preis von 50.000 RM angegeben, allerdings ohne eine Quelle zu nennen. Vgl. https://de.wikipedia.org/wiki/Kreidefelsen_auf_R%C3%BCgen (3.2.2025).

43. Der Erlös von 45.000 RM wurde von Hans Freund in einer eidesstattlichen Erklärung bestätigt. Vgl. Hans Freund: Schilderung des Verfolgungsvorgangs an Eidesstatt, 22. Dezember 1951, in: LABO Berlin, Reg. Nr. 58435, M23 u. M24. Zu dem üblichen 10%-igen Provisionsanteil für Nathan vgl. Julius Freund an Fritz Nathan, 10. Juni 1939, in: ASOR 77/11: «Weil ich Sie, verehrter Herr Dr. Nathan, menschlich und geschäftlich so sehr schätze, habe ich Sie gebeten, mir bei eventuellen Verkäufen mit Rat und Tat beizustehen. Ich will Ihnen kein Kompliment machen; aber Sie wissen es ja selber, dass Sie in der Kunstwelt einen sehr geachteten Namen haben und als sehr serieus [sic] bekannt sind. Dass Sie beim Verkauf eine Vertrauensstellung beiderseits wahren werden, dessen bin ich gewiss, und auch mit Ihrer eigenen Provision von 10% bin ich selbstverständlich einverstanden.»

44. Vgl. Nathan 1965, S. 86.

45. de Cosnac 2008, S. 48.

46. Vgl. Julius Freund an Oskar Reinhart, 23. Juli 1931, in: KMW, Archiv

(Mappe Julius Freund); Kopie in: ASOR 32/59.

47. Vgl. ebd.

48. Vgl. Fritz Nathan an Oskar Reinhart, 30. Juli 1931, in: ASOR 67/72: «Vor ein paar Tagen sprach ich Herrn Freund. Dieser will im Oktober auf einige Zeit seine Wohnung aufgeben und wollte Teile seiner Blechen als Leihgabe nach dort geben. Ich habe Herrn Fink darüber direkt geschrieben. Etwas von Herrn Freunds Bildern würden auch Dörnhöffer und Teupser – Leipzig als Leihgabe nehmen.» In den Archiven in München und Leipzig haben sich keine Spuren dieses Vorgangs erhalten.

49. Vgl. Fritz Nathan an Paul Fink, 24. Juli 1931, in: KMW, Archiv (Mappe Julius Freund).

50. Fritz Nathan an Paul Fink, 30. Juli 1931, in: KMW, Archiv (Mappe Julius Freund).

51. Vgl. Korrespondenz Julius Freund und Ludwig Justi, 16., 18. und 22. September 1931, in: SMB-ZA, I-NG 858, Bl. 329–331.

52. Vgl. Julius Freund an Oskar Reinhart, 23. Juli 1923, in: ASOR 32/59.

53. Oskar Reinhart an Richard Bühler, 30. Juli 1931, in: KMW, Archiv (Mappe Julius Freund).

54. Richard Bühler an Paul Fink, 13. August 1931, in: KMW, Archiv (Mappe Julius Freund).

55. Vgl. Fritz Nathan an Paul Fink, 31. Juli 1931, in: KMW, Archiv (Mappe Julius Freund).

56. Julius Freund an Paul Fink, 12. September 1931, in: KMW, Archiv (Mappe Julius Freund).

«Der Ihnen sicherlich auch dem Namen nach bekannte, mir befreundete Berliner Sammler, Herr Julius Freund, frägt bei mir nach, ob es möglich wäre, dass er einen Teil seiner Gemälde von Carl Blechen als Leihgabe nach dort gibt. [...] Es handelt sich mit einer einzigen Ausnahme um kleinformatige Bilder. Sie würden zweifellos dem Herrn Freund eine grosse Gefälligkeit erweisen, da er im Herbst seine Berliner Wohnung aufgibt und eine Zeit lang ohne festes Domizil bleiben will.»[49]

Nathan warb für die Übernahme und erklärte, dass sich «auch einige deutsche Museen um Leihgaben aus dieser Sammlung bemühen.»[50] Tatsächlich überliess Freund der Berliner Nationalgalerie einige Werke. In einem Brief vom 16. September bot er dem Direktor Ludwig Justi (1876–1957) «bis zu meiner Rückkehr zwei prominente Gemälde von Lovis Corinth» als Leihgabe an. Eine Woche später wurden sie überstellt.[51]

Dass Freund und Nathan neben Winterthur auch an deutsche Museen herantraten, belegt, dass die Auslagerung der Sammlung wie auch die Aufgabe der Wohnung nicht durch den aufkommenden Nationalsozialismus und die zunehmend antijüdische Stimmung im Land motiviert gewesen waren.

Beinahe zeitgleich zu Nathans Anfrage bei Fink informierte Oskar Reinhart Richard Bühler (1879–1967), den Präsidenten des Winterthurer Kunstvereins, über die freiwerdende Sammlung.[52] In seinem Schreiben warb Reinhart allerdings nur verhalten für den Bestand:

Abb. 14: Oskar Reinhart und Fritz Nathan beim Betrachten von Grafiken, Winterthur, 1942

«In der Beilage sende ich Dir einen Brief von Herrn Julius Freund, Berlin, woraus hervorgeht, dass dieser Sammler seine Bilder von deutschen Romantikern dem hiesigen Museum als Leihgabe anbietet. Herr Freund hat mir im letzten Oktober von seiner Absicht gesprochen und ich habe mich schon damals zur Vermittlung des Gesuchs an den Kunstverein bereit erklärt. Seither habe ich von Herrn Freund die meiner Ansicht nach künstlerisch bedeutendsten Bilder erworben (C. D. Friedrich und Blechen), so dass das Interesse an der Sammlung für den Kunstverein erheblich geringer sein dürfte. Immerhin sind noch einige gute Bilder vorhanden.»[53]

Bühlers Haltung zur Übernahme blieb entsprechend reserviert. An Paul Fink schrieb er wie folgt: «Nach den Äusserungen von O. Reinhart ist wohl die Leihgabe von H. Freund doch nicht etwas so besonders Wertvolles.»[54] Schliesslich stellte Nathan den direkten Kontakt zwischen Fink und Freund her,[55] und Letzterer brachte sein Anliegen vor:

«Da ich am 1. Oktober [1931] meine Wohnung aufgebe und einige Monate lang keine neue beziehen werde, wäre es mein Wunsch, wenn ich Ihrem Museum während dieser Zeit meine Sammlung von Bildern des Romantikers Karl Blechen als Leihgabe überlassen dürfte.»[56]

Die Zusage des Konservators erwirkte letztlich Oskar Reinhart über seinen Bruder Georg (1877–1955), der als Präsident des Galerievereins Winterthur und als Vizepräsident des Kunstvereins (dem Eigentümer des Kunstmuseums), engagiert war. Georg Reinhart hatte sich bereit erklärt, eine Auswahl von rund 500 Werken der Sammlung Freund als Dauerleihgabe zu übernehmen.[57] Im September 1933 gelangte eine erste Sendung von 385 Positionen, in fünf Kisten verpackt, sicher in die Schweiz.[58] 1934 und 1936 kamen noch 106 Werke hinzu.[59] Sie wurden in Winterthur in thematisch wechselnden Ausstellungen gezeigt und in monografisch den Künstlern der Sammlung gewidmeten Katalogen abgebildet. Den Auftakt machte über den Jahreswechsel 1933/34 eine grosse Schau der Menzel-Grafik.[60]

Julius Freund besuchte diese Ausstellungen und nutzte die Gelegenheiten, um möglichst viel Aufmerksamkeit für sein wertvolles Depositum zu wecken. Dadurch entstanden auch bei anderen Museumsdirektoren Ausstellungsinteressen, so etwa bei Otto Fischer vom Kunstmuseum Basel. Fischer schrieb im Januar 1934 an Paul Fink:

> «Der Sammler Herr Freund aus Berlin sagte mir bei der Eröffnung des neuen Kunstmuseums Luzern, dass er eine Sammlung von Handzeichnungen und Grafik von Berliner Künstlern, insbesondere Blechen, Krüger und Menzel im Winterthurer Museum deponiert habe und dass er uns diese Sammlung jederzeit gerne zur Ausstellung überlassen wolle.»[61]

Nach persönlicher Sichtung der Blätter am 4. Februar 1934[62] entschied Fischer, aus dem Depositum Freund zwei Überblickspräsentationen zu realisieren – eine von Werken des 19. Jahrhunderts (von Chodowiecki bis Menzel) und eine weitere mit modernen Zeichnungen von Liebermann, Slevogt, Corinth, Blechen und Kollwitz. Die erste sollte bereits im April 1934 eröffnen.[63] Paul Fink war wenig erfreut, dass er die gerade errungene Dauerleihgabe in Teilen gleich wieder ziehen lassen sollte. Julius Freund und der Vorstand des Winterthurer Kunstvereins entschieden aber, dass trotz Vorrang des Winterthurer Programms Ausleihen grundsätzlich möglich seien. Für Otto Fischer bedeutete das konkret, dass die Überblicksschau *Von Menzel bis Chodowiecki* nicht zum gewünschten Termin stattfinden konnte.[64] Stattdessen sollten nun die modernen Zeichnungen starten.[65] Dafür wurde eine Werkauswahl nach Basel gesendet, allerdings ohne die angeforderten Blätter von Corinth, Liebermann und Slevogt. Da Fink sie selbst disponiert hatte, hielt er diese zurück. Der verärgerte Fischer beschwerte sich darüber und Freund musste den Aufruhr brieflich schlichten, indem er darum bat, die Ausstellungsprojekte zeitlich aufeinander abzustimmen.[66] Auch dem Museum Luzern hatte der Sammler eine Auswahl von 14 Werken übergeben. Für die Basler Ausstellung *Berliner Künstler der 1. Hälfte des 19. Jahrhunderts: Blechen, Krüger und Menzel*, die schliesslich vom 16. Juni bis 15. Juli 1934 in der Augustinergasse stattfand, liess sich Fischer acht davon zusenden.[67]

In den Jahren 1931 bis 1934 lebten Julius Freund und seine Frau Clara vor allem in Italien.[68] 1934 verlegten sie ihren Lebensmittelpunkt wieder nach Berlin, was aus der regen Korrespondenz Freunds mit dem Museum in Winterthur hervorgeht. Anfang des Jahres schrieb er noch aus der Villa Hermannsburg in Meran, später aus dem Fürstenhof in Bad Wildungen und dann aus der Pension Bayerischer Hof am Bayerischen Platz 2 in Berlin.[69] Im Oktober teilte er Fink mit, dass er hier nun einen neuen festen Wohnsitz gefunden habe, in der Freiherr vom Steinstrasse 2.[70] Die Machtübernahme der NSDAP fast zwei Jahre zuvor hielt das Ehepaar nicht davon ab, in ein der Familie Dresel gehörendes Haus in der Hauptstadt zu ziehen.[71] Im Spätsommer 1937 forderte Freund ein ausgewähltes Konvolut seiner Kunstwerke aus Winterthur zurück. Acht Gemälde, 94 Papierarbeiten und sieben Bücher schickte das Museum am 25. August 1937 über die Spedition W. Marzillier & Co. nach Berlin.[72] Der Empfang der 132 kg schweren Sendung wurde am 12. September quittiert.[73] Da keine weiteren Informationen über den Verbleib dieser Werke (Veräusserung, Transfer ins Ausland, Rücksendung) vorliegen, ist anzunehmen, dass die Familie sie später mit ins Exil genommen hat.

Die in die Schweiz verlagerten Kunstwerke der Sammlung Freund wurden in den folgenden Jahren noch an verschiedenen Orten gezeigt. 1935 erkundigte sich etwa die Kunsthalle Basel, ob eine Präsentation der Sammlung möglich sei.[74] Auch gab es immer wieder Anfragen, ob Bilder der Sammlung Freund verkäuflich wären. Im August des Jahres beispielsweise durch einen Besucher, der über Fink sein Interesse an dem Corinth-Gemälde *Selbstbildnis mit Modell* äussern liess.[75] Julius Freund teilte ihm umgehend mit, «dass das betr. Gemälde unverkäuflich ist.»[76] Im Dezember 1936 wurde eine Liebermann-Ausstellung in der Neuen Galerie in Wien mit Werken aus der Freund-Sammlung bestückt. Gisèle Freund war extra nach Winterthur gereist, um zwölf Zeichnungen dafür auszuwählen.[77] Nach dem Ende der Wiener Schau gingen die Blätter an die Kunsthalle Bern, wo sie vom 2. Juni bis 4. Juli 1937 ebenfalls in einer Liebermann-Präsentation gezeigt wurden.[78]

Das ursprünglich nur für wenige Monate geplante Depositum der Sammlung Freund im Museum Winterthur sowie den Kunstmuseen Basel und Luzern wurde schliesslich zu einer neun Jahre anhaltenden Dauerleihgabe, die zu zahlreichen Ausstellungen und Publikationen der Werke der Sammlung geführt hat. Zuletzt veranstaltete die Kunsthalle Bern im Sommer 1940 eine Schau zum 100. Todesjahr von Carl Blechen[79] mit zwölf Ölgemälden und 18 Aquarellen und Zeichnungen aus dem Winterthurer Bestand.[80] Julius Freunds eingangs vermittelter Wunsch, den Künstler Carl Blechen «ausserhalb Deutschlands» bekannt zu machen, hat sich auf diesem Weg erfüllt.

AUFKOMMENDER NATIONALSOZIALISMUS

Während die Sammlung Freund in der Schweiz nicht nur in Fachkreisen grosse Anerkennung erfuhr, hatte die Situation der Familie seit der Machtübernahme der Nationalsozialisten dramatische Veränderungen erfahren. Sohn Hans musste seine Doktorarbeit

57. Vgl. Neumann 2015, S. 62; Dies. 2018, S. 134; Dies. 2021, S. 145.
58. Vgl. Nämlichkeitsschein Julius Freund Berlin, Aufstellung der Zeichnungen, Radierungen u. Gemälde (I. und II. Sendung) und Gustav Knauer, Spedition, an Kunstmuseum Winterthur, 14. September 1933, in: KMW, Archiv (Mappe Julius Freund).
59. Vgl. Neumann 2021, S. 146.
60. Vgl. Adolf von Menzel (1815–1905). Handzeichnungen, Radierungen, Holzschnitte, Lithographien (Leihgabe J.F. in Meran), Ausst.-Kat. Kunstmuseum Winterthur (14. Januar – 28. Februar 1934), Winterthur 1933 und Julius Freund an Paul Fink, 22. Januar 1934, in: KMW, Archiv (Mappe Julius Freund): «Mit der Zusendung des Katalogs und des Winterthurer Tagblattes über die Menzel Ausstellung haben Sie mir eine große Freude gemacht. Der Katalog sowie die Anordnung der Blätter sind mustergiltig und außerordentlich instruktiv dargestellt, so daß man ein lebendiges Bild ‹des Graphikers› Menzel erhält. Ich wünschte, dass die schöne Ausstellung auch weiterhin viel Besuch und Beifall finden möge.»
61. Otto Fischer an Paul Fink, 29. Januar 1934, in: KMB, Archiv, F 001.027.006.000.
62. Vgl. Otto Fischer an Paul Fink, 2. Februar 1934 (Ankündigung für den kommenden Sonntag), in: KMB, Archiv, F 001.027.006.000.
63. Vgl. Otto Fischer an Paul Fink, 8. Februar 1934, in: KMB, Archiv, F 001.027.006.000.
64. Paul Fink an Julius Freund, 22. Februar 1934 und Paul Fink an Otto Fischer, 21. Februar und 16. März 1934, alle in: KMB, Archiv, F 001.027.006.000.
65. Vgl. Otto Fischer an Paul Fink, 10. März 1934, in: KMB, Archiv, F 001.027.006.000.
66. Vgl. Otto Fischer an Paul Fink und Otto Fischer an Julius Freund, 6. April 1934, beide in: KMB, Archiv, F 001.027.006.000 sowie Julius Freund an Paul Fink und Julius Freund an Otto Fischer, 10. April 1934, in: KMW, Archiv (Mappe Julius Freund).
67. Es wurde kein Katalog gedruckt.
68. Vgl. Tisa Francini/Heuss/Kreis 2001, S. 227, sowie Kunstverein Winterthur an Julius Freund (Meran), 29. November 1933; Julius Freund (Pension Praderhof, Meran) an Paul Fink, 21. Dezember 1933; Julius Freund (Meran) an Paul Fink, 11. Februar 1934; Julius Freund (Meran) an Öffentliche Kunstsammlung Basel 10.

April 1934; Kunstmuseum Winterthur an Julius Freund (Meran), 28. April 1934, in: KMW, Archiv (Mappe Julius Freund), sowie Otto Fischer an Julius Freund (Pension Praderhof, Merano, Alto Adige, Italia), 6. April 1934, in: KMB, Archiv, F 001.027.006.000.
69. Vgl. Korrespondenz Julius Freund mit Paul Fink, 1934, in: KMW, Archiv (Mappe Julius Freund).
70. Vgl. Julius Freund an Paul Fink, 2. Oktober 1934, in: KMW, Archiv (Mappe Julius Freund): «Nun habe ich mir aber seit ein paar Tagen eine feste Wohnung für danach genommen, so dass mich alle Briefe schneller erreichen werden.»
71. Vgl. de Cosnac 2008, S. 119.
72. Vgl. Heinz Keller an Julius Freund, 26. August 1937, inkl. vierseitige Liste «Supplement/Zeichnungen, Aquarelle, Radierungen, Lithos etc. v. Herrn J. Freund», in: KMW, Archiv (Mappe Julius Freund).
73. Vgl. Julius Freund an Sekretariat Kunstverein Winterthur, 12. September 1937, in: KMW, Archiv (Mappe Julius Freund).
74. Vgl. Heinz Keller an Julius Freund, 11. Juli 1936, in: KMW, Archiv (Mappe Julius Freund).
75. Vgl. Paul Fink an Julius Freund, 23. August 1935, in: KMW, Archiv (Mappe Julius Freund).
76. Julius Freund an Paul Fink, 25. August 1935, in: KMW, Archiv (Mappe Julius Freund).
77. Vgl. Heinz Keller an Otto Kallir-Nirenstein, 12. Dezember 1936, in: KMW, Archiv (Mappe Julius Freund).
78. Vgl. Fritz Keller an Julius Freund, 13. Mai 1937, und Julius Freund an das Sekretariat des Kunstvereins Winterthur, 15. Mai 1937, in: KMW, Archiv (Mappe Julius Freund).
79. Vgl. Karl Blechen zum 100. Todesjahr. Werner Engel, Robert Schär, Leo Steck, Joachim Flachsmann, Ausst.-Kat. Kunsthalle Bern (5. Mai – 9. Juni 1940), Bern 1940.
80. Vgl. Verzeichnis der an die Kunsthalle Bern abgegebenen Zeichnungen und Aquarelle von Blechen aus den Depositen Julius Freund, und Heinz Keller an Max Huggler: Übergabebestätigung, 26. März 1940, und Heinz Keller an Max Huggler: Rückerhaltsbestätigung, 25. Juli 1940, alle in: KMW, Archiv (Mappe Julius Freund).

zu Karl Marx an der Universität Leipzig aufgeben. Er verliess das Land und promovierte schliesslich 1934 in Basel. Einen im Anschluss daran angenommenen Posten als Geschäftsführer bei der Berliner Grundstücksverwaltung legte er noch im selben Jahr wieder nieder, da er mehrfach von Nationalsozialisten bedroht worden war. 1935 wanderte er nach England aus, wo er bis zum Kriegsausbruch in verschiedenen Londoner Obstmostereien arbeitete. Von Mai 1940 bis 1942 wurde er als «Enemy Alien» auf der Isle of Man in einem Lager interniert. 1950 zog er mit seiner Familie nach Kanada.[81]

Gisèle emigrierte bereits 1933 nach Paris, da sie nicht nur wegen ihres jüdischen Hintergrunds, sondern auch wegen politischer Aktivitäten in kommunistischen Kreisen an der Frankfurter Universität gefährdet war und nur knapp einer Verhaftung entging. 1935 reichte sie ihre Dissertation an der Sorbonne ein und baute sich eine neue Existenz als Fotografin auf.[82] Zu ihrem 25. Geburtstag, am 19. Dezember desselben Jahres, vermachte Julius Freund die in Winterthur befindlichen Kunstwerke seiner Tochter mit den Worten: «Sie sollen Dir gehören und ich weiss, dass sie bei Dir in guten Händen sind.»[83] Er hoffte aber, dass Gisèle einverstanden sei, «wenn die Sachen weiterhin den Schweizer Museen zu Ausstellungszwecken zur Verfügung stehen».[84] In Winterthur nahm man die Eigentumsübertragung zur Kenntnis. «Herr Julius Freund hat laut Brief vom 17. Dezember 1933 sämtliche hier lagernde Blätter und Bilder seiner Tochter Frau Dr. Gisela Freund-Blum, 18 rue de l'Odéon in Paris 6 geschenkt. Es sind somit Korrespondenzen an Fr. Dr. Freund zu richten.»[85] Die Schenkung wurde nicht notariell beglaubigt, doch die folgende Praxis und Korrespondenz mit dem Winterthurer Kunstverein zeigt, dass Gisèle ab diesem Zeitpunkt als Eigentümerin verstanden und adressiert wurde. Juristisch gesprochen, wurde die entsprechende Leistung «bewirkt».[86]

Dass Clara Freund, die seit 1927 ebenfalls Miteigentümerin der Gesamtsammlung war, Gisèles Eigentümerschaft nicht infrage stellte, demonstriert ihr Geburtstagsbrief an die Tochter: «Was sagst du zu Vaters Geburtstagsgeschenk? Halte die Bilder in Ehren, Du weißt doch, mit welcher Liebe sie Vater nach und nach gesammelt hat und mit wieviel Sorgfalt und Vergnügen er sie immer gehütet hat.»[87] Einem Schreiben Fritz Nathans ist zu entnehmen, dass der Hintergrund für die Übertragung der Kunstsammlung an Gisèle Freund ihre französische Staatsbürgerschaft gewesen war. Julius Freund erhoffte sich dadurch höhere Sicherheit für seine Werke und dauerhaft ungehinderten Zugriff auf sie.[88]

Obwohl also ihre Kinder Deutschland beide sehr bald nach dem 30. Januar 1933 verlassen mussten, bezogen Julius und Clara Freund, wie geschildert, im Anschluss an drei Auslandsjahre im Oktober 1934 erneut eine Wohnung in Berlin. Dabei war bereits am 8. Dezember 1931 die «4. Verordnung zur Sicherung von Wirtschaft und Finanzen und zum Schutze des inneren Friedens» erlassen worden, die vorsah, «dass deutsche Staatsbürger, die ihren inländischen Wohnsitz aufgaben, 25% ihres Vermögens als Reichsfluchtsteuer an den Staat abzuführen hatten, wenn ein Vermögen von mehr als 200.000 RM oder alternativ ein Einkommen von mehr als 20.000 RM vorhanden war».[89] Dass eine solche Forderung bereits bei seiner Abreise nach Italien an das Ehepaar gerichtet worden wäre, ist nicht bekannt. Wahrscheinlich hatten sie sich in Berlin gar nicht abgemeldet, denn laut Lebenslauf in den Entschädigungsakten galt Julius Freund bis zu seiner Auswanderung aus Deutschland am 18. Februar 1939 als wohlhabend, und auch seine Ehefrau Clara Freund hatte ein eigenes Vermögen von ihrem Vater Wilhelm Dresel geerbt.[90]

VERFOLGUNGSMASSNAHMEN GEGEN JULIUS UND CLARA FREUND

Julius und Clara Freund wollten so lange wie möglich in Deutschland bleiben.[91] Erst 1936 begannen sie mit Vorbereitungen für ihre Emigration. Sie planten, Hans und seiner Frau nach England zu folgen und schickten schon vorher Möbel dorthin.[92] Im August 1937 verbrachten sie noch einige Wochen in ihrer «alten Sommerfrische» in Italien.[93] Mit den Novemberpogromen zwischen dem 7. und 13. November 1938 schlug die in Deutschland vorherrschende Diskriminierung von Jüdinnen und Juden in organisierte und gelenkte Gewalt um. Synagogen, Betstuben und sonstige Versammlungsräume jüdischer Bürger:innen sowie Tausende Geschäfte, Wohnungen und jüdische Friedhöfe wurden gestürmt und zerstört. Ab dem 10. November folgten Deportationen. Mindestens 30.000 Menschen wurden zu diesem frühen Datum in Konzentrationslager verbracht. Hunderte starben an den Folgen der mörderischen Haftbedingungen oder wurden hingerichtet. Im Dezember des Jahres erfuhr Gisèle Freund dann von der gescheiterten Flucht ihrer Eltern aus Deutschland. Ihre Mutter hatte Goldstücke in ein Kissen eingenäht und wollte sie Hans so nach London schicken. Doch der Zoll entdeckte die Schmuggelware und Clara wurde festgenommen. Sie kam in ein Berliner Frauengefängnis, wo sie einige Wochen inhaftiert bleiben musste.[94] Julius Freund kaufte sie schliesslich frei. Unmittelbar nach ihrer Entlassung stellte das Ehepaar seinen Ausreiseantrag.[95] Vermutlich im Zusammenhang mit dem «Zollvergehen» oder aufgrund des Antrags zur Ausreise erhielt die Dresdner Bank am 18. November 1938 einen Brief von der Zollfahndungsstelle Berlin mit dem Auftrag der vorläufigen Sicherungsanordnung gegen Julius und Clara Freund. Sie besagte, dass die Eheleute als Kunden der Dresdner Bank nur noch mit Genehmigung der Devisenstelle über ihre Konten und Wertpapiere verfügen durften.[96] Damit war der freie Zugriff auf die Vermögenswerte gesperrt und entsprechend auch kein Transfer von Bargeld ins Ausland mehr möglich. Ob sich zu diesem Zeitpunkt bereits Finanzmittel im Ausland befunden haben, mit denen der Lebensunterhalt dort bestritten werden konnte, ist nicht bekannt. Zwischen Dezember 1938 und Februar 1939 lassen sich eine Reihe an Überweisungen von Freunds Konto mit Genehmigung des Oberfinanzpräsidenten Berlin nachweisen.[97]

Julius und Clara Freund reisten am 18. Februar 1939 nach Zahlung der Reichsfluchtsteuer nach London aus.[98] Laut verschiedener eidesstattlicher Erklärungen im Entschädigungsantrag haben sie circa 25.000 RM gezahlt.[99] In einer Depotaufstellung der Dresdner Bank vom November 1938 ist die Rede davon, dass 10.200 RM in Wertpapieren

81. Vgl. Hans Freund: Schilderung des Verfolgungsvorgangs, 18. August 1958, in: LABO Berlin, Reg. Nr. 348021, M13.

82. Vgl. Neumann 2015, S. 62–63.

83. Julius Freund an Gisela Freund, 17. Dezember 1933, in: Institut Mémoires de l'édition contemporaine Caen (IMEC), FND 237, Correspondance familiale/ Gisèle Freund.

84. Vgl. ebd.

85. Aktennotiz «Zur Kenntnisnahme» (o.D.), in: KMW, Archiv (Mappe Julius Freund).

86. Vgl. BGB § 518 Form des Schenkungsversprechens, Abs. 2: «Die Eigentumsübertragung von beweglichen Sachen findet durch Einigung und Übergabe statt. Befindet sich die Sache im Besitz eines Dritten, so kann die Übergabe dadurch ersetzt werden, dass der Eigentümer dem Erwerber den Anspruch auf Herausgabe der Sache abtritt (§ 931 BGB)». Freundlicher Hinweis von Andrea Richter, Kunsthaus Zürich, der an dieser Stelle auch für den weiteren wissenschaftlichen Austausch herzlich gedankt sei.

87. Clara Freund an Gisela Freund, 17. Dezember 1933, in: Institut Mémoires de l'édition contemporaine Caen (IMEC), FND 237, Correspondance familiale/ Gisèle Freund.

88. Vgl. Fritz Nathan an Georg Schmidt, 28. Mai 1941, in: KMB, Archiv, O 001.017.003.000: «Herr Freund hatte seinerzeit in Winterthur vor seiner Auswanderung die Sachen auf den Namen seiner Tochter deponieren lassen, da diese Französin war.»

89. Vgl. Martin Friedenberger, Fiskalische Ausplünderung. Die Berliner Steuer- und Finanzverwaltung und die jüdische Bevölkerung 1933–1945. Berlin 2008, S. 67, und RGBl. I 1931, S. 699–701; siehe auch Verordnung gegen die Kapital- und Steuerflucht vom 18. Juli 1931, RGBl. I 1931, S. 373.

90. Vgl. Lebenslauf Julius Freund, o. D., in: LABO Berlin, Reg. Nr. 58435, M9.

91. Vgl. de Cosnac 2008, S. 119.

92. Vgl. ebd. S. 99.

93. Vgl. Julius Freund, Hotel Miramonti, Siusi (Seis am Schlern)/Bolzano,

Italien, an Fräulein Ehrensperger, Kunstmuseum Winterthur, 16. August 1937, in: KMW, Archiv (Mappe Julius Freund).

94. Natalie Neumann und Bettina de Cosnac berichten beide von einer Inhaftierung über sechs Monate. Im Antrag auf Aberkennung der deutschen Staatsangehörigkeit von Julius und Clara Freund wurde als Grund für die Massnahme Claras Festnahme am 10. Dezember 1938 mit Verurteilung zu 118 Tagen Gefängnis angegeben. Zwischen dem Tag der Verhaftung und der Ausreise des Ehepaars aus Deutschland am 18. Februar 1939 lagen somit etwas mehr als zehn Wochen. Die Haftzeit muss also kürzer gewesen sein. Vgl. Neumann 2021, S. 147; de Cosnac 2008, S. 119; Ausbürgerungsvorgang von Julius und Clara Freund (189. Liste, 1940), in: PAAA, RZ 214, 99882 013.

95. Vgl. de Cosnac 2008, S. 119.

96. Vgl. Zollfahndungsstelle Berlin an Dresdner Bank, 18. November 1938: «Vorläufige Sicherungsanordnung gegen Herrn Julius Freund und Ehefrau Clara Freund, geb. Dresel, Berlin-Schöneberg, Freiherr vom Stein Str. 2», in: HAC-500_131006.

97. Vgl. Oberfinanzpräsident Berlin, Devisenstelle Abt. S, «Betr. Sicherungsanordnung gegen Julius Freund und Frau Clara geb. Dresel», 22. Dezember 1938, in: HAC-500_131006.

98. Vgl. Tisa Francini/Heuss/Kreis 2001, S. 228, und Reisepass von Julius Israel Freund (Nr. 58435), ausgestellt am 19. Januar 1939 mit Stempel vom niederländischen Grenzübergang «Doorlaatpost Zevenaar», 18. Februar 1939 und Stempel «Permitted to land at Harwich», 19. Februar 1939 sowie «Visa for United Kingdom», 23. Januar 1939, in: Jüdisches Museum Berlin, Sammlung Familie Freund, Inv. Nr. 2011/280/1-XX.

99. Die Summe wurde bestätigt durch eidesstattliche Erklärungen von Hans Freund, 12. September 1952, und Charlotte Jacob (Sekretärin von Julius Freunds Steuerberater Karl Brinkmann), 10. November 1952, und Hans Kanig (mit Freund bekannter Polizeipräsident), o.D., in: LABO Berlin, Reg. Nr. 58435, D5, D7, D9.

vom Finanzamt Berlin-Schöneberg für die Reichsfluchtsteuer verpfändet wurden.[100] Zudem mussten sie ihr Tafelsilber abgegeben.[101] Der Erlös in Höhe von 281,60 RM floss an das Deutsche Reich.[102] Seit November 1938 wurde von jüdischen Bürger:innen zudem die sogenannte Judenvermögensabgabe in Höhe von 20% des Vermögens erhoben, in vier Raten zwischen Dezember 1938 und August 1939 zu zahlen.[103] Ein Verzeichnis oder Angaben zur Höhe der Abgaben des Ehepaars liessen sich nicht finden. Nathalie Neumann fasst die Lage der Eheleute Freund nach ihrer Ausreise nach England so zusammen: «Aufgrund der hohen Judenvermögensabgabe und der Reichsfluchtsteuer waren sie praktisch mittellos.»[104]

Aus einem Brief, den Julius Freund am 29. September 1939 aus Sussex an Heinz Keller (1906–1984), den Nachfolger von Paul Fink im Kunstmuseum Winterthur, schrieb, ist hingegen zunächst keine bedrohliche Lage abzulesen. Julius Freund erklärte sich mit den geplanten Schutzmassnahmen zur Sicherung des Selbstbildnisses von Corinth vor Kriegseinwirkungen einverstanden und bot an, die Kosten zu übernehmen.[105] Auch Gisèle versicherte der Sekretärin vom Kunstverein Winterthur, Fräulein Ehrensperger, in einem Brief vom 8. November 1939: «Meinen Eltern geht es Gott sei Dank recht gut in England.»[106]

Noch nach ihrer Auswanderung wurde für Clara Freund am 29. Juli 1940 ein Antrag auf Aberkennung der deutschen Staatsangehörigkeit gestellt. Als Grund für die Ausbürgerung wurde angegeben: «Die Freund wurde am 10.12.1938 vom Amtsgericht Berlin wegen Devisenvergehens zu 1.180,- RM Geldstrafe an Stelle von 118 Tagen Gefängnis verurteilt.»[107] Der Antrag erstreckte sich auch auf Julius Freund. Am 15. Oktober 1940 wurde die Ausbürgerung von Julius und Clara Freund im Deutschen Reichsanzeiger Nr. 242 veröffentlicht.[108]

Nach den ersten Bombenangriffen auf London flohen Julius und Clara Freund im September 1940 weiter nach Wigton in Cumberland.[109] Auf der Reise erlitt Julius einen Schlaganfall. Er starb sechs Monate später, am 11. März 1941, in einem Armenspital an den Folgen.[110] Gemäss seinem Lebenslauf in der Entschädigungsakte war er zum Zeitpunkt seines Todes ohne Vermögen, weswegen von der Bestellung eines Verwalters für seine

100. Vgl. Dresdner Bank, Berlin, Depositenkasse: Depotaufstellung Julius Freund, 25. November 1938, sowie Dresdner Bank an die Zollfahndungsstelle Berlin, Berlin C2, Neue Königstr. 63–64, vom 17. Dezember 1938, in: HAC-500_131006.
101. Vgl. de Cosnac 2008, S. 120.
102. Vgl. Ausbürgerungsvorgang von Julius und Clara Freund (189. Liste, 1940), in: PAAA, RZ 214, 99882 013 und Finanzamt Moabit: Anweisung von 281,60 RM an die Finanzkasse, 12. November 1940, in: BLHA, Rep. 36 A, Nr. 10070, Bl. 8–9.
103. Vgl. Friedenberger 2008, S. 114 und 205. Zur Judenvermögensabgabe vgl. zudem RGBl. I 1934, S. 392, sowie § 7 Abs. 1, Nr. 2 des Gesetzes vom 18. Mai 1934, S. 197–199, sowie RGBl. I. 1938, S. 202 und 1581, sowie § 1 Abs. 1 der Durchführungsverordnung über die Sühneleistung der Juden vom 21. November 1938, RGBl. I 1938, S. 1638.
104. Vgl. Neumann 2021, S. 139–150, hier S. 147.
105. Vgl. Julius Freund an Heinz Keller, 29. September 1939, in: KMW, Archiv (Mappe Julius Freund): «Die Kosten für den Schutz des Bildes übernehme ich selbstverständlich.»
106. Vgl. Gisèle Freund-Blum an Fräulein Ehrensperger, 8. November 1939, in: KMW, Archiv (Mappe Julius Freund).
107. Ausbürgerungsvorgang von Julius und Clara Freund (189. Liste, 1940), in: PAAA, RZ 214, 99882 013.
108. Vgl. Deutscher Reichsanzeiger, Nr. 242, 15. Oktober 1940: Liste Nr. 189, Nr. 39 (Julius) und Nr. 40 (Clara).
109. Vgl. de Cosnac 2008, S. 134.
110. Vgl. Hans Freund: Schilderung des Verfolgungsvorgangs, 22. Dezember 1957, und Lebenslauf Julius Freund, o.D., in: LABO Berlin, Reg. Nr. 58435, M23–M24 und M9. Vgl. auch Neumann 2015, S. 53–69, hier S. 64–65; de Cosnac 2008, S. 134.
111. Vgl. Lebenslauf Julius Freund, in: LABO Berlin, Reg. Nr. 58435, M9.
112. Vgl. London Probate Registry - Probate Court (Nachlassgericht), Probate Records for Documents and Wills, www.gov.uk/search-will-probate und https://probatesearch.service.gov.uk/ (Suche nach: Freund, Julius; Todesjahr 1940, 1941

und 1942): keine Treffer (14.10. 2024).
113. Vgl. Jürgen Heuser an Entschädigungsamt Berlin, 11. Juni 1960, in: LABO Berlin, Reg. Nr. 58435, M31.
114. Vgl. Hans Freund: Aussage vor dem Commissioner of the Superior Court Montreal, 5. Februar 1960, in: LABO Berlin, Reg. Nr. 58435, M33.
115. Vgl. Gisela Freund an Heinz Keller, 24. Juli 1941, in: KMB, Archiv, O 001.017.003.000.
116. Vgl. ebd.
117. Vgl. Freund 1993, S. 128.
118. Vgl. Matthias Fischer, Selbstbildnis mit Modell, in: Kunstmuseum Winterthur. Katalog der Gemälde und Skulpturen, Bd. 1, Düsseldorf 2005, Nr. 53, S. 159–162, sowie Galerieverein Winterthur: Orientierender Bericht Nr. 15 an unsere Mitglieder, 2. September 1941, in: KMW, Archiv (Mappe Julius Freund).
119. Vgl. Fritz Nathan an Clara Freund, 30. Oktober 1941, in: Einliefererakten Auktion der Galerie Fischer, Sammlung Julius Freund, 21. März 1942, Archiv Galerie Fischer, Luzern.
120. Vgl. Fritz Nathan an Georg Schmidt, 28. Mai 1941, in: KMB, Archiv, O 001.017.003.000.
121. Vgl. Fritz Nathan an Georg Schmidt, 26. August 1941, in: KMB, Archiv, O 001.017.003.000.
122. Vgl. Fritz Nathan und Clara Freund: Bestätigung, 3. Dezember 1941, in: KMW, Archiv (Mappe Julius Freund), und Nathan 1965, S. 96.
123. Fritz Nathan an Clara Freund, 30. Oktober 1941, in: Einliefererakten Auktion der Galerie Fischer, Sammlung Julius Freund, 21. März 1942, Archiv Galerie Fischer, Luzern.
124. Vgl. ebd. Letztlich wurden nur Limiten für die wichtigen Stücke fixiert.
125. Vgl. de Cosnac 2008, S. 150.
126. Vgl. Fritz Nathan an Clara Freund, 30. Oktober 1941, in: Einliefererakten Auktion der Galerie Fischer, Sammlung Julius Freund, 21. März 1942, Archiv Galerie Fischer, Luzern.

Hinterlassenschaft Abstand genommen wurde.[111] Vermutlich existiert deshalb auch keine offizielle Meldung zu seinem Nachlass.[112] Anscheinend gab es ein Testament, das aber beim Versand an die Entschädigungsbehörde 1960 verloren gegangen ist.[113] Hans Freund erklärte im Rahmen des Entschädigungsverfahrens, sein Vater habe verfügt, dass der überlebende Elternteil Alleinerbe sei.[114] Die zuvor an Gisèle verschenkte Sammlung betraf das nicht. Auch nach dem Ableben ihres Vaters wurde sie in Winterthur als Eigentümerin der Sammlung behandelt.

AUFLÖSUNG DER SAMMLUNG

Nach dem Tod Julius Freunds diskutierte die Familie darüber, was mit den Kunstwerken geschehen sollte; zwar lebte Gisèle mittlerweile in Buenos Aires, aber gemeinsam mit Hans und Clara in England traf man die Entscheidung, die in der Schweiz deponierten Kunstwerke zu verkaufen.[115] Für die Abwicklung von Wigton aus wurde Clara Freund von ihrer Tochter bevollmächtigt.[116] In einem Interview nach den Gründen für den Versteigerungsentscheid befragt, erklärte Gisèle Freund 1993: «Weil meine Mutter Geld brauchte; sie hatte kein Einkommen.»[117]

Den Anfang machte ein Direktverkauf, den Gisèle Freund noch selbst organisierte. Am 25. August 1941 verkaufte sie das *Selbstbildnis mit Modell* von Lovis Corinth an den Galerieverein Winterthur, der es als Jubiläumsgabe zum 25-jährigen Bestehen dem Kunstmuseum Winterthur schenkte.[118] Clara Freund bat nachfolgend Fritz Nathan, sie bei der möglichst schnell abzuwickelnden Veräusserung der Sammlung zu unterstützen.[119] Er begann mit einer Bestandsaufnahme und liess sich Übersichtslisten der Depositen Freund aus den verschiedenen Museen zukommen.[120] In einem zweiten Schritt orderte er den Versand sämtlicher Werke ans Museum in Winterthur.[121] Anschliessend fasste er den Plan, die in die Schweiz verbrachte Freund-Sammlung unter seiner Beteiligung im Luzerner Auktionshaus Theodor Fischer versteigern zu lassen.[122] Die Vorbereitung der Auktion spiegelt der umfassende Briefwechsel zwischen Clara Freund, Nathan und Fischer, der sich im Archiv der Galerie Fischer erhalten hat. Nathan schlug vor, die Auktion auf den 21. März 1942 zu terminieren, nicht vorher, da «das gute Publikum meist in den Wintermonaten in den Höhenkurorten ist. Es wäre dies 14 Tage vor Ostern.»[123] Zuvor wollte er für alle Objekte einen Mindestpreis (Limite) festlegen, unter dem ein Zuschlag nicht erteilt werden durfte. Clara Freund sollte ihrerseits Mindestpreise für die wichtigeren Stücke bestimmen, und er empfahl ihr, dem Auktionator das Recht auf Kompensation einzuräumen. Wenn also einige der Objekte sehr hohe Gebote erzielten, durften andere dafür unter der Limite abgegeben werden.[124] So erhoffte er sich maximalen Absatz. Die Zahlung sollte 14 Tage nach der Auktion an Gisèle Freund nach Buenos Aires erfolgen, da aufgrund des Krieges Überweisungen nach Argentinien einfacher und sicherer auszuführen waren als nach England.[125] Mit dem Katalog plante Nathan, Julius Freund zu ehren und «ein gewisses Denkmal» für ihn zu schaffen, weshalb er vorschlug, den Sammlernamen prominent auf dem Umschlag im Titel zu nennen.[126] Clara Freund erklärte sich mit allen Vorschlägen einverstanden und bat

Abb. 15: Katalog der Auktion der *Sammlung Julius Freund*, Galerie Fischer, Luzern, 21. März 1944, Titelblatt

noch um die Abbildung des Porträts ihres Gatten von Max Slevogt vor dem Geleitwort.[127] Unter dem Titel *Sammlung Julius Freund. Aus dem Besitz von Dr. G. Freund, Buenos Aires* wurde der Katalog schliesslich gedruckt (Abb. 15).[128]

Clara Freunds Korrespondenz zum Thema der Preisgestaltung ist nicht vollständig erhalten. Aus einem Brief Nathans vom 6. Dezember 1941 an sie und Gisèle geht hervor, dass Clara für Werke, die vor der Auktion im Direktverkauf unter anderem an das Kunstmuseum Winterthur veräussert werden sollten, sehr hohe Preise bestimmt hatte. Sie waren so hoch angesetzt, dass das Museum statt der geplanten acht Arbeiten schliesslich nur noch sechs erwarb.[129] Um eine vergleichbare Reaktion bei der Auktion zu vermeiden, warnte Nathan – der aufgrund der hohen Vorverkaufspreise selbst von der Erwerbung des Blechen-Gemäldes *Mühlental von Amalfi* absah – eindringlich vor zu hohen Limiten:

> «Dagegen fühle ich mich verpflichtet Sie heute schon darauf hinzuweisen, dass Sie die Auktionslimiten dann mit ganz anderen Erwartungen ansetzen müssen, wenn nicht eine gewaltige Enttäuschung eintreten soll. Herrn Fischers und mein Interesse ist genau dem Ihren gleich, nämlich möglichst viel und möglichst gut zu verkaufen. Wenn Sie aber Preise wie jetzt bei den Kruegers und den Blechen ansetzen, werden wir nichts oder nur sehr wenig absetzen. Die Verhältnisse sind nun einmal gänzlich andere, als Sie sie von früher her kennen und das Publikum, das hier kauft und bezahlen kann, kennt diese [deutschen] Meister nur verhältnismässig wenig. [...] Limiten werden wir Ihnen für alle besseren Stücke vorschlagen, das geringer Wertige sollte man nicht limitieren und da der Auktion freien Lauf lassen. Seien Sie versichert, Ihr Interesse wird so weit als möglich gewahrt, aber dabei ebenso verstanden, dass wirklich auch verkauft werden soll; sonst ist eine Auktion sinnlos.»[130]

Auf dem Durchschlag des Briefes an Gisèle Freund folgte noch eine Konkretisierung des Problems im Postscriptum:

> «Ich wiederhole, dass ich in Ihrer Aller Interesse hoffe, dass Ihre Frau Mutter davon abkommt, direkt unmögliche, viel zu hohe Limiten anzusetzen. Wir können mit Sicherheit nur auf das Schweizer Publikum hoffen, sollten deutsche Käufer Devisen frei bekommen, so wäre das sehr schön, aber damit rechnen können wir nicht. Es wäre aber absolut falsch deshalb zuzuwarten. Verliert Deutschland den Krieg, so sind deutsche Bilder auf viele Jahre hinaus gar nicht oder schlecht verkäuflich, gewinnt Herr Hitler, dann ist erst recht Alles verloren, weil wir dann gar keine Möglichkeit hier haben die Sachen wegzubringen.»[131]

Die Limiten und Schätzpreise beschäftigen Clara und Gisèle Freund auf der einen und Fischer und Nathan auf der anderen Seite noch eine ganze Weile.[132] Für den Katalog wurde dann noch ein gemeinsames Geleitwort verfasst, in dem Fritz Nathan die Qualität der Sammlung und ihre ursprüngliche Bestimmung beschreibt.[133] Freund habe gleichermassen Ölgemälde, Aquarelle und Zeichnungen gesammelt, aber gerade im Zeichnungsbestand befänden sich «besondere Köstlichkeiten»; weiter heisst es:

> «Einst war es die Absicht des Sammlers, seinen künstlerischen Besitz, den er oftmals [...] in uneigennützigster Weise für Ausstellungen zur Verfügung stellte, einem Museum zu vermachen. Die veränderten Verhältnisse haben das nicht mehr gestattet. So sehen wir die Sammlung zum letzten Mal vereint, das Werk eines Mannes, der immer ein Freund von Kunst und Künstlern war und dessen ganze, unegoistische Leidenschaft dem galt, was er als erhaltenswert empfunden hatte.»[134]

Jahrg. XVI, Nr. 9/10 vom 1. März 1942   DIE WELTKUNST   5

GROSSE KUNSTAUKTIONEN
GALERIE FISCHER, LUZERN

19., 20. und 21. März 1942
SAMMLUNG JULIUS FREUND
Aus dem Besitz von Frau Dr. G. Freund, Buenos Aires

GEMÄLDE, AQUARELLE, ZEICHNUNGEN, DRUCKGRAPHIK

Alt Theodor, Boehle, Blechen, Brendel, Buchhorn, Carus, Chodowiecki, Corinth, Dahl, Friedrich Caspar David, Friedrich Gustav, Feuerbach, Gärtner, Graeb, Hackert Jakob, Hagemeister, Hasenclever, Hosemann, Jäckel, Kallmorgen, Klinger, Kloß, Kollwitz, Krüger, Kügelgen, Leibl, Leistikow, Liebermann, Madou, Marées, Maier-Erding Hiasl, Menzel, Meyerheim, Mignon, Olivier, Rabe, Richter, Schadow, Schinkel, Skarbina, Slevogt, Stauffer, Steffeck, Steinle, Thoma, Trübner, Lesser-Ury, Werner, Wilberg, Wilke, Zille

Aus Solothurner und Luzerner Privatbesitz
PORZELLAN-SAMMLUNG M. L. BACHOFEN-BURCKHARDT, BASEL

Möbel, Tapisserien, Teppiche, Silber, Porzellan, Fayencen, Zinn, Skulpturen, Ostasiatica, Antiquitäten
GEMÄLDE ALTER UND NEUER MEISTER
Tizian, Veronese, Spitzweg, Leibl, Nattier, Daubigny, Corot, Lenbach, Uhde, Schleich, Wopfner, A. v. Keller, Thoma, Menzel, Marées, Böcklin, Calame, Graff etc.

Nr. 155 Krüger, Franz: „Zwei Sonntagsreiter"

Nr. 279 Thoma, Hans: „Wiesenbach"

Abb. 16: Annonce für die Auktion Sammlung Julius Freund aus der *Weltkunst*, Ausgabe 1. März 1942

Gisèle Freund würdigte die Sammlerleistung des Vaters in einer ähnlichen Tonlage:

> «Julius Freund hat Jahrzehnte gesammelt und immer nur aus dem Gesichtspunkt des künstlerischen Wertes, nie in dem Gedanken der geldlichen Verwertung. [...] So war seine Sammlung eine ständige Quelle des Glücks für ihn. [...] Nun wird die Sammlung in alle Winde zerstreut werden, und ich wünsche von Herzen, daß sie den neuen Besitzern ebenso viel Freude bereiten möge, und daß mancher von ihnen vielleicht hin und wieder des früheren Eigentümers Julius Freund gedenken möge.»[135]

Für die Freund-Auktion betrieb Fischer umfassend und grenzüberschreitend Werbung (Abb. 16). In der Schweiz gab es zudem zwei Vorbesichtigungstermine. Vom 14. bis 21. Februar in der Galerie Willi Raeber in Basel und vom 2. bis 19. März bei Fischer in Luzern.[136] Der Präsident der Kunstkommission des Kunstmuseums Basel, August Simonius (1885–1975), wies Georg Schmidt, der Otto Fischer am 1. März 1939 im Amt des Konservators (Direktors) nachgefolgt war, auf die Basler Präsentation hin.[137] In der Kunstkommissionssitzung vom 12. März 1942 berichtete dieser begeistert:

127. Vgl. Clara Freund an Theodor Fischer, 30. November 1941, in: Einliefererakten Auktion der Galerie Fischer, Sammlung Julius Freund, 21. März 1942, Archiv Galerie Fischer, Luzern.

128. Vgl. Sammlung Julius Freund. Aus dem Besitz von Frau Dr. G. Freund, Buenos Aires, Aukt.-Kat. Galerie Fischer, Luzern, 21. März 1942.

129. Vgl. Fritz Nathan an Clara und Gisèle Freund, 6. Dezember 1941, in: Einliefererakten Auktion der Galerie Fischer, Sammlung Julius Freund, 21. März 1942, Archiv Galerie Fischer, Luzern. Gekauft wurden zwei Manöver-Zeichnungen von Franz Krüger, das Aquarell *Tochter* von Daniel Chodowiecki, das *Selbstbildnis* von Stauffer, eine Waldlandschaft von Carl Gustav Carus und die Zeichnung *Frosch* von Wilhelm Busch; Oskar Reinhart erwarb das Porträt Caspar David Friedrichs von Gerhard von Kügelgen. Vgl. Quittung, 14. Januar 1942, in: ASOR 77/16.

130. Fritz Nathan an Clara und Gisèle Freund, 6. Dezember 1941, in: Einliefererakten Auktion der Galerie Fischer, Sammlung Julius Freund, 21. März 1942, Archiv Galerie Fischer, Luzern.

131. Ebd.

132. Vgl. Theodor Fischer an Clara Freund, 10. Dezember 1941, und Theodor Fischer: kommentierte Werkliste mit Schätzpreisen und Limiten, 11. Dezember 1941, und Clara Freund an Theodor Fischer: Telegramm, 6. Januar 1942, alle in: Einliefererakten Auktion der Galerie Fischer, Sammlung Julius Freund, 21. März 1942, Archiv Galerie Fischer, Luzern.

133. Vgl. Fritz Nathan an Paul Fischer, 29. Dezember 1941, in: Einliefererakten Auktion der Galerie Fischer, Sammlung Julius Freund, 21. März 1942, Archiv Galerie Fischer, Luzern.

134. Fritz Nathan, Geleitwort, in: Sammlung Julius Freund. Aus dem Besitz von Frau Dr. G. Freund, Buenos Aires, Aukt.-Kat. Galerie Fischer, Luzern, 21. März 1942, S. 8.

135. Vgl. Dr. Gisela Freund, Geleitwort, in: ebd.

136. Vgl. ebd., o. S. (S. 3).

137. Vgl. Protokoll der Kunstkommissionssitzung, 17. Februar 1942, in: KMB, Archiv, B 001.001.018.000.

«Ich habe die Graphik mit Dr. Ueberwasser sorgfältig durchgesehen. Die Bilder werden wohl sehr hochgehen, da wahrscheinlich deutsche Museen mitsteigern werden. [...] unter der Grafik ist einiges sehr Erwünschtes: 1) die Handabzüge zu Menzels Vignetten in Kuglers Geschichte Friedrichs des Grossen, Schätzung: Fr. 1000,-, 2) ein Aquarell ‹Am Havelufer› von Blechen, Schätzung: 700,-, 3) Marées, Skizze zur ‹Unschuld›, Schätzung: Fr. 800,-. Die Menzel-Holzschnitte sind für uns besonders wichtig als hervorragende Beispiele des Buchholzschnittes des 19. Jahrhunderts. Das Blechen-Aquarell ist ein grossartiges Beispiel der explosiven Farbigkeit Blechens. Die Marées-Zeichnung ist in der Kraft der Form und des Ausdrucks etwas, das uns fehlt. Weiter sind schöne Blätter von C. D. Friedrich, Schinkel, Liebermann und Käthe Kollwitz da, die für uns wertvoll wären. Im Ganzen handelt es sich bestimmt um das bedeutendste Graphik-Angebot dieses Jahres.»[138]

Tatsächlich erbrachte die Versteigerung am 21. März gute Ergebnisse, und anders als von Nathan erwartet,[139] gab es gerade aus Deutschland viel Resonanz. Die Neue Zürcher Zeitung beschrieb die Auktion so:

Abb. 17: Die Gehilfen des Auktionators Theodor Fischer zeigen das Silhouetten-Album von Marianne von Willemer, Luzern 1942

«Die Versteigerung der Sammlung Freund am 21. März (deutsche Kunst des 19. Jahrhunderts) liess starke Nachfrage erwarten. Neben den Schweizer Privatsammlern und dem Kunsthandel stellten sich auch einige bedeutende deutsche Käufer ein. Die Angebote bei den vorzüglichsten Stücken steigerten sich denn auch zu beachtlicher Höhe.»[140] (Abb. 17)

Fischer selbst beurteilte die Versteigerung als «sehr erfolgreich», wie er unter anderem dem deutschen NS-Kulturfunktionär Rolf Hetsch (1903–1946) berichtete.[141] Und Nathan schrieb Gisèle Freund zufrieden: «Nach meiner Meinung wie auch nach derjenigen aller Sachkundigen ist die Auktion über alles Erwarten gut verlaufen.»[142] Clara Freund kommentierte Nathans positive Einschätzung vom 23. März mit den Worten:

«Sie haben recht, der Erfolg ist den heutigen Umständen angemessen als erfreulich anzusehen. Man kann deutlich wahrnehmen, dass die Sachen, die speziell Berlin angehen, nicht demselben Interesse begegnen wie andere Dinge. Am Meisten enttäuscht haben mich die niedrigen Preise für Käthe Kollwitz, die in B. aber auch im Ausland wie z. B. in Amerika ausserordentlich geschätzt wird. Zeichnungen von ihr sind so gut wie gar nicht zu haben. [...] Ich bin aber sehr froh, dass die Auktion nicht zu Lebzeiten meines Mannes stattfand. Er hätte sich gegrämt, dass all die Dinge, an denen er so hing, weggehen in andere Hände. Selbstverständlich hätten sehr viele Dinge in D. ganz andere Preise erzielt, aber man muss eben die heutigen Umstände in Rechnung stellen.»[143]

Adolf Hitlers «Sonderbeauftragter» Hans Posse trug mit dem Erwerb von 113 Werken zu mehr als einem Viertel des Gesamterlöses der Versteigerung bei.[144] Allerdings hatte er Probleme bei der Beschaffung des Geldes in Devisen – Fischer gewährte ihm deswegen Kredit.[145] Diese Aussenstände konnten erst Anfang 1943 beglichen werden. Da war Posse bereits verstorben.[146] Neben den Kunsthändlern August Klipstein (1885–1951) aus Bern und Willi Raeber aus Basel zählten auch zwei Schweizer Privatsammler zu den Käufern: «Arthur Stoll und Emil Bührle – der Waffenfabrikant ersteigerte 16 Objekte für 35 000 Franken.»[147] Er liess Fritz Nathan für ihn bieten,[148] der zudem noch Kunstwerke für Oskar Reinhart und für sich selbst erwarb.[149] Der Kunsthändler Erich von Kreibig (1903–1989) München/Ascona kaufte 30 Werke.[150] Und auch für das Kunstmuseum Basel erbrachte die Auktion positive Resultate. Wie erwähnt, erwarb Georg Schmidt sechs Arbeiten auf Papier und Zschokke schenkte seinen Privatankauf hinzu. In der Mai-Sitzung der Kunstkommission berichtete der Direktor:

> «Leider sind uns aus dieser Auktion die ersten Wünsche (Menzel-Holzschnitte und Blechen-Havelufer) entgangen, da die deutschen Museen sich sehr stark beteiligt haben. Das hatte auch ein ziemlich hohes Preisniveau zur Folge. Trotzdem sind wir mit einer ganzen Reihe von Wünschen überraschend günstig gefahren. Besonderen Dank schulden wir Herrn Prof. Stoll, der zwei Mal zu unseren Gunsten zurücktrat. Ferner hat uns Herr Dr. Fridtjof Zschokke eine prachtvolle Federzeichnung von Blechen ‹Italienisches Wirtshaus› geschenkt. Die beiden bedeutendsten Ankäufe sind: eine Bleistiftstudie zur ‹Unschuld› von H. v. Marées' und eine kostbare Bleistiftzeichnung ‹Blick auf Gastein› von A. von Menzel. Ganz billig haben wir eine Zeichnung ‹Badende am Strand› von Max Liebermann, ein hervorragendes Stück, bekommen. Und endlich zwei kapitale Zeichnungen und eine schöne Lithographie von Käthe Kollwitz.»[151]

Durch den von Zschokke annotierten Auktionskatalog in der Bibliothek des Kunstmuseums Basel ist es möglich, konkrete Aussagen zum Niveau der Resultate zu machen. Die Schätzpreise waren nicht zu niedrig.[152] Was die Basler Erwerbungen betrifft, wurde in einem Fall (Kollwitz: *Tod und Kinder*) der genaue Schätzpreis gezahlt, in einem anderen (Kollwitz: *Mütter* [Lithografie]) derselbe um ein Vielfaches übertroffen. Bei den vier

138. Protokoll der Kunstkommissionssitzung, 12. März 1942, in: KMB, Archiv, B 001.001.018.000.
139. Vgl. Fritz Nathan an Gisèle Freund, 6. Dezember 1941, in: Einliefererakten Auktion der Galerie Fischer, Sammlung Julius Freund, 21. März 1942, Archiv Galerie Fischer, Luzern.
140. Kleine Chronik, in: NZZ, 24. März 1942, www.e-newspaperarchives. ch/?a=d&d=NZZ19420324-01.2.2ag (3.2.2025).
141. Vgl. Schölnberger 2018, S. 73, und Theodor Fischer an Rolf Hetsch, 27. März 1942, in: BAR, E7160-08#1968/28#390*, Nr. 55: «[...] die Auktion Freund ging gut.»
142. Fritz Nathan an Gisèle Freund, 23. März 1942, in: Einlieferakten Auktion der Galerie Fischer, Sammlung Julius Freund, 21. März 1942, Archiv Galerie Fischer, Luzern.
143. Clara Freund an Fritz Nathan (Abschrift für Theodor Fischer), 5. April 1942, in: Ebd.
144. Vgl. Oliver Meier/Michael Feller/Stefanie Christ, Der Gurlitt-Komplex. Bern und die Raubkunst, Zürich 2017, S. 212–213.
145. Vgl. Schölnberger 2018, S. 73, und Hans Posse an Heinrich Lammers, 4.

Mai 1942 mit Rechnung von Hans Posse, in: BArch K, B 323/156 und Hans Posse: Eintrag vom 14. Oktober 1941, in: GNM, DKA, Nachlass Hans Posse, I, B-1, Tagebuch 1936–1942.
146. Vgl. Schölnberger 2018, S. 74, und Reichskanzlei: Aktenvermerk, 23. Januar 1943, in: BArch K, B 323/156.
147. Meier/Feller/Christ 2015, S. 212–213.
148. Vgl. Neumann 2021, S. 148.
149. Vgl. Fritz Nathan: Liste «Verr. Stelle Zürich betr. Gal. Fischer Luzern», 20. August 1946, S. III: L. Nr. 356–359 von Auktion Freund (4 Werke: Blechen, Friedrich, Menzel, Thoma [Waldwiese]), in: BAR, E9500.239A#2003/48#115*, Subdossier 7, Unterlagen 17.
150. Vgl. Neumann 2015, S. 66. Im annotierten Auktionskatalog Otto Fischers in der Bibliothek des Jüdischen Museums Berlin, sind die von Kreibig erworbenen Werke ausgewiesen.
151. Protokoll der Kunstkommissionssitzung, 12. Mai 1942, in: KMB, Archiv, B 001.001.018.000.
152. Vgl. Kunstmuseum Basel, Bibliothek, KM_AC_Fischer_1942 (annotiert; darin enthalten: Schätzpreisliste).

anderen Werken unterschritt der Zuschlagpreis die jeweilige Schätzung.[153] Die Schlussaufstellung Theodor Fischers vom 31. März 1942 führt als Gesamteinnahmen der Auktion 200.078,50 CHF an.[154] Nach Abzug von 1.000 CHF für den Katalog und kleineren Beträgen für Porto und Reparaturen betrug der Erlös für die Familie Freund 198.860,50 CHF.[155] Die Ankunft des Geldes in Buenos Aires wurde von Gisèle Freund per Telegramm bestätigt.[156] Da im Rahmen der Auktion nicht alles verkauft wurde, wandte sich Nathan Anfang April 1942 noch einmal an Gisèle Freund:

> «Lassen Sie mich bitte wissen, ob man diese Dinge einfach aufheben soll oder ob ich sie bei nächster Gelegenheit nochmals unlimitiert in eine Auktion entweder nochmals bei Fischer oder eventl. bei Klipstein in Bern geben soll.»[157] Gisèle antwortete per Telegramm an die Galerie Fischer Luzern: «If you sell rest left from auction open me account on Suissbank [sic] – please wire statement.»[158]

Die nicht zugeschlagenen Kunstwerke wurden teils ans Kunstmuseum Winterthur verschenkt, zu Teilen nach England verschickt und zu anderen Teilen auf späteren Auktionen der Galerie Fischer versteigert. Im Oktober 1942 informierte Fritz Nathan Theodor Fischer zudem darüber, dass Clara Freund

> «[...] von den zurückgegangenen Nummern die Katalog Nrs. 3–174 und 248 überhaupt nicht mehr verkaufen, sondern für die Familie zurückbehalten will. Dagegen sollen alle weiteren zurückgegangenen Nrs. nochmals einer ihrer nächsten Auktionen beigegeben werden. Sie sollen dann verkauft werden, wenn sie nicht geradezu verschleudert würden.»[159]

Abb.18: Max Slevogt, *Porträt Julius Freund*, 1925, Öl auf Leinwand, 101,5 × 71,5 cm, Stiftung Stadtmuseum Berlin

Auf diese Weise erfolgten noch bis Mai 1943 Verkäufe aus der Freund-Sammlung über die Galerie Fischer. Die «Auktionsabrechnung für Frau Dr. G. Freund» nach der Auktion vom 25. bis 29. Mai 1943 zeigt an, dass von 15 angebotenen Kunstwerken aus der Sammlung 13 für zusammen 3.425 CHF verkauft wurden, wovon die Familie nach dem Abzug von 15 % Provision noch einmal 2.911,25 CHF erhielt.[160] 1945 lässt sich mit einer Federzeichnung von Chodowiecki ein letzter Verkauf mit Vorprovenienz Freund über Fischer belegen.[161] Das Porträt, das Max Slevogt von ihrem Vater gemalt hat, gab Gisèle Freund erst in den 1970er-Jahren ab. Vermittelt durch den für seine einstige Kunstagententätigkeit für ranghohe Nationalsozialisten bekannten Walter Andreas Hofer (1893–1975), gelangte es an das heutige Stadtmuseum Berlin (damals Berlin Museum).[162] Zum Museumsverbund des Stadtmuseums Berlin gehört heute auch das Märkische Museum, dasjenige Museum, dem Freund vor 1933 seine gesamte Sammlung als Geschenk zugedacht hatte (Abb. 18).[163]

Von dem Erlös der Veräusserung ihrer Kunstsammlung kaufte Gisèle Freund ein Mehrparteienhaus in der Tres Sargentos in Buenos Aires. Sie zog ins Obergeschoss und vermietete die anderen Wohnungen.[164] Die Mieteinnahmen überwies sie an ihre Mutter. Davon lebte diese bis zu ihrem Tod. Als Clara Freund 1946 starb, verkauften die

Geschwister das Haus und teilten sich den Erlös.[165] Gisèle nutzte ihren Teil, um zu reisen. In einem Interview von 1997 sagte sie: «Ich wandelte das Erbe in ein meterlanges Billet um die Welt um.»[166]

SYNTHESE

Julius Freund und seine Frau Clara gehörten zur Gruppe der Kollektivverfolgten. Sie haben lange in Deutschland ausgeharrt, bevor sie das Land nach Zahlung hoher diskriminierender Steuern im Februar 1939 verliessen und nach Grossbritannien übersiedelten. Anschliessend wurde ihnen die deutsche Staatsbürgerschaft entzogen. Ihre Konten waren überwacht respektive gesperrt, weshalb davon auszugehen ist, dass sie aus dem Ausland nicht darauf zugreifen konnten. Ob vor ihrer Ausreise Gelder transferiert werden konnten, ist unklar.

Die ab 1931 geplante Auslagerung der Sammlung Freund stand ursächlich nicht mit dem aufkommenden Nationalsozialismus in Zusammenhang. Sie sollte eigentlich nur der Verwahrung und externen Präsentation der Werke während der Reisezeit des Ehepaars dienen. Nicht sofort fand sich ein geeigneter Leihnehmer, bis im September 1933 mit dem Kunstmuseum Winterthur plötzlich eine Einigung für einen grossen Teil des Bestands gefunden wurde. Sowohl Gisèle als auch Hans Freund hatten Deutschland aufgrund von Konflikten mit den nationalsozialistischen Machthabern bereits verlassen müssen. Es ist daher möglich, dass die über einen Zeitraum von zwei Jahren angebahnte, aber nicht realisierte Auslagerung der Kunstsammlung im September 1933 aufgrund der Konsequenzen des Machtwechsels in Deutschland umgesetzt wurde. Mit der nur drei Monate später erfolgten Überschreibung des Eigentums an der Sammlung auf seine Tochter signalisierte Julius Freund ein verstärktes Bedürfnis, seine Kunstwerke in sicheren Händen zu wissen. In denen einer Französin sah er das eher erfüllt als in jenen eines jüdischen Textilhändlers zwischen Italien und Berlin. Kurz darauf stellte sich die frühzeitige Verbringung der Sammlung in die Schweiz als Glücksfall heraus, da die Sachwerte so dem NS-Staat entzogen waren. Wobei der Umstand, dass sich Freund im Herbst 1934 erneut einen festen Wohnsitz in Berlin genommen hat, zeigt, dass er für seine Frau und sich auch zu diesem Zeitpunkt noch keine ernsthafte Bedrohung wahrnahm.

Die acht Papierarbeiten des 19. und 20. Jahrhunderts aus dem Kupferstichkabinett des Kunstmuseums Basel wurden bei der Versteigerung des in die Schweiz überführten Teils der Sammlung Freund erworben, die am 21. März 1942 in der Galerie Fischer,

153. Menzel (Schätzung: 1.500 CHF; Zuschlag: 670 CHF); Blechen (Schätzung: 300 CHF; Zuschlag: 180 CHF); Marées (Schätzung: 800 CHF; Zuschlag: 720 CHF); Liebermann (Schätzung: 180 CHF; Zuschlag: 100 CHF); Kollwitz, *Tod und Kinder* (Schätzung: 240 CHF; Zuschlag: 240 CHF); Kollwitz, *Mütter* (Schätzung: 25 CHF; Zuschlag: 600 CHF); Kollwitz, *Gefangene* (Schätzung: 250 CHF; Zuschlag: 85 CHF); Kollwitz, *Schwangere mit zwei Kindern* (Schätzung: 120 CHF; Zuschlag: 120 CHF). Für diese acht Werke wurden keine Limiten festgelegt. Vgl. Liste Sammlung Julius Freund, Bestand Museum Winterthur, 11. Dezember 1941, in: Einlieferakten Auktion der Galerie Fischer, Sammlung Julius Freund, 21. März 1942, Archiv Galerie Fischer, Luzern.
154. Vgl. Schlussaufstellung von Theodor Fischer, Luzern vom 31. März 1942, in: Einlieferakten Auktion der Galerie Fischer, Sammlung Julius Freund, 21. März 1942, Archiv Galerie Fischer, Luzern.
155. Vgl. ebd.
156. Vgl. Gisèle Freund an Theodor Fischer, Stempel des Telegrafenbüros vom 8. Mai 1942, in: Einlieferakten Auktion der Galerie Fischer, Sammlung Julius Freund, 21. März 1942, Archiv Galerie Fischer, Luzern.
157. Vgl. Fritz Nathan an Gisèle Freund, 8. April 1942, in: Einlieferakten Auktion der Galerie Fischer, Sammlung Julius Freund, 21. März 1942, Archiv Galerie Fischer, Luzern.
158. Vgl. Gisela Freund an Galerie Fischer, 18. Mai 1942, in: Einlieferakten Auktion der Galerie Fischer, Sammlung Julius Freund, 21. März 1942, Archiv Galerie Fischer, Luzern.
159. Vgl. Fritz Nathan an Theodor Fischer, 24. Oktober 1942, in: Einlieferakten Auktion der Galerie Fischer, Sammlung Julius Freund, 21. März 1942, Archiv Galerie Fischer, Luzern.
160. Vgl. Auktionsabrechnung für Frau Dr. G. Freund, Via monte 548, Buenos Aires, o.D. (Mai 1943): 13 Werke (Slevogt, Skarbina, Kollwitz, Liebermann, Feuerbach, Boehle, Friedrich, Leibl und Hagemeister) für zusammen 3425.-, abz. 15 % (513.75); 2911.25 Schweizer Franken; und zwei nicht verkaufte Werke (Rembrandt und Mignon), in: Archiv Galerie Fischer, Luzern.
161. Vgl. Bedeutende Handzeichnungen des 15.–20. Jahrhunderts aus Schweizer Besitz, Aukt.-Kat. Galerie Fischer, Luzern, 2. Juni 1945, S. 24, Nr. 150 (Chodowiecki), «Stammt aus der Sammlung Julius Freund, Berlin», https://digi.ub.uni-heidelberg.de/diglit/fischer1945_06_02/0026/image,info (14.2.2025).
162. Vgl. Inventarbucheintrag zu 597 und Korrespondenz Wirth im Hausarchiv vom Stadtmuseum Berlin, vgl. HA II,2 Kort 1970 A-H und HA II, 2 Eingangsbuch Ankäufe Nr. 597 und HA II,2 Ankäufe 1967–1972 H; zit. n. Neumann 2021, S. 139–150, hier S. 144.
163. Vgl. Tisa Francini/Heuss/Kreis 2001, S. 229.
164. Vgl. de Cosnac 2008, S. 151.
165. Vgl. Freund 1993, S. 129.
166. «Klaus Kleinschmidt traf Gisèle Freund in Basel», in: Börsenblatt des deutschen Buchhandels, 31. Januar 1997, zit. n. de Cosnac 2008, S. 151.

Luzern, stattfand. Julius Freund wollte seinen Kunstbestand zu Lebzeiten nicht veräussern. Dies zeigt seine Weigerung, 1930 das erste Angebot von Oskar Reinhart für die *Kreidefelsen* anzunehmen. 1935 bezeichnete er auch Corinths *Selbstbildnis mit Modell* auf eine entsprechende Kaufanfrage hin als «unverkäuflich». Erst nach dem Tod des Sammlers wurde die Versteigerung bei der Galerie Fischer durch seine Familie eingeleitet. Hintergrund war laut Aussagen Gisèle Freunds die Mittellosigkeit ihrer Mutter.

Der Gesamterlös der Auktion scheint marktüblich bis gut gewesen zu sein und ist Gisèle Freund ungeschmälert zugeflossen. Diesen Umstand haben die Erb:innen nach Julius Freund auch im Rahmen des 2005 geführten Verfahrens vor der Beratenden Kommission nicht in Frage gestellt. Vergleicht man den Gesamterlös der Auktion von 200.078,50 CHF mit früheren Versicherungswerten der Sammlung (Februar 1934: 225.000 CHF; Juli 1940: 178.260 CHF),[167] so lässt sich festhalten, dass er der hohen Schätzung von 1934 sehr nahekommt. Würde man auch die später verkauften, verschenkten und bei der Familie gebliebenen Werke miteinrechnen, ergäbe die Summe den höchsten Wert, der jemals für die Sammlung angesetzt wurde. Dennoch war der Grund für die Versteigerung die Sicherung des Lebensunterhalts der Familienmitglieder Freund im Exil.

Weil Objekte aus der Auktion Freund von anderen öffentlichen Einrichtungen bereits restituiert wurden, stellt sich die Frage, ob die geschilderten Zusammenhänge auch eine Rückgabe der acht im Kupferstichkabinett des Kunstmuseums Basel befindlichen Papierarbeiten rechtfertigen würde. Sämtliche bekannte Rückgaben nehmen Bezug auf die erste Empfehlung der Beratenden Kommission NS-Raubkunst im Jahr 2005. Schnabel und Tatzkow analysierten diese auf der Grundlage der deutschen Handreichung 2007 wie folgt:

> «Entscheidende Bedeutung kam der Klärung der hypothetisch zu stellenden Frage zu, ob Clara Freund auch ohne die Existenz des NS-Regimes gleichwohl die Bilder 1942 hätte versteigern lassen. Diesen Nachweis muss der aktuelle Besitzer führen. Ist dies nicht möglich, geht die sogenannte Unerweisliche (non-liquet-Lage) zu seinen Lasten und es bleibt bei der gesetzlichen Vermutung eines NS-verfolgungsbedingten Vermögensverlustes. [...] Im Ergebnis bedeutet diese Empfehlung, dass Kunstverkäufe infolge einer wirtschaftlichen Notlage der Verfolgten NS-verfolgungsbedingt sind, selbst wenn sich der Verkäufer nicht im Einflussgebiet des NS-Regimes befand und die Veräußerung im nicht besetzten Ausland unter marktüblichen Bedingungen erfolgte. Für maßgeblich hielt die Kommission zudem, dass das (im Ausland) verkaufte Kunstwerk dort von Nazi-Deutschland erworben wurde.»[168]

Bezogen auf den im letzten Satz erwähnten zweiten Punkt sei zu bemerken, dass es sich bei den vier 2005 restituierten Kunstwerken, die im März 1942 von Hans Posse auf der Auktion Freund für Hitlers «Führermuseum» ersteigert wurden, um Bestände der Kulturverwaltung des Bundes (BADV) handelte. Diese generieren sich aus den Restbeständen der ehemaligen Collecting Points, also Kunstwerken, die Deutsche während des Nationalsozialismus erworben haben, deren rechtmässige Eigentümer:innen aber durch die alliierten Kunstschutzoffiziere nach Ende des Krieges nicht ermittelt werden konnten. Die Objekte wurden nach 1945 dem deutschen Staat zur treuhänderischen Verwaltung übergeben. Der Bestand schliesst auch Ankäufe und Enteignungen von NS-Parteifunktionären zwischen 1933 und 1945 (und somit die vier restituierten Werke) ein, da deren Geschäfte von den Alliierten nicht als rechtskräftig anerkannt wurden und entsprechend rückabgewickelt werden müssen. Kunstwerke, bei denen ein Ankauf durch Deutsche in den besetzten Gebieten nachgewiesen werden konnte, wurden auf der Grundlage der Gemeinsamen (Londoner) Erklärung vom 5. Januar 1943, welche die entsprechenden

Besitzübertragungen für ungültig erklärt, an die jeweiligen Herkunftsstaaten restituiert. Die Werke des BADV sind heute in ganz Deutschland in Ausstellungskontexte öffentlicher Museen integriert und dort als «Leihgaben der Bundesrepublik Deutschland» gekennzeichnet. Die Ausstellung und Kennzeichnung erfolgt zu dem Zweck, auf die Werke aufmerksam zu machen, sodass Nachfahren der einst rechtmässigen Eigentümer:innen sie finden und zurückfordern können. Der BADV-Bestand ist somit qua Definition zur Rückgabe vorgesehen. Da keine inhaltliche Begründung vorliegt, bleibt unklar, inwieweit dieser Umstand die 2005 ausgesprochene Empfehlung der Beratenden Kommission zur Restitution (im Gegensatz zu einem Vergleich) möglicherweise beeinflusst hat.[169]

Mit der Rückgabe an die Erb:innen nach Julius Freund wurde ein Präzedenzfall geschaffen. Jutta Limbach (1934–2016), die damalige erste Vorsitzende der Beratenden (Limbach)-Kommission, hat diese Feststellung auf einer Tagung 2014 zwar noch dementiert.[170] Doch bereits 2017 befand das Autorenkollektiv Meier, Feller und Christ pauschal: «Werke aus der Sammlung Freund gelten, zumindest in Deutschland, offiziell als restitutionsfähig.»[171] Tatsächlich kann auch für die in die Schweiz verkauften Kunstwerke der Sammlung Freund kein grundsätzlicher Restitutionsausschluss formuliert werden. In den Akten der Wiedergutmachungs- und Rückerstattungsverfahren werden sie nicht erwähnt. Die Familie Freund ist für ihren Verkauf folglich nicht entschädigt worden. Allerdings ist anzumerken, dass «nach dem Ende des Zweiten Weltkriegs in Westdeutschland eine Restitution von ‹Fluchtgut› juristisch ausgeschlossen [war]. Da ein solcher Vermögensverlust ausserhalb des deutschen Machtbereichs zustande kam, hätte das Gericht damals die Klage auf Herausgabe oder Entschädigung abgewiesen.»[172] Eine Antragsstellung zur Kunstsammlung Freund hätte keinen Erfolg gehabt.

Zusammenfassend bleibt festzuhalten, dass Hans Posses Ankäufe für das Deutsche Reich auf der Auktion Fischer nicht 1:1 mit den Verkäufen an Schweizer Institutionen und Privatpersonen gleichzusetzen sind.[173] Zwar besteht auch für Letztere die hohe Wahrscheinlichkeit eines Kausalzusammenhangs zwischen NS-Verfolgung und Veräusserung. Hingegen fehlt der Aspekt des Erwerbs durch einen Vertreter des NS-Unrechtsstaats. Trotzdem war die Entscheidung von Clara, Gisèle und Hans Freund, die Kunstsammlung versteigern zu lassen, nach eigenen Aussagen, durch wirtschaftliche Schwierigkeiten begründet.[174] Und diese wären ohne den Nationalsozialismus voraussichtlich nicht eingetreten.

Das Kunstmuseum Basel hat den Kontakt mit der Rechtsvertreterin der Erb:innen nach Julius Freund gesucht und führt aktuell Gespräche hinsichtlich einer «gerechten und fairen» Lösung.

167. Vgl. Neuenburger. Schweizerische Allgemeine Versicherungs-Gesellschaft an Julius Freund, 7. Februar 1934: «225.000 CHF» und «Liste: Depositen der Sammlung Freund. Gerahmte Oelbilder, Aquarelle und Zeichnungen», S. 10, handschriftlich: «Zusammen 178.260,- Schweiz. Franken», beide in: KMW, Archiv (Mappe Julius Freund).

168. Gunnar Schnabel/Monika Tatzkow, Nazi Looted Art. Handbuch der Kunstrestitution weltweit, Berlin 2007, S. 456–459, hier S. 458.

169. Die Empfehlung wurde öffentlich lediglich in Form einer kurzen Pressemitteilung kommuniziert. Vgl. https://www.beratende-kommission.de/de/empfehlungen#s-freund-bundesrepublik-deutschland (24. 3.2024).

170. Und zwar im Rahmen einer Diskussion auf der Tagung «Fluchtgut – Geschichte, Recht und Moral» im Museum Oskar Reinhart in Winterthur am 28. August 2014; die Verf. war anwesend. Vgl. auch Jutta Limbach, Die Kriterien der Beratenden Kommission, in: Fluchtgut – Geschichte, Recht und Moral. Referate zur gleichnamigen Veranstaltung des Museums Oskar Reinhart in Winterthur vom 28. August 2014, hrsg. v. Peter Mosimann und Beat Schönenberger, Bern 2015, S. 161–167, bes. S. 161–162: «Nur in einem Falle, nämlich dem Fall Freund, sind Gemälde in Luzern von einem Kunstexperten für das Führermuseum in Linz ersteigert worden, aber auch in diesem Fall hat sich die Beratende Kommission nicht mit der Kategorie des Fluchtguts und der Frage auseinandergesetzt, ob dieses der Raubkunst, also dem NS-verfolgungsbedingten Kulturgutverlust gleich

zu behandeln ist.»

171. Meier/Feller/Christ 2017, S. 213.

172. Vgl. Anja Heuss/Sebastian Schlegel, «Fluchtgut»: Eine Forschungskontroverse, in: Spuren suchen: Provenienzforschung in Weimar (Jahrbuch der Klassik Stiftung Weimar), hrsg. v. Franziska Bomski, Hellmut Th. Seemann und Thorsten Valk, Göttingen 2018, S. 202–226, hier S. 225.

173. Zu diesen Überlegungen vgl. Esther Tisa-Francini, Von der Raubgut- zur Fluchtgut-Restitution? Ausgewählte Restitutionsfälle mit Schweizer Bezug von 1945 bis heute im Vergleich, in: Julius Schoeps/Anna-Dorothea Ludewig (Hrsg.), Eine Debatte ohne Ende. Raubkunst und Restitution im deutschsprachigen Raum, Berlin 2014, S. 37–55, sowie Matthias Weller/Anne Dewey, Warum ein «Restatement of Restitution Rules for Nazi-ConfiscatedArt»? Das Beispiel «Fluchtgut», in: Bulletin Kunst & Recht (2019/2-2020/1), S. 46–60.

174. In der Presseerklärung zur Empfehlung der Beratenden Kommission NS-Raubkunst wird vermittelt, dass die Erbengemeinschaft nach Julius Freund die Herausgabe der vier Kunstwerke begehrte, «da die Veräusserung allein aufgrund wirtschaftlicher Schwierigkeiten notwendig gewesen sei, die ausschliesslich auf den nationalsozialistischen Verfolgungsmaßnahmen beruhten.» Bundesregierung Deutschland: Pressemitteilung, 12. Januar 2005, in: https://www.beratende-kommission.de/de/empfehlungen#s-freund-bundesrepublik-deutschland (24. 3.2024).

KATHARINA GEORGI-SCHAUB

FÜR DIE FAMILIE IN DER SCHWEIZ VERKAUFT.

COURBETS *LE RETOUR DE LA CONFÉRENCE* AUS DEM NACHLASS VON THEDA STÜCKGOLD-SCHAYER

Mit dem Ankauf des Gustave Courbet zugeschriebenen Gemäldes *Le retour de la conférence* (Abb.1) bot sich dem Kunstmuseum Basel um die Jahreswende 1945/46 die erste Möglichkeit für den Erwerb eines Gemäldes von internationalem Rang nach dem Krieg. Ohne dass Direktor Georg Schmidt (1896-1965) es seinerzeit ahnte, führt die Geschichte des Bildes in den Bereich der «Fluchtgut»-Thematik, respektive zu der Frage nach dem Zusammenhang zwischen der Verfolgung der Eigentümerin durch das national-sozialistische Regime in Deutschland und ihrer Verkaufsabsicht. Zugleich illustriert der Fall den Umgang der Schweizer Behörden mit den aus Deutschland geflüchteten oder emigrierten Jüdinnen und Juden.

ANKAUFSGESCHICHTE

Am 5. Februar 1946 präsentierte Georg Schmidt der Kunstkommission ein Gemälde von Gustave Courbet. Kurz vor dem Jahreswechsel hatte Wilhelm Wartmann (1882-1970), der Direktor des Kunsthauses Zürich, ihn auf das Angebot hingewiesen. Schmidt erkannte in dem bis dahin unpublizierten Werk die erste Ölskizze zu dem monumentalen und vielbeachteten Skandalbild *Le retour de la conférence* (Abb.2, unten rechts), das Courbet, um den offiziellen Pariser Salon von 1863 zu provozieren, in seinem Atelier ausgestellt hatte. Aufgrund des anstössigen Sujets – eine Gruppe Kleriker kehrt sichtlich betrunken von einer Versammlung zurück – war das ausgeführte Gemälde zu Beginn des 20. Jahrhunderts zerstört worden.[1]

Abb. 1: GUSTAVE COURBET: Le retour de la conférence.
Erste Studie, 1862, Öl auf Leinwand, 73 cm hoch, 92 cm breit, signiert links unten: G. Courbet. Ehemals Sammlung Stückgold-Kornelius. Heute Öffentliche Kunstsammlung Basel.

Abb. 3: GUSTAVE COURBET, Le retour de la conférence.
Dritte Studie, 1862, Bleistift und Feder auf Papier, 55 cm hoch, 75 cm breit, nicht signiert. Schweizer Privatbesitz.

Abb. 2: GUSTAVE COURBET, Le retour de la conférence.
Zweite Studie, 1862, Öl auf Leinwand, 65 cm hoch, 89 cm breit, signiert links unten: G. Courbet. Ehemals Sammlung Saint, heutiger Besitzer unbekannt.

Photograpie nach dem Lichtdruck bei Meier-Graefe, Courbet, Piper München 1921, Tf. IV.

Abb. 4: GUSTAVE COURBET, Le retour de la conférence.
Ausgeführtes Bild, 1862/63, Öl auf Leinwand, 229 cm hoch, 330 cm breit, signiert links unten: Gustave Courbet. Zwischen 1906 und 1912 zerstört.

Photographie nach einer in Besitz von Pierre Jouffroy in Montbéliard befindlichen Photographie des Originals.

Abb.2: Bildtafeln aus Georg Schmidts Publikation zu Courbets *Le retour de la conférence* im Jahrbuch der Öffentlichen Kunstsammlung Basel 1946

<u>Abb. 1a/b</u>:
Gustave Courbet (?), *Le retour de la conférence*, 1863, recto und verso

GUSTAVE COURBET (?) (1819–1877)

LE RETOUR DE LA CONFÉRENCE 1863

Öl auf Leinwand
73 × 92 cm
Signiert unten links: G. Courbet

Kunstmuseum Basel, Inv. 1963
Ankauf 1946

PROVENIENZ:

Datum unbekannt – 14.6.1905:
Galerie Bernheim-Jeune, Paris

14.6.1905 – 28.12.1906:
Kunstsalon Paul Cassirer, Berlin,
angekauft bei Bernheim-Jeune, Paris

28.12.1906 – Datum unbekannt:
Paul (1853–1925) und Ida Herz, geb.
Marckwald (1862–1943), Berlin, angekauft
bei Paul Cassirer

Datum unbekannt – Februar 1946:
Theda Stückgold-Schayer (1890–1945), Berlin/
Zürich bzw. ihr Nachlass, aus dem Besitz von
ihrer Tante Ida Herz übernommen

Februar 1946 – heute:
Kunstmuseum Basel, angekauft aus dem
Nachlass von Theda Stückgold-Schayer,
vermittelt durch deren Schwägerin Edith
Gibian-Schayer (1886–1967), Winterthur

Auch Schmidt hatte anfänglich Bedenken bezüglich der Bildthematik, die er gegenüber der Anbieterin, einer ihm bislang nicht näher bekannten Frau Edith Gibian (1886–1967) mit Adresse in Winterthur, äusserte:

> «[...] ein ungewöhnlich schönes Bild, ein selten schöner Courbet. Aber das leidige Thema: Resp. das leidige Publikum, das in einer öffentlichen Sammlung so leidenschaftlich gerne Aergernis nimmt und sogleich eine antiklerikale Tendenz der Museumsleitung wittern wird.»[2]

Doch im reformierten Basel bot das satirische Sujet offenbar kaum Grund zur Aufregung. Hingegen gab es von einigen Kommissionsmitgliedern Vorbehalte gegenüber der malerischen Qualität sowie der Frage der Eigenhändigkeit. Begünstigend für einen Ankauf wirkten sich bei allen Abwägungen die Preisvorstellungen der Anbieterin aus: 8.000 CHF für einen Courbet schien ein ausgesprochen günstiges Angebot. Am 19. Februar 1946, nach zwei ausserordentlichen Sitzungen, beschloss die Kommission die Erwerbung.[3]

Als fulminante Neuentdeckung wurde der Ankauf im Jahresbericht der Öffentlichen Kunstsammlung für das Jahr 1946 von Georg Schmidt ausführlich besprochen (Abb. 2).[4] Heute ist die Frage der Stellung im Œuvre von Courbet allerdings umstritten. Handelt es sich tatsächlich, wie der Konservator anhand von Detailvergleichen in seinem Text darzulegen suchte, um die erste Ölskizze des Meisters zu dem berüchtigten, heute verlorenen, aber in zeitgenössischen Reproduktionen überlieferten Bild? Oder stellt die Basler Fassung eine Replik dar, die von Courbet oder gar durch einen Nachahmer realisiert wurde?[5]

Antworten auf diese wichtigen kunsthistorischen Fragen kann die vorliegende Untersuchung nicht liefern, steht hier doch die Herkunft des Bildes im Vordergrund. Schmidt äusserte sich gegenüber der Kunstkommission bei der Präsentation seines Ankaufsvorschlags wie folgt:

> «Ich habe vom Anbieter sofort die Geschichte des Bildes verlangt. Sie ist ganz in Ordnung. Es gehörte einer Schweizerin, die 1943 aus Deutschland in die Schweiz zurückkehrte und im August 1945 gestorben ist. Die Anbieterin ist Nachlassverwalterin für zwei Söhne, die in Palästina leben. [... Sie] hat in den Akten gefunden, dass seinerzeit 10'000 Mark bezahlt wurden und hat dementsprechend den Preis für Private auf 10'000, für Museen auf 8'000 Fr. festgesetzt.»[6]

In der Tat hatte Georg Schmidt in seiner ersten Reaktion auf das kurz vor Jahresende 1945 eingetroffene Angebot sogleich betont, wie wichtig die Herkunft des Bildes sei (Abb. 3). An die Anbieterin Edith Gibian schrieb er:

> «Wir müssen die absolute Sicherheit haben, 1. dass es nicht unter das von den Alliierten gesuchte ‹Raubgut› gehört, d.h. wir müssen strengstens vertraulich natürlich, den Eigentümer vor 1939 kennen. Und 2. dass es nicht zum meldepflichtigen deutschen Besitz gehört.»[7]

1. Vgl. Protokoll der Kunstkommissionssitzung, 5. Februar 1946, S. 139–141, in: KMB, Archiv, B 001.001.019.000. Zu der grossformatigen Fassung und seiner Rezeption vgl. Robert Fernier, La vie et l'œuvre de Gustave Courbet. Catalogue raisonné, 2 Bde., Lausanne/Paris, 1977–1978, Bd. 2, S. 196, Nr. 338.
2. Georg Schmidt an Edith Gibian, 28. Dezember 1945, in: KMB, Archiv, O 001.004.009.000.
3. Vgl. Protokolle der Kunstkommissionssitzungen, 5. Februar 1946, S. 139–141, 12. Februar, S. 144–145, und 19. Februar, S. 146–147, in: KMB, Archiv, B 001.001.019.000.
4. Vgl. Georg Schmidt, Eine unbekannte erste Fassung zu Courbets «Retour de la conférence», in: Öffentliche Kunstsammlung Basel, Jahresberichte 1946–1950, Basel 1951 S. 37–50.

5. Robert Fernier, der sich mit Georg Schmidt intensiv ausgetauscht und Zweifel an dessen Hypothese bekundet hatte, nahm die Basler Fassung in sein Werkverzeichnis auf, liess jedoch die Frage «Entwurf oder Kopie?» offen. Vgl. Fernier 1977–1978, Bd. 2, S. 196, Nr. 339, sowie den Katalog der vor einigen Jahren zu Courbets Skandalbild veranstalteten Ausstellung: Le retour de la conférence. Un tableau disparu, Ausst.-Kat. Musée Courbet, Ornans (12. Dezember 2015 – 19. April 2016), Besançon 2015, S. 12 und 74.
6. Protokoll der Kunstkommissionssitzung, 5. Februar 1946, S. 140, in: KMB, Archiv, B 001.001.019.000.
7. Georg Schmidt an Edith Gibian, 4. Januar 1946, in: KMB, Archiv, O 001.004.009.000.

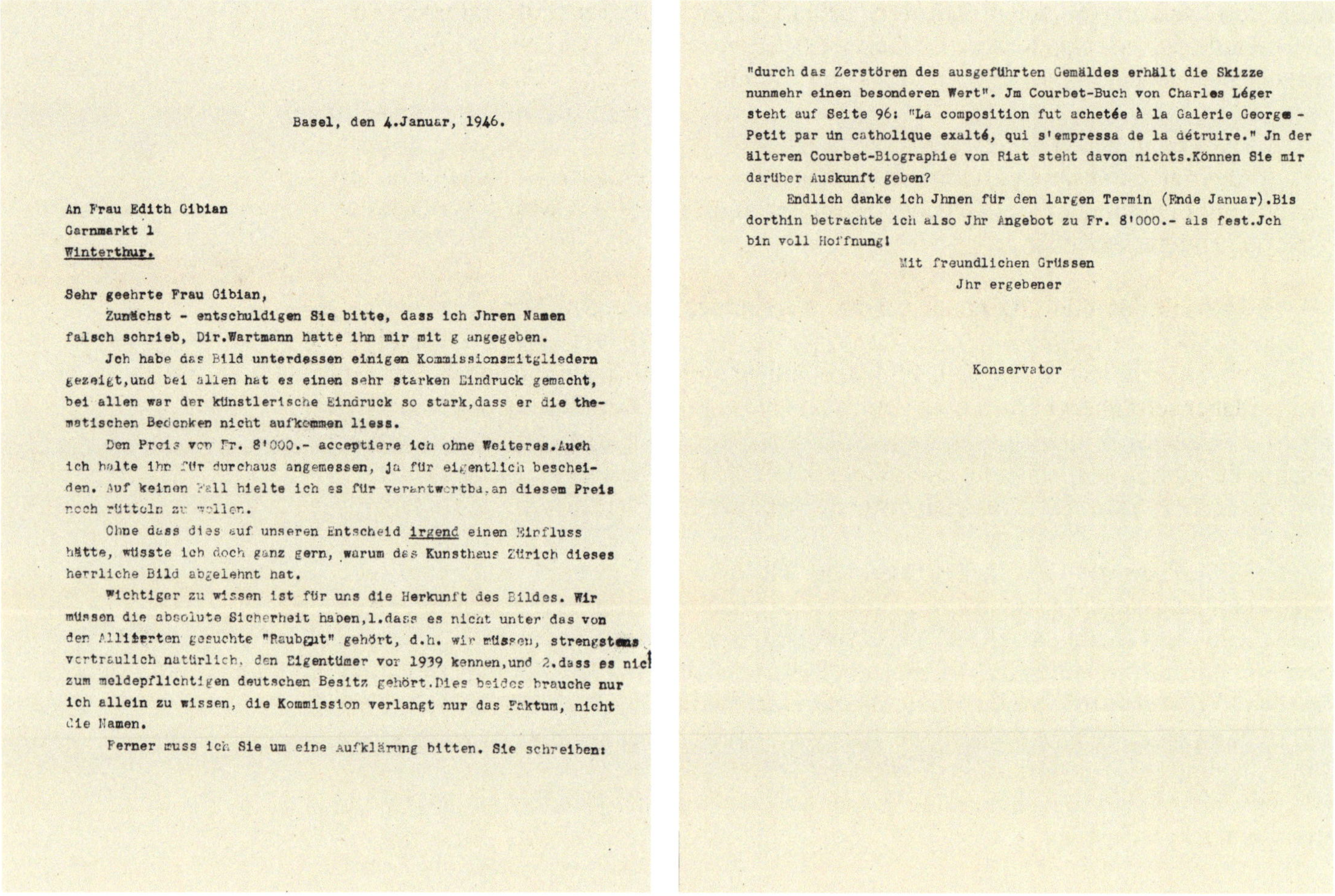

Basel, den 4.Januar, 1946.

An Frau Edith Gibian
Garnmarkt 1
Winterthur.

Sehr geehrte Frau Gibian,

Zunächst - entschuldigen Sie bitte, dass ich Jhren Namen falsch schrieb, Dir.Wartmann hatte ihn mir mit g angegeben.

Ich habe das Bild unterdessen einigen Kommissionsmitgliedern gezeigt,und bei allen hat es einen sehr starken Eindruck gemacht, bei allen war der künstlerische Eindruck so stark,dass er die thematischen Bedenken nicht aufkommen liess.

Den Preis von Fr. 8'000.- acceptiere ich ohne Weiteres.Auch ich halte ihn für durchaus angemessen, ja für eigentlich bescheiden. Auf keinen Fall hielte ich es für verantwortbar,an diesem Preis noch rütteln zu wollen.

Ohne dass dies auf unseren Entscheid irgend einen Einfluss hätte, wüsste ich doch ganz gern, warum das Kunsthaus Zürich dieses herrliche Bild abgelehnt hat.

Wichtiger zu wissen ist für uns die Herkunft des Bildes. Wir müssen die absolute Sicherheit haben,1.dass es nicht unter das von den Alliierten gesuchte "Raubgut" gehört, d.h. wir müssen, strengstens vertraulich natürlich, den Eigentümer vor 1939 kennen,und 2.dass es nicht zum meldepflichtigen deutschen Besitz gehört.Dies beides brauche nur ich allein zu wissen, die Kommission verlangt nur das Faktum, nicht die Namen.

Ferner muss ich Sie um eine Aufklärung bitten. Sie schreiben:

"durch das Zerstören des ausgeführten Gemäldes erhält die Skizze nunmehr einen besonderen Wert". Jm Courbet-Buch von Charles Léger steht auf Seite 96: "La composition fut achetée à la Galerie George - Petit par un catholique exalté, qui s'empressa de la détruire." Jn der älteren Courbet-Biographie von Riat steht davon nichts.Können Sie mir darüber Auskunft geben?

Endlich danke ich Jhnen für den largen Termin (Ende Januar).Bis dorthin betrachte ich also Jhr Angebot zu Fr. 8'000.- als fest.Jch bin voll Hoffnung!

Mit freundlichen Grüssen
Jhr ergebener

Konservator

Abb.3a/b: Brief von Georg Schmidt an Edith Gibian, 4. Januar 1946

Das Einholen der genauen Provenienz eines Kunstwerks war in dieser Form ein Novum in der Ankaufsgeschichte des Kunstmuseums Basel. Schmidts erster Punkt, die Frage nach dem «Eigentümer vor 1939», bezieht sich auf den kurz zuvor, am 10. Dezember 1945, vom Schweizer Bundesrat erlassenen Raubgutbeschluss. Dieser gab bestohlenen Vorkriegseigentümer:innen das Recht, die Rückgabe von «beweglichen Sachen», worunter Kunstgegenstände und sonstige Vermögenswerte fielen, zu fordern und diese, auch gegenüber gutgläubigen Erwerber:innen, vor der eigens eingerichteten Raubgutkammer des Schweizerischen Bundesgerichts einzuklagen. Als «Raubgut» definiert wurden dabei, gemäss Artikel 2, Güter, die zwischen Kriegsanfang und -ende in Deutschland oder in den von Deutschland besetzten Gebieten beschlagnahmt oder direkt entzogen worden waren. Hieraus ergab sich unter anderem für die Museen eine Verpflichtung, im Bedarfsfall nicht nur Auskunft bezüglich vergangener Ankäufe zu erteilen, sondern sich bei Verdacht auf einen Raubgutzusammenhang auch bei aktuell angebotenen Kunstwerken aktiv nach deren Historie zu erkundigen und Meldung bei der Schweizerischen Verrechnungsstelle zu machen.[8]

In seinem zweiten Punkt bezieht sich Schmidt auf den bereits vor Kriegsende, am 16. Februar 1945 verabschiedeten Bundesratsbeschluss, mit dem in der Schweiz lagernde deutsche Vermögenswerte gesperrt und damit vom Transfer ausgeschlossen wurden. Ab dem 29. Mai 1945 galt die Auflage, diese bei der Schweizerischen Verrechnungsstelle zu melden. Da auch dieser Beschluss Kunstgegenstände einschloss, waren hiervon ebenfalls Museen, private Sammler und Kunsthändler betroffen.[9]

In ihrer Antwort vom 6. Januar 1946 konnte Edith Gibian Georg Schmidt beruhigen: Das Bild befinde sich seit vielen Jahren in Besitz der Familie ihrer verstorbenen Schwägerin, «[...] die als Schweizer Rückwanderin im Jahre 43 in die Schweiz zurückkehrte», und sei «ordnungsgemäss beim Eintritt in die Schweiz verzollt» worden.[10] Mit diesen Informationen gab sich Schmidt zufrieden.

Mehr als zufrieden war er zudem mit den Preisvorstellungen der Anbieterin. Bei der ersten Vorstellung des Bildes vor der Kunstkommission kommentierte er das Angebot folgendermassen:

> «Als ich das Bild angeboten bekam rechnete ich mit einem Preis von Fr. 25'-30'000.- im Hinblick auf gute Landschaften gleichen Formates. Dr. Lichtenhan nannte ebenfalls Fr. 25'000.- und bezeichnete die Qualität als vorzüglich. Ich war daher sehr überrascht, als ich den Preis, Fr. 8'000.- erfuhr.»[11]

Auch Edith Gibian gegenüber brachte Georg Schmidt seine Zustimmung zu dem günstigen Preis zum Ausdruck, wenngleich etwas zurückhaltender formuliert:

> «Den Preis von Fr. 8'000.- acceptiere ich ohne Weiteres. Auch ich halte ihn für durchaus angemessen, ja für eigentlich bescheiden. Auf keinen Fall hielte ich es für verantwortbar an diesem Preis noch rütteln zu wollen.»[12]

In einem Telefongespräch wies er sie offenbar sogar darauf hin, dass sich beim Verkauf an einen privaten Interessenten möglicherweise ein höherer Erlös erzielen liesse. Hierauf Bezug nehmend, bemerkte Edith Gibian in einem Brief vom 16. Februar 1946, dass sie angesichts der Situation der von ihr vertretenen Erben nicht unglücklich wäre über einen höheren Betrag:

> «[...] nach nochmaliger Überlegung scheint es mir, als wenn Sie mir bei unserem neulichen Telephongespräch andeuten wollten, Sie fänden den Preis von 8000 Fr für den Courbet auffallend niedrig und dass ich ev. mehr erzielen könnte, was natürlich für die Erben, meine Neffen, ausserordentlich wichtig wäre, da sie ganz mittellos sind. [...] Sollten Sie es für zulässig halten, mehr zu fordern, beispielsweise 10000 Fr, so bitte ich Sie es zu tun. Natürlich würde ich das Geschäft nicht an dieser Mehrforderung scheitern lassen wollen und bitte Sie daher, nach eigenem Ermessen zu handeln, resp. den zu fordernden Preis von 10000 Fr auf 8000 Fr zu ermässigen.»[13]

Die letzte Formulierung ist verwirrend und zeigt wohl, dass Gibian das Verhandeln nicht leichtfiel. Einerseits wünschte sie sich einen höheren Erlös und hoffte auf Schmidts Unterstützung, um den Preis nachträglich nach oben zu korrigieren. Andererseits sah sie sich an ihr erstes Angebot gebunden, das sie jedoch explizit als Vorzugspreis für ein Museum verstanden wissen wollte, wie sie bereits zu Beginn der Verhandlungen deutlich gemacht hatte:

8. Vgl. Esther Tisa Francini/Anja Heuss/Georg Kreis, Fluchtgut – Raubgut. Der Transfer von Kulturgütern in und über die Schweiz 1933–1955 und die Frage der Restitution, hrsg. v. der Unabhängigen Expertenkommission Schweiz – Zweiter Weltkrieg, Zürich 2001, S. 360–367. Die schweizerische Raubgut-Definition fusste auf der bereits während des Krieges, am 5. Januar 1943, von 17 Staaten unterzeichneten «London Declaration». Der Geltungszeitraum des Schweizerischen Raubgutbeschlusses endete im Dezember 1947, exakt zu dem Zeitpunkt also, als durch die Alliierten in den deutschen Besatzungszonen Restitutionsgesetze eingeführt wurden (S. 327–338).
9. Vgl. ebd., S. 424–426.

10. Vgl. Edith Gibian an Georg Schmidt, 6. Januar 1946, in: KMB, Archiv, O 001.004.009.000.
11. Protokoll der Kunstkommissionssitzung, 5. Februar 1946, S. 140, in: KMB, Archiv, B 001.001.019.000. Der genannte Lucas Lichtenhan (1898–1969) war seit 1925 als Kunsthändler in Basel tätig, bevor er 1935 zum Konservator der Kunsthalle Basel gewählt wurde.
12. Georg Schmidt an Edith Gibian, 4. Januar 1946, in: KMB, Archiv, O 001.004.009.000.
13. Edith Gibian an Georg Schmidt, 16. Februar 1946, in: KMB, Archiv, O 001.004.009.000.

«Was nun den Preis anbetrifft, so ist derselbe sehr niedrig angesetzt, auch Dir. Wartmann fand ihn durchaus nicht hoch. Ich entdeckte erst später, als ich ihn bereits Dir. W. genannt hatte, dass meine verstorbene Schwägerin (die Besitzerin) als unterstes Limit 10000 Fr fordern wollte. Auch die Erben hatten mit diesem Betrag gerechnet und wenn ich Ihnen gegenüber bei dem erwähnten Betrag von 8000 Fr bleibe, so geschieht dies nur, weil ich das Bild sehr gern an ein Museum verkaufen möchte.»[14]

Schmidt war seinerseits der Kunstkommission verpflichtet und sah in den mittlerweile kurz vor dem Abschluss stehenden Verhandlungen keine Möglichkeit mehr für eine nachträgliche Erhöhung des ursprünglich kommunizierten Preises, auch weil seine Verhandlungspartnerin das Bild im Oktober 1945 schon dem Kunsthaus Zürich zu diesem Preis vorgelegt hatte. Am Tag nach dem erfolgreichen Ankaufsbeschluss erklärte Schmidt sein Vorgehen entsprechend:

«Wie Ihnen mein gestriges Telegramm mitgeteilt hat, ist die dritte Courbet-Ankaufssitzung endlich gut abgelaufen. Es hat sich eine klare Mehrheit für den Ankauf ausgesprochen. Für alle Fälle hatte ich bereits einen ev. privaten Interessenten ‹in Bearbeitung› genommen zu dem von Ihnen genannten Preis von Fr. 10'000.- Der Museumskommission gegenüber war ich an das erstgenannte Museumsangebot gebunden, zumal dies auch das Angebot an das Kunsthaus Zürich war und Zürich selbst zu diesem Preis abgelehnt hatte. Ob unsere Kommission bei einem höheren Angebot zugestimmt hätte, ist heute schwer zu sagen, trotzdem wir zugegebenermassen überzeugt sind, dass wir das Bild billig gekauft haben. Ich halte beides für möglich: dass das Bild auch bei höherem Preis verkauft worden wäre wie dass es bei höherem Preis ‹sitzen geblieben› wäre.»[15]

Schmidts Spielraum bei den Verhandlungen der Kunstkommission war sicher nicht allzu gross, da die Frage der Qualität und der Authentizität unter den Mitgliedern bis zuletzt kontrovers diskutiert wurde und er einige Überzeugungsarbeit leisten musste, ehe der Ankauf schliesslich mit 5:2 Stimmen beschlossen wurde.[16] Ähnliche Diskussionen hatte es im Herbst zuvor auch in der Ankaufskommission des Kunsthauses Zürich gegeben. Dort war es die als zu skizzenhaft kritisierte Malweise, die letztlich zur Ablehnung führte.[17]

Bei dem in den ersten Monaten des Jahres 1946 abgeschlossen Ankauf lässt sich insgesamt von einem mit aller gebotenen Transparenz und dem Bemühen um Korrektheit durchgeführten Geschäft sprechen, das auf keiner der beiden Seiten Unmut hinterliess. Und doch gibt es Details in der in sachlichem Ton verfassten Korrespondenz, die aufmerken lassen: Da ist einerseits der Hinweis Edith Gibians, die im August 1945 verstorbene Eigentümerin sei 1943 als «Rückwanderin» aus Deutschland in die Schweiz zurückgekehrt, andererseits die Erwähnung von deren beiden mittellos in Palästina lebenden Neffen, zu deren Gunsten der Verkauf getätigt wurde. Besonders der zweite Punkt bot Anlass zu der Frage, wer die Personen auf Verkäuferseite eigentlich waren.

Abb.4: Theda Stückgold-Schayer und ihre Mutter Nanette Schayer, geb. Marckwald, Berlin, um 1930

THEDA STÜCKGOLD-SCHAYER (1890–1945).
EINE BERLINERIN MIT SCHWEIZER PASS

Berlin bis 1943

Der Name der verstorbenen Eigentümerin des Gemäldes, Theda Stückgold Kornelius, geht aus dem Briefwechsel zwischen ihrer Schwägerin Edith Gibian und Georg Schmidt hervor.[18] Sowohl im Schweizerischen Bundesarchiv als auch in den Archiven ihrer ursprünglichen Heimatstadt Berlin finden sich umfangreiche Aktenbestände zu ihrem Leben. In letzteren wird sie meist unter dem Namen ihres ersten Ehemanns als Theda Schayer oder Stückgold-Schayer geführt,[19] weshalb nachfolgend der Doppelname Stückgold-Schayer verwendet werden soll. Aus den Archivalien ergibt sich ein von der nationalsozialistischen Verfolgung geprägtes Familienschicksal.

Theda Stückgold-Schayer (Abb. 4) wurde am 22. Januar 1890 in Berlin geboren. Am 13. August 1945 verstarb sie in Zürich. Ihr Vater Max Kohn (1854–1923), der seinen Nachnamen im Jahr 1900 in Kornelius ändern liess, war Justizrat in Berlin.[20] Über ihre Mutter Nanette (Netty), geb. Marckwald (1864–1938), war sie unter anderem mit der Künstlergattin Martha Liebermann (1857–1943) verwandt. Die Schweizer Staatsbürgerschaft erlangte Theda durch ihre 1939 geschlossene zweite Ehe mit dem ebenfalls jüdischen Kaufmann Kurt David Stückgold (1886–1944). Aus Angaben ihrer Enkel geht hervor, dass es sich um eine taktische Eheschliessung handelte, für die Theda dem künftigen Gatten 10.000 RM zahlte.[21] Dass Theda einen weitaus vermögenderen Hintergrund hatte als Kurt Stückgold, lässt allein schon der kurz nach der Heirat geschlossene Vertrag zur vollständigen Gütertrennung erahnen, der jegliches Verwaltungs- und Nutzungsrecht des Ehemannes am Vermögen seiner Frau ausschloss.[22] Die Schweizerische Staatsangehörigkeit verlieh Theda Stückgold-Schayer, die nach der Definition der Nürnberger Rassengesetze als «Volljüdin» galt, einen gewissen Schutz.[23] In die Schweiz aus- beziehungsweise im Fall von Kurt «rückzuwandern», war für die Eheleute aber zunächst offenbar keine Option, denn auch Kurt Stückgold hatte fast sein gesamtes Leben in Berlin verbracht und besass keine tiefere Beziehung zu seinem Herkunftsland.[24]

In erster Ehe war Theda mit dem Verleger Fritz Schayer (1888–1928) verheiratet gewesen (Abb. 5). Dieser war Mitinhaber des Kiepenheuer Verlags und Leiter des Kiepenheuer Bühnenvertriebs. Wie seine Frau gehörte er einer äusserst wohlhabenden Familie jüdischer Herkunft an. Im Berlin der Zwischenkriegszeit unterhielt das Ehepaar ein

Abb. 5: Theda und Fritz Schayer, Rügen, vor 1914

14. Edith Gibian an Georg Schmidt, 4. Januar 1946, in: KMB, Archiv, O 001.004.009.000.

15. Georg Schmidt an Edith Gibian, 20. Februar 1946, in: KMB, Archiv, O 001.004.009.000.

16. Vgl. Protokolle der Kunstkommissionssitzungen, 12. Februar 1946 und 19. Februar 1946, S. 144–147, in: KMB, Archiv, B 001.001.019.000.

17. Vgl. Edith Gibian an Georg Schmidt, 6. Januar 1946, in: KMB, Archiv, O 001.004.009.000.

18. Vgl. Edith Gibian an Georg Schmidt, 6. Januar 1946, in: KMB, Archiv, O 001.004.009.000.

19. Der Name Schayer wird von ihren Söhnen aus erster Ehe geführt und von ihnen in den Wiedergutmachungs- und Entschädigungsakten jeweils als Nachname ihrer Mutter angegeben.

20. Vgl. Heiratsurkunde Max Kohn und Nanette Marckwald, 20. April 1885, mit handschriftlichem Nachtrag zur erfolgten Namensänderung vom 27. März 1900, in: LA Berlin, Heiratsregister der Berliner Standesämter 1874–1936, Nr. 203.

21. Vgl. E-Mail von Thedas Enkel Thomas Schayer an Katharina Georgi-Schaub, 11. Juni 2020.

22. Vgl. Abschrift des Vertrags zur Gütertrennung vom 20. Mai 1939, in:

LA Berlin, B Rep. 025-03, Nr. 2478/50 (Konrad Schayer), S. 13–18.

23. Vgl. Bevollmächtigter Otto Crome an das Entschädigungsamt, Berlin, 8. Dezember 1957, in: LABO Berlin, Reg. Nr. 170965, M10.

24. David Kurt Stückgold wurde 1886 als Sohn russischer Einwanderer jüdischer Herkunft staatenlos in Berlin geboren. Die deutsche Staatsbürgerschaft erwarb er nicht. Nach längerem Aufenthalt in Basel liess er sich in Starrkirch/Wil (Kanton Solothurn) einbürgern und leistete in der Schweiz Militärpflichtersatz. Bereits 1915 kehrte er nach Berlin zurück. Im September 1935 bat er die Schweizer Gesandtschaft um Unterstützung wegen Boykottmassnahmen gegen das Geschäft seiner ersten Ehefrau in Berlin. Die Behörden beklagten, dass sich ausser dem Heimatschein und dem Schweizer Pass bei Stückgold, wie bei vielen in Deutschland lebenden Juden mit Schweizer Nationalität, kaum ein Schweiz-Bezug feststellen lasse. Im November 1935 bat Stückgold erneut um Hilfe, diesmal bei der Suche nach einem Ausbildungsplatz in der Schweiz für seinen Sohn Heinz (*1920–?). Vgl. Schweizerische Gesandtschaft an den Minister der Abteilung für Auswärtiges, Bern, 17. und 30. September 1935 sowie Kurt David Stückgold an die Schweizerische Gesandtschaft, Berlin, 11. November 1935, in: BAR, E2001C#1000/1534#2387*.

offenes Haus, in dem Intellektuelle, Künstler:innen und politisch eher dem linken Spektrum zugeneigte Persönlichkeiten ein- und ausgingen. Hier wurde rege über Politik, Kunst und Literatur diskutiert. «Was diese Menschen untereinander gemeinsam hatten, war vor allem eins:», so die Publizistin Margarethe Buber-Neumann (1901–1989), «sie waren allem Neuen aufgeschlossen, sie waren modern, sie waren Kinder des Nachkriegsjahrzehnts.»[25]

Aus der Ehe mit Fritz Schayer stammten die in der Ankaufskorrespondenz erwähnten zwei Söhne, denen der Verkaufserlös des Courbet-Gemäldes zugutekommen sollte. Beide, Ott-Hermann (1918–2000) und Konrad (1920–2014), waren 1939 aufgrund des Studienverbots für jüdische Bürger:innen und der sich infolge der «Reichspogromnacht» massiv zuspitzenden anti-jüdischen Massnahmen nach Palästina ausgewandert.[26]

In einem Brief vom April 1945 schildert Theda Stückgold-Schayer einer in London lebenden Kusine, wie sie nach ihrer zweiten Heirat über Jahre hinweg jüdische Freunde und Verwandte in ihrer Berliner Wohnung versteckte. Letztlich waren jedoch alle Versuche, den eigenen geschützten Status auf ihre Angehörigen auszudehnen, vergeblich. Dies zeigt das Beispiel von Eleonore (Ellen) Schayer, geb. Elkes (1862–1942), der Mutter ihres verstorbenen ersten Ehemanns. Nach der Ausweisung aus ihrer Wohnung lebte sie bei ihrer Schwiegertochter, wo sie sich am 10. Juni 1942, unmittelbar nach Erhalt des Deportationsbefehls, das Leben nahm (Abb. 6).[27]

Abb. 6: Stolperstein für Eleonore Schayer, Ludwigkirchstrasse 8, Berlin-Wilmersdorf

Eleonore Schayer hatte bis zum Beginn der diskriminierenden Massnahmen der Nationalsozialisten einen mondänen Lebensstil gepflegt.[28] In ihrem kurz vor ihrem Freitod geänderten Testament setzte sie, anstelle ihrer drei inzwischen ins Ausland geflüchteten Kinder, ihre Schwiegertochter (zu drei Vierteln) und den nicht-jüdischen Dr. Otto Crome (zu einem Viertel) ein.[29] Crome, dessen Familie zum engen Freundeskreis von Eleonore Schayer zählte, hatte sich um die Vermögensverwaltung für sie und später für ihre Erben gekümmert.[30] Eleonore Schayers gehobenen Vermögensverhältnisse gehen aus den Wiedergutmachungsanträgen hervor,[31] besonders anschaulich aus der als Anlage beigefügten eidesstattlichen Versicherung von Crome. Darin beschreibt er die exquisite Ausstattung der 8-Zimmer-Wohnung in der Ludwigkirchstrasse, die Eleonore Schayer im Mai 1939 auf Geheiss der Behörden aufgeben musste. Er zählt Orientteppiche, antike Kunstgegenstände, Uhren sowie wertvolle Gemälde auf.[32]

Die erwähnte Erbschaftsregelung von Eleonore Schayer sollte das Vermögen vor dem Zugriff der Nationalsozialisten schützen.[33] Sie erwies sich jedoch als wirkungslos: Unmittelbar nach Bekanntwerden des Suizids versiegelte die Gestapo Eleonores Zimmer in der Wohnung der Schwiegertochter und beschlagnahmte das Inventar. Ihr Bankguthaben wurde ebenfalls eingezogen. Die wiederholten Anträge auf Freigabe an die Erben wurden mit dem Hinweis auf die Gesetze zur «Einziehung kommunistischen und volksfeindlichen Vermögens» abgelehnt. Weder der nicht-jüdische Hintergrund von Otto Crome noch die Schweizer Staatsbürgerschaft von Theda Stückgold-Schayer konnten hieran etwas ändern.[34]

Aus den Wiedergutmachungs- und Entschädigungsakten der Familie geht hervor, dass Theda Stückgold-Schayer durch ihre Ende April 1939 geschlossene Ehe mit einem Schweizer zwar von der direkten Verfolgung ausgenommen, in vermögensrechtlicher Hinsicht jedoch weiterhin von den diskriminierenden Massnahmen gegen Juden betroffen war. So musste sie neben den Gold- und Silberabgaben auch die Ende 1938 eingeführte Judenvermögensabgabe vollumfänglich zahlen.[35] Im Herbst 1939 und erneut im

Frühjahr 1940 versuchte sie vergeblich, Einspruch gegen die Entrichtung der fünften Rate zu erheben, in dem sie sich auf ihre mittlerweile erlangte Schweizer Staatsbürgerschaft berief. Die von ihr gezahlte Judenvermögensabgabe berechnete sich auf 22.000 RM;[36] hinzu kamen insgesamt 3.600 RM für ihre beiden Söhne.[37]

Ausweisung und Emigration in die Schweiz

Anfang 1943 wurden Theda und Kurt Stückgold von der Gestapo aus Deutschland ausgewiesen. Am 2. April 1943 emigrierten sie in die Schweiz und liessen sich in Zürich nieder, wo Kurt, der bereits vor seiner Abreise einen schweren Schlaganfall erlitten hatte, am 26. Januar 1944 starb. In Zürich lebte Theda Stückgold-Schayer in einfachen Verhältnissen, meist in Pensionen, und wechselte mehrfach die Adresse. Bis Ende 1944 konnte sie noch auf Mieteinnahmen aus einem von ihrem Vater ererbten Anteil an einer Liegenschaft in Breslau zurückgreifen, die jedoch mit dem Vorrücken der Roten Armee und der Evakuierung der Stadt ab Januar 1945 entfielen.[38]

Theda Stückgold-Schayers finanzielle Situation wurde nun zunehmend prekär: Der Oberfinanzpräsident Berlin hatte im September 1943 bei der Gestapo um Feststellung des Verfalls als jüdisches Vermögen an das Deutsche Reich aufgrund der «11. Verordnung zum Reichsbürgergesetz» ersucht. Wenngleich diese auf Theda Stückgold-Schayer als Schweizer Bürgerin seit April 1939 nicht mehr anwendbar war, so blieb ihr doch der freie Zugriff auf ihre Konten verwehrt.[39] Grund hierfür war das bereits 1931 von deutscher Seite erlassene allgemeine Ausfuhrverbot für ausländische Vermögen. Zwar hatte die Schweiz 1937 mit NS-Deutschland ein Abkommen geschlossen, das den Transfer der Vermögen für in die Schweiz zurückgekehrte (meist jüdische) Auslandsschweizer ermöglichte, wenn auch mit erheblichen Einbussen aufgrund der ungünstigen Wechselkursvereinbarungen. Bereits vor dem Krieg blieben die Transfermöglichkeiten allerdings weit hinter den Anträgen zurück und gestalteten sich in den späteren Kriegsjahren zunehmend schwierig. Die deutsche Regierung erhöhte nochmals den Druck auf die verbliebene ausländische jüdische Bevölkerung, das Land zu verlassen, verschärfte dabei jedoch zugleich die Regelung für den Vermögenstransfer.[40]

25. Margarethe Buber-Neumann, Von Potsdam nach Moskau. Stationen eines Irrwegs, Stuttgart 1957, S. 113-114.

26. Vgl. Lebensläufe von Konrad Schayer, 23. Januar 1956, in: LABO Berlin, Reg. Nr. 28909, E18-E21, und von Ott-Hermann Schayer, 15. Januar 1956, in: LABO Berlin, Reg. Nr. 170665, E10-11.

27. Theda Stückgold-Schayer an «cousin Trude», 2. April 1945, in: Privatarchiv Familie Schayer.

28. Wenige Tage vor ihrem Freitod verfasste Eleonore Schayer einen Abschiedsbrief an ihre Kinder und Enkel, dem sie ihre im Oktober 1933 verfassten Memoiren beigab. Daraus geht die gesellschaftliche Vernetzung der Familie in den höchsten Kreisen Berlins sowie ihr internationaler Horizont hervor. Herzlichen Dank an Thomas Schayer, Köln, für die Möglichkeit zur Einsichtnahme in dieses persönliche Dokument aus dem Familienarchiv.

29. Vgl. Abschrift des Erbvergleichs, o.D., Anlage zum Schreiben von Rechtsanwalt Hille an die alliierte Militärregierung, 26. September 1951, in: LA Berlin, B Rep. 025-03, Nr. 3547/50 (Eleonore Schayer), S. 7-8.

30. Nach dem Krieg übernahm Otto Crome, inzwischen Regierungsrat im fränkischen Ansbach, die gesetzliche Vertretung aller Familienmitglieder vor den Wiedergutmachungs- und Entschädigungsämtern.

31. Allein der Wert der von ihr zwangsweise abgelieferten Gold- und Silbergegenstände belief sich auf über 30.000 RM. Bei ihrem Tod belief sich das noch verfügbare Vermögen auf 100.000 RM. Vgl. Rechtsanwalt Karl Hille an den Treuhänder der Militärregierung, 29. September 1951, Punkt 3, in: LA Berlin, B Rep. 025-03, Nr. 3547/50 (Eleonore Schayer).

32. Vgl. Otto Crome: Eidesstattliche Versicherung, 10. Januar 1952, in: LA Berlin, B Rep. 025-03, Nr. 3547/50 (Eleonore Schayer), S. 25. Vor dem Haus wurde im Jahr 2013 ein Stolperstein zum Andenken an Eleonore Schayer und ihr Schicksal verlegt.

33. Die Erbschaftsregelung wurde nach dem Krieg im gegenseitigen Einvernehmen aller erbberechtigten Parteien rückgängig gemacht. Vgl. Abschrift des

Erbvergleichs, o.D., Anlage zum Schreiben von Rechtsanwalt Hille an die Alliierte Militärregierung, 26. September 1951, in: LA Berlin, B Rep. 025-03, Nr. 3547/50 (Eleonore Schayer), S. 7-8.

34. Vgl. Bescheid der Gestapo, 15. Juli 1942, in: BLHA, 36A G 33530 (Eleonore Schayer), Bl. 3 sowie Otto Crome: Eidesstattliche Versicherung, 10. Januar 1952, mit Kopie eines Schreibens des Oberfinanzpräsidenten, 7. Mai 1943, in: LA Berlin, B Rep. 025-03, Nr. 3547/50 (Eleonore Schayer), S. 25-26.

35. Vgl. Otto Crome an Entschädigungsamt Berlin, 8. Dezember 1957, in: LABO Berlin, Reg. Nr. 170965, M27.

36. Vgl. Antrag auf Entschädigung des Schadens an Vermögen, unterzeichnet von Dr. Karl Hille, 28. Oktober 1952, v.a. Bemerkung zu Punkt 3a). Beigelegt sind u.a. Theda Stückgold-Schayers Schreiben an das Finanzamt Charlottenburg sowie eine eidesstattliche Versicherung von Walter Freund, 25. Dezember 1951, einem engen Vertrauten der Familie, in: LABO Berlin, Reg. Nr. 170965, D1f. und D15.

37. Vgl. Anmeldung von Ansprüchen beim Entschädigungsamt Berlin für Ott-Hermann und Konrad Schayer in eigener Sache sowie als Erben nach Theda Stückgold-Schayer, 5. Februar 1952, in: LABO Berlin, Reg. Nr. 170965, D17-D21, Punkt AA 1c.

38. Vgl. Anträge des Rechtsanwalts Bruno Sarkam, Berlin, an den Oberfinanzpräsidenten Berlin, betreffend Auszahlung der Mieteinnahmen an Theda Stückgold-Schayer von April 1943 bis Januar 1945, in: BLHA, 36A G 3599 (Theda Stückgold, Schweiz).

39. Vgl. Regierungsrat Otto Crome an Schweizerische Verrechnungsstelle, 30. September 1951, in: BAR, E2001E#1969/121#5765*, o. S.

40. Vgl. Valérie Boillat/Marc Perrenoud u.a., Die Schweiz und die Flüchtlinge, hrsg. v. der Unabhängigen Expertenkommission Schweiz - Zweiter Weltkrieg, 2. Aufl. Zürich 2001, S. 137-142, und Stefan Frech, Clearing. Der Zahlungsverkehr der Schweiz mit den Achsenmächten, hrsg. v. der Unabhängigen Expertenkommission Schweiz - Zweiter Weltkrieg, Zürich 2001, S. 269-270.

Theda Stückgold-Kornelius   Zürich 7,d.24.März 1945.
                                             Schönleinstr.8.

An das
Eidgenössische Politische Departement
Abteilung für Auswärtiges.

B e r n.

        Betr. C.43.A.470.1 - ZU.
        Sektion für Rechtswesen und private Vermögensinteressen
                    im Auslande.

        Ich danke Ihnen für Ihr Schreiben vom 21.März. Ihre Mitteilung
    besonders die zu gleicher Zeit eintreffende Nachricht meiner
    Bank ,E.I.Meyer, Berlin, haben mich sehr bestürzt, da letztere
    mir zur Kenntnis bringt, daß am 17.2. der von ihr am 31.I.45
    auf das Giro der Dresdner Bank eingezahlte Betrag von 1'300 RM
    z.G. der Schweizerischen Gesandtschaft von ihr wieder zurückge-
    zahlt worden sei, mit dem Bemerken, daß die Gesandtschaft z.Zt.
    kein Geld mehr zur Transferierung annimmt.

        Ich habe fest damit gerechnet, daß mein nun schon seit 6 Monaten
    laufender Antrag noch berücksichtigt werden würde, auch wurde
    mir dies bei meinen vielen Nachfragen bei der Verrechnungsstelle
    tröstend versichert.

        Ich erlaube mir, Ihnen die Bitte und Anfrage zu unterbreiten,
    ob nicht ausnahmsweise wenigstens die jetzt zurückgezahlten
    1'300 RM noch transferiert werden könnten und begründe dies wie
    folgt:

        Wie Sie aus beiliegenden Copien ersehen können,habe ich bereits
    am 13.Sept. den Antrag auf einen kleinen Kapitaltransfer im
    Anschluss an den mir und meinem verstorbenen Mann bereits 1943
    bewilligten Rückwanderer-Transfer gestellt. Die mir dann am
    12.Okt. zugestellten Fragebogen habe ich umgehend ausgefüllt.
    Da man meine Lage bei der Verrechnungsstelle kannte, wurde mir
    entgegenkommenderweise Berücksichtigung zugesagt.

        Das Schreiben der Schweizerischen Gesandtschaft, das ich durch
    Ihre Vermittlung erhielt, gab ich umgehend dort ab. Hierdurch
    wurde nochmals eine Rückfrage über Höhe des zu transferierenden
    Kapitals notwendig, die ich sofort bei der Verrechnungsstelle
    beantworten konnte,da ich mich gerade, wie ich es häufig zu tun
    pflegte, nach dem Stand meiner Angelegenheit dort erkundigte.

        Am 5.Januar 45 wurde mir von der Verrechnungsstelle mitgeteilt,
    daß ich meine deutsche Bankverbindung beauftragen möge, die
    Überweisung des Betrages bei Vorliegen der Devisengenehmigung
    auf das Rückwandererkonto der Gesandtschaft vorzunehmen.
    Die Einzahlung seitens der Bank ist dann auch sofort nach Erhalt
    der Genehmigung durchgeführt worden.

        Es ist also nicht mein Verschulden noch das meiner Berliner
    Vertreter,die sich ihrerseits bereits vor der Erteilung der
    Zustimmungserklärung mit der Gesandtschaft in Verbindung ge-
    setzt hatten und ihr meine Aktennummer bei der Devisenstelle
    mitgeteilt haben, daß es so lange dauerte, bis die Einzahlung
    erfolgen konnte.

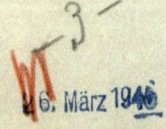

                                                    26. MRZ. 1945

Abb. 7 a/b: Brief von Theda Stückgold-Schayer an die Abteilung für Auswärtiges,
Eidgenössisches Politisches Departement in Bern, 24. März 1945

- 2 -

Ich selbst habe bisher in bescheidenen aber doch guten Verhältnissen leben können, da ich bis Dezember 1944 Mieten aus einem
in Breslau gelegenen Hausgrundstück überwiesen bekam. Da ich mit
Aufhören dieses Transfers rechnete, stellte ich bereits im September 1944 den Antrag auf Genehmigung eines kleinen Kapitaltrans-
fers. Ein mir gehörendes größeres Vermögen (Erbschaft) ist z.Zt.
noch nicht von der Gestapo freigegeben worden. - Aus den mir
überwiesenen Beträgen unterstützte ich meinen als Automechaniker
oftmals arbeitslosen Stiefsohn, dessen Ehefrau und 3 jährigen
Sohn, sodaß die Familie keine öffentliche Unterstützung in Anspruch zu nehmen brauchte.

Da ich fest mit der Transferierung von 3'000 RM rechnete, habe
ich geldliche Verpflichtungen im Interesse meines Stiefsohns
übernommen, die ich nun,falls ich selber auf die Hilfeleistung
an Rückwanderer angewiesen bin, nicht erfüllen könnte.

Ich stehe im 56.Lebensjahr und bin Witwe. Ausser gelegentlich
durchgeführte wissenschaftliche Hilfsarbeiten bin ich noch nie
beruflich tätig gewesen. Ich bemühe mich nun seit einigen Wochen
beim hiesigen städtischen Arbeitsamt um Arbeit, doch konnte mir
noch keine feste Arbeit vermittelt werden. Auch durch Schreib-
maschinenarbeiten auf der städt.Schreibstube konnte ich wegen
Arbeitsmangel keinen nennenswerten Betrag für meinen Lebensunterhalt verdienen.

Da ich niemanden habe, der mir beistehen könnte, wäre mir die
 Auszahlung des kleinen Betrags von 1'240 Fr. sehr wesentlich,
damit ich nicht sofort nur auf die Hilfe der Polizeiabteilung
des Eidgenössischen Justiz- und Polizeidepartements angewiesen
wäre.

Ich bitte Sie, aus allen vorgenannten Gründen zu erwägen, ob es
nicht möglich wäre, die Schweizerische Gesandtschaft aus nahms-
weise anzuweisen, das kleine vor Erlass der Sperrverfügung bereits eingezahlte Kapital anzunehmen, zumal der Transfer von
meinen Vertretern und von mir bereits vor ca 6 Monaten beantragt
worden ist.

Indem ich auf einen wohlwollenden Bescheid Ihrerseits hoffe,
danke ich Ihnen für alle Bemühungen

            mit vorzüglicher Hochachtung

            Theda Stückgold-Kornelius.

Anbei 3 Anlagen, um deren Rücksendung ich bitte.

Aus der im Bundesarchiv erhaltenen Korrespondenz zwischen dem Aussenministerium (Eidgenössisches Politisches Departement/EPD) in Bern, der Schweizerischen
Verrechnungsstelle in Zürich, der Schweizerischen Gesandtschaft in Berlin sowie den
Schreiben der Betroffenen selbst geht hervor, wie Theda Stückgold-Schayer sich bereits
vor der Auswanderung und dann nach ihrer Ankunft intensiv darum bemühte, ihre ge-
sperrten Bankguthaben in die Schweiz zu überführen. Die Schweizerische Verrechnungsstelle und die Schweizerische Gesandtschaft verwendeten sich zwar prinzipiell für ihren
Fall, der Transfer musste jedoch durch das deutsche Reichswirtschaftsministerium
freigegeben werden, was zunächst nicht geschah.[41] Im September 1944 stellte Theda
Stückgold-Schayer über die Schweizerische Verrechnungsstelle erneut einen Antrag auf
Bewilligung eines sog. Rückwanderertransfers.[42] Während die beteiligten Stellen die Zuständigkeiten untereinander hin- und herschoben, vergingen Monate. Im Januar 1945
stand endlich eine Auszahlung in Aussicht, die, obgleich von deutscher Seite bereits veranlasst, noch im letzten Moment blockiert wurde. Als Begründung schrieb die Abteilung
für Auswärtiges des EPD:

> «Das starke Ansteigen der zum Rückwanderertransfer angebotenen Reichsmark
> einerseits und der Rückgang der für die Auszahlung zur Verfügung stehenden
> Schweizerfrankenmittel andererseits haben zur Folge gehabt, dass dieses Ver-
> fahren bis auf weiteres eingestellt werden musste».[43]

Es war also letztlich die Schweizerische Devisenpolitik, die Theda Stückgold-Schayers
Hoffnungen auf das Wiedererlangen ihrer Finanzmittel ein Ende setzte. Aus ihrer Reaktion auf diese Nachricht spricht Fassungslosigkeit und Verzweiflung (Abb. 7 a/b). Hatte
sie zuvor mit ihren Einkünften noch ihren Stiefsohn und dessen Familie unterstützt, musste sie nun, da die regelmässigen Mietzahlungen aus Breslau ausblieben und das Arbeitsamt ihr keine Verdienstmöglichkeit vermitteln konnte, die Schweizerische Fürsorge für
Rückwanderer in Anspruch nehmen.[44] Wenige Monate darauf erlitt sie während einer Behandlung in einer Zürcher Arztpraxis eine Hirnblutung, der sie am 13. August 1945 erlag.

LE RETOUR DE LA CONFERENCE

Transfer in die Schweiz

Unter die Sperrung ihrer Vermögenswerte durch die Reichsbehörden bei der erzwungenen
Ausreise aus Deutschland fiel ausser den eigenen und ererbten Konten und Wertschriften
auch Theda Stückgold-Schayers Wohnungseinrichtung. Den Wiedergutmachungs- und
Entschädigungsakten zufolge war die grosse Wohnung in der Mommsenstrasse 55 mit
wertvollem Mobiliar ausgestattet gewesen.[45] In der Hoffnung, es zu einem späteren Zeitpunkt in die Schweiz nachzuholen, hatte Theda Stückgold-Schayer ihr Inventar bei der
Spedition Johann L. Klindworth in Berlin-Wilmersdorf einlagern lassen. Auf einer der

41. Vgl. Schweizerische Verrechnungsstelle an den Legationsrat, 13. Mai 1943,
und Schweizerische Gesandtschaft an EPD, Abt. Auswärtiges, Bern, 31. Mai
1943, beides in: BAR, E2001-08#1978/107#1692*, o. S.
42. Vgl. Theda Stückgold-Kornelius [sic] an Schweizerische Gesandtschaft,
Berlin, 14. März 1945, in: BAR, E2001-08#1978/107#1692*, o. S.
43. EPD, Abt. Auswärtiges, Bern, an Theda Stückgold-Kornelius [sic], 3. April
1945, in: BAR, E2001-08#1978/107#1692*, o. S.
44. Theda Stückgold-Kornelius [sic] an EPD, Abt. Auswärtiges, 24. März 1945, in:
BAR, E2001-08#1978/107#1692*, o. S.
45. Vgl. Otto Crome an Entschädigungsamt Berlin, 8. Dezember 1957, in: LABO
Berlin, Reg. Nr. 170965, M27.
46. Vgl. Lagerschein der Firma Klindworth, Nr. 1033, 24. August 1943, in: LABO

Berlin, Reg. Nr. 170965, D7–D8. Das Depot wurde mit einem Gesamtwert von
10.000 RM beziffert, was zum damaligen Zeitpunkt umgerechnet immerhin
rund 17.250 CHF entsprach.
47. Zu Buemming und Fischer vgl. Thomas Buomberger, Raubkunst.
Kunstraub. Die Schweiz und der Handel mit gestohlenen Kulturgütern zur
Zeit des 2. Weltkriegs, hrsg. v. Bundesamt für Kultur und der Nationalen
Informationsstelle für Kulturgüter-Erhaltung, Zürich 1998, S. 173–186, hier bes.
S. 180 sowie Tabelle 6, und Tisa Francini/Heuss/Kreis 2001, S. 150–153.
48. Vgl. Kopie des Einfuhrgesuchs No. 12979, 2. Juli 1943, in: BAR, E7160-
08#1968/28#390*, o. S.
49. Vgl. Theodor Fischer: Antrag an Schweizerische Verrechnungsstelle, 30.
Juni 1943, in: BAR, E7160-08#1968/28#390*, o. S.

Lagerlisten sind unter anderem «Ölbilder» erwähnt, allerdings ohne nähere Angaben zu Anzahl, Titeln oder Massen.[46] Letztlich sollte sie dieses Eigentum nie wiedersehen, da das Möbellager bei einem Bombenangriff in Flammen aufging.

Immerhin gelang es, zwei Gemälde, darunter dasjenige von Courbet, in die Schweiz zu bringen. Nach den ernüchternden Erfahrungen mit den deutschen Reichsbehörden wählte Theda Stückgold-Schayer für den Transport allerdings nicht den offiziellen Weg. Wie genau es dazu kam, lässt sich nicht mehr feststellen. Jedenfalls gelangten die Bilder noch im Sommer 1943 über Theodor Fischer (1878–1857), Inhaber des gleichnamigen Auktionshauses in Luzern, und seinen Geschäftspartner, den in Darmstadt ansässigen Antiquar und Kunsthändler Carl W. Buemming (1899–1963), über die Grenze. Buemming war einer der wichtigsten Einkäufer für das von Hitler geplante «Führermuseum» in Linz. Fischer konnte für ihn in der Schweiz Kunstwerke von gesuchten Künstlern, insbesondere der alten Meister oder des deutschen und schweizerischen 19. Jahrhunderts, besorgen und erhielt im Gegenzug die auf dem deutschen Kunstmarkt weniger gefragte französische Kunst des 19. und frühen 20. Jahrhunderts. Weiterhin nahm er ihm Werke von deutschen Künstlern wie Lovis Corinth oder Max Liebermann ab, die aufgrund ihrer angeblichen «Entartung» oder «rassischen Zugehörigkeit» in Ungnade gefallen waren und vermittelte sie in Schweizer Sammlungen. Für diese Art von Tauschgeschäften hatte Fischer im Frühjahr 1941 eine offizielle Bewilligung sowohl des deutschen Reichswirtschaftsministeriums als auch der Schweizerischen Verrechnungsstelle erwirkt. Zur Abwicklung unterhielt er zusammen mit Buemming ein Sonderkonto bei der Darmstädter Landes- und Nationalbank, über das Ein- und Verkäufe verrechnet wurden. Die einzelnen Transaktionen hatte Fischer dann jeweils von der Schweizerischen Verrechnungsstelle genehmigen zu lassen.[47]

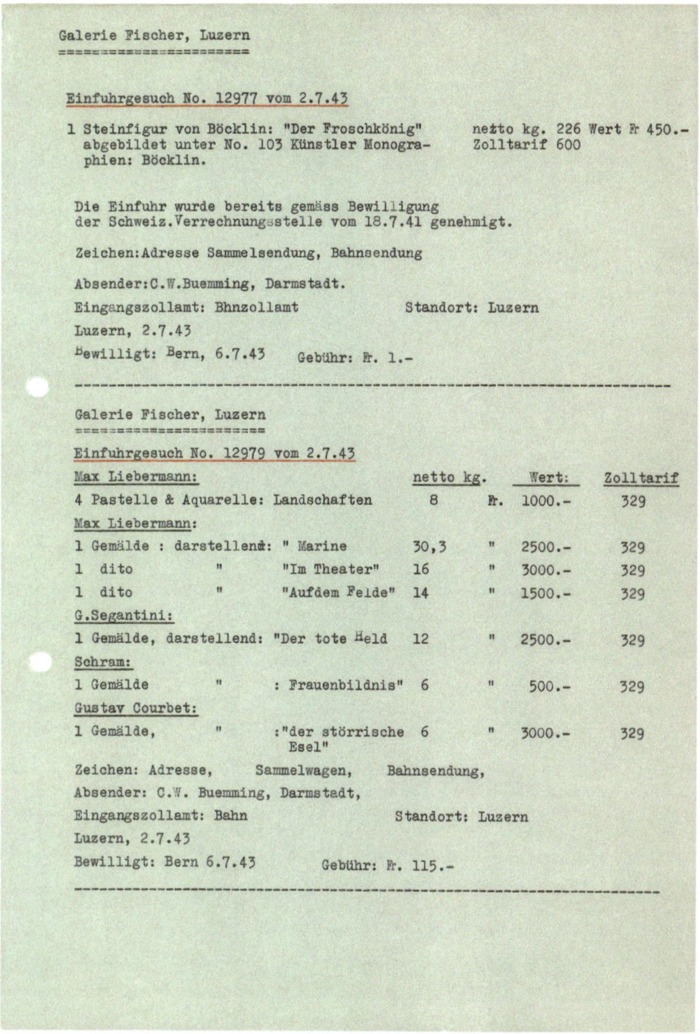

Offenbar nutzte Fischer diesen Weg, der ihm die Abrechnung über das internationale Clearing ersparte, gelegentlich auch dazu, Kunstwerke für Emigrant:innen in die Schweiz zu verbringen. So findet sich der Basler Courbet in einer Sendung von Carl W. Buemming, für die Fischer am 2. Juli 1943 ein Einfuhrgesuch stellte (Abb. 8). Die Liste umfasste, neben vier Pastellen und drei Gemälden von Max Liebermann, je ein Gemälde von Giovanni Segantini und Rudolf Schramm sowie *Der störrische Esel* von Gustave Courbet mit Wertangabe 3.000 CHF.[48] Zwei Tage zuvor hatte Fischer bei der Verrechnungsstelle den dazugehörigen Antrag auf Genehmigung einer einmaligen privaten Verrechnung für den Export von zwei Gemälden von Hans Thoma und Max Slevogt gestellt, dem am 10. Juli 1943 stattgegeben wurde. Als zu verrechnende Importe wurden allerdings lediglich die Liebermann-Werke aufgeführt. Zusätzlich ist eine von Fischer zu entrichtende Zahlung in Höhe von 6.000 CHF auf das Sonderkonto in Darmstadt vermerkt, während der Courbet und die übrigen Werke hier gar nicht genannt werden.[49] Erst bei der Revision der Verrechnungsstelle, die im Zuge der sogenannten Raubgutprozesse ab 1946 vorgenommen wurde, fielen diese Unregelmässigkeiten auf, und Fischer sah sich mit dem

Abb. 8: Einfuhrgesuch der Galerie Fischer, Luzern, mit Erwähnung des Courbet-Gemäldes, 2. Juli 1943

Firma Galerie Fischer KG, Luzern   3. April 1950   8

Dieser Betrag ist, da clearingpflichtig, zu Gunsten einer von Ihnen zu
bezeichnenden deutschen Zahlungsadresse grundsätzlich auf unser "Abwick-
lungskonto Clearing Deutschland" bei der Schweizerischen Nationalbank
einzuzahlen.

Im Übrigen sei festgehalten, dass die Firma Fischer durch
nicht den Tatsachen entsprechende Angaben in ihrem Kompensationsantrag
vom 3.11.1941 durch die Verheimlichung von Einfuhren und im Zusammenhang
damit durch die Vornahme einer von unserer Stelle nicht bewilligten Wa-
renkompensation den Bestimmungen über den gebundenen Zahlungsverkehr zu-
widergehandelt hat.

7) Kompensation vom 10.7.1943 mit Herrn W.Bueming, München.

Am 3.7.1943 wurde uns folgendes Kompensationsgesuch unterbrei-
tet:
    Import: diverse Gemälde, Pastelle und Aquarelle
            von Liebermann,
            je ein Segantini, Schramm, Courbet, Bal-
            mer, Walser usw.   Fr.7'500.—
    Export: je ein Bild von Thoma und Slevogt   Fr.7'500.—.

Unsere Bewilligung datierte vom 10.7.1943. Die Revision ergab nun, dass
eigentliche Tauschobjekte lediglich die Bilder von Liebermann waren,
während es sich bei den übrigen Werken um Dritteigentum besw. Fluchtgut
handelte. So gehörten nach Ihren Angaben der Courbet und Walser einer
deutschen Emigrantin namens Stückgold, der die Bilder in der Schweiz zur
Verfügung gestellt wurden. Da es schwer halten dürfte, den heutigen
Standort der beiden Bilder ausfindig zu machen, verzichten wir auf eine
Weiterverfolgung dieser Angelegenheit.

Ferner teilten Sie uns auf Anfrage am 18.7.1947 mit, dass die
Bilder von Segantini, Schramm, Balmer und eines deutschen Romantiker
Frau Christiansen, einer dänischen, in Bad Aussee (Oesterreich) wohnhaf-
ten Staatsangehörigen gehören. Auch diese Bilder waren somit nicht Objekt der Kompensation, sondern werden der Eigentümerin zur Verfügung gehalten mit Ausnahme des Schramm, der nach den Angaben von Frau Christiansen seiner Zeit noch in Deutschland an Herrn Dr. Berwirsch in Davos verkauft und durch Ihre Rechtsvorgängerin am 26.11.1943 dem Käufer zuge-
stellt wurde. Sie haben sich verpflichtet, über die drei noch bei Ihnen
lagernden Bilder nur mit unserer Zustimmung zu verfügen.

In der Zwischenzeit haben wir mit Frau Christiansen Fühlung genommen und werden Ihnen nach vollständiger Abklärung der Angelegenheit
unsere Dispositionen bekanntgeben.

Auch in diesem Falle zeigt sich, dass unser Entgegenkommen bei
der Bewilligung von Tauschgeschäften durch die Firma Fischer zu ungesetz-
lichen Handlungen missbraucht wurde. Jedenfalls wurden die erwähnten Bilder weder über das Darmstädter Sonderkonto, noch sonstwie im Clearing
bezahlt.

Abb. 9: Schreiben der Schweizerischen Verrechnungsstelle an Theodor Fischer, Luzern, mit Erwähnung der zwei Bilder aus dem Besitz von Theda Stückgold-Schayer, 3. April 1950

Vorwurf des Missbrauchs der oben beschriebenen Sonderregelung konfrontiert. Unter dem Vorwand, es handele sich um von ihm erworbene Ware, waren Werke von Dritten ohne Genehmigung in die Schweiz eingeführt worden. In einem Schreiben der Verrechnungsstelle vom April 1950 sind zwei Gemälde von Courbet und Karl Walser (1877–1943) genannt, die «einer deutschen Emigrantin namens Stückgold» gehörten (Abb. 9).[50]

Ob Theda Stückgold-Schayer vor ihrem plötzlichen Tod im August 1945 bereits selbst über einen Verkauf ihrer Bilder nachgedacht hatte, lässt sich nicht mehr feststellen. Die für die Abwicklung ihres Nachlasses zuständige Schwägerin Edith Gibian kontaktierte zunächst Wilhelm Wartmann in Zürich. Am 20. Oktober übersandte sie dem Kunsthaus ihre Bilder. Die auf der Quittung angegebene Kistennummer 1453 stimmt mit einer in roter Farbe auf der Rückseite des Spannrahmens aufgemalten und mit dem Zusatz «T. F.» versehenen Nummer überein (Abb. 10).[51] Auf diese Weise kennzeichnete Theodor Fischer seine Transportkisten.

Das Bild von Courbet wurde nach Ablehnung durch die Sammlungskommission nach Basel geschickt.[52] Das 1907 entstandene Werk *Eremit* von Walser, der zwischen 1899 und 1917 meist in Berlin gelebt hatte und dort zu einem gefeierten Vertreter der Moderne aufgestiegen war, erwarb das Kunsthaus hingegen für 1.000 CHF (Abb. 11).[53]

Herkunft des Gemäldes

Die Basler Fassung von Courbets *Le retour de la conférence* war in der Courbet-Literatur bis zu Georg Schmidts Aufsatz nicht bekannt. Möglicherweise bezieht sich die vage Formulierung in der Monografie von Théodore Duret, es hätten sich von dem zerstörten Gemälde ein oder zwei Skizzen erhalten, auf das vorliegende Werk.[54]

Für das 19. Jahrhundert liess sich die Provenienz nicht eruieren.[55] Im Sommer 1905 wurde das Bild über die Pariser Galerie Bernheim-Jeune an den Kunstsalon Cassirer in Berlin verkauft. Anfang des Folgejahres war es unter dem Titel *Rückkehr vom Conzil* in der von Paul Cassirer veranstalteten Courbet-Ausstellung zu sehen.[56] Am 28. Dezember 1906 erwarb es der jüdische Unternehmer Paul Herz (1853–1925).[57] Damit war das Gemälde in der Familie Stückgold-Schayer angekommen. Herz war Theda Stückgold-Schayers Onkel, verheiratet mit Ida, geb. Marckwald (1862–1943), einer Schwester von Thedas Mutter. Ihre Ehe blieb kinderlos (Abb. 12).[58]

Umso enger scheint die Beziehung von Ida Herz zu ihrer Nichte gewesen zu sein. So erhielt Theda Stückgold-Schayer treuhänderisch einen grossen Teil der Wohnungseinrichtung ihrer Tante, den sie im Februar 1941 in ihrem Namen bei der Spedition Gustav Knauer einlagerte.[59] Mit dem Entschluss, ihrer Nichte die Wertgegenstände, von denen sie sich im Zuge der Verkleinerung ihrer Wohnung trennen musste, anzuvertrauen, verband Ida Herz sicherlich die Hoffnung, diese vor dem Zugriff der Nationalsozialisten

50. Schweizerische Verrechnungsstelle an Fischer, 3. April 1950, in: BAR, E7160-08#1968/28#390*, S. 8, Punkt 7.

51. Vgl. Kunsthaus Zürich: Empfangsquittung, 20. Oktober 1945, in: Archiv ZKG/KHZ, Wilhelm Wartmann, Ausgehende Korrespondenz, 10.30.20.103, Bl. 463.

52. Vgl. Wilhelm Wartmann an Edith Gibian, 15. Dezember 1945, in: Archiv ZKG/KHZ, Wilhelm Wartmann, Ausgehende Korrespondenz, 10.30.20.104, Bl. 194, sowie Versandbestätigung des Kunsthauses Zürich vom 18. Dezember 1945, in: KMB, Archiv, O 001.004.009.000.

53. Vgl. Wilhelm Wartmann an Edith Gibian, 1. Dezember 1945, in: Archiv ZKG/KHZ, Wilhelm Wartmann, Ausgehende Korrespondenz, 10.30.20.104, Bl. 136. In der vom Kunsthaus Zürich angegebenen Provenienz für die heutige Inv. 1946.0024 ist als Vorbesitzer der Zürcher Mäzen und Vorsitzende der Sammlungskommission Hans E. Mayenfisch (1882–1957) vermerkt, der allerdings lediglich den Kaufpreis zur Verfügung stellte. Vgl. https://collection.kunsthaus.ch/de/collection/item/3234/ (6.1.2025) und Joachim Sieber an Katharina Georgi-Schaub, 15. November 2022, in: KMB, Abt. Provenienzforschung, Dossier Stückgold-Schayer.

54. Théodore Duret, Courbet, Paris 1918, S. 71, Anm. 1: «Le tableau n'existe plus [...]. Il reste une esquisse ou deux du sujet.» Die zweite Ölskizze, mit 65 × 89 cm leicht kleiner und laut Schmidt im Entstehungsprozess nach der Basler Variante einzuordnen, wurde seit ihrer Versteigerung am 1. Juni 1908 im Hôtel Drouot, Paris (Succession de M. X., Los 10) vielfach publiziert. Vgl. u.a. Julius Meier-Graefe, Courbet, 3. Aufl. München 1924, Tf. IV vor S. 49; Schmidt [1951], Abb. 2 und S. 43. Zur Provenienz detailliert Fernier 1977–1978, Bd. 2, S. 196, Nr. 340. Der heutige Aufbewahrungsort ist unbekannt. Vgl. Ausst.-Kat. Ornans, 2015/2016,

S. 12 und 74, ohne Abbildung («collection particulière»).

55. Die im Werkverzeichnis von Fernier 1977–1978 unter no. 339 mit dem Zusatz «peut-être» angegebenen beiden Pariser Auktionen vom 14. März 1878 und vom 26. März 1879 sowie der Verweis auf eine Collection Mangin wurden ohne Erfolg überprüft.

56. Vgl. Kollektiv-Ausstellung Gustave Courbet †, Werke von Ernst Oppler, Heinrich Hübner, Radierungen von Hermann Struck, 17. Januar bis 18. Februar 1906, Nr. 37, sowie «Den Sinnen ein magischer Rausch», Kunstsalon Paul Cassirer. Die Ausstellungen, Bd. 3: 1905–1908, hrsg. v. Bernhard Echte und Walter Feilchenfeldt, unter Mitarbeit von Petra Cordioli, Wädenswil 2016, S. 162, Abb. S. 148.

57. Vgl. Petra Cordioli, Archiv Paul Cassirer, Zürich, an Katharina Georgi-Schaub, 12. Januar 2024: «(Paul Cassirer Nr. 700), am 14.6.1905 bei Bernheim-Jeune gekauft, am 28. Dezember 1906 an Paul Herz verkauft.»

58. Für die biografischen Informationen zu Ida Herz vgl. Otto Crome an Entschädigungsamt Berlin, 6. September 1957, in: LABO, Reg. Nr. 15897, M50. Zudem sei Elisabeth Weber, Jüdisches Museum Berlin, für den Einblick in die von Heike Krokowski zwischen 2015 und 2017 verfasste Forschungsdokumentation zu einem Gemälde aus dem ehemaligen Besitz von Ida Herz gedankt.

59. Vgl. Lagerschein der Firma Knauer, Nr. 663, 27. Februar 1941, in: LABO Berlin, Reg. Nr. 170965, D3. Unter den 81 Positionen finden sich auch zwei Bilder ohne Titel bzw. sonstige Angaben. Als Gesamtwert des Inventars sind 3.000 RM angegeben. Eine im Zuge der Bemühungen um Entschädigung auf der ersten Seite aufgebrachte Bleistiftnotiz stellt klar, dass es sich hierbei um Hausrat im Eigentum von Ida Herz handelt.

zu bewahren. Denn zu jenem Zeitpunkt besass Theda Stückgold-Schayer bereits die Schweizer Staatsbürgerschaft.[60]

Die Ölskizze von Courbet taucht
in den Inventarlisten von Ida Herz nicht
auf. Ebenso wenig der auf demselben
Weg in die Schweiz verbrachte *Eremit*
von Karl Walser, den Paul Herz 1909
ebenfalls bei Paul Cassirer gekauft hatte.[61] Dass die beiden Bilder sich nicht
unter den eingelagerten Besitztümern
befanden, spricht dafür, dass sie zu
diesem Zeitpunkt bereits ins Eigentum von Theda Stückgold-Schayer
übergegangen waren. Ob diese Übertragung erst unter dem Verfolgungsdruck der Nationalsozialisten erfolgte,
im Sinne einer unter der Hand vereinbarten vorgezogenen Erbschaft,[62] oder
bereits zu einem früheren Zeitpunkt,
bleibt unklar.

Theda Stückgold-Schayer scheint
es als ihre Aufgabe verstanden zu haben, durch ihren privilegierten Status

Abb. 11: Karl Walser, *Der Eremit*, 1907, Öl auf Leinwand, 64 × 80 cm,
Kunsthaus Zürich, Schenkung Sammlung Dr. H. E. Mayenfisch,
ehemals Besitz von Theda Stückgold-Schayer

Freunde und Verwandte und deren Besitz zu schützen. In den wenigen Jahren zwischen
der Eheschliessung mit Kurt Stückgold und ihrem eigenen Tod wurde ihr jedoch bewusst,
dass sie als Schweizer Bürgerin lediglich ihr eigenes Leben retten konnte. Ihr Eigentum
wurde zwar nicht vom Staat eingezogen, frei darüber verfügen oder es ins Ausland transferieren konnte sie jedoch nicht. In Vermögensfragen wurde sie von den deutschen Behörden trotz allem als Jüdin behandelt.

SCHICKSALE WEITERER FAMILIENANGEHÖRIGER

In ihrem Briefwechsel mit Georg Schmidt vermittelte Edith Gibian lediglich die nötigs-
ten persönlichen Details. Nur auf Nachfrage sprach sie über ihre Neffen, für die sie den
Verkauf des Courbet-Bildes einleitete. Über ihre eigene Person erfuhr Schmidt zunächst
nichts. Erst als die Entscheidung über den Ankauf sich wegen Uneinigkeit der Kommission verzögerte, gab sie ihm zu verstehen, ihr sei an einem baldigen Abschluss des Geschäfts gelegen, da sie nicht wisse, wie lange sie noch in der Schweiz bleiben werde.[63]
Tatsächlich eröffnet sich hinter diesen beiläufigen Bemerkungen eine weitere, von der
nationalsozialistischen Verfolgung geprägte Biografie, die, ebenso wie das Schicksal der
Neffen, kurz resümiert werden soll.

Edith Gibian war die älteste Schwester von Thedas erstem Ehemann Fritz Schayer.
Mit ihrem zweiten Ehemann Georg Gibian (1894–1945) war sie im Sommer 1939 nach
Frankreich emigriert, hatte sich in Nizza niedergelassen und die französische Staatsbürgerschaft angenommen. In die Schweiz gelangten sie Ende Mai 1944 als illegale Flüchtlinge
über die Genfer Grenze. Im Fragebogen der Polizeiabteilung des Eidgenössischen Justiz-
und Polizeidepartements gab Edith Gibian ihre Nationalität, entsprechend der ihres Gatten, als tschechoslowakisch an.[64] Georg Gibian starb im August 1945, im selben Monat wie
Theda Stückgold-Schayer. Die Hoffnung, in der Schweiz und in der Nähe ihrer Schwägerin

einen sicheren Aufenthaltsort zu finden, wurde enttäuscht. Der Umgang der Schweizer Behörden mit
Edith Gibian zeigt den entscheidenden Unterschied
zwischen ihrem Status als illegal Eingewanderte und
nur temporär Geduldete und dem Theda Stückgold-
Schayers, die Inhaberin eines Schweizer Passes war
und somit in der offiziellen Schweizer Definition als
Rückwanderin galt.

So spielte sich Edith Gibians Leben nach vorübergehender Internierung im Arbeitslager in verschiedenen Flüchtlingsunterkünften ab. Um ihre knapp
bemessene Flüchtlingsunterstützung aufzubessern, bemühte sie sich um eine Arbeitsbewilligung als Privat-
lehrerin und Übersetzerin für Englisch und Französisch. Ihr Gesuch wurde jedoch abgelehnt und sie
wurde zur Weiterreise aufgefordert.[65] Als alleinstehende
Frau fortgeschrittenen Alters bot sich ihr als Ziel nur
die Weiterreise nach Brasilien an, wo ihr jüngster Bruder Georg Gerhard Schayer (1898–1975) bereits seit
1937 lebte. Im November 1946 erhielt Edith Gibian das
brasilianische Einreisevisum und schiffte sich Ende
des Monats von Marseille aus ein (Abb. 13).[66] Mitte der
1950er-Jahre kehrte sie nach Deutschland zurück.

Abb. 12: Ida Herz, geb. Marckwald, Berlin 1930er-Jahre

Die bedrängte Lage der nach Palästina ausgewanderten Söhne von Theda
Stückgold-Schayer klingt in einem der Briefe von Edith Gibian an den Basler Direktor
an. Ott-Hermann und Konrad Schayer blieb als Juden nach dem Abschluss des Gymna-
siums in Berlin-Charlottenburg die Möglichkeit eines Studiums verwehrt.[67] Beide liessen
sich auf Gut Winkel in Spreenhagen, einer zionistischen Einrichtung unweit von Berlin, als
Landwirte ausbilden. 1939 – im März und Oktober – verliessen sie Deutschland und reisten
illegal nach Palästina ein (Abb. 14).[68] Dabei mussten die Brüder sämtliche Habe zurücklassen, obgleich eine Umzugsgutliste, die lediglich Dinge des täglichen Gebrauchs enthielt,
zuvor von den Behörden genehmigt worden war. Zu den Ausreisekosten für ihre Söhne
kamen für Theda Stückgold-Schayer nun auch noch die Lagerkosten für die in Hamburg
festgesetzten Transportlifts hinzu, die schliesslich beim Bombardement des Hafens vernichtet wurden.

60. Neben dem bei Knauer eingelagerten Mobiliar wurden einzelne besonders
wertvolle Gegenstände an die Galerie Wolfgang Gurlitt übergeben, möglicherweise
in Kommission. Die Einlagerung wurde durch Helene Freund, eine Vertraute von
Theda Stückgold, vorgenommen. Vgl. eidesstattliche Versicherung von Wolfgang
Gurlitt, 16. November 1944, sowie Otto Crome an Entschädigungsamt Berlin,
3. August 1957, S. 2, in: LABO Berlin, Reg. Nr. 170965, D21 und M27.
61. Paul Cassirer hatte das Bild am 30. Mai 1950 direkt beim Künstler
erworben. Es war Teil der Ausstellung *Kollektionen Philipp Frank, Ferdinand
Hodler, Walter Leistikow, Karl Walser*, 20. Oktober bis 3. November 1907, Nr. 50.
Vgl. Cassirer. Die Ausstellungen, Bd. 3: 1905–1908, S. 551, Abb. S. 538. Am 27.
Februar 1909 wurde es an Paul Herz verkauft. Vgl. Petra Cordioli, Archiv Paul
Cassirer, Zürich, an Katharina Georgi-Schaub, 12. Januar 2024, in: KMB, Abt.
Provenienzforschung, Dossier Sammlung Stückgold-Schayer.
62. Zur Erbfolge vgl. auch Otto Crome an Entschädigungsamt Berlin,
6. September 1957, S. 1, in: LABO Berlin, Reg. Nr. 15897, M50.
63. «Auf jeden Fall ist der 12. Februar der äusserste Termin der in Betracht
kommenden Verlängerung, denn ich weiss nicht, wie lange ich noch in der
Schweiz bleiben werde und möchte doch die Angelegenheit erfolgreich
erledigen, bevor ich fortgehe.» Edith Gibian an Georg Schmidt, 8. Februar 1946,
in: KMB, Archiv, O 001.004.009.000.

64. Vgl. Edith Gibian, Fragebogen der Polizeiabteilung des Eidg. Justiz- und
Polizeidepartements, 1. Juni 1944, in: BAR, E4264#1985/196#35800*.
65. Kontrollbureau Winterthur an die Kantonale Fremdenpolizei Zürich, 21. Februar
1946, in: BAR, E4264#1985/196#35800*: «Für die Erteilung von Sprachstunden
haben wir genug eigene Institute und hiesige Lehrer und Lehrerinnen, sodass wir
dem vorliegenden Gesuch nicht entsprechen können. Frau Gibian soll sich für ihre
Weiterreise bemühen; wird ihr Gelegenheit geboten, hier zu verdienen, wird sie die
Schweiz überhaupt nicht mehr verlassen wollen.»
66. Vgl. Edith Gibian an Eidg. Polizei- und Justizdepartement, Bern, 15. und
27. November 1946, in: BAR, E4264#1985/196#35800*.
67. Vgl. Konrad Schayer, Lebenslauf, 23. Januar 1956, in: LABO Berlin, Reg.
Nr. 28909, E18–E21, und Ott-Hermann: Lebenslauf, 15. Januar 1956, in: LABO
Berlin, Reg. Nr. 170665, E10–E11.
68. Ott-Hermann Schayer gibt eine Reiseroute «über die Donau und das
Schwarze Meer per Schiff» an. Die illegale Einwanderung hatte in seinem Fall
eine sechsmonatige Internierung im Flüchtlingslager Atlith bei Haifa durch die
britische Mandatsregierung zur Folge. Vgl. ebd. Allgemein zur Einwanderung
nach Palästina vgl. www.bpb.de/themen/holocaust/gerettete-geschichten/149158/
palaestina-als-zufluchtsort-der-europaeischen-juden-bis-1945/ (6.1.2025).

Nach entbehrungsreichen Jahren in Palästina, in denen die Brüder in der Landwirtschaft tätig waren, kehrten beide 1949 nach Europa zurück. Konrad Schayer zog nach Köln, wo er, verspätet, aber sehr erfolgreich, ein Volkswirtschaftsstudium aufnahm. Ott-Hermann verbrachte zunächst einige Jahre als Landschaftsgärtner in Frankreich, bevor er den Schritt zurück in sein Geburtsland wagte. Der Prozess der Entschädigung und Wiedergutmachung, sowohl in eigener Sache als auch in der Nachfolge ihrer Mutter, zog sich bis weit in die 1960er-Jahre hin. Die Antragsstellung bei den deutschen Behörden gestaltete sich zweifach kompliziert: Zum einen, weil Theda Stückgold-Schayer 1945 als Schweizerin verstorben war, zum anderen, da die Brüder zum Todeszeitpunkt ihrer Mutter beide offiziell als staatenlos galten.[69] Für Ott-Hermann und Konrad Schayer war die lange Wartezeit eine grosse Belastung, da sie sich nach ihrer Rückkehr nach Deutschland ohne jegliche Mittel eine neue Existenz aufbauen mussten.[70]

SYNTHESE

Vor dem Hintergrund der Biografien von Theda Stückgold-Schayer und ihrer Familie erhält der Verkauf des Gemäldes von Courbet eine neue Dimension. Das Bild erscheint als letztes Überbleibsel einer wohlhabenden Existenz und als Notnagel für eine Familie, die durch die Nationalsozialisten in die Emigration getrieben wurde. In der Schweiz sowie in Brasilien und Palästina bemühten sich die Familienmitglieder unter schwierigen Voraussetzungen darum, neue Existenzen aufzubauen, konnten aber doch nicht wirklich Fuss fassen. Ihre Wurzeln blieben in Deutschland, wohin sowohl Theda Stückgold-Schayers Söhne als auch ihre betagte Schwägerin ab 1949 zurückkehrten.

Die im Sommer 1945 verstorbene Eigentümerin des Bildes kam nicht als Geflüchtete in die Schweiz. Sie hatte die Auswanderung aus Deutschland im Gegenteil bis zum Moment ihrer Zwangsausweisung hinausgezögert. Die Emigration von Theda Stückgold-Schayer weist jedoch in vermögensrechtlicher Hinsicht Gemeinsamkeiten mit einer Flucht auf, da sie ihre Vermögenswerte nicht mitnehmen und aus dem Ausland nicht darauf zugreifen konnte. Auch das Bild von Courbet hätte Deutschland gemäss den Bestimmungen der deutschen Behörden nicht verlassen dürfen.

Die prekären finanziellen Verhältnisse, unter denen Theda Stückgold-Schayer in der Schweiz lebte und vor allem diejenigen ihrer nach Palästina ausgewanderten Söhne, sind als Resultat der Diskriminierung und Verfolgung durch den Nationalsozialismus zu bewerten. Dabei zeigen die geschilderten Bemühungen der Protagonistin um den Vermögenstransfer in ihre neue Heimat, dass auch die Schweizer Behörden nicht die nötige Unterstützung boten.

Ob Theda Stückgold-Schayer plante, sich von ihrem Bild zu trennen, um ihre Söhne zu unterstützen, ist nicht belegt. Möglicherweise hätte sie geschickter um einen höheren Preis verhandelt als ihre Schwägerin. Edith Gibian jedenfalls stand bei der Aufgabe, den Nachlass der Verstorbenen abzuwickeln, unter massivem zeitlichem und finanziellem Druck. Aufgrund ihres Flüchtlingsstatus hatte ihr Aufenthalt in der Schweiz keine Zukunft. Als Georg Schmidt kurz vor Jahresende

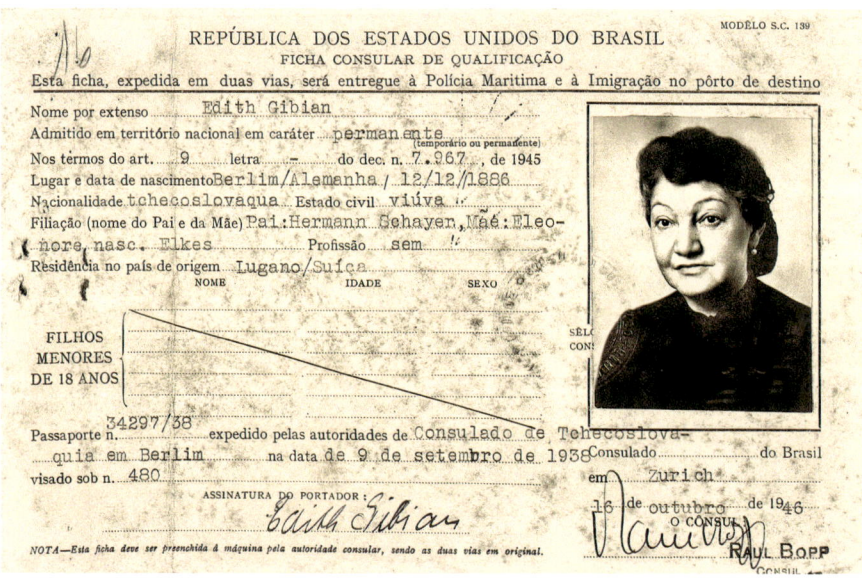

Abb. 13: Brasilianisches Einreisevisum für Edith Gibian, Oktober 1946

1945 das Angebot für das Courbet-Werk erhielt, war der Krieg vorbei. Man war, nicht zuletzt durch die Raubgutbeschlüsse, sensibilisiert für die Problematik von enteignetem Kulturgut; Verkäufe von Emigrant:innen wurden hingegen nicht hinterfragt. Dass Edith Gibian sich selbst in einer schwierigen Lage befand, verschwieg sie. Auch die finanzielle Situation der von ihr vertretenen Neffen wurde nur auf Nachfrage angedeutet. Dass sie von ihrer Schwägerin zudem nicht als aus Deutschland ausgewiesene Jüdin sprach, sondern den von den Schweizer Behörden verwendeten Terminus «Rückwanderin» wählte, dürfte für ihr Gegenüber eine Beruhigung gewesen sein. Insofern kann Georg Schmidt, der im gesamten Ankaufsprozess transparent kommunizierte, keine Übervorteilung vorgeworfen werden. Dass er Edith Gibian gerne preislich weiter entgegengekommen wäre, als es ihm seine Verpflichtungen der Kunstkommission gegenüber ermöglichten, kann nur vermutet werden. Offenbar hatte er sich für den Fall des Scheiterns eines Ankaufs durch das Kunstmuseum tatsächlich um einen privaten Käufer bemüht, dem er auch den höheren Preis von 10.000 CHF kommunizierte.[71]

Wie der gezahlte Preis vor dem Hintergrund der damaligen Marktsituation gewertet werden muss, steht und fällt mit der Frage der Eigenhändigkeit des Bildes. Diese blieb 1946 umstritten, auch wenn Georg Schmidt selbst überzeugt war, dass es sich um eine erste Skizze Courbets für das grossformatige Gemälde handele. Für eine solche wäre der Erwerbspreis in der Tat niedrig gewesen. Andererseits hatte die heute noch in französischem Privatbesitz befindliche, im Format leicht reduzierte zweite Ölskizze an ihrer letzten bekannten Auktion in Paris Anfang 1932 lediglich 10.300 FFR erzielt, was nach dem damaligen Wechselkurs circa 2.270 CHF entsprach.[72]

Die Geschichte dieses Bildes ruft das Verfolgungsschicksal einer ganzen Familie wach. Dabei rückt auch die Verantwortung der Schweiz in der Endphase des Zweiten Weltkriegs und den unmittelbaren Nachkriegsjahren in den Fokus. Der Text entstand im Austausch mit einem der Enkel von Theda Stückgold-Schayer. Durch einen zum *Tag der Provenienzforschung* im Frühjahr 2020 publizierten kurzen Bericht im Blog des Kunstmuseums Basel wurde er auf die laufenden Forschungen aufmerksam. Ihm und seinen Schwestern war der Kunstbesitz ihrer Vorfahren nicht bekannt. Durch ihre Bereitschaft, dem Museum Fotos und Schriftdokumente zur Familiengeschichte zur Verfügung zu stellen, konnten die ausgewerteten Archivalien ergänzt und mit persönlichen Erinnerungen verbunden werden.

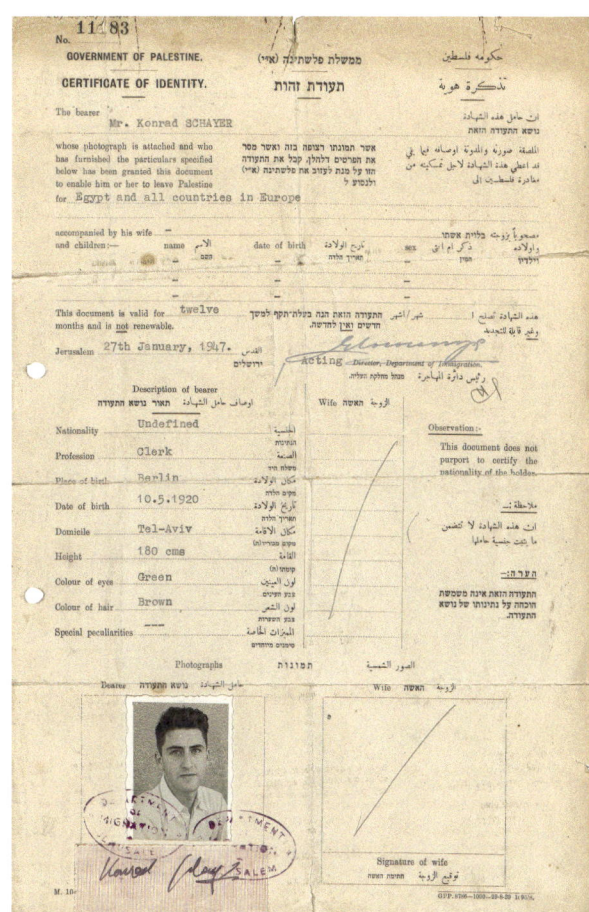

Abb. 14: Certificate of Identity der Britischen Mandatsregierung für Konrad Schayer, 27. Januar 1947

69. Die Schweizer Behörden lehnten gegenüber Otto Crome eine Intervention zugunsten der Erben im Nachlassfall von Theda Stückgold-Schayer ab. Vgl. EPD an die Schweizerische Gesandtschaft, Köln, 11. Februar 1952, in: BAR, E2001-08#1978/107#1692*, o. S.

70. Ausführliche Zusammenstellung aller zur Wiedergutmachung beantragten Vermögens- und Ausbildungsschäden durch Otto Crome an Entschädigungsamt Berlin, 3. August 1957, in: LABO Berlin, Reg. Nr. 28909, Bl. unleserlich. Während die Ansprüche der Erbengemeinschaften nach Eleonore Schayer und Ida Herz bereits ab 1956 entschädigt wurden, dauerten die Verfahren der Brüder bezüglich des Nachlasses ihrer Mutter deutlich länger. Im Februar 1958 wurde ihnen zunächst der Kriegsverlust von Theda Stückgold-Schayers Hausrat entschädigt (vgl. Bescheid des Ausgleichsamts, 28. Februar 1958, in: LABO Berlin, Reg. Nr. 170965, M29). Im Dezember 1960 wurde der Schaden am Vermögen ausgeglichen (Vergleich vom 28. Dezember 1960, in: LABO Berlin, Reg. Nr. 170965, D34). Der Ausgleich für die von den Brüdern selbst erlittenen Schäden an Vermögen sowie für die Schäden im beruflichen Fortkommen wurden erst im Frühjahr 1964 resp.

Herbst 1965 beschieden (Vergleich, 11. April 1964 und Bescheid 28. Oktober 1965, in: LABO Berlin, Reg. Nr. 28909).

71. «Für alle Fälle hatte ich bereits einen ev. privaten Interessenten ‹in Bearbeitung› genommen zu dem von Ihnen genannten Preis von Fr. 10'000.-», Georg Schmidt an Edith Gibian, 20. Februar 1946, in: KMB, Archiv, O 001.004.009.000. Auch der Kunstkommission gegenüber äusserte er: «Ich habe einen Händler gefunden, der das Bild sofort kaufen würde.» Vgl. Protokoll der Kunstkommissionssitzung, 19. Februar 1946, S. 146, in: KMB, Archiv, B 001.001.019.000.

72. Vgl. Collection d'un amateur, 28. Februar 1932, Aukt.-Kat. Paris Hôtel Drouot, Los 55, https://bibliotheque-numerique.inha.fr/idurl/1/72992 (6.1.2025), vgl. Ergebnisübersicht in der Gazette de l'Hôtel Drouot, 50, 1932, https://bibliotheque-numerique.inha.fr/viewer/59627/?offset=#page=108&viewer=picture&o=search&n=0&q=Courbet%20conference (6.1.2025). Zum Umrechnungskurs vgl. Historischer Wechselkursrechner, https://data.snb.ch/de/topics/ziredev/cube/devkuhism?fromDate=1931-12&toDate=1946-12 (6.1.2025).

VANESSA VON KOLPINSKI

AUFSTIEG UND FALL DES «KAUFHAUSKÖNIGS».

EIN PISSARRO AUS DER KUNSTSAMMLUNG MAX EMDEN

Das in Rede stehende Blumenstillleben des impressionistischen Malers Camille Pissarro (1830–1903) stammt aus dem Spätwerk des Künstlers (Abb. 1). Es gehört zu einer Serie von fünf Blumensträussen, die Pissarro im Winter 1900 malte. Ungewöhnlich ist das kleine Format – kaum grösser als eine Postkarte.

Das Bild befand sich nach Pissarros Tod im Besitz der Familie. 1928 wurde es bei der Nachlassauktion in der Pariser Galerie Georges Petit unter der Losnummer 54 von dem Hamburger Kaufmann Dr. Max Emden (1874–1940) ersteigert, wie der annotierte Auktionskatalog aus dem Rijksbureau voor Kunsthistorische Documentatie (RKD) und das Auktionsprotokoll aus den Archives de Paris belegen.[1] Bislang konnte nicht geklärt werden, wann und unter welchen Umständen Pissarros Gemälde *Bouquet de fleurs* aus Emdens Sammlung später wieder ausgeschieden ist. Im April 1945 bot der Genfer Galerist Georges Moos (1912–1984) das Werk dem Basler Kunstmuseum erstmals zum Kauf an, wahrscheinlich als Kommissionsware. Aufgrund des Preises kam jedoch kein Geschäft zustande.[2] Im Jahr darauf ist das Stillleben bei dem Fotografen Michael (Moses) Schwarzkopf (1884–1954),[3] Seehofstrasse 15 in Zürich, nachgewiesen, der es im Frühjahr 1946 dem Kunstmuseum Basel anbot. Nach erneuter Prüfung durch die Kunstkommission wurde der Ankauf für das Museum beschlossen.[4] Wo und wann Schwarzkopf das Werk erwarb und ob er möglicherweise schon beim ersten Angebot von 1945 dessen Eigentümer war, ist ungewiss.

Abb. 2: Anita und Max Emden am Lago Maggiore, 1935

ZUR BIOGRAFIE MAX EMDENS

Der 1874 in eine jüdische Kaufmannsfamilie in Hamburg geborene Max James Emden trat 1893 zum Protestantismus über. 1910 heiratete er die in Chile geborene Concordia Gertrud Hélène Anna (genannt Anita) Sternberg (1888–1973) (Abb. 2/3).[5] Aus der Ehe ging ein Sohn hervor, Hans Erich Emden (1911–2001), auch Juan Enrique oder Giovanni Enrico

1. Catalogue des œuvres importantes de Camille Pissarro et de tableaux [...] composant la collection Camille Pissarro, Aukt.-Kat. Galerie Georges Petit, Paris 3. Dezember 1928, Los 54.

2. Vgl. Georges Moos an Georg Schmidt, 5. Juli 1946, in: KMB, Archiv, O 001.004.008.000.

3. Vgl. Fotostiftung Schweiz, https://fotostiftung.zetcom.net/de/artists/artist/1548/Deutsche Nationalbibliothek, https://d-nb.info/gnd/1089637284, www.foto-ch.ch/?a=fotograph&id=42241&lang=deFr (8.2.2025).

4. Vgl. Protokoll der Kunstkommissionssitzung, 30. April 1946, in: KMB, Archiv, B 001.001.019.000, S. 152.

5. Vgl. Ulrich Brömmling, Max Emden. Hamburger Kaufmann, Kaufhauserfinder, Ästhet und Mäzen, Göttingen 2020, S. 19.

6. Vgl. ebd., S. 56–57.

7. Vgl. Bernd Serger, Der Fall Max Emden, in: Kontext: Wochenzeitung, Ausgabe 429, 19. Juni 2019, www.kontextwochenzeitung.de/zeitgeschehen/429/der-fall-max-emden-6004.html#:~:text=Unter%20dem%20Namen%20%E2%80%9EHamburger%20Engros,%C3%BCbernommen%20oder%20sich%20daran%20beteiligt. (30.8.2023).

8. Vgl. Brömmling 2020, S. 45, und Die Kunstwelt: deutsche Zeitschrift für die bildende Kunst, 2, 1912–1913, S. 509–515, https://doi.org/10.11588/diglit.21776#0605 (10.8.2023).

9. Vgl. Brömmling 2020, S. 69.

10. Vgl. E. Lauer an Olga Ammann, 18. November 1948, in: BAR, J2.301-01#2004.436#202*.

11. Vgl. Autorizzazione federale di naturalizzazione, 11. April 1934, in: BAR, E4264#1000.842#14211*.

12. Vgl. Joachim Neander, Das Staatsangehörigkeitsrecht des «Dritten Reiches» und seine Auswirkungen auf das Verfolgungsschicksal deutscher Staatsangehöriger, in: theologie.geschichte. Zeitschrift für Theologie und Geschichte, Bd. 3, 2008, S. 12–47, https://theologie-geschichte.de/ojs2/index.php/tg/article/view/471/510 (https://doi.org/10.48603/tg-2008) (23.9.2022).

13. Vgl. Michael Hepp (Hrsg.), Die Ausbürgerung deutscher Staatsangehöriger 1933–45 nach den im Reichsanzeiger veröffentlichten Listen, Berlin/Boston 2011, Liste 178, Nr. 18.

14. Vgl. Max Emden an Dr. Kohli, Eidgenössisches Politisches Departement, Bern, 29. September 1939, in: BAR, E2001D#1000.1551#2349*.

15. Vgl. Bericht, Ind. – So. America, Emden, Hans Erich Max (or Enrique), or Juan Enrique Emden, o. D., in: NARA, Records of the American Commission for the Protection and Salvage of Artistic and Historical Monuments in War Areas (The Roberts Commission), 1943–1946, Geographical Card File on Possible Art-Looting Subjects, Record Group 239, Roll 0051, www.fold3.com/image/270222552 (17.8.2023). Vgl. auch Lukas Gloor, Zum Verkauf von Claude Monets *Mohnblumenfeld bei Vétheuil* durch Hans Erich Emden über den Schweizer Kunsthandel an Emil Bührle 1940/41, in: https://buehrle.ch/wp-content/uploads/2024/08/Verkauf.Monet_.H.E.Emden_.2023.pdf (23.2.2025).

16. Vgl. Brömmling 2020, S. 139 und 141, und Ersatzpapiere für Hans Erich und Madeleine Emden (Certificado, Embajada de Chile, o.D.) sowie Touristenvisum für Dies. (Certificado de Turista, Ministeria de Agricultura Republica Argentina, 12. Juli 1941), in: Privatbesitz der Erb:innen nach Max und Hans Erich Emden.

17. Vgl. Max Emden an Dr. Kohli, Eidgenössisches Politisches Departement, Bern, 29. September 1939, in: BAR, E2001D#1000.1551#2349*.

Abb. 1a/b:
Camille Pissarro
*Bouquet de
fleurs*, um 1900,
recto und verso

CAMILLE PISSARRO (1830–1903)

BOUQUET DE FLEURS UM 1900

Öl auf Seide auf Leinwand
18 × 14,1 cm
Monogrammiert unten links:
C.P. [retuschiert]

Kunstmuseum Basel, Inv. G 1964.2
Ankauf 1946, mit einem
Beitrag des Legats
Annie Pradella-Burckhardt
erworben

PROVENIENZ:

1903 - 3.12.1928:
im Nachlass des Künstlers

3.12.1928:
Nachlassauktion Collection Camille Pissarro,
Galerie Georges Petit, Paris, Los 54

3.12.1928 - Datum unbekannt:
Dr. Max Emden (1874–1940),
Isole di Brissago/Ascona, angekauft aus der
Auktion bei Georges Petit

Datum unbekannt - mindestens
April 1945:
Galerie Georges Moos, Genf, in Kommission (?)

Datum unbekannt - April 1946:
Michael Schwarzkopf (1884–1954), Zürich,
wohl angekauft oder in Kommission bei
Galerie Moos

April 1946 - heute:
Kunstmuseum Basel, angekauft bei
Michael Schwarzkopf

genannt. Max Emden gelang es innerhalb von zwei Jahrzehnten, ein internationales Warenhaus-Imperium mit Filialen
und Beteiligungen in München, Hamburg, Budapest, Berlin,
Stockholm, Plauen, Danzig und Potsdam aufzubauen.[6] Dazu
gehörten die Kaufhäuser Oberpollinger in München und das
Kaufhaus des Westens (KaDeWe) in Berlin. Zudem führte er das
von seinem Vater und seinem Onkel gegründete Franchise-
Unternehmen, die Hamburger Engros-Lager, erfolgreich weiter. Mit diesem unterstützte Max Emden den schwachen Einzelhandel in den Städten mit Krediten, Beratung in Geschäftsführung, Buchhaltung und Werbung sowie Warenbelieferung,
aber auch mit Grundstücken, die er verpachtete. Von Hamburg
aus verwaltete er die Geschäfte, die sich verpflichtetet hatten,
ihre Waren exklusiv von M. J. Emden & Söhne zu beziehen.[7]

1906 kaufte der architekturinteressierte Emden in
Klein Flottbek bei Hamburg ein grosses Grundstück und liess
darauf die Villa *Sechslinden* errichten, die er grosszügig mit
Kunstwerken und Antiquitäten ausstattete.[8] Das angrenzende
Grundstück des Polovereins, den er über die Jahre seiner Mitgliedschaft finanziell unterstützte, hatte er bereits vorher erworben (Abb. 4).[9] Im Zuge seiner Scheidung von Anita verkaufte
Max Emden den Grossteil seiner Warenhäuser und Anwesen in
Deutschland und emigrierte 1927 in die Schweiz. Dort erwarb
er die Brissago-Inseln (Isole di Brissago) im Lago Maggiore bei
Ascona und liess sich auf der grösseren der beiden eine herrschaftliche Villa bauen.[10] 1934 wurde Emden auf Vorschlag der
Gemeinde Porto Ronco Schweizer Staatsbürger,[11] was dazu
führte, dass er seine deutsche Staatsbürgerschaft verlor.[12]

Sein Sohn, der zeitweise auch in der Schweiz im Internat lebte, behielt die deutsche Staatsbürgerschaft, bis sie ihm
aufgrund seiner jüdischen Herkunft am 27. Mai 1940 entzogen wurde.[13] Hans Erich absolvierte seine Schulausbildung in
der Schweiz und heiratete sehr jung Anita Beer (*1912–?) und
in zweiter Ehe 1940 Marie Madeleine, geb. Fischer. Er leitete
seit spätestens 1939 das von seinem Vater gegründete Kaufhaus Corvin in Budapest.[14] Kurz vor seiner Ausbürgerung aus
Deutschland nahm er vorausschauend die haitianische Staatsbürgerschaft an, die ihm aber wieder aberkannt wurde, da er

Abb. 4: Max Emden (2.v.r.) auf dem Gelände des Poloclubs
in Hamburg-Klein Flottbek, o.J.

sich nicht binnen eines Jahres in Haiti einfand.[15] Nach mehreren Stationen in Europa floh
er nach dem Tod seines Vaters Anfang 1941 über Brasilien und Argentinien nach Chile, wo
er dank des ihm durch seine chilenische Mutter übertragenen Bürgerrechts, die dortige
Staatsbürgerschaft annehmen konnte.[16]

GRUNDSTÜCKS- UND FIRMENVERÄUSSERUNG UNTER DEM DRUCK DES NS-REGIMES

Nach dem mehrheitlichen Verkauf der Warenhäuser um 1927 hatte Max Emden einen Teil
seines Vermögens in die Schweiz transferiert, betrieb dort aber keine Geschäfte. Er lebte als Privatier auf seiner Insel und engagierte sich im lokalen Golfverein. Ausländische
Vermögenswerte wie Grundstücke und einige wenige (Anteile an) Warenhäuser(n), wie die
der Corvin AG in Budapest, behielt er allerdings.[17] 1935 begann Emden über seine Firma,

die Terraingesellschaft Wittsand Rissen mbH, einige seiner zahlreichen Grundstücke zu verkaufen. Andere wurden erst 1939 veräussert.[18] Aus den Akten der Hamburger Oberfinanzpräsidenten wird ersichtlich, dass diese Verkäufe zwar über den Rechtsvertreter von Emden abgewickelt, die Verkaufserlöse allerdings auf Sperrkonten verbucht wurden, über die Emden nur mit Zustimmung der NS-Behörden verfügen konnte.[19] Auch das Gelände, auf dem sich der Poloclub Klein Flottbek befand, verkaufte Emden 1935 an die Stadt Altona deutlich unter Wert, für 200.000 RM. Eine Entschädigung für diesen Verkauf wurde nach 1945 nicht geleistet.[20]

Obwohl Max Emden als Schweizer Bürger eigentlich vor den diskriminierenden Massnahmen gegen Juden hätte ausgenommen sein sollen, wird aus dem historischen Material deutlich, mit welchen Mitteln sich die NS-Behörden in Deutschland seines Vermögens bemächtigten.[21] Im Zuge der nur verzögert realisierbaren Veräusserung seines Grundstücks bei Potsdam im Jahr 1939 wandte sich Emden wiederholt um Unterstützung bittend an die Schweizerische Gesandtschaft in Berlin,[22] weil er hoffte, dass dann

> «die Sache ins Rollen [kommt] und vermutlich ein annehmbarer Ausgleich herbeigeführt wird. Andernfalls muss ich voraussehen, dass ich nicht nur den von der Behörde ohne irgendeinen Grund verlangten Verzicht auf 200'000 Mark aussprechen muss, sondern dass auch der Eigentümer der ersten Hypothek [bei der Beamtenbank], wenn der Verkauf sich zerschlägt, von mir Rückzahlung verlangt, und da ich die nötigen Beträge in Deutschland nicht mehr habe, auf mein Schweizer Vermögen zurückgreifen wird.»[23] (Abb. 5a/b)

Der Kaufinteressent für das Grundstück samt Warenhaus in Potsdam, Alois Mainka (1894–1944?), hatte mittels seiner Position als Parteimitglied der NSDAP sichergestellt, dass andere Bieter nicht zum Zuge kamen; wissentlich verschleppte er den Vertragsabschluss.[24] Sukzessive erhöhte Mainka die von der Kaufsumme abzuziehenden Kosten für eine Instandsetzung, die das angeblich völlig baufällige Gebäude benötigte.[25] Die Schweizer Behörden wollten die von Emden beim Reichswirtschaftsministerium eingereichte Beschwerde betreffend, die erwähnten 200.000 RM Instandsetzungskosten sowie seinen Einspruch gegen die angedrohte Zwangsverwaltung abwarten, mit der Begründung, dass es sich um «die Interessen eines Nichtariers handelt und sich demzufolge eine gewisse Zurückhaltung rechtfertigt.»[26] Der Einsatz der offiziellen Schweizer Stellen für Max Emden beschränkte sich letztlich auf zwei von der Schweizerischen Gesandtschaft an den Reichswirtschaftsminister in Berlin adressierte Bitten um Stellungnahme zu dem Verkaufsverfahren. Nachdem Letzterer in seiner mit dem Betreff «Grundstücksentjudung Potsdam» überschriebenen Antwort auf die fortgeschrittenen Verhandlungen zwischen Emden und Mainka, die «demnächst einen Kaufvertrag über das Grundstück abschliessen»[27] würden, hingewiesen hatte, sahen sich Gesandtschaft und Aussenminister offenbar zu keinerlei weiteren Schritten veranlasst.

18. Vgl. Dr. Scholz an Wiedergutmachungsamt beim Landgericht Hamburg, 28. Oktober 1952, in: STAHH, 213-13/14637. Laut Wiedergutmachungsanträgen stellte Hans Erich Emden, vertreten durch Prof. Dr. E. J. Cohn, London, Anträge für 22 inzwischen parzellierte Grundstücke. Jewish Trust Corporation for Germany an Allgemeine Treuhand-Organisation, 28. Januar 1953, in: STAHH, 311-3 I, Bestand Finanzbehörde I, _Abl. 1989_305-2-1.249, Bd. 1.
19. Vgl. Der Reichsstatthalter in Hamburg, 15. Juni 1939, in: STAHH, 314-15, Bestand Oberfinanzpräsident, R1939-2684.
20. Kunstverwaltung des Bundes, https://kunstverwaltung.bund.de/SharedDocs/Provenienzen/DE/1000_1999/1648.html und Geschichte Hamburger Polo Club e.V., https://hamburger-polo-club.de/club/clubgeschichte/ (10.8.2023).
21. Vgl. u.a. Brömmling 2020, S. 56, 124–125 und 136.
22. Zu dem Grundstück samt Warenhaus in der Brandenburgerstrasse 30–31 sowie Jägerstrasse 25, vgl. www.potsdam-wiki.de/Warenhaus_M._Hirsch (18.2.2025),

dort zit. n. Julia Baumhauer, Die kleine Geschichte des Warenhauses Hirsch, hrsg. v. Heinrich-Böll-Stiftung, Potsdam 2011.
23. Max Emden an Eidgenössisches Politisches Departement, Bern, 30. November 1939, in: BAR, E2001D#1000.1551#2349*.
24. Vgl. Spurensuche Neumünster, www.spurensuche-neumuenster.de/spuren/alois-mainka/ (28.6.2023); Der Reichsminister der Justiz (Hrsg.), Im zweiten Weltkrieg tödlich verwundete oder verletzte Angehörige der Justiz im NS-Regime, in: Deutsche Justiz, Jg. 105, 1944.
25. Vgl. Max Emden an Eidgenössisches Politisches Departement, Bern, 30. November 1939, in: BAR, E2001D#1000.1551#2349*.
26. Vgl. Chef der Abteilung für Auswärtiges an «Herr Geschäftsträger», 2. August 1939, in: BAR, E2001D#1000.1551#2349*.
27. Vgl. Reichswirtschaftsminister, Berlin, an die Schweizerische Gesandtschaft, Berlin, 17. Mai 1940, in: BAR, E2001D#1000.1551#2349*.

MAX EMDEN

TEL. SEKRETARIAT: LOCARNO 2007
PRIVAT: „   2008

PORTO RONCO, LOCARNO
(SUISSE)

den 30. November 1939.

Eidgenössisches Politisches Departement,
Abteilung für Auswärtiges,
B e r n .

Ihr Zeichen: B. 34.9.5.A.11. - SH.

Sehr geehrte Herren,

      Ich erlaube mir, auf die Korrespondenz
vom August 1939 und speziell auf Ihr Schreiben vom 9. August zu-
rückzukommen.

      Nach Ihrer Meinung lag derzeit "eine unge-
bührliche Verzögerung der Sache, die Sie veranlassen könnte, zu
meinen Gunsten etwas zu unternehmen, nicht vor". Inzwischen sind
wieder vier Monate vergangen, ohne dass es mir möglich gewesen
wäre, eine Aeusserung der betreffenden deutschen Behörde herbeizuführen, obgleich ich meinen Hamburger Anwalt in dieser Sache
bemüht habe.

      Die Dinge haben sich inzwischen insofern
zu meinen Ungunsten weiter verschlechtert, als der derzeitige
Käufer, der damals durchaus bereit und auch in der Lage war, den
mit mir getätigten Kauf des Hauses durchzuführen und mich dadurch
u.a. auch von der Hypothekenschuld gegenüber der Beamtenbank zu
befreien, inzwischen wohl ebenso wie alle andern grossen Geschäfte
durch Warenmangel in eine weniger gute Situation gekommen sein
dürfte und schon heute vielleicht nicht mehr gewillt ist, den
Vertrag zu halten, dessen Innehaltung s. Zt. nur durch das Ein-
schreiten der Behörde verhindert wurde.

      Angesichts Ihrer Abneigung, sich in das
Verfahren einzuschalten, bevor die Rechtswege nicht erschöpft
sind, habe ich heute nur eine verhältnismässig bescheidene Bitte,
nämlich, dass Ihre Berliner Vertretung sich bei der betreffenden

Abb. 5a: Schreiben von Max Emden an das Eidgenössische Politische Departement in Bern, 30. November 1939

den 30. November 1939.

Eidgenössisches Politisches Departement, B e r n .

- 2 -

Amtsstelle (Reichswirtschaftsministerium) lediglich erkundigt
wie die Dinge liegen. Ich bin überzeugt, dass diese Anfrage,
im Zusammenhang mit weiteren Schritten, um die ich meinen Anwalt gebeten habe, die Sache ins Rollen bringt und vermutlich
einen annehmbaren Ausgleich herbeiführen wird. Andernfalls
muss ich voraussehen, dass ich nicht nur den von der Behörde
ohne irgendeinen Grund verlangten Verzicht auf 200'000 Mark
aussprechen muss, sondern dass auch der Eigentümer der ersten
Hypothek, wenn der Verkauf sich zerschlägt, von mir Rückzahlung verlangt, und da ich die nötigen Beträge in Deutschland
nicht mehr habe, auf mein schweizer Vermögen zurückgreifen
wird.

    Angesichts der Wichtigkeit der hier auf
dem Spiele stehenden schweizer Interessen glaube ich, dass
der von mir erbetene kleine Schritt sich wohl verteidigen
lässt.

            Mit vorzüglicher Hochachtung

Kopie dieses Schreibens geht an die
Schweizerische Gesandtschaft, Berlin.

Abb.5b: Schreiben von Max Emden an das Eidgenössische Politische Departement in Bern, 30. November 1939

Der Verkaufsvertrag mit Mainka kam nach mehrjährigen Verhandlungen schliesslich zustande, es ist allerdings unklar, ob Max Emden den Kaufpreis zu Lebzeiten erhalten hat. Er verstarb bereits im Juni 1940 und laut Mainka war «über das gesamte inländische Vermögen der Grundstücksverkäufer [Max Emden respektive dessen Erbe Hans Erich] die staatspolizeiliche Sicherstellung ausgesprochen worden.»[28] Intern berichtete der Chef der Sicherheitspolizei:

> «Da dieser [Hans Erich Emden] Mischling ersten Grades und auch seit dem 5.4.1940 haitianischer Staatsbürger ist, finden die Bestimmungen zur elften Verordnung zum Reichsbürgergesetz vom 25.11.1941 auf ihn keine Anwendung. Sein Vermögen, zu dem auch das Warenhausgrundstück in Potsdam gehört, ist somit nicht dem Deutschen Reich verfallen. Vertraulich wird mitgeteilt, dass jedoch die Einziehung des Vermögens wegen Volks- und Staatsfeindlichkeit beabsichtigt ist.»[29] (Abb. 6)

«Volks- und staatsfeindliches» Handeln wurde demnach als Rechtfertigung für den Vermögenszugriff angeführt, für den allein aufgrund der antijüdischen Gesetzgebung keine Handhabe bestand. Zwar wurde die Sperre des Vermögens 1942 aufgehoben, allerdings erscheint es höchst unwahrscheinlich, dass Max Emdens Sohn Hans Erich auf den Verkaufserlös zugreifen konnte. Da sich das Grundstück nach dem Krieg in der sowjetischen Besatzungszone befand, wurde erst 1995 auf der Grundlage des «Gesetzes zur Regelung offener Vermögensfragen» eine Entschädigung an Hans Erich Emden gezahlt.[30]

Nicht nur in Deutschland bemächtigte sich der NS-Staat des Eigentums von Max und Hans Erich Emden. Auch das Budapester Kaufhaus Corvin AG geriet 1941 ins Visier der Behörden.[31] Im November 1938 hatte Max Emden in der Schweiz den Grundstein für die Maxonia-Stiftung gelegt. Diese wurde aus seinem Nachlass gespeist und zahlte Geldbeträge an notleidende Kinder und bedürftige ältere Menschen im Tessin. Die Stiftung hatte neben Emden weitere offiziell nicht in Erscheinung tretende Gönner sowie mehrere Schweizer Stiftungsratsmitglieder. Auf dem Papier war sie also komplett schweizerisch. Im Stiftungsvermögen enthalten waren 99% der Aktienanteile am Kaufhaus Corvin in Budapest.[32] Somit basierte das Vermögen der gemeinnützigen Schweizer Maxonia-Stiftung wesentlich auf den Anteilen und dem finanziellen Wohl des Budapester Warenhauses.

Die Gründung der Stiftung geschah vor folgendem Hintergrund: Bei dem oben beschriebenen Potsdamer Grundstücksverkauf war offensichtlich geworden, dass Emdens Schweizer Staatsbürgerschaft allein nicht reichte, um von den Schweizer Behörden Unterstützung bei der Wahrung seiner Vermögensinteressen zu erhalten. Die einzige Chance, das Eigentum in Budapest vor dem drohenden Zugriff der Nationalsozialisten zu bewahren, lag in dessen Überführung in eine wohltätige Organisation, deren Stiftungszwecke im eigenen Interesse der Schweizer Regierung lagen. Ein Einwand gegen Zwangsverkäufe oder Arisierungen durch die deutsche Regierung zahlte sich somit für die Eidgenossenschaft unmittelbar aus. Im November 1944 stellte die Schweizer Gesandtschaft in Budapest dann auch tatsächlich einen Schutzbrief für das Kaufhaus Corvin aus.[33]

Eine Entschädigung oder gar Restitution für die Repressalien und die spätere Verstaatlichung des Kaufhauses, die Hans Erich Emden nach Kriegsende von Ungarn

28. Firma A. Mainka an Regierungspräsident Potsdam, Preisüberwachungsstelle, 3. Januar 1942, in: BLHA, Rep. 2A 1 HG, Nr. 3384/1.

29. Chef der Sicherheitspolizei und SD an Regierungspräsident Potsdam, 6. März 1942, in: BLHA, Rep. 2A 1 HG, Nr. 3384/1.

30. Vgl. Brömmling 2020, S. 143, und Thomas Buomberger, Dossier Dr. Max J. Emden, NS-Verluste Hamburg, in: HAHK, o. Sign., S. 15.

31. Vgl. Brief Max Emden an Dr. Kohli, Eidgenössisches Politisches Departement,

Bern, 29. September 1939, in: BAR, E2001D#1000.1551#2349*.

32. Vgl. Schweizerisches Handelsamtsblatt, 25. September 1941 und Maxonia-Stiftung an Eidgenössisches Politisches Department Bern, 14. März 1944, in: BAR, E2001-07#1970.351#54*.

33. Vgl. Notiz betreffend die Maxonia-Stiftung, 15. Juli. 1947, in: BAR, E2001-07#1970.351#54*.

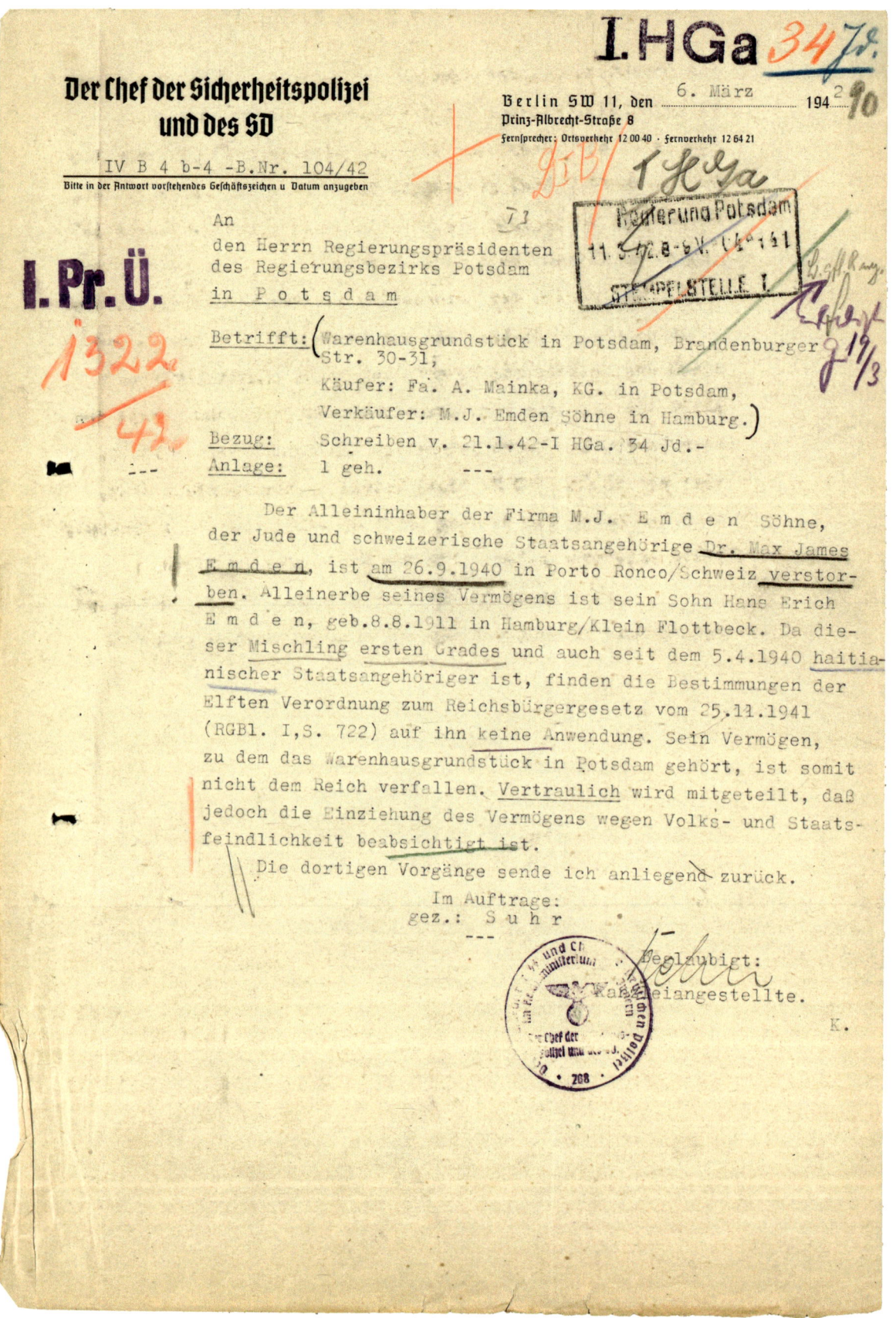

I.HGa 34 Jd.

Der Chef der Sicherheitspolizei und des SD

Berlin SW 11, den 6. März 194 2

Prinz-Albrecht-Straße 8

Fernsprecher: Ortsverkehr 12 00 40 · Fernverkehr 12 64 21

IV B 4 b-4 -B.Nr. 104/42

Bitte in der Antwort vorstehendes Geschäftszeichen u. Datum anzugeben

I.Pr.Ü.

1322

42

An

den Herrn Regierungspräsidenten
des Regierungsbezirks Potsdam

in P o t s d a m

Betrifft: (Warenhausgrundstück in Potsdam, Brandenburger
Str. 30-31;
Käufer: Fa. A. Mainka, KG. in Potsdam,
Verkäufer: M.J. Emden Söhne in Hamburg.)

Bezug: Schreiben v. 21.1.42-I HGa. 34 Jd.-

Anlage: 1 geh.   ---

　　Der Alleininhaber der Firma M.J. E m d e n Söhne,
der Jude und schweizerische Staatsangehörige Dr. Max James
E m d e n, ist am 26.9.1940 in Porto Ronco/Schweiz verstorben. Alleinerbe seines Vermögens ist sein Sohn Hans Erich
E m d e n, geb.8.8.1911 in Hamburg/Klein Flottbeck. Da dieser Mischling ersten Grades und auch seit dem 5.4.1940 haitia-
nischer Staatsangehöriger ist, finden die Bestimmungen der
Elften Verordnung zum Reichsbürgergesetz vom 25.11.1941
(RGBl. I,S. 722) auf ihn keine Anwendung. Sein Vermögen,
zu dem das Warenhausgrundstück in Potsdam gehört, ist somit
nicht dem Reich verfallen. Vertraulich wird mitgeteilt, daß
jedoch die Einziehung des Vermögens wegen Volks- und Staats-
feindlichkeit beabsichtigt ist.

　　Die dortigen Vorgänge sende ich anliegend zurück.

　　Im Auftrage:
　　gez.: S u h r

Beglaubigt:

Kanzleiangestellte.

K.

Abb. 6: Schreiben des Chefs der Sicherheitspolizei und des SD, Berlin, an den Regierungspräsidenten von Potsdam, 6. Mai 1942, betreffend das Vermögen von Hans Erich Emden

beziehungsweise den sowjetischen Besatzern forderte, gab es nicht.[34] Die Schweiz hatte es nach dem Krieg abgelehnt, sich für Hans Erich Emdens Ansprüche an dem Corvin-Kaufhaus einzusetzen. Aufgrund von dessen 1941 angenommener chilenischer Staatsbürgerschaft galt der Komplex nach 1945 aus Schweizer Sicht als «chilenisches Eigentum» und lag somit ausserhalb der eidgenössischen Verantwortung.[35] Die Restaurierung des Gebäudes wurde erst jüngst, im Juni 2023, abgeschlossen. Nach über 60 Jahren zeigt sich nun wieder annähernd das Erscheinungsbild, das Max Emden bei der Gründung des Kaufhauses im Jahr 1926 vor Augen gestanden hatte.[36]

Auch die Entschädigungszahlung der Bundesrepublik Deutschland für die Beteiligung an zwei entzogenen Warenhausgrundstücken in Bremen und Stettin liess auf sich warten. Erst in den 1980er-Jahren, also knapp 40 Jahre nach dem Ende der nationalsozialistischen Herrschaft, erhielt Hans Erich Emden 40.000 DM als Ausgleich für die Arisierungen.[37] Die Reichsfluchtsteuer konnte gegenüber Max Emden nicht erhoben werden, da er ja bereits 1927 final in die Schweiz übergesiedelt war. Die im Zuge der Recherchen geprüften Unterlagen verweisen auch nicht auf die Erhebung, Zahlung oder Kompensation einer Judenvermögensabgabe.

VERMÖGENSWERTE AUSSERHALB DES NS-MACHTBEREICHS

Von Interesse ist im Falle Emdens jedoch nicht nur, was der Familie entzogen wurde, sondern auch das, worüber sie (in der Schweiz) nach 1933 noch verfügen konnte. Da Max Emden in der Schweiz keine aktiven Geschäfte betrieb, hatte er dort auch kein Einkommen. Die Hypotheken auf sein Haus, die Angestellten und der Unterhalt der Insel finanzierten sich also aus den Einnahmen im Ausland. Da diese aufgrund der Beschlagnahme seines in Deutschland verbliebenen Vermögens ab spätestens 1938 wegfielen, konnte Emden selbst die Hausangestellten kaum noch entlohnen.[38] Ab Juni 1938 begann er daher mit dem Verkauf von Kunstwerken, um Mittel freizusetzen.[39] Absatzmöglichkeiten fand er sowohl in der Schweiz als auch in Deutschland, worauf im Folgenden noch eingegangen wird.

Dass Max Emden zu Lebzeiten nicht alle Kunstwerke abstiess, wird daraus ersichtlich, dass Hans Erich Emden nach dem Tod seines Vaters mehrere Objekte mit nach Südamerika nehmen konnte.[40] Wie der Korrespondenz, die er noch 1945 mit der Galerie Knoedler & Cie, New York, führte, zu entnehmen ist, war er dabei nicht auf schnelle und unterpreisige Verkäufe angewiesen.[41]

Max Emden besass ein Konto mit Wertpapieren bei der Chase Bank in New York. In den frühen 1930er-Jahren hatte er für Hans Erich ein zweites Konto eröffnen lassen, mit dem Hinweis, dass sein Sohn dort auch Beträge für Dritte einzahlen würde. Zwei der auf diesem Konto vorhandenen Wertanlagen gehörten dessen erster Frau Anita Beer.[42]

34. Vgl. Brömmling 2020, S. 130.
35. Vgl. Notiz betreffend die Maxonia-Stiftung, 12. August 1947, in: BAR, E2001-07#1970.351#54*.
36. Vgl. Corvin-Palast erstrahlt in altem Glanz, in: Ungarn heute, 7. Juni 2023, https://ungarnheute.hu/news/corvin-palast-erstrahlt-in-altem-glanz-26530/ (11.7.2023).
37. Vgl. Ulrike Knöfel, Für ein Opfer zu mondän, in: Der Spiegel, Nr. 38, 2017, S. 129.
38. Vgl. Brömmling 2020, S. 136. Die Angabe, dass Emdens «gesamtes reichsdeutsches Vermögen» aufgrund einer Verfügung der Danziger Steuerbehörden am 15. November 1938 beschlagnahmt worden sei, stammt aus dem Bericht von Thomas Buomberger, der der Beratenden Kommission im Zusammenhang mit der Rückgabe NS-verfolgungsbedingt entzogenen Kulturguts, insbesondere aus jüdischem Besitz zur Entscheidungsfindung 2019 vorgelegt wurde. Als Grund wird eine von den Nationalsozialisten postulierte «Steuerschuld» angeführt. Zit. n. Sebastian Regli (Schweizer Vizekonsul in Danzig) an Abtlg. für Auswärtiges des Eidg. Politischen Departements Bern vom

25. November 1938. Die genaue Quelle für dieses Zitat konnte trotz intensiver Recherchen nicht gefunden werden.
39. Vgl. Lost Art-Datenbank, www.lostart.de/de/Fund/591827 (17.8.2023).
40. Vgl. Hans Erich Max Emden: Zusammenfassung Emden, o. D., in: NARA, Records of the American Commission for the Protection and Salvage of Artistic and Historical Monuments in War Areas (The Roberts Commission), 1943–1946, Geographical Card File on Possible Art-Looting Subjects, Record Group 239, Roll 0051, www.fold3.com/image/270222556 (17.8.2023).
41. «Preis Renoir unveränderlich» zit. aus dem Englischen: Bericht, Ind. – So. America, Emden, Hans Erich Max (or Enrique), or Juan Enrique Emden, o. D., in: NARA, Records of the American Commission for the Protection and Salvage of Artistic and Historical Monuments in War Areas (The Roberts Commission), 1943–1946, Geographical Card File on Possible Art-Looting Subjects, Record Group 239, Roll 0051, www.fold3.com/image/270222561 (17.8.2023).
42. Vgl. Memorandum of the files, Subject: Hans Erich Emden, Santiago, Chile, 6. Januar 1945, in: NARA, Record Group 131 A1 247 Foreign Funds Control General Subject Files, 1942–1960, Box 112, located at: 230/38/14/05, File: Emden, Hans Erich.

Die anderen Anlagen hatte Max Emden kurz vor seinem Tod auf Hans Erichs Konto übertragen wollen, allerdings verstarb er, bevor alle Aufträge ausgeführt werden konnten.[43] Bis 1944 liquidierte Hans Erich Emden sämtliche Finanzprodukte und liess das Bargeldvermögen über Devisenmakler nach Chile transferieren. Mit dem Geld erwarb er Land und Immobilien und baute seine Firma Pre-Unic auf. Die Vermögenswerte auf Max Emdens persönlichem Konto waren für Hans Erich aber offenbar nicht unmittelbar zugänglich; die Behörden hatten es gesperrt. Unklar bleibt, wie lange ihm der Zugriff auf den Nachlass seines Vaters verweigert wurde.[44] Diese detaillierten Finanzinformationen wurden vom US-amerikanischen Geheimdienst auf der Grundlage von Hans Erich Emdens Visa-Antrag zusammengetragen. Diesen musste er stellen, um den in New York befindlichen Nachlass seines Vaters abzuwickeln. Er legte darin Rechenschaft über sein Vermögen sowie Zahlungseingänge der letzten Jahre ab.[45] Aus dem Bericht geht hervor, dass Hans Erich Emden von seinen New Yorker Konten mindestens 40.000 USD über Devisenmakler nach Südamerika transferierte, um sein neues Warengeschäft in Chile aufzubauen.[46] Im selben Bericht ist vermerkt, dass Hans Erich Emdens Vermögen in der Schweiz 1944 mit «Null» zu beziffern sei. Der Immobilienwert der Inseln war davon ausgenommen. Die Kunstwerke in der Schweiz würden allmählich («slowly») verkauft, um die Hypothek auf der Villa, die Angestellten, den Unterhalt und die Steuern zu bezahlen.[47] Hans Erich Emden scheint laut Bankdokumenten und eigenen Aussagen gegenüber dem amerikanischen Auslandsgeheimdienst also in dem Masse finanziell abgesichert gewesen zu sein, dass er sich eine neue Existenz mit Startkapital für ein Unternehmen aufbauen konnte.

54 — CAMILLE PISSARRO. Bouquet de fleurs.
Signé en bas, à gauche, des initiales : *C. P.*
Papier. Haut., 17 cent.; larg., 13 cent.

53

Abb.7: Abbildung des *Bouquet de fleurs* im Katalog der Nachlassauktion von Camille Pissarro in der Galerie Georges Petit, Paris, 3. Dezember 1928, annotiertes Exemplar im Rijksbureau voor kunsthistorische Documentatie (RKD) mit Aufschrift «Ernden»

MAX EMDENS KUNSTSAMMLUNG UND DIE WEGE IHRER VERÄUSSERUNG

Dass das Basler Pissarro-Gemälde erst jüngst als aus der Kunstsammlung Emden stammend identifiziert wurde, liegt an der schlecht leserlichen Annotation im Versteigerungskatalog der Nachlassauktion von Camille Pissarro im Hôtel Drouot von 1928 (Abb.7).[48] Im Werkverzeichnis wird «Ernden» als Name des Eigentümers nach der Auktion ohne

43. Vgl. Robert Sherwood an The Files, 17. Februar 1944, in: NARA, Record Group 131, A1, 247 Foreign Funds Control General Subject Files, 1942-1960. Box 112, located at: 230/38/14/05. File: Emden, Hans Erich.
44. Vgl. Memorandum for the files, Foreign Investigations Unit, 17. November 1944, und Foreign Funds Control: transmittal of information in Answer to Treasury Investigative Request Chile No. 36 concerning Hans Erich Emden, also known as Juan Enrique Emden, Enclosure No. 1 and Details, 23. Oktober 1944, beide in: NARA, Record Group 131 A1 247 Foreign Funds Control General Subject Files, 1942–1960, Box 112, located at: 230/38/14/05, File: Emden, Hans Erich.

45. Vgl. Subject: Foreign Funds Control, Transmittal of Information in Answer to Treasury Investigative Request Chile No. 36, concerning Hans Erich Emden, also known as Juan Enrique Emden, Enclosure No. 1, 23. Oktober 1944, in: NARA, Office of Alien Property, Foreign Funds Control Investigative Reports, Record Group 131, Box 112, S. 1.
46. Vgl. ebd.
47. Vgl. ebd., S. 2.
48. Œuvres importantes de Camille Pissarro et de tableaux [...] composant la collection Camille Pissarro, Aukt.-Kat. Galerie Georges Petit, Paris, 3. Dezember 1928, Los 54, annotiertes Exemplar im RKD.

				Report:	1502.50.
	— 14	9.	*[Image par Pissarro ... M. Marcel Bernheim ...]*		18.000.
	— 15	8.	*[... par Pissarro ... M. Charon pour M. Georges Pissarro. Neuf mille francs]*		9.000.
pour M. Rodolphe Pissarro	— 16	7.	*[Une autre ... U. Wiesch... Quatorze mille francs]*		14.000.
	— 17	6.	*[Aquarelle par Pissarro ... cento pour Musée du Louvre]*		10.500.
	— 18	5.	*[Une autre ... mille deux cents francs M. Santa Marina (J. Matlinez)]*		10.200.
	— 19	4.	*[Une autre ... Neuf mille cent francs M. Simon ... Ubers de Pension]*		9.100.
	— 20	3.	*[Peinture à la détrempe par Pissarro M. Yelkey... Huit mille francs]*		8.000.
	— 21.	2.	*[Une autre Les devants de bois ... mille cinq cents francs M. Bergaud pour M. Bourgeois à N.Y.]*		22.500.
	— 22	1.	*[Une autre Bergère ... M. Charon ... pour M. Georges Pissarro Quinze mille francs]*		15.000.
	∫ 23	59	*[Peinture sur porcelaine par Pissarro M... Miller 54 ct. Sept mille cinq cents francs]*		7.500.
	∫ 24	58	*[Une autre (reparation) M. Miller nommé Quatre mille cinq cents francs]*		4.500.
	— 25	57	*[Peinture sur faïence par Pissarro Neuf mille francs M. Simon pour M. de Pension]*		9000.
	∫ 26	56	*[Une autre à Saint-Martin M. Miller nommé Cinq mille cinq cents francs]*		5.500.
pour M. Lucien Pissarro	— 27	55	*[Peinture sur zinc par Pissarro Onze mille francs M. Chardon ... pour M. Georges Pissarro]*		11.000.
	— 28	54	*[Tableau par Pissarro Bouquet de fleurs M... Emden (Schaller) Onze mille cinq cents francs]*		11.500.
	— 29	53	*[Une autre Paysage à la ferme M... 19 Carmentin Quatre mille neuf cents francs]*		4900.
	— 30	52	*[Une autre le Port de Dieppe ... 33 ... Hoche Treize mille cinq cents francs]*		13.500.
	— 31	51	*[Une autre M... Cinq mille six cents francs]*		5.600.
	— 32	50	*[Une autre La tour du téléphone M. Yelkey nommé ... et une mille cinq cents francs]*		21.500.
	— 33.	49	*[Une autre Les Bergères trente mille francs M. Chardon ... pour M. Georges Pissarro]*		30.000.
	— 34	48	*[Une autre Minette dans la salle à manger vingt huit mille francs M. Wildenstein und C° à New York]*		28.000.
	— 35	47	*[Une autre Rue à la Roche Guyon vingt mille cinq cents francs M. Druville (I.O.)]*		20.500.
	— 36	46	*[Une autre M. Yelkey Quarante mille cent francs]*		40.100.
	— 37	45	*[Une autre Pommiers à Ragny Soixante quinze mille francs M. Knoedler]*		75.000.
	— 38	44	*[Une autre La place du Carousel Soixante dix mille francs M. Van Bael (H.) 3 ... Vingt Neuilly]*		70.000.
	— 39	43	*[Une autre femme étendant du linge M. Lewis à Marseille Vingt mille cent francs]*		20.100.
				à Reporter:	644.750

Abb. 8: Protokoll der Auktion der Galerie Georges Petit, Paris, 3. Dezember 1928

<u>Abb.9</u>: Villa Emden, Isola di Brissago, um 1930

nähere Datumsangaben geführt. [49] Beim Abgleich von Los 31 aus dem Auktionskatalog mit den übrigen Werkverzeichnisangaben wird jedoch klar, dass es sich
beim Käufer der Lose 31 und 54 um Dr. Max Emden aus Hamburg gehandelt haben
muss. Dies bestätigt schliesslich das Auktionsprotokoll, in dem vermerkt ist, dass
der französische Kunstexperte André Schoeller (1879–1955) das Bild bei der Versteigerung für Emden erwarb (Abb.8). [50]

      Über Umfang, Sammlungsschwerpunkte und Ankaufsdaten sowie Bezugs-
quellen der Sammlung Emden ist bislang generell wenig bekannt. Aus den Akten
der Hamburger Kunsthalle geht hervor, dass Max Emden ab 1922 zeitweise Mitglied der dortigen Kunstkommission war und bereits sein Vater Jacob Emden
(1843–1916) Kunstwerke besass. [51] Gustav Pauli (1866–1938), Direktor der Hamburger
Kunsthalle, beriet Max Emden bezüglich des Auf- und Ausbaus seiner Sammlung und
fand 1923, als ihn der niedrige Museumsetat zu Veräusserungen aus den Beständen
zwang, einen dankbaren Abnehmer für eine Studie von Anselm Feuerbach (1829–
1880) in ihm. [52] Im Zuge seiner Übersiedlung in die Schweiz nahm Max Emden einen
Teil seiner Sammlung aus *Sechslinden*[53] mit und kaufte zur Einrichtung der neuen
Villa um 1928 auch noch einiges dazu– so den hier interessierenden *Blumenstrauss*
von Pissarro, der im Dezember 1928 in Emdens Sammlung einging, als dieser bereits

49. Joachim Pissarro und Claire Durand-Ruel Snollaerts, Pissarro. Catalogue
critique des peintures / Critical Catalogue of Paintings, Bd. 3, Mailand/Paris 2005,
S. 805, Nr. 1302, Abb. S. 805.
50. Vgl. Commissaire priseur M. F. Lair-Dubreuil, vente du 3 décembre 1928, in:
Archives de Paris, Procès verbaux, D.42E3 162. Zu Schoeller vgl. https://agorha.
inha.fr/ark:/54721/dcc09deb-0453-4884-965e-68cf5d51da34 (27.10.2022).
51. Jacob Emden verkaufte 1916 ein Porträt von Gerard ter Borch an die
Hamburger Kunsthalle. Vgl. Christian Ring, Gustav Pauli und die Hamburger
Kunsthalle. Reisebriefe, München 2010, S. 119, Anm. 147, und Ders., Gustav Pauli

und die Hamburger Kunsthalle. Biografie und Sammlungspolitik, München 2010,
S. 179, Anm. 634.
52. In der Dokumentation der Kunsthalle Hamburg hat sich kein weiteres Material
zu Emdens Sammelverhalten oder dem Pissarro erhalten. Freundlicher Hinweis
von Ute Haug, Provenienzforscherin an der Hamburger Kunsthalle. Vgl. Ring
(Reisebriefe) 2010, S. 143, Anm. 286, und Ring (Biografie) 2010, S. 96.
53. Vgl. Die Kunstwelt, Heft 8, 2. Jg., Februar – Mai 1913, S. 509–512, https://doi.
org/10.11588/diglit.21776#0605 (19.7.2023).

Abb.10: Villa Emden, Gartensaal, Isola di Brissago, um 1930

Abb.11: Villa Emden, Salon im ersten Stock, Isola di Brissago, um 1930

DIE SAMMLUNG
DR. MAX EMDEN·HAMBURG

GEMÄLDE
DEUTSCHER UND FRANZÖSISCHER MEISTER
DES 19. JAHRHUNDERTS
MÖBEL · TEPPICHE · BRONZEN
DEUTSCHES SILBER · FAYENCEN

KATALOG NR. XIII

BERLIN MCMXXXI
HERMANN BALL · PAUL GRAUPE

CAMILLE PISSARRO

42 *Die Kirche Saint Jaques in Dieppe*

Blick auf das turmüberragte Längsschiff der hochgotischen Kirche mit reichem Maß-
und Strebewerk, um das sich nach rechts eine breite, im Sonnenlicht schwimmende
Straße mit bunter Häuserfront und lebendiger Staffage zieht. Blauer, leicht bewölkter
Himmel.
Öl auf Leinwand. Bezeichnet rechts unten: C. Pissarro 1901.
Höhe 72 cm, Breite 90 cm.
Sammlung Camille Pissarro, Versteigerung Paris, Georges Petit, 1928, Kat.-Nr. 51.
Siehe Tafel 25.

CAMILLE PISSARRO

43 *Pont des Arts, Paris*

Blick auf die reich belebte Brücke und die jenseitige Häuserfront. Grauer Himmel.
Öl auf Leinwand. Bezeichnet rechts unten: C. Pissarro 1902.
Höhe 62 cm, Breite 75 cm.
Siehe Tafel 26.

FÉLICIEN ROPS, Namur, Essonnes, 1855—1898

44 *Verschneite Winterlandschaft*

Im Mittelgrund auf ansteigendem Gelände ein kleines Dorf. Rechts ein zugefrorener
Teich, dahinter im Grunde Buschwald. Zartblauer Himmel mit graurosa Wolken.
Öl auf Leinwand. Bezeichnet rechts unten: Pour Mallassis Félicien Rops.
Höhe 24,8 cm, Breite 42 cm.

PAUL SIGNAC, geb. 1863, lebt in Paris

45 *Zwei Gegenstücke mit südlichen Meerlandschaften*

Auf beiden Bildern starkfarbige, rote, violette und bläulich-grüne Felsenufer und
tiefblaues Meer.
Öl auf Holz. Bezeichnet: P. Signac.
Höhe 18,5 cm, Breite 27 cm.

Tafel 25

Tafel 26

Abb. 12a–d: Katalog der Auktion der Sammlung Max Emden bei Paul Graupe, Berlin, 9. Juni 1931,
Titelblatt und Gemälde von Pissarro

auf Brissago lebte.[54] Auch das Gemälde *Mohnblumenfeld bei Vétheuil* von Claude Monet, heute in der Sammlung Stiftung Emil Bührle, kaufte Emden erst 1929 über die jüdische Kunsthändlerin Anna Caspari (1900–1941) in München an.[55] Fotografische und beschreibende Überlieferungen belegen die reiche Ausstattung der Villa auf der Isola di Brissago mit Gemälden und Kunsthandwerk (Abb. 9/10/11).[56]

Von knapp 250 Objekten, die nach seinem Umzug in seiner Hamburger Villa verblieben waren, trennte er sich schon 1931, über eine Auktion bei Paul Graupe (1881– 1953) in Berlin.[57] Der Auktionskatalog gibt einen Überblick über Emdens Sammlungsschwerpunkte vor 1931. Im Angebot fanden sich Altmeister aus verschiedenen Schulen, deutsche und französische Künstler des 19. Jahrhunderts sowie diverse kunstgewerbliche Gegenstände. Das vorliegende Gemälde wurde in dieser Auktion nicht gehandelt, wohl aber andere Werke von Camille Pissarro (Abb. 12a–d).

Eine hinreichende Untersuchung von Max Emdens Sammelverhalten während der Schweizer Jahre steht noch aus. Es existieren unterschiedliche Überlieferungen zu bestimmten An- und Verkäufen, die aber kein einheitliches Bild ergeben. Spuren von Emden-Provenienzen finden sich in einer weiteren Sammlung, die von den Auswirkungen des Nationalsozialismus betroffen war. Max Emden wird bei zehn Werken der Sammlung seiner Tante, Eleonore Bromberg, geb. Kann (1852–1927), Ende der 1930er-Jahre als Zwischenprovenienz angeführt.[58] Eleonore hatte in die Familie des Bankiers Martin Bromberg (1839–1918) eingeheiratet.[59] Nach ihrem Tod 1927 ging das Erbe samt Kunstsammlung an den Sohn Moritz Henry (1878–1971) und seine Frau Hertha Bromberg (1889– 1964?).[60] Die jüdische Familie konnte sich 1939 in die USA retten.[61] Was genau mit den Kunstwerken geschah, ist bislang ungeklärt. Der Pariser Kunsthändler Allen Loebl (*1887–?), der enge Verbindungen in die USA pflegte, kaufte die Sammlung Bromberg 1938, um sie dann sukzessive über Händler wie Georges Wildenstein (1892–1963) weiterzuverkaufen.[62] Dies scheint zumindest zum Teil mit Hilfe von Max und/oder Hans Erich Emden in der Schweiz geschehen zu sein, ohne dass sich jedoch hierzu genauere Informationen finden lassen. Belegt ist, dass Henry Bromberg und Max Emden geschäftlich verbunden waren. So war Henry Bromberg als einer der Vertreiber von Waffen und Munition der Firma M. J. Emden Söhne Export AG zugelassen.[63]

Eine Anfrage bei der Galerie Fischer, Luzern, zu Emdens An- und Verkäufen ergab, dass Max Emden ab Sommer 1938 diverse Kunstwerke einlieferte, die jedoch nicht alle versteigert wurden.[64] Die in der Auktion vom 26. August bis 3. September 1938 nicht verkauften Objekte (Möbel, Porzellan, eine Landschaft von Jean-Baptiste Pater) übernahm die Galerie Fischer als Kommissionsware.[65] Auch Hans Erich Emden lieferte nach dem

54. Möglicherweise kaufte er sogar noch 1931 bei der Auktion der Sammlung Goldschmidt-Rothschild in Berlin, wie der im zeitgenössischen Magazin erschienene Auktionsbericht suggeriert. Vgl. Die Weltkunst, V. Jg., Nr. 13, 29. März 1931, https://doi.org/10.11588/diglit.44978#0147 (12. Juli 2023).

55. Vgl. www.Bührle.ch/sammlung/artwork/detail/mohnblumenfeld-bei-vetheuil/ (23.9.2022).

56. Vgl. Brömmling 2020, S. 106 und 122.

57. Vgl. Die Sammlung Dr. Max Emden [...], Aukt.-Kat. Paul Graupe, Berlin, 9. Juni 1931. https://digi.ub.uni-heidelberg.de/diglit/ball_graupe1931_06_09/0079 (14.10.2020). Laut Preisberichten in der Weltkunst sind alle Objekte verkauft worden. Vgl. Die Weltkunst, V. Jg., Nr. 24, 14. Juni 1931, https://doi.org/10.11588/diglit.44978#0288 (13.7.2023). Dass diese Angabe nicht der Wahrheit entspricht, konnte bereits in anderen Fällen nachgewiesen werden; vgl. den Beitrag zur Sammlung Semmel in diesem Band.

58. Die Interessen der Sammlung Bromberg werden von der Kanzlei von Trott zu Solz Lammek, Berlin, vertreten. Vgl. www.lostart.de/de/Verlust/526700 (23.9.2022).

59. Vgl. Brömmling 2020, S. 38. Die Rechtsvertreterin der Erben Bromberg, Imke Gielen, konnte den genauen Zusammenhang der beiden Sammlungen nicht erhellen. Ihr ist kein aktiver Kontakt zwischen Emden und seinen Grosscousins bekannt. Telefonische Auskunft an Tessa Rosebrock, Frühjahr 2022.

60. Vgl. Pressemitteilung «Restitution d'un tableau ‹Musées nationaux Récupération› (MNR) aux ayants droit de Hertha et Henry Bromberg», www.culture.gouv.fr/presse/archives-presse/Archives-Communiques-de-presse-2012-2018/Annee-2016/Restitution-d-un-tableau-Musees-nationaux-Recuperation-MNR-aux-ayants-droit-de-Hertha-et-Henry-Bromberg (3.3.2025).

61. Vgl. Passenger and Crew Lists of Vessels Arriving at and Departing from Ogdensburg, New York, 5/27/1948 - 11/28/1972, in: NARA, Microfilm Serial or NAID: T715, 1897–1957.

62. Vgl. Allen Loebl an Harry Sperling, 20. Dezember 1938, und Allen Loebl an Harry Sperling, 29. Mai 1939, in: Getty Research Institute, F. Kleinberger Galleries. Kleinberger & Co., Inc. Records: A. Loebl, 1938, https://rosettaapp.getty.edu/delivery/DeliveryManagerServlet?dps_pid=IE1045428, https://rosettaapp.getty.edu/delivery/DeliveryManagerServlet?dps_pid=IE1047709 (13.7.2023). Vgl. Lost Art-Datenbank, www.lostart.de/de/Verlust/526699 (12.7.2023).

63. Vgl. Polizeibehörde Hamburg, 27. Juni 1930, in: STAHH, 376-2, Bestand Gewerbepolizei, Spz VIII Q 12.

64. Vgl. Mobiliar der Mme Charles Rubner, Paris [...] Gemälde eines Zürcher Sammlers [...], Aukt.-Kat., Galerie Fischer, Luzern, 26. August – 3. September 1938.

65. Vgl. Kommissionsbuch, Kontenbücher, Korrespondenz, in: Galerie Fischer, Archiv, Recherchen vom 2. November 2022. Sandra Sykora vom Archiv der Galerie Fischer sei an dieser Stelle herzlich gedankt.

Tod seines Vaters in den Jahren 1940 und 1943 Kunstwerke bei Fischer zu Auktionen oder als Kommissionsware ein, darunter das Los 1290 am 9. November 1940, das aus der Sammlung von Henry und Hertha Bromberg stammte.[66] Der hier untersuchte Pissarro war kein Bestandteil der Verkaufsmasse in der fraglichen Zeit bis 1946.

Ein weiterer Hinweis auf einen gross angelegten Verkauf von Werken der Sammlung Emden wird in einer Zusammenfassung der US-amerikanischen Nachrichtendienste erwähnt. 121 Kunstwerke sollen laut Bericht im April 1939 von Emden bei Paul Graupe in Kommission gegeben worden sein.[67] Emden kannte den deutsch-jüdischen Auktionator Graupe, wie beschrieben, spätestens seit 1931, als er den in Deutschland verbliebenen Teil seiner Sammlung versteigern liess. Nach Kriegsbeginn am 1. September 1939 kehrte Paul Graupe, der 1937 selbst aus Deutschland geflohen war und den Sommer 1939 in der Schweiz verbrachte, nicht mehr in seine neu in Paris gegründete Galerie zurück. Stattdessen reiste er von der Schweiz aus im März 1941 über Lissabon nach New York. Dort versuchte er einen Neustart als Kunsthändler, was aufgrund seines in Frankreich festgesetzten Galeriebestands jedoch recht kompliziert war. Der Versuch, einige hochwertige Kunstwerke in die USA zu schmuggeln, gelang ebenfalls nur in wenigen Fällen. In Paris wurde seine Firma unter Zwangsverwaltung gestellt und das Warenlager von der NSDAP-Kunstraubstelle, dem Einsatzstab Reichsleiter Rosenberg (ERR), konfisziert.[68]

Die Bemühungen, durch Recherchen über die Dokumentation des US-amerikanischen Geheimdiensts Hinweise auf das vorliegende Kunstwerk zu erhalten, scheiterten, da es sich bei dem Bericht zur Kommission von Emden-Kunstwerken um eine Zusammenfassung aus verschiedenen Quellen handelt und Belege für die einzelnen Angaben in dem Dokument fehlen.[69] So konnte die Liste mit den 121 Kunstwerken, die Graupe in Kommission nehmen sollte, in den National Archives in Washington, trotz intensiver Recherche nicht lokalisiert werden.[70] Die Frage, ob das kleine Pissarro-Stillleben möglicherweise zu Graupes Kommissionsbestand gehörte, muss somit unbeantwortet bleiben.

Abb. 13: Bernardo Bellotto, gen. Canaletto, *Die Karlskirche in Wien*, 1758–1760, Öl auf Leinwand, 48,3 × 79,9 cm, ehemals Sammlung Max Emden

Anderen Quellen zufolge soll Olga Ammann, die langjährige Sekretärin und Vertraute Max Emdens, mit der Verwaltung der in der Schweiz verbliebenen Kunstgegenstände nach 1940 betraut worden sein.[71] Vor dem Hintergrund der wechselvollen Lebensumstände Paul Graupes nach dem Sommer 1939 erscheint dies wahrscheinlicher, als die tatsächliche Übergabe von Kommissionsware an den mehrfach geflüchteten Händler im Exil. Ammann wickelte zwischen 1941 und 1948 zusammen mit dem in Zürich ansässigen Kunsthändler Walter Feilchenfeldt (1894–1953) einige Kunstverkäufe für Hans Erich Emden ab, offenbar ohne zeitlichen Druck und ohne direkte Einwirkung der Nationalsozialisten.[72] Zu niedrige Angebote wurden abgelehnt und die Verkaufserlöse konnten nachweislich ins Ausland transferiert werden.[73]

Nach dem Tod Max Emdens wurden weitere Verkäufe offenbar sowohl von Theodor Fischer, Luzern, als auch von dem Basler Kunsthändler Christoph Bernoulli (1897–1981) durchgeführt. Ein von Bernoulli als Experte betreuter Verkauf von Gobelins, Antiquitäten und Möbeln fand am 30. Dezember 1946 im Hotel Elite in Biel statt. Zu diesem Zeitpunkt war das kleine Pissarro-Bild bereits Bestandteil der Öffentlichen Kunstsammlung Basel.[74]

VERÄUSSERUNGEN EINZELNER KUNSTWERKE AUS EMDENS BESITZ

Da bislang nicht eruiert werden konnte, wann und an wen Max oder Hans Erich Emden das Blumenstillleben verkaufte, werden im Folgenden Beispiele diskutiert, deren Verkaufswege möglicherweise vergleichbar mit jenem des Pissarro sind.

Es ist bekannt, dass Max Emden drei Gemälde von Bernardo Bellotto (1722–1780), genannt Canaletto, besaß. Zwei dieser Werke verkaufte er 1938 über den Kunsthändler Karl Haberstock (1878–1956), der sie für das geplante «Führermuseum» in Linz erwarb (Abb. 13). Diese Gemälde sind 2019 von der Bundesrepublik Deutschland an die Erben nach Max Emden restituiert worden.[75] Einem potenziellen Handel des Basler Pissarro-Gemäldes durch den Kunsthändler Karl Haberstock wurde erfolglos nachgegangen.[76]

Ein anderes Werk aus der ehemaligen Sammlung Emden gelangte nach dem Tod Max Emdens 1940 über Hans Erich und durch Vermittlung der Kunsthändler Walter Feilchenfeldt und Fritz Nathan (1895–1972) in die Sammlung des Waffenfabrikanten Emil Bührle (1890–1956). In Feilchenfeldts *Journal*, seinen tagebuchähnlichen Aufzeichnungen, finden sich Notizen zu einigen Werken in der Villa Max Emdens, ohne Referenz zum

66. Vgl. Nachlaß des Herrn R., Genf - Aus Glarner und anderem Privatbesitz, Aukt.-Kat. Galerie Fischer, Luzern, 7.–9. November 1940, Lose 1290, 1226 und 1213, https://doi.org/10.11588/diglit.5521 (13.7.2023) sowie Mobiliar der Mme Charles Rubner, Paris [...], Aukt.-Kat. Galerie Fischer, Luzern, 26. August – 3. September 1938, https://doi.org/10.11588/diglit.6023 (13.7.2023). Vgl. auch www.lostart.de/de/Verlust/526710 (4.3.2025).

67. Vgl. Max Emden to Graupe - Porto Ronco, Locarno, April 3, 1939, in: NARA, The Roberts Commission, Record Group 239, Roll 0007, www.fold3.com/image/270097810/foreign-funds-control-page-23-eu-roberts-commission-protection-of-historical-monuments-1943-1946 (3.3.2025).

68. Vgl. Anja Heuss, Paul Graupe (1881–1953). Ein Berliner Kunsthändler zwischen Republik, Nationalsozialismus und Exil. Rezension, in: Informationsmittel für Bibliotheken (IfB), 24. Jg., 2016, Nr. 2, S. 5.

69. Es scheint sich um einen vertraulichen Bericht vom 18. Januar 1944 von James F. Scanlon an Irving S. Brown zu handeln, der verschiedene Kurzzusammenfassungen von älterer, wohl heimlich abgefangener Korrespondenz als Informationsgrundlage zu Paul Graupe fusioniert. Irving Brown war möglicherweise identisch mit dem «European representative of the American Federation of Labor»; wer allerdings Scanlon war, konnte nicht eruiert werden. Beide arbeiteten 1944 für das US-amerikanische Treasury Department.

70. Freundlicher Dank an Sylvia Naylor, Archivarin bei den National Archives, Washington D. C., die bei den Recherchen vor Ort geholfen hat.

71. Vgl. Thomas Buomberger, Dossier Dr. Max J. Emden, NS-Verluste Hamburg, in: HAHK, o. Sign., S. 14. Diese Informationen gehen laut Buomberger zurück auf ein Interview von 2012 mit Dr. Cornelia Schwarz Ammann (1930–2015), der

Tochter von Olga Ammann.

72. Vgl. U.S. Embassy Santiago, Chile, Despatch No. 10.947, to: U.S. Department of State, October 23, 1944, Subject: Foreign Funds Control, Transmittal of Information in Answer to Treasury Investigative Request Chile No. 36, concerning Hans Erich Emden, also known as Juan Enrique Emden, 23. Oktober 1944, in: NARA, Foreign Funds Control Subject Files, Record Group 131, Entry 247, Box 112: Office of Alien Property, Foreign Funds Control Investigative Reports; Enclosure No. 1, S. 2.

73. Vgl. Frau O. Ammann, Porto Ronco, Switzerland, to Hans Erich Emden, Hotel Carrera, Santiago, Chile, 23. Januar 1942, in: NARA, Records of the American Commission for the Protection and Salvage of Artistic and Historic Monuments in War Areas [=The Roberts Commission], Foreign Funds Control Reports, Record Group 239, M1944, reel 7, Letter no. 369.

74. Vgl. E-Newspapers, www.e-newspaperarchives.ch/?a=d&d=BTB19461221-01.2.19 und www.e-newspaperarchives.ch/?a=d&d=JDJ19461214-01.2.14 (27.10.2022).

75. Die Entscheidung zur Restitution von zwei Werken des Künstlers Canaletto aus der Emden-Sammlung, wurde 2019 von der Beratenden Kommission im Zusammenhang mit der Rückgabe NS-verfolgungsbedingt entzogenen Kulturguts, insbesondere aus jüdischem Besitz gefällt, vgl. Empfehlung der Beratenden Kommission in der Sache Dr. Max James Emden ./. Bundesrepublik Deutschland, 23. April 2019, https://beratende-kommission.de/de/empfehlungen#s-emden-bundesrepublik-deutschland (18.2.2025).

76. Geprüft wurde die Publikation von Horst Kessler, der den Geschäftsnachlass Haberstocks ausgewertet hat. Vgl. Horst Kessler, Karl Haberstock. Umstrittener Kunsthändler und Mäzen, München/Berlin 2008.

Basler Pissarro.[77] Auch die im Zuge der Recherchen zum *Mohnblumenfeld bei Vétheuil* von Claude Monet gesammelten Materialien zu ehemaligem Emden-Besitz verzeichnen kein Werk, das mit dem vorliegenden Stillleben übereinstimmen könnte.[78] Recherchen im Archiv des Kunsthauses Zürich bezüglich Leihgaben oder An- und Verkaufsfragen von Max oder Hans Erich Emden erbrachten ebenfalls keine Ergebnisse. Die Familie Emden scheint keine erwähnenswerten Beziehungen zu Schweizer Museen wie dem Kunsthaus Zürich oder dem Kunstmuseum Basel unterhalten zu haben.

Noch aus dem Exil heraus konnte Hans Erich Emden einzelne Kunstwerke direkt in Südamerika oder über Paul Graupe in New York verkaufen, darunter mindestens zwei kleinformatige Blumenstillleben von Auguste Renoir (1841–1919) und *Jockeys at Epsom* von Edgar Degas (1834–1917).[79] Diese Verkaufswege scheinen für das Bild von Pissarro allerdings unwahrscheinlich, da es dem Kunstmuseum Basel von Schweizer Verkäufern angeboten wurde.

ANKAUF DES BLUMENSTILLLEBENS ZU EINEM FAIREN PREIS?

Der Ankauf des Blumenstilllebens durch das Kunstmuseum Basel verlief aufgrund des ungewöhnlichen Formats und der Qualität nicht ganz reibungslos. Um einen Eindruck der divergierenden Meinungen innerhalb der Kunstkommission zu vermitteln, werden im Folgenden die Diskussionen um die Beurteilung des Preises wiedergegeben. Am 30. April 1946 stellte Georg Schmidt (1896–1965), Direktor des Kunstmuseums Basel, das Gemälde der Kunstkommission vor; wie bereits erwähnt, war es ihm von dem Zürcher Fotografen Michael Schwarzkopf angeboten worden:

> «[…] das Stück ist bei Venturi als No. 1120 (um 1900) abgebildet. Es ist ein Bild der späten Reifezeit, hat aber nichts von der gelegentlichen Ermüdung dieser Zeit. Es ist beste künstlerische Qualität. Bedenken habe ich einzig des Formats wegen. Ist es nicht eher ein Privatbild als ein Galeriewerk? Der Preis ist im Verhältnis zu den Preisen für gleichwertige Landschaften billig. Es ist dies einmal ein Fall, in dem ich nicht allein die Verantwortung für einen Ankauf übernehmen könnte. Ich bin nicht unglücklich, wenn Sie ablehnen und ich freue mich, wenn Sie ja sagen.»[80]

Der Ankauf zum Preis von 7.500 CHF wurde in der gleichen Sitzung beschlossen. In der darauffolgenden Sitzung verlangte der Maler Alfred Heinrich Pellegrini (1881–1951), das Protokoll vom 30. April nachträglich zu ändern: «(beim Ankauf Pissarro) [soll] das Wort ‹billig› gestrichen werden. Dieses Bild ist kürzlich für Fr. 3.500.- angeboten und als zu teuer abgelehnt worden!» Daraufhin entspann sich folgende Diskussion zwischen den Kommissionsmitgliedern:

> «*Konservator:* ich habe das Wort ‹billig› gebraucht und halte daran fest. Ein Basler Sammler fand das Bild ebenfalls billig und gut und hätte es gekauft, wenn wir abgelehnt hätten.
> *H. Von der Mühll:* der Pissarro war doch sehr teuer. Ich sah kürzlich Landschaften von Pissarro, die billiger waren.
> *Frau Sacher:* ich sah sie auch. Sie waren, gemessen an ihrer Qualität, teurer als unser Stilleben.»[81]

Pellegrinis Einwand erklärt sich vor dem Hintergrund, dass das Gemälde bereits 1945 angeboten und in der Kunstkommission diskutiert worden war. Schmidt wollte den Vorwurf eines überteuerten Ankaufs nicht hinnehmen und fragte bei dem im Protokoll nicht namentlich genannten ursprünglichen Anbieter des Werks nach. Es handelte sich um den

Genfer Galeristen Georges Moos (1912–1984), der wie folgt reagierte:

> «Il est bien exact que j'ai offert en avril 1945 ce tableau de Pissarro à Bâle, au prix de Fr. 3.500.-. Il est possible qu'à cette époque nous ayons jugé que le prix était un peu élevé pour un marchand mais, pour aujourd'hui, il serait tout à fait raisonnable. Quoi qu'il en soit, dans ce prix de Fr. 3.500.- la commission du marchand n'était pas comprise.»[82]

In der nächsten Sitzung der Kunstkommission am 1. Oktober 1946 rechtfertigte sich Schmidt und rechnete vor:

> «Ich habe feststellen können, dass unser Stillleben von Pissarro im Jahre 1944 [recte 1945] tatsächlich einem Kunsthändler für Fr. 3.500.- angeboten worden ist. Der Kunsthändler hat abgelehnt.[83] Wenn wir 20% Händlerzuschlag (Fr. 700.-) und die seit Kriegsende eingetretene Preissteigerung von ca. 30% (Fr. 1.500.-) dazu rechnen, so kommen wir auf Fr. 5.350.-, das ist ungefähr der Preis, den unser Anbieter selbst bezahlt hat. Mit dessen Händlerzuschlag von 20% (Fr. 1.700.-) ergibt sich annähernd der Preis, den wir bezahlt haben (Fr. 7.500.-). Ich erinnere Sie, dass ein in Preisfragen sehr versierter Basler Sammler bereit war, das Bild für Fr. 7.500.- zu kaufen, wenn wir ablehnen. Von der Preisseite ist dieser Ankauf nicht zu beanstanden.»[84]

Das Kunstmuseum Basel kaufte das Gemälde 1946 für 7.500 CHF. Der Anbieter war zu diesem Zeitpunkt jedoch nicht mehr Georges Moos, sondern der Zürcher Fotograf Michael Schwarzkopf.

Es stellt sich die Frage, ob sich ausserhalb der Kunstkommissionsmeinungen Indizien für die Angemessenheit des gezahlten Preises finden lassen. Zwar handelte es sich hier nicht um einen direkten Verkauf von Hans Erich Emden an das Kunstmuseum, dennoch besteht die Möglichkeit, dass dieser das Werk bei Moos oder Schwarzkopf in Kommission gegeben hat und entsprechend den Erlös erhielt. Angaben des Rechtsvertreters der Familie Emden zufolge bestand allerdings kein Kontakt zwischen der Familie Emden und dem Genfer Händler Moos.[85] Ebenso gut wäre es möglich, dass sich Max Emden bereits in den frühen 1930er-Jahren auf bislang unbekannten Wegen von dem Kunstwerk trennte.

Vergleichspreise zwischen 1944 und 1946 sind nicht zuletzt vor dem Hintergrund der eingeschränkten Handelstätigkeit in der Schweiz während der letzten Kriegsjahre schwer zu finden. Über Auktionen konnten auf dem Schweizer Kunstmarkt hinsichtlich der Entstehungszeit und des Formats nur bedingt vergleichbare Verkäufe ermittelt werden.[86] Ein deutlich grösseres Bild mit einer Ansicht des Louvre aus der gleichen Schaffensperiode wurde 1944 in der Galerie Fischer, Luzern, für 8.800 CHF zugeschla-

77. Vgl. Walter Feilchenfeldt an Tessa Rosebrock, 24. Juni 2024, in: KMB, Abt. Provenienzforschung, Dossier Sammlung Emden.
78. Vgl. Lukas Gloor an Tessa Rosebrock, 17. November 2021, in: KMB, Abt. Provenienzforschung, Dossier Sammlung Emden.
79. Vgl. Hans Erich Max Emden: Zusammenfassung Emden, Geographical Card File on Possible Art-Looting Subjects, o.D., in: NARA, Records of the American Commission for the Protection and Salvage of Artistic and Historical Monuments in War Areas (The Roberts Commission), 1943-1946, Record Group 239, Roll 0051, www.fold3.com/image/270222556 (17.8.2023).
80. Protokoll der Kunstkommissionssitzung, 30. April 1946, in: KMB, Archiv, B 001.001.019.000, S. 152.
81. Protokoll der Kunstkommissionssitzung, 25. Juni 1946, in: KMB, Archiv, B 001.001.019.000, S. 161.
82. Georges Moos an Georg Schmidt, 5. Juli 1946, in: KMB, Archiv, O 001.004.008.000.
83. Es ist davon auszugehen, dass Schmidt hier das Angebot des Gemäldes durch einen unbekannten Voreigentümer an Georges Moos meint, der es wiederum dem Kunstmuseum offerierte. Nachdem das Kunstmuseum den Ankauf 1945 aufgrund des zu hohen Preises abgelehnt hatte, trat Moos offenbar vom Kommissionsvertrag zurück und retournierte das Werk.
84. Georg Schmidt, zit. n. Protokoll der Kunstkommissionssitzung, 1. Oktober 1946, in: KMB, Archiv, B 001.001.019.000, S. 169.
85. Mündliche Information des Rechtsvertreters der Familie Emden, Olaf Ossmann, im Telefonat mit Tessa Rosebrock, 10. Februar 2025.
86. Die erzielten Preise auf dem französischen Kunstmarkt der Jahre 1944–1946 betreffen erstklassige und grossformatige Werke, die alle für umgerechnet weit über 20.000 CHF verauktioniert wurden. Vgl. Gazette de l'Hôtel Drouot, 1944–1946, https://bibliotheque-numerique.inha.fr/idviewer/59658/48; https://bibliotheque-numerique.inha.fr/idviewer/59666/28; https://bibliotheque-numerique.inha.fr/idviewer/59666/39 (3.3.2025).

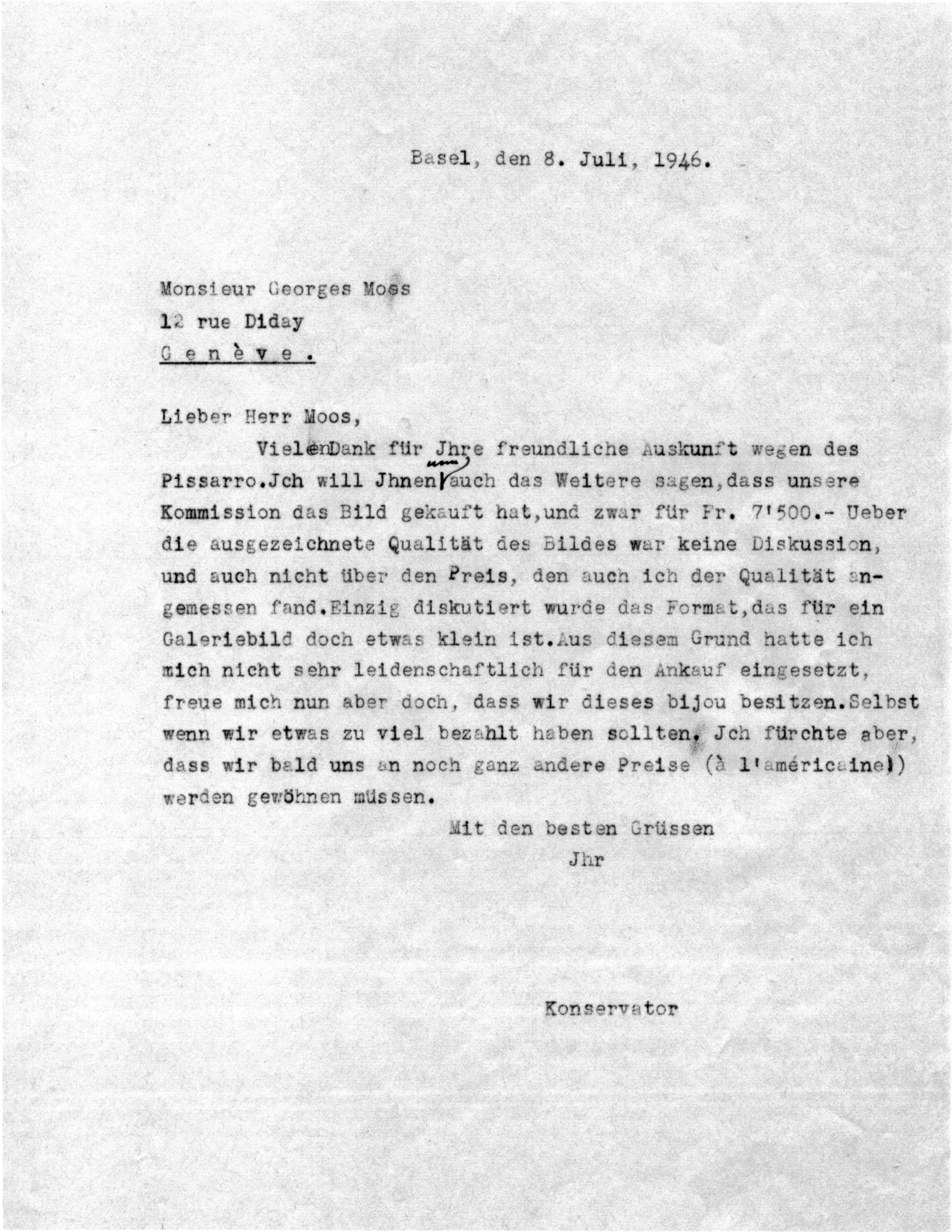

Basel, den 8. Juli, 1946.

Monsieur Georges Moos
12 rue Diday
G e n è v e .

Lieber Herr Moos,

    Vielen Dank für Jhre freundliche Auskunft wegen des
Pissarro.Jch will Jhnen auch das Weitere sagen,dass unsere
Kommission das Bild gekauft hat,und zwar für Fr. 7'500.- Ueber
die ausgezeichnete Qualität des Bildes war keine Diskussion,
und auch nicht über den Preis, den auch ich der Qualität angemessen fand.Einzig diskutiert wurde das Format,das für ein
Galeriebild doch etwas klein ist.Aus diesem Grund hatte ich
mich nicht sehr leidenschaftlich für den Ankauf eingesetzt,
freue mich nun aber doch, dass wir dieses bijou besitzen.Selbst
wenn wir etwas zu viel bezahlt haben sollten. Jch fürchte aber,
dass wir bald uns an noch ganz andere Preise (à l'américaine)
werden gewöhnen müssen.

                  Mit den besten Grüssen
                      Jhr

                  Konservator

Abb.14: Brief von Georg Schmidt an Georges Moos, 8. Juli 1946

gen.[87] Auf dem Kunstmarkt können generell nicht nur die Qualität und eine bestimmte Schaffensperiode beträchtliche Preisunterschiede hervorrufen, sondern auch die Grösse des Bildträgers. Unter Berücksichtigung des beachtlichen Formatunterschieds zu dem Gemälde in der Auktion 1944 bei der Galerie Fischer erscheint der 1945 vom Kunstmuseum Basel diskutierte Preis von 3.500 CHF (ohne Händlerprovision) durchaus berechtigt gewesen zu sein, und die ein Jahr später gezahlten 7.500 CHF sehr gut.

GALERIE MOOS

Zwei weitere Preise lassen sich über die nächste bekannte Provenienzstation, die Galerie Moos, heranziehen. Laut Geschäftsunterlagen bot der Genfer Galerist Georges Moos dem Kunstmuseum das betreffende Stillleben bereits im April 1945 zum Kauf an. Die Kunstkommission erachtete es jedoch als zu teuer und lehnte den Ankauf ab.[88] Die Prüfung der Archivunterlagen der Galerien Max (1880–1976) und Georges Moos zur Ermittlung möglicher Vorprovenienzen des Gemäldes ergab kein eindeutiges Ergebnis.[89] Im Verkaufsbuch der Galerien (1942–1969) findet sich unter Nr. 1987 ein Pissarro mit dem Titel «Fleurs» und der Technikangabe «Oel». Dieses Bild wurde am 11. September 1945 für 3.000 CHF an «Hufschmid» verkauft. «Tanner», gemeint ist wahrscheinlich der Zürcher Galerist Gottfried Tanner (1880–1958), scheint der Voreigentümer oder Kommissionär gewesen zu sein.[90] Es besteht zwar die Möglichkeit, dass dieses Ölgemälde mit dem Basler Blumenstillleben identisch ist, jedoch lässt sich dies mit den zur Verfügung stehenden Angaben nicht belegen. Im Werkverzeichnis von Pissarro findet sich unter den Blumenstillleben weder eines mit der Provenienz «Tanner» noch mit «Hufschmid».

Ein weiteres Gemälde mit dem Titel «Fleurs» wird im Lagerbuch der Galerie Moos, der «liste des tableaux», die Objekte nach Künstlern ordnet, unter der «Nr. 5040 (3490)» geführt.[91] Die Liste stimmt mit den Werken der Verkaufsausstellung der Galerie Moos *Exposition d'art français* von 1939 überein.[92] Im November 1945 wurde dieses Blumenbild von Moos an die New Yorker Galerie Knoedler verkauft.[93] Es kann somit nicht mit dem Basler Werk identisch sein.

Die wenigen ermittelten Preise für Vergleichswerke der Zeit bieten kaum Anhaltspunkte für die Beantwortung der Frage, ob die vom Kunstmuseum gezahlte Summe angemessen war. Dass allerdings ein Ankauf in erster Instanz von der Kunstkommission aufgrund des hohen Preises abgelehnt wurde und die Kommissionsmitglieder den gezahlten Betrag 1946 auch rückwirkend noch als hoch monierten, deutet darauf hin, dass er wohl kaum als zu niedrig angesehen werden kann (Abb. 14).

87. Vgl. Sammlung Dr. Sch., Luzern, aus anderem Schweizer Besitz […], Aukt.-Kat. Galerie Fischer, Luzern 25.–27. Mai 1944, https://doi.org/10.11588/diglit.8541#0060 (9.8.2023).

88. Vgl. Georges Moos an Schmidt, 5. Juli 1946, in: KMB, Archiv, O 001.004.008.000.

89. Für Informationen zur Familie Moos und den unterschiedlichen Filialen der Kunsthandlungen vgl. http://gedenkbuch.informedia.de/index.php/PID/12/name/3054.html (4.11.2020).

90. Die Datenbank der Galerie Julius Böhler, die vor allem über ihre Schweizer Niederlassung enge Verbindungen zu Gottfried Tanner unterhielt, wurde erfolglos nach Informationen zu dem Basler Pissarro durchsucht. http://boehler.zikg.eu/ (29.9.2022).

91. Vgl. Fonds de la Galerie Moos, in: Bibliothèque d'art et d'histoire, Genève, GMO B.001.001, B-001.004.001 und A.001.001.006–007.

92. Exposition d'art français, Ausst.-Kat. Galerie Moos, Genf, August – September 1939, Nr. 53–57. www.lostart.de/de/Verlust/572264 (4.11.2022).

93. Vgl. Knoedler Stock Book 9, Stock No. A3261, in: Getty Digital Collections,

S. 107, Zeile 41, https://rosettaapp.getty.edu/delivery/DeliveryManagerServlet?dps_pid=FL4156976 (21.7.2023). Es stammte aus der Sammlung des ebenfalls jüdischen Richard Semmel (1875–1950) und gelangte für 5.000 USD (ca. 21.400 CHF) über den in New York exilierten Max Moos, Vater von Georges, zur Galerie Knoedler, die es im Januar 1946 an Richard Ryan, New York, weiterverkaufte. Max Moos blieb aufgrund seiner jüdischen Abstammung nach 1940 in New York und kehrte erst 1946 in die Schweiz zurück. Georges Moos verblieb in Genf und leitete neben seiner eigenen Firma nebenbei die seines Vaters weiter bzw. verkaufte Werke aus dem Bestand, um in New York den Lebensunterhalt seiner Familie finanzieren zu können. Diese Vermengung der Warenbestände erklärt die ungenauen, lückenhaften und widersprüchlichen Angaben in den Geschäftsbüchern. Vgl. Elisabeth Eggimann Gerber, Jüdische Kunsthändler und Galeristen. Eine Kulturgeschichte des Schweizer Kunsthandels mit einem Porträt der Galerie Aktuaryus in Zürich, 1924–46, Köln/Wien 2021, S. 17, 102, 105 und 110. Zur Kunstsammlung Richard Semmel vgl. den Beitrag der Autorin in diesem Buch.

MICHAEL (MOSES) SCHWARZKOPF

Spätestens 1946 ist das vorliegende Werk bei dem russischen Fotografen jüdischer Herkunft Michael (Moses) Schwarzkopf, Seehofstrasse 15, in Zürich, nachgewiesen, der es im Frühjahr dem Basler Kunstmuseum für 7.500.- CHF verkaufte.[94] Über ihn als Person ist nur wenig bekannt. Seine Todesanzeige 1954 in der Neuen Zürcher Zeitung enthält folgende Informationen:

> «Der am 2. September einem langjährigen Herzleiden erlegene Michael Schwarzkopf war in Zürcher Kunstkreisen eine bekannte Persönlichkeit. In Asow am Asowschen Meer, wo er 1884 geboren war, verlebte er seine Jugend; dann kam er nach München in das Atelier von Prof. Hahn, um Bildhauer zu werden. Der Ausbruch des Ersten Weltkrieges unterbrach dieses Studium, und Schwarzkopf übersiedelte nach Zürich, wo er sich mit Erfolg der Photographie zuwandte. Vor allem machten ihn seine Aufnahmen von bedeutenden Persönlichkeiten bekannt; mit Busoni war er intim befreundet. Er betätigte sich auch als Bildhauer; einige seiner Arbeiten wurden im Kunsthaus ausgestellt.»[95]

Abb. 15: Hans Erich und Max Emden, Porto Ronco sopra Ascona, wohl 1938/39

Schwarzkopfs kunsthändlerische Aktivitäten sind kaum dokumentiert. Er war mit Gottfried Tanner bekannt, für den er Fotografien anfertigte.[96] Dass er durch Tanner möglicherweise an Kunstwerke gelangte, um sie weiter zu verkaufen, ist denkbar. Zudem erscheint sein Name in den Werkprovenienzen der Kunstsammlung von Emil Bührle.[97] Offenbar bot Schwarzkopf Bührle 1947 verschiedene Kunstwerke von Gustave Courbet, Édouard Manet, Auguste Renoir und Maurice Utrillo zum Kauf an. Ihr Erwerb wurde jedoch abgelehnt. Bührle kaufte bei ihm lediglich im Jahr 1953 eine Zeichnung von Constantin Guys. Die Prüfung sowohl der Bührle-Unterlagen als auch

94. Vgl. Eidgenössische Bewilligung zur Einbürgerung, 21. März 1935, in: BAR, E4264#1988/2#1674*, und www.foto-ch.ch/?a=fotograph&id=42241&lang=deFr (1.6.2023).

95. Neue Zürcher Zeitung, 7. September 1954, Abendausgabe Nr. 2175, Bl. 8 und Todesanzeige zu Michael Schwarzkopf, Künstlerlexikon, in: SIK-ISEA, Archiv; dort findet sich mit dem 8. Januar 1888 ein anderes Geburtsdatum.

96. Vgl. Gesuch um Erteilung der Bewilligung zur Erwerbung eines Gemeinde- und Kantonsbürgerrechts, 11. Dezember 1930, in: BAR, E4264#1988/2#1674*.

97. Vgl. Sammlung Bührle, https://buehrle.ch/wp-content/uploads/2024/08/Extrakt_Gesamtkatalog_Bu__hrle_DE.pdf (23.2.2025).

98. Joachim Sieber, Provenienzforscher am Kunsthaus Zürich, teilte diesbzgl. Folgendes mit: «Von Michel Schwarzkopf treffen zwischen 1933 und 1950 in den Jahren 1944, 1945 und 1949 Kaufangebote ein, u.a. für Gemälde von Van Gogh, Renoir, Cézanne, Manet oder Hodler und Zeichnungen u.a. von Rodin, Guercino und Oudry (vgl. Sitzungsprotokolle der Sammlungskommission, Archiv 10.30.10.41-42.) Bisher konnte in den Archiven kein offiziell gemeldeter Kunsthändler dieses Namens ausfindig gemacht werden. Im Stadtarchiv Zürich existieren keine Meldekarten der Periode 1934–1964 zu einem Michael oder Michel Schwarzkopf (V.E.c.100. Einwohner- und Fremdenkontrolle. Meldekarten). Auch in den Adressbüchern ist er nicht verzeichnet. Vgl. dazu PDF Stadtarchiv Zürich Personendaten Schwarzkopf. In den Akten des Kunsthauses Zürich wird

Schwarzkopf als «Photograph» bezeichnet.» Vgl. Wilhelm Wartmann an Michael Schwarzkopf, Photograph, 9. November 1944, in: Archiv ZKG/KHZ, Ausgehende Korrespondenz, 10.30.20.101, Bl. 205.

Lukas Gloor von der Stiftung Sammlung E.G. Bührle teilte am 31. Oktober 2018 Folgendes mit: «Michael Schwarzkopf [ist] zweimal, 1947 und 1953, aktenkundig geworden. Die erste Korrespondenz fällt in die Zeit vom 23. Januar bis 3. Juli 1947 und umfasst (abgelehnte) Angebote von Bildern von Courbet, Manet, Renoir und Utrillo. Im April 1953 gelang Schwarzkopf sein (einziger) Verkauf an Bührle, eine Tuschpinselzeichnung von Constantin Guys zum Preis von Fr. 2'750.» Beide in: KMB, Abt. Provenienzforschung, Dossier Emden.

99. Untersucht wurden die Werkgeschichten der drei Gemälde von Bernardo Bellotto wie auch die Provenienz des *Mohnblumenfelds bei Vétheuil* von Claude Monets aus der Stiftung Sammlung E.G. Bührle. Vgl. Empfehlung der Beratenden Kommission in der Sache Dr. Max James Emden ./. Bundesrepublik Deutschland, 23. April 2019, https://beratende-kommission.de/de/empfehlungen" \l "s-emden-bundesrepublik-deutschland (18.2.2025), United States District Court, Southern District of Texas, Civil Action 4:21-CV-3348 (S.D. Tex. May. 2, 2022), https://casetext.com/case/emden-v-the-museum-of-fine-arts (11.8.2023) und Stiftung Sammlung E.G. Bührle, https://buehrle.ch/wp-content/uploads/2024/08/Verkauf.Monet_.H.E.Emden_.2023.pdf (18.2.2025).

des Archivs des Kunsthauses Zürich verliefen für die hiesige Recherche ergebnislos.[98] Obwohl Schwarzkopf jüdischer Abstammung war, ist ein durch eigene NS-Verfolgung bedingter Verkauf des Kunstwerks auszuschliessen, da er um 1918 in die Schweiz gekommen war und somit dort lange Fuss gefasst hatte, als er das Werk 1946 auf den Markt gab.

SYNTHESE

Zu einer abschliessenden Beurteilung des Blumenstilllebens zu gelangen, fällt schwer. Fest steht, dass das kleine Gemälde von Pissarro im Dezember 1928 für Max Emden ersteigert wurde. Es bleibt jedoch weiterhin unklar, wann, an wen und unter welchen Umständen es wieder veräussert worden ist. Auch die Höhe des Verkaufserlöses und ob dieser von der Familie erhalten wurde, konnte nicht ermittelt werden. Da das Bild 1945 in der Schweiz angeboten wurde, wo Max Emden bereits seit 1927 lebte, ist anzunehmen, dass auch der Verkauf aus dem Eigentum der Familie Emden in der Schweiz stattfand. Max Emden verliess Deutschland nicht aus Verfolgungsgründen, sondern wählte das Tessin für seinen Ruhestand aus. Ab 1934 war er Bürger der Gemeinde Porto Ronco, er verstarb allerdings bereits 1940. Sein Sohn hingegen musste 1941 aus Europa nach Lateinamerika fliehen, da ihm die deutsche Staatsbürgerschaft entzogen wurde und er in der Schweiz keine Aufenthaltsgenehmigung erhielt. Die systematische Enteignung Max Emdens und ab 1940 auch seines Sohnes in Deutschland und in den besetzten Gebieten ist belegt. Sie hatte zur Folge, dass die beiden ab spätestens 1938 begannen, Kunstwerke in oder aus der Schweiz heraus zu verkaufen. Aufgrund des hohen Lebensstandards der Familie und der Hypotheken für die Isole di Brissago war Max Emden auf ein regelmässiges Einkommen angewiesen, das er aber ab 1933 aus Deutschland nicht mehr beziehen konnte. Trotz seines prekären Status war es Hans Erich Emden gelungen, beträchtliche Vermögenswerte in die USA und einige in die Schweiz zu transferieren sowie, nach dem Tod des Vaters, dessen Erbe unter Mithilfe von Olga Ammann zu liquidieren. Bei diesen Verkäufen wurden seine Interessen gewahrt. Im chilenischen Exil konnte er sich eine neue Existenz aufbauen. Auch dort sind noch mindestens drei Kunstverkäufe nachgewiesen. Ein genereller Zusammenhang zwischen den Kunstverkäufen ab 1938 und der NS-Verfolgung kann also angenommen werden.

Im Fall des vorliegenden Gemäldes *Bouquet de fleurs* ist das Verkaufsdatum hingegen nicht bekannt. Die Veräusserung hätte auch schon Ende der 1920er-Jahre, oder zu Beginn der 1930er-Jahre stattgefunden haben können, womit der erwähnte Zusammenhang nicht gegeben wäre. An andere Institutionen herangetragenen Ansprüche und Argumentationsketten konnten für das Basler Gemälde zwar gewinnbringend ausgewertet, nicht aber in direkte Analogie gesetzt werden.[99]

Das Kunstmuseum Basel kaufte das Bild nicht direkt von Max oder Hans Erich Emden und war sich ihrer Voreigentümerschaft auch nicht bewusst. Auch die Erbengemeinschaft Emden, die vom Kunstmuseum über den sie vertretenden Anwalt kontaktiert wurde, wusste nicht darum. Im Besitz der Familie haben sich weder datierte Fotos noch Archivalien erhalten, die das Bild zeigen oder Aufschluss über Grund und Zeitpunkt seines Ausscheidens aus ihrem Eigentum geben könnten. Sollten weitere Dokumente zum Verbleib des Werks zwischen 1928 und 1946 gefunden werden, steht das Kunstmuseum Basel für Gespräche bereit.

KATHARINA GEORGI-SCHAUB / TESSA ROSEBROCK

EINE EMIGRANTEN-SAMMLUNG ALS POLITIKUM.

DAS DEPOSITUM HUGO SIMON UND DER ANKAUF VON CARUS' *MONDAUFGANG AM MEER*

Im Sommer 1946 beschloss die Kunstkommission des Kunstmuseums Basel den Ankauf des Gemäldes *Mondaufgang am Meer* von Carl Gustav Carus aus dem Jahr 1827 (Abb. 1).[1] Das kleinformatige Bild war Teil der Kunstsammlung des Berliner Bankiers, Agrarpioniers und kurzzeitigen preussischen Finanzministers Hugo Simon (1880–1950) (Abb. 2). Nicht nur seine jüdische Herkunft, sondern auch sein politisches Engagement in linksintellektuellen Kreisen rückten ihn ins Fadenkreuz der nationalsozialistischen Verfolgung. Bereits im Frühjahr 1933 sahen Hugo Simon und seine Frau Gertrud, geb. Oswald (1885–1964), sich gezwungen, ihre Heimatstadt zu verlassen. Sie bauten sich zunächst in Paris eine neue Existenz auf. Als die französische Hauptstadt im Juni 1940 unter deutsche Besetzung fiel, musste das Ehepaar in den unbesetzten Teil des Landes fliehen. Mit gefälschten Papieren gelang ihnen im Frühjahr 1941 schliesslich die Emigration nach Brasilien.

Das Kunstmuseum steht mit Hugo Simons Sammlung nicht nur durch den erwähnten Ankauf des Carus-Gemäldes in Beziehung. Von April 1938 bis Juni 1939 und erneut ab Februar 1941 bis 1957 verwahrte die Öffentliche Kunstsammlung Basel einen umfangreichen Bestand an Gemälden und Skulpturen, die Simon nach seiner Flucht aus Berlin in die Schweiz verbracht hatte.[2] Mit dem Transfer der Werke, zunächst von 1934 bis 1938 ins Kunsthaus Zürich und anschliessend nach Basel, verband Simon neben dem Ansinnen, sie in öffentlichen Ausstellungen zu zeigen, auch die Hoffnung auf einen lukrativen Verkauf.

Ein Direktverkauf von Kunstwerken kam jedoch weder im Fall des Kunsthauses Zürich noch des Kunstmuseums Basel zustande. Das kleine Gemälde von Carus war schliesslich das einzige Werk aus dem Bestand, das noch zu Lebzeiten des Sammlers in ein Schweizer Museum gelangte. Verhandlungspartner des Kunstmuseums bei dem ein Jahr nach Kriegsende abgeschlossenen Geschäft war allerdings nicht mehr Hugo Simon selbst, sondern dessen Bevollmächtigter, der Basler Advokat Dr. Hans Eckert (1912–2011);[3] sein Mandant lebte zu diesem Zeitpunkt nach wie vor in Brasilien.

Abb. 2: Hugo Simon, Berlin, 1930

DAS LEBEN VON HUGO UND GERTRUD SIMON[4]

Hugo Simon wurde 1880 in Usch, in der preussischen Provinz Posen (Ujście, heute Polen), geboren. 1911 gründete er als Mitinhaber die Privatbank Carsch, Simon & Co. in Berlin; 1922 ging aus dieser das Nachfolgeunternehmen Bett, Simon & Co. hervor, dem er als Seniorchef vorstand. Zudem bekleidete er mehr als ein Dutzend Aufsichtsratsposten in verschiedenen Banken und Unternehmen, unter anderem in den Verlagen S. Fischer und Ullstein.

Als überzeugter Demokrat war Hugo Simon zu Beginn des Ersten Weltkriegs an der Gründung des pazifistischen Bunds Deutsches Vaterland beteiligt, der sich durch Zusammenarbeit mit internationalen Organisationen für einen raschen Friedensschluss und eine stabile Nachkriegsordnung einsetzte. Die Vereinigung, die 1918 nach dem Vorbild ihrer französischen Schwesterorganisation als Deutsche Liga für Menschenrechte neugegründet wurde, bestand bis 1933.[5] Simon trat nach dem Krieg der neuen Unabhängigen Sozialdemokratischen Partei (USPD) bei, die ihn im November 1918 zum ersten Preussischen Finanzminister der Weimarer Republik ernannte. Bereits zwei Monate später zog sich die Partei jedoch aus dem Regierungskabinett zurück.

Wenngleich seine aktive politische Karriere damit beendet war, zeigte Hugo Simon weiterhin grosses Interesse an gesellschaftlichen Themen und stritt für die Beseitigung

CARL GUSTAV CARUS
(1789–1869)

MONDAUFGANG AM MEER
1827

Öl auf Leinwand
38 × 47,7 cm
Nicht bezeichnet

Kunstmuseum Basel, Inv. 1975
Ankauf mit Mitteln der Noetzlin-
Werthemann-Stiftung 1946

PROVENIENZ:

vor 1933 – Juni 1946:
Sammlung Hugo Simon (1880–1950),
Berlin/Paris/Brasilien

April 1938 – Juni 1939 sowie
Februar 1941 – Juni 1946:
als Depositum Hugo Simon im
Kunstmuseum Basel

23. – 26.8.1939:
Auktion Fischer Luzern, Los 1668
(nicht verkauft)

Juni 1946 – heute:
Kunstmuseum Basel, angekauft bei
Hugo Simon, vertreten durch dessen Basler
Anwalt Dr. Hans Eckert

Abb. 1a/b:
Carl Gustav Carus,
Mondaufgang am Meer, 1827,
recto und verso

sozialer Missstände. Seine Reformideen verwirklichte er vor allem mit dem 1919 erworbenen *Schweizerhaus*, einem ehemaligen Ausflugslokal im brandenburgischen Seelow, das er zu einem fortschrittlichen Gutshof umbaute. Hier betrieb er integrierten Obst- und Gemüseanbau sowie Viehzucht und liess einen weitläufigen, mit Kunstwerken versehenen Landschaftspark anlegen.[6]

Im gesellschaftlichen Leben Berlins nahm Hugo Simon eine prominente Rolle ein. 1924 bezog er mit seiner Frau Gertrud und seinen beiden Töchtern Ursula (1911–1983) und Annette (1917–1986) eine Villa in der Drakestrasse in Berlin Tiergarten. Den Umbau und die Konzeption der Innenräume hatte er dem Berliner Kunsthändler Paul Cassirer (1971–1926) anvertraut, der ihn auch beim Aufbau seiner Kunstsammlung unterstützte. In den grosszügigen Räumlichkeiten verkehrte eine illustre Gesellschaft von meist links- und fortschrittsorientierten Politikern, Intellektuellen, Schriftsteller:innen, Künstler:innen und Wissenschaftlern. Hierzu zählten unter anderen Otto Braun, Rudolf Hilferding, Harry Graf Kessler, Annette Kolb, Thomas und Heinrich Mann, Stefan Zweig, Max Liebermann, Renée Sintenis sowie Albert Einstein.

Abb. 3: Ein Festbankett der Berliner Secession (v. l. n. r.): der Kunsthistoriker Julius Meier-Graefe, Gertrud Simon, der Maler Eugen Spiro, der Kunstsammler Fritz Schoen, die Künstlerin Annemarie Meier-Graefe, Elisabeth Spiro, Berlin, 1929

Hugo Simons Interesse galt in erster Linie der Förderung zeitgenössischer Kunst. Er unterstützte junge Kunst- und Literaturschaffende und war in der Berliner Kulturpolitik aktiv (Abb. 3/4). Ludwig Justi (1876–1957), der Direktor der Berliner Nationalgalerie, berief

1. Vgl. Ankaufsakte Carus, KMB, Archiv, O 001.005.006.000, und Protokoll der Kunstkommissionssitzung, 25. Juni 1946, S. 163, in: KMB, Archiv, B 001.001.019.000.
2. Vgl. Depositenbuch 1936–1949, KMB, Archiv, A 001.021.000.000, S. 8 und 12.
3. Zu Hans Eckert vgl. May B. Broda/Ueli Mäder/Simon Mugier (Hrsg.), Geheimdienste – Netzwerke und Macht. Im Gedenken an Hans Eckert. Basler Advokat, Flüchtlingshelfer, Nachrichtenmann, 1912–2011, Basel 2015, https://edoc.unibas.ch/38530/4/Eckert_Buch_2015.pdf (13.2.2025).
4. Die von Flucht und Verfolgung geprägte Biografie von Hugo und Gertrud Simon sowie das Schicksal ihrer Kunstsammlung waren Thema zahlreicher Publikationen. Am Anfang im Bereich der Exilforschung: Izabela Maria Furtado Kestler, Der deutsche Jude Hugo Simon (1880–1950) – Bankier, Mäzen, Bildungsbürger, in: Wolfgang Benz und Marion Neiss (Hrsg.), Deutsch-jüdisches Exil: das Ende der Assimilation?, Berlin 1994, S. 125–150, sowie Marlen Eckl, «Das Paradies ist überall verloren.» Das Brasilienbild von Flüchtlingen des Nationalsozialismus, Frankfurt am Main 2010. Die in der Schweiz deponierte Kunstsammlung thematisierten erstmals Esther Tisa Francini/Anja Heuss/Georg Kreis, Fluchtgut – Raubgut. Der Transfer von Kulturgütern in und über die Schweiz 1933–1955 und die Frage der Restitution, hrsg. v. der Unabhängigen Expertenkommission Schweiz – Zweiter Weltkrieg, Zürich 2001, S. 171–179. Als Vertreter der Erben nach Hugo Simon bemüht sich der Schriftsteller Rafael Cardoso intensiv um das Andenken an seine Urgrosseltern. Sein Roman, Das Vermächtnis der Seidenraupen, Frankfurt am Main 2016, verarbeitet die Biografie der Familie literarisch. 2018 erschien die auf umfangreichen Archivquellen basierende Publikation von Anna-Dorothea Ludewig/Rafael Cardoso (Hrsg.), Hugo Simon in Berlin. Handlungsorte und Denkräume, Berlin 2018, ausserdem Dies., Hugo Simon. Vom roten Bankier zum grünen Exilanten (= Jüdische Miniaturen), Leipzig 2021. Eine vor allem dem Schicksal der Kunstsammlung gewidmete Monografie von Nina Senger

und Jan Maruhn ist seit vielen Jahren in Vorbereitung. Vgl. www.nimbusbooks.ch/buch/hugo-simon (13.2.2025). Vgl. zudem Nina Senger, Das Depositum Hugo Simon (1880–1950), in: Museen in der Verantwortung. Positionen im Umgang mit Raubkunst, hrsg. v. Nikola Doll, Zürich, 20024, S. 125–164. 2020 wurde in Kooperation mit dem Kunstgeschichtlichen Seminar der Universität Hamburg und unter Förderung des Deutschen Zentrums Kulturgutverluste (DZK) ein Forschungsprojekt zur Rekonstruktion der verstreuten Sammlung Hugo Simon umgesetzt, vgl. www.proveana.de/de/link/pro00000035 (13.2.2025). Die Lost Art-Datenbank verzeichnet aktuell 150 Einträge zur Sammlung von Hugo Simon. Diese pauschale Kategorisierung der Objekte als NS-verfolgungsbedingt entzogenes Kulturgut spiegelt allerdings nicht den aktuellen Forschungsstand wider. Schliesslich wurde die Sammeltätigkeit des Ehepaars Simon in Ausstellungen thematisiert, z. B. Eine Freundschaft im Krieg. Hugo Simon und Rita Janett, Bündner Kunstmuseum Chur (9. September 2023 – 7. Januar 2024); Biografien der Moderne. Sammelnde und ihre Werke, Brücke-Museum, Berlin (1. September – 24. November 2024), www.bruecke-museum.de/de/sammlung/perspektiven/3518/der-bankier-hugo-simon (12.12.2024). Die nachfolgende Darstellung basiert auf den genannten Veröffentlichungen, die sich wiederum auf das reich vorhandene Archivmaterial, insbesondere die Entschädigungsakten im Berliner Landesamt für Bürger- und Ordnungsangelegenheiten (LABO) sowie die Bestände im Deutschen Exilarchiv in Frankfurt am Main gründen. Zur besseren Lesbarkeit wird im biografischen Abschnitt nur an einzelnen, relevanten Stellen auf Originaldokumente verwiesen.
5. Vgl. https://de.wikipedia.org/wiki/Bund_Neues_Vaterland und https://de.wikipedia.org/wiki/Deutsche_Liga_f%C3%BCr_Menschenrechte (12.2.2025).
6. Um die Instandsetzung und den Erhalt der weiträumigen Anlagen kümmert sich der 2007 gegründete Heimatverein Schweizerhaus Seelow e.V. Besitzerin ist seit 2021 die Hugo Simon Stiftung. Vgl. www.hugo-simon-stiftung.de/schweizerhaus (12.2.2025).

ihn 1918 in die von ihm neu aufgestellte Ankaufskommission, mit deren Unterstützung er den Aufbau der *Galerie der Lebenden* im ehemaligen Kronprinzenpalais Unter den Linden realisierte. Während Hugo Simons kurzer Amtszeit als Finanzminister konnte im Kabinett der Weg für deren Eröffnung im August 1919 geebnet werden.

Seine sozialdemokratische Gesinnung, sein Einfluss in Finanzangelegenheiten sowie die Tatsache, dass er und seine Frau aus jüdischen Familien stammten, machten Hugo Simon für die Nationalsozialisten zu einer «persona non grata». Am 27. März 1933 verliess das Ehepaar in einer Nacht- und Nebelaktion Berlin, nachdem ihnen Informationen über eine unmittelbar bevorstehende Verhaftung zugetragen worden waren. Nach vorübergehendem Aufenthalt in Villefranche-sur-Mer in Südfrankreich, wo ihre ältere Tochter Ursula seit ihrer Heirat mit dem Bildhauer Adolf Ernst Edwin, gen. Wolf Demeter (1906–1978), lebte und wohin wenige Monate zuvor auch die 16-jährige Schwester Annette gezogen war, liessen Hugo und Gertrud Simon sich in Paris nieder.

Rund ein halbes Jahr nach der Flucht, am 9. Oktober 1933, meldete der Reichsanzeiger die Einziehung ihres gesamten in Deutschland hinterlassenen Eigentums als «kommunistisches bzw. volks- und staatsfeindliches Vermögen».[7] Dies betraf neben der Villa und dem Landgut weitere Liegenschaften in Berlin, Simons Firmenanteile sowie sämtliche im Inland befindliche Kontoguthaben und Wertschriften. Einen Teil der wertvollen Einrichtung aus der Drakestrasse, darunter Kunstwerke und kunsthandwerkliche Objekte, hatten Simons noch im Sommer 1933 nach Paris bringen können. Weitere Werke waren bereits vor der Abreise aus Berlin zu Ausstellungszwecken nach Amsterdam und von dort aus später in die Schweiz gesandt worden und konnten so vor dem Zugriff der Nationalsozialisten gerettet werden. Zudem besass Hugo Simon Geldanlagen im Ausland. Auf dieser Basis und dank seiner vielseitigen Kontakte gelang es ihm, in der französischen Hauptstadt als Finanzberater erneut Fuss zu fassen. Ab 1934 bewohnte das Ehepaar ein Appartement an der Rue de Grenelle.

In Paris wurde Hugo Simon bald zu einer zentralen Figur innerhalb der wachsenden deutschen Exilantengemeinde. In einem an die amerikanischen Behörden gerichteten Brief von April 1941 ist ein eindrucksvoller Rückblick auf die Jahre in Frankreich überliefert.[8] So war Hugo Simon vorübergehender Präsident des Comité d'Assistance aux Refugiées (CAR), das später im sogenannten Rothschild Committee aufging und sich mit Unterstützung der französischen Regierung für vor dem Nazi-Terror Geflüchtete einsetzte. Zudem zählte er zu den führenden Köpfen der deutschsprachigen *Pariser Tageszeitung*, einem demokratischen Sprachrohr des Widerstands gegen den Nationalsozialismus. Simon unterstützte das Blatt auch finanziell. Aufgrund dieses Engagements wurde er bei Ausbruch des Krieges von der französischen Regierung als «réfugié politique, groupe no. 1» eingestuft. Ein entsprechender Vermerk auf ihren Ausweisen garantierte Hugo und Gertrud Simon grösstmögliche Bewegungsfreiheit. Zudem bewahrte sie der Status vor der Internierung in einem französischen Lager. Als die deutschen Truppen nach Paris vorrückten, wurde das Ehepaar Simon im Juni 1940 von der französischen Polizei evakuiert und zu seinem Schutz in den unbesetzten Teil des Landes gebracht.

Einen Monat später schloss Frankreich einen Waffenstillstand mit Deutschland. Infolgedessen gelangten grosse Teile des Landes unter nationalsozialistische Herrschaft. Von nun an wurde die Situation für das Ehepaar Simon lebensbedrohlich, denn ihre Namen rangierten zuoberst auf der Liste der von den Besatzern gesuchten politischen Feinde. Die folgenden Monate hielten Hugo und Gertrud Simon sich im zur freien Zone gehörenden Marseille auf, wo sie jedoch keineswegs vor der Verhaftung sicher waren. Nur durch ständige Wohnortswechsel - meist in kleinen Hotels oder versteckt bei Bekannten - entgingen sie einer Inhaftierung. Die bereits vor dem deutschen Überfall auf Frankreich angestrengten Ausreisebemühungen in die USA scheiterten: Zwar hatten ihnen die US-Behörden im Herbst 1940 «nonimmigrant visa», also befristete Besuchsvisa,[9] ausgestellt, doch als zur Auslieferung an die Besatzer gesuchte Personen war es für sie unmöglich, offizielle Ausreisepapiere zu erlangen. Durch Vermittlung der Résistance erhielten Hugo und Gertrud Simon schliesslich Pässe eines verstorbenen tschechischen Ehepaars. Mit einer neuen Identität versehen, konnten sie als Hubert und Garina Studenic über die französische Grenze nach Nordspanien entkommen. Am 11. Februar 1941 verliessen sie an Bord des Dampfers *Cabo de Hornos* Europa und erreichten am 3. März 1941 Rio de Janeiro. Es war eine Flucht in letzter Minute; noch während der Überfahrt erhielt Hugo Simon die Nachricht von der Verhaftung und Deportation seines politischen Mitstreiters Rudolf Hilferding, dessen Name auf derselben Auslieferungsliste wie sein eigener stand und der sich wie er in Marseille versteckt gehalten hatte.[10]

Wie sich rasch zeigte, war das Ehepaar Simon auch im fernen Brasilien nicht sicher vor dem langen Arm des NS-Regimes. Von Rio de Janeiro aus bemühte sich Hugo Simon daher um die Weiterreise in die USA, musste jedoch bald erfahren, dass diese nur Emigranten aus Europa möglich war. In seinem bereits erwähnten Schreiben an die amerikanischen Behörden schilderte er die absurde Zwangslage, in die ihn seine gefälschte Identität gebracht hatte: Er besass keine Reisepapiere, um seinen wahren Namen und seine Nationalität zu belegen. Bemühungen, diese bei den brasilianischen Behörden zu beantragen, hätten Verhaftung, Internierung oder sogar Auslieferung an die Nationalsozialisten zur Folge gehabt.[11] Die

Abb. 4: Oskar Kokoschka, *Bildnis Herr H.S.*, 1923, Lithografie, 41,8 × 38 cm, National Gallery of Art, Washington D.C., The Rosenwald Collection

Mitarbeiter des amerikanischen Konsulats in Rio sowie wenige ausgewählte alte Bekannte, die die Simons in ihrem brasilianischen Exil wiedertrafen – dazu gehörten der Schriftsteller Stefan Zweig und auch Ernst Feder, mit dem sie zeitweilig eine Unterkunft teilten – waren die einzigen, die um ihre wahre Identität wussten. Vorderhand sah sich das Ehepaar in den folgenden Jahren gezwungen, unter ihren «noms de guerre» weiterzuleben.

Um sich von den brasilianischen Behörden möglichst fernzuhalten, zog das Ehepaar zum Jahreswechsel 1942 zunächst nach Penedo bei Resende, im Hinterland, etwa 180 km nordwestlich von Rio de Janeiro gelegen. Hugo Simons ausgeprägtes Interesse für Agrarwirtschaft und die auf seinem Gutsbetrieb in Seelow und als Gründungsmitglied der Saatguterzeugungsgesellschaft erworbene Expertise erwiesen sich in der neuen Heimat als rettender Anker. In Penedo wurde er mit dem Aufbau und der Leitung eines landwirtschaftlichen Betriebs zur Zucht von Medizinalkräutern für ein Unternehmen der Schweizer Pharmafirma Geigy beauftragt. Nach Auseinandersetzungen mit dem örtlichen Verwalter, der drohte, die falsche Identität des Ehepaars bei der Regierung anzuzeigen, sahen sich Hugo und Gertrud Simon im Frühjahr 1943 allerdings erneut zum Umzug genötigt. Die Reise führte sie nach Nordosten, ins Hochland von Minas Gerais. Bis zum Ende des Krieges lebten sie in der Kleinstadt Barbacena. Hier belegte Hugo Simon einen Kurs über die Aufzucht von Seidenraupen, bevor er einen eigenen kleinen Betrieb aufbaute.

7. Reichsanzeiger Nr. 236, 9. Oktober 1933, S. 2. Vier Jahre später wurde dem Ehepaar die deutsche Staatsangehörigkeit aberkannt. Vgl. Reichsanzeiger Nr. 248, 27. Oktober 1937, S. 1 (Liste, Nr. 55).
8. Vgl. Hugo Simon an Government of the United States of North America, 22. April 1941, in: DNB, Deutsches Exilarchiv 1933–1945, EB 2005/063-C.01.01.0003.
9. Application for nonimmigrant visa, gültig für ein Jahr, genehmigt am 27. September 1940, in: DNB, Deutsches Exilarchiv 1933–1945, EB 2005/063-C.01.01.0003.
10. Dasselbe Schicksal ereilte bald darauf den Politiker Rudolf Breitscheid und den Publizisten Theodor Wolff, mit denen Hugo Simon bis zuletzt in Südfrankreich in Kontakt gestanden hatte. Vgl. Gertrud Simon an Karl Koch, 10. Februar 1953, in: LABO Berlin, Reg. Nr. 77943, M10. Darin auch Karl Koch: Eidesstattliche Erklärung, 28. August 1953, (E11). Der Kaufmann Karl Koch (geb. 1882) war Gertrud Simons Bevollmächtigter in Entschädigungsangelegenheiten. Von 1921 bis 1928 war er Prokurist des Bankhauses Bett, Simon & Co.
11. Vgl. Hugo Simon an Government of the United States of North Amerika, 22. April 1941, in: DNB, Deutsches Exilarchiv 1933–1945, EB 2005/063-C.01.01.0003.

Die Sorge, als von den Nationalsozialisten gesuchte Persönlichkeiten enttarnt zu werden, blieb in diesen Jahren ständige Begleiterin des Ehepaars und wirkte bis in die engsten persönlichen Kreise hinein. Zeitgleich mit Hugo und Gertrud Simon, allerdings auf einem anderen Schiff, war im Februar 1941 auch den beiden Töchtern, dem Schwiegersohn und dem zehnjährigen Enkel Marc Roger (1931–1987) die Flucht nach Brasilien gelungen. Sie hatten gefälschte französische Pässe erhalten und lebten nun ebenfalls unter fremdem Namen: Aus Ursula Demeter und ihrer Familie waren Renée, André und Marc Roger Denis geworden, während Annette den Namen Marie-Louise Pecharmant angenommen hatte. Obgleich die gesamte Familie während der Zeit in Penedo sogar vorübergehend an einem Ort wiedervereint war, achtete man streng darauf, die Tarnung aufrechtzuerhalten. Um keinen Verdacht zu erregen, gaben sich die Eltern als Freunde ihrer Kinder oder Paten ihres Enkels aus. Man sprach sich stets mit den neuen Namen an und vermied allzu enge Kontakte.

Die psychische Belastung der wiederholten Fluchten und der damit verbundenen Entwurzelung, der Verfolgungsdruck und das Leben mit gefälschter Identität setzten vor allem Gertrud Simon erheblich zu. Bereits seit der Übersiedlung nach Frankreich war ihre Gesundheit angeschlagen. In Brasilien blieb ihre körperliche Verfassung labil und war ein ständiger Grund zur Sorge.[12] Die Rechnungen für Arztbesuche und Medikamente wurden dabei bald zum Problem. Denn die wirtschaftliche Situation des Ehepaars hatte sich über die Jahre laufend verschlechtert. Schon in den letzten Jahren in Paris waren die Finanzgeschäfte fast zum Erliegen gekommen und Hugo Simon war nicht mehr in der Lage gewesen, seine Kredite zu bedienen.[13] Bei ihrer überstürzten Abreise aus Paris hatten Simons nur das Nötigste mitnehmen können. Kurz darauf wurde die Wohnung samt der wertvollen Einrichtung durch den Einsatzstab Reichleiter Rosenberg (ERR) beschlagnahmt und eingezogen, wie auch die in Frankreich lagernden Bankguthaben. Die einzigen Reserven des Ehepaars bei seiner Ankunft in Brasilien bildeten Konten in England und den USA, von denen Hugo Simon mit Erlaubnis des englischen Premierministers Winston Churchill und des US-Präsidenten Franklin D. Roosevelt kleinere Beträge ins Exil transferieren konnte.[14] Sein Arbeitsverhältnis als landwirtschaftlicher Verwalter war nur von kurzer Dauer, und die Seidenraupenzucht sowie eine sporadische publizistische Tätigkeit vermochten kein sicheres Einkommen zu garantieren. Somit bat Simon in seinen letzten Lebensjahren wiederholt Freunde um finanzielle Unterstützung – etwa den ebenfalls aus Berlin nach Brasilien eingewanderten Kaufmann Carlos Heymann, der die Familie noch lange über Hugo Simons Tod hinaus als Bevollmächtigter vertrat.[15]

Bereits in den ersten Jahren im brasilianischen Exil suchte Hugo Simon nach Möglichkeiten, seine in Deutschland und Frankreich beschlagnahmten Vermögenswerte zurückzuerlangen.[16] Nach Kriegsende setzte er diese Bemühungen mit neuer Energie fort. Dazu galt es jedoch, nach Jahren des Lebens unter falschem Namen, den Behörden seine wahre Identität nachzuweisen. Obgleich prominente Exilanten in den USA, unter ihnen Thomas Mann und Albert Einstein, für seine Integrität bürgten,[17] war der Prozess der Legalisierung seiner Identität nervenaufreibend und langwierig. Bis 1947 sollte es dauern, dass das Ehepaar Simon wieder offizielle, auf die eigenen Namen lautende Ausweispapiere in den Händen hielt. Weitere Jahre vergingen, bis Hugo Simons ursprüngliche Nationalität anerkannt wurde.[18] Nur wenige Monate nach der erfolgreichen Legalisierung seines Status am 1. Juli 1950 verstarb er in São Paulo an einem Krebsleiden. Kurz zuvor war ihm das Grundstück an der Drakestrasse in Berlin zurückerstattet worden, das in seinem zerbombten Zustand allerdings keine Aussicht auf einen zeitnahen Verkauf bot.[19] Aus dem in Paris beschlagnahmten Wohnungsinventar hatte der französische Staat Ende 1947 eine kleine Anzahl von Kunstwerken sowie eine Kiste mit Silbersachen an Hugo Simon restituiert.[20]

Die Versuche um Wiedergutmachung und Entschädigung in Deutschland wurden von seiner Witwe, vertreten durch Rechtsanwalt Johann Sorge in Berlin, fortgeführt. Die Auseinandersetzungen mit den Behörden stellten für die gesundheitlich angeschlagene und in finanzieller Bedrängnis vom Geschehen in Nachkriegsdeutschland weit entfernt lebende Gertrud Simon einen zermürbenden Prozess dar: «Ich empfinde es als schmerzlich und als unwürdig, dass aus einer Sache des Anrechts, eine Bettelei geworden ist.», schrieb sie Ende 1956 an das Präsidium der Ernst-Reuter-Gesellschaft in Berlin, das sie um Fürsprache bei der Entschädigungsbehörde bat, da sie dringend Geld für eine bevorstehende Operation benötigte.[21] Bis dahin hatte sie lediglich einen Vorschuss von 10.000 DM an Entschädigungsleistungen erhalten. Bis zu ihrem Tod am 14. Juni 1964 und nur dank der Hartnäckigkeit des Anwalts und weiterer Fürsprecher, die wiederholt auf die prekäre Situation der alten Dame hinwiesen, erhielt sie insgesamt 40.000 DM als Kompensation für die erlittenen Schäden an Gesundheit und beruflichem Fortkommen ihres Mannes.[22]

DIE KUNSTSAMMLUNG HUGO SIMON

In den Berliner Jahren hatte sich Hugo Simon intensiv mit dem aktuellen Kunstgeschehen befasst. Um 1910 begann er, Werke zeitgenössischer Künstler:innen zu erwerben. Die Simon-Biografin Anna Dorothea Ludewig weist darauf hin, dass Gertrud Simon dabei eine zentrale Rolle zukam, da ihre Familie zahlreiche Verbindungen in die Berliner Kulturszene pflegte.[23] Mit dem Umzug in die Villa an der Drakestrasse im Jahr 1924 bekam die Simon'sche Sammlung ein ebenso repräsentatives wie stimmiges Ambiente, in dem Architektur, Kunst und Gartengestaltung eine Symbiose eingingen. Über einen Wintergarten mit Wandmalereien von Max Slevogt gelangte man auf eine grosse Terrasse und von dort in den Garten mit Skulpturen von Georg Kolbe und Renée Sintenis (Abb. 5/6). Der für den Umbau des Anwesens zuständige Paul Cassirer war zugleich auch der wichtigste Berater und Vermittler von Kunstankäufen. Weitere Galerien der Avantgarde, wie die von Alfred Flechtheim und Ferdinand Möller, befanden sich in der unmittelbaren Nachbarschaft und prägten Simons Sammeltätigkeit.

Neben vereinzelten Werken älterer Meister und Gemälden des französischen Impressionismus vermittelte die bis 1933 aufgebaute Sammlung einen Überblick über die Kunstproduktion der Moderne in Deutschland etwa ab der Mitte des 19. Jahrhunderts. Gewissermassen den Vorspann bildeten Gemälde von Caspar David Friedrich und Gustav Carus, gefolgt von dem in Berlin hochgeschätzten Hans von Marées. Über Wilhelm Leibl und Wilhelm Trübner ging die Linie mit Max Liebermann, Max Slevogt und Lovis Corinth zum Impressionismus und mündete in die zeitgenössische Kunstproduktion; hier sind etwa die Brücke-Künstler sowie Franz Marc und Oskar Kokoschka zu nennen. Im Bereich der Plastik wurde die Sammlung durch Werke von Ernst Gaul, Renée Sintenis, Wilhelm Lehmbruck, Ernst Barlach und Käthe Kollwitz ergänzt (Abb. 7).

12. Vgl. Kurze Darstellung des Emigrantenlebens von Simons, o.D., vermutlich von Carlos Heymann, in: DNB, Deutsches Exilarchiv 1933–1945, EB 2005/063-C.01.01.0009.

13. Zu den Vermögensverhältnissen von Hugo Simon vor seiner Flucht aus Frankreich vgl. die Eidesstattliche Versicherung von Charles Rosenberg, Rechtsanwalt am Landgericht Köln, 5. Januar 1959, in: LABO Berlin, Reg. Nr. 77943, E40.

14. Vgl. Kurze Darstellung des Emigrantenlebens von Simons, o. D., vermutlich von Carlos Heymann, in: DNB, Deutsches Exilarchiv 1933–1945, EB 2005/063-C.01.01.0009.

15. Vgl. Carlos Heymann: Eidesstattliche Versicherung, 16. Dezember 1958, in: LABO Berlin, Reg. Nr. 77943, E37. Auch Gertrud Simon schilderte in ihrer eidesstattlichen Erklärung vom 19. September 1953 die zunehmende Abhängigkeit von finanzieller Unterstützung durch Freunde (E16).

16. In einem wohl 1942 oder 1943 zu datierenden Brief an einen in die USA ausgewanderten, namentlich nicht identifizierbaren Bekannten («lieber Herr Professor»), den er um Unterstützung bei Schadensersatzansprüchen ersuchte, bezifferte Hugo Simon seine Vermögensverluste in Deutschland und Frankreich detailliert. Vgl. Hugo Simon an N.N., o. D. (1942 oder 1943), in: DNB, Deutsches Exilarchiv 1933–1945, EB 2005/063-C.01.01.0005.

17. Vgl. Abschrift des Empfehlungsschreibens von Thomas Mann für Hugo

Simon, 31. Mai 1946, in: LABO Berlin, Reg. Nr. 77943, E27. Einen entsprechenden Brief von Albert Einstein erwähnt Gertrud Simon in ihrem zugehörigen Erläuterungsschreiben (E26).

18. Das Ehepaar hatte zusammen mit der Namensänderung die Änderung der Nationalität von tschechisch in «staatenlos» (so lautete die offizielle Bezeichnung infolge der Ausbürgerung durch die Nationalsozialisten) beantragt. Die brasilianischen Behörden machten sie jedoch zunächst aufgrund ihrer nun auf polnischem Gebiet liegenden Geburtsorte zu polnischen Staatsbürgern. Gertrud Simon behielt diese Nationalität bis zu ihrem Tod bei. Vgl. Eckl 2010, S. 118–119.

19. Vgl. Wiedergutmachungsamts Berlin: Beschluss, 24. Februar 1950, und Gertrud Simon an Karl Koch, 10. Februar 1953, in: LABO Berlin, Reg. Nr. 77943, D11 und M10.

20. Die ERR-Datenbank verzeichnet insgesamt 76 Einträge zu Werken der ehemaligen Sammlung Hugo Simon, darunter auch die 1947 restituierten Objekte. Vgl. www.errproject.org/jeudepaume/ (27.3.2025).

21. Vgl. Gertrud Simon an Ernst-Reuter-Gesellschaft, 18. November 1956, in: LABO Berlin, Reg. Nr. 77943, E24–E25.

22. Vgl. Entschädigungsamt Berlin: Vergleich, 10. Januar 1961, in: LABO Berlin, Reg. Nr. 77943, E43–E44.

23. Vgl. Ludewig 2021, S. 16–22.

Abb. 5: Villa Simon, Rückseite mit Terrasse und einer Plastik von Georg Kolbe, Berlin, 1928

Das Profil der Kunstsammlung, deren Umfang sich auf über 230 Werke rekonstruieren lässt,[24] lag auf einer Linie mit den programmatischen Vorstellungen, die Ludwig Justi für die Neukonzeption der Berliner Nationalgalerie vertrat und gegen erbitterte Widerstände der etablierten Kreise letztlich auch durchzusetzen vermochte. Grundlegend unterstützt wurde er dabei durch die von ihm neu zusammengesetzte Ankaufskommission. Unter den drei dort vertretenen Sammlern war Hugo Simon der jüngste und finanziell einflussreichste.[25] Mit seinem Einsatz machte er sich bei den Gegnern der Moderne zur Zielscheibe von Anfeindungen, die nicht selten von antisemitischen Untertönen durchzogen waren.[26]

Werke der Sammlung Simon waren regelmässig Teil der von Justi in rascher Folge konzipierten Wechselausstellungen und ergänzten dabei die Bestände der Nationalgalerie. In der grossen Schau *Neuere Deutsche Kunst aus Berliner Privatbesitz* war Simon mit 13 Werken als Leihgeber vertreten.[27] Aber nicht nur in Berlin war seine Sammlung ein Begriff, er lieh auch wiederholt ins Ausland. So wurden seine beiden Gemälde von Caspar David Friedrich 1932 erstmals zu Ausstellungszwecken ans Kunstmuseum Basel gesandt.[28] Als Glücksfall sollte sich der Umstand erweisen, dass Hugo Simon Anfang 1933 der Galerie Jacques Goudstikker in Amsterdam zahlreiche Werke aus seiner Sammlung für Ausstellungen zur Verfügung gestellt hatte.[29]

24. Vgl. Senger 2024, S. 132.
25. Weitere Mitglieder der Ankaufskommission waren 1919 neben ihm als Sammler Eduard Arnhold (1849–1925) und (?) Brugger. Curt Glaser (1879–1943), Adolph Goldschmidt (1863–1964) und August Grisebach (1881–1950) vertraten die wissenschaftliche Fraktion. Alle sechs hatten einen jüdischen Hintergrund. Die Künstlerschaft wurde vertreten durch Max Slevogt, Erich Heckel, Georg Kolbe und August Gaul. Vgl. Peter Betthausen, Schule des Sehens, Ludwig Justi und die Nationalgalerie, Berlin 2010, S. 161.
26. Vgl. z. B. die Reaktion von Martin Löpelmann auf Justis Van-Gogh-Ankauf, der 1929 einen offenen Skandal provozierte: «Man muss sich den Ankauf einmal plastisch vorstellen. Herr Justi zeigt das Gemälde der Ankaufskommission. Das

sind sechs jüdische Gestalten, darunter der üble Bursche Hugo Simon von der Bankfirma Bett, Simon & Co., mit dem wir uns noch gründlich befassen werden.» Zit. n. Kurt Winkler, Museum der Avantgarde. Ludwig Justis Zeitschrift «Museum der Gegenwart» und die Musealisierung des Expressionismus, Opladen 2002, S. 362.
27. Vgl. Neuere Deutsche Kunst aus Berliner Privatbesitz, Ausst.-Kat. Berliner Nationalgalerie (April 1928), Nr. 13, 33, 54, 55, 78, 80, 81, 88, 92, 98, 106, 124, 167.
28. Vgl. Paul Cassirer an Otto Fischer, 12. Januar 1932, KMB, Archiv, F 001.025.003.000.
29. Vgl. Senger 2024, S. 132–133. Die Bilder wurden in den Ausstellungen *Het Stileven* (18. Februar – 26. März 1933) sowie *Moderne Kunst* im Oktober des Jahres präsentiert.

Abb.6: Villa Simon, Wintergarten mit
Wandmalereien von Max Slevogt, Berlin, 1928

Abb.7: Villa Simon, Herrenzimmer, Berlin, 1928

Im Mai 1933 knüpfte Hugo Simon von Frankreich aus über den befreundeten Künstler Hermann Haller (1880–1950), einem Mitglied der Sammlungskommission der Zürcher Kunstgesellschaft, Kontakte in die Schweiz, um Kaufinteresse für einzelne Werke seiner Sammlung zu sondieren. Haller stellte die Verbindung zu Wilhelm Wartmann (1882–1970), dem Direktor des Kunsthauses Zürich, her, der daraufhin im Sommer 1933 an Simon herantrat.[30]

Am 29. Mai 1934 erreichte eine von Amsterdam verschickte Sendung von 40 Kunstwerken das Kunsthaus.[31] Simons Hoffnung eines Verkaufs an das Museum sollte sich nicht erfüllen. Nach einzelnen Verkäufen an Privatpersonen und den Versand von Werken nach Frankreich verblieb ein Bestand von 25 Positionen an Plastik und Malerei.[32]

DAS DEPOSITUM IM KUNSTMUSEUM BASEL AB 1938
UND DER KREDIT ÜBER 50.000 CHF

Der erste Brief von Hugo Simon an die Direktion des Kunstmuseums Basel datiert von Oktober 1934. Damals fragte er, «ob sie nicht geneigt [wäre] das eine oder andere Stück aus [seiner] Sammlung, welche sich im Zürcher Kunsthaus befindet, zu erwerben.»[33] Eine Aufstellung der dort befindlichen Kunstwerke fügte er an. Im Dezember des Jahres wurde er dann persönlich bei Museumsdirektor Otto Fischer (1886–1948) vorstellig. Aus dem Besuch scheint sich jedoch nichts Weiteres ergeben zu haben (Abb. 8).[34] Da Simon eigentlich mit Einnahmen gerechnet hatte, in Zürich aber über Jahre hinweg fast nichts verkauft worden war, suchte er im Frühjahr 1938 erneut in Basel Kontakt.

Diesmal nahm er über Emil Oprecht (1895–1952) Fühlung, der ein sozialdemokratischer Parteifreund war und sich in Zürich als Verleger für exilierte Schriftsteller:innen engagierte. Simon bot ihm an, seine vollständige «Kollektion als Grundstock einer Sammlung ‹deutscher Kunst› zu erwerben.»[35] (Abb. 9)

Oprecht trug das Gesuch an den Basler Regierungsrat Fritz Hauser (1884–1941) heran, den Vorsteher des Erziehungsdepartements und ebenfalls Mitglied der Sozialdemokratischen Partei (SP) (Abb. 10).[36] Dieser veranlasste daraufhin den Präsidenten der Kunstkommission der Öffentlichen Kunstsammlung Basel, Karl August Burckhardt-Koechlin (1879–1960), zu einer Besichtigung des Simon-Bestands in Zürich. Im Anschluss berichtete dieser, dass «der Erwerb des gesamten Simon'schen Kunstbesitz [für Basel] nicht in Betracht» zu ziehen sei. Er habe sich aber sechs Kunstwerke notiert, welche er «der Kunstkommission und dem Herrn Konservator als erwägenswert vorlegen möchte.»[37] Es handelte sich um drei Gemälde von Hans von Marées, Max Slevogt und Wilhelm Leibl sowie zwei Plastiken von Wilhelm Lehmbruck und eine Holzskulptur von Ernst Barlach.[38] Hauser liess prüfen, «ob die zuständigen Behörden sich mit der Anschaffung der Werke einverstanden erklären können und bereit sind, die nötigen Geldmittel zur Verfügung zu stellen.»[39] Simon sandte Preise für die Auswahlobjekte an die Kunstkommission. Diese beruhten auf einer von Kunsthausdirektor Wilhelm Wartmann im März 1938 vollzogenen Schätzung, die er beilegte. Weiter kündigte der Sammler an, seine zwei nicht in Zürich befindlichen Gemälde von Caspar David Friedrich als Ergänzung zu schicken.[40]

30. Vgl. Wilhelm Wartmann an Hugo Simon, 29. Juli 1933, in: Archiv ZKG/KHZ, Ausgehende Korrespondenz, 10.30.20.72.

31. Vgl. Wilhelm Wartmann an Hugo Simon: Eingangsbestätigung, 2. Juni 1934, in: Archiv ZKG/KHZ, Ausgehende Korrespondenz, 10.30.20.75.

32. Vgl. A. Rolin, Kassiererin Kunsthaus Zürich, an Öffentliche Kunstsammlung Basel, 2. April 1938, in: KMB, Archiv, O 001.065.000.000.

33. Hugo Simon an Direktion Kunstmuseum Basel, 27. Oktober 1934, in: KMB, Archiv, O 001.065.000.000.

34. Vgl. Hugo Simon an Otto Fischer, 18. Dezember 1934, in: KMB, Archiv, O 001.065.000.000.

35. Hugo Simon an Emil Oprecht, 7. Februar 1938, in: StABS, Erziehungsakten

DD7, 1937–1938.

36. Vgl. Hugo Simon an Fritz Hauser, 15. Februar 1938, in: StABS, Erziehungsakten DD7, 1937–1938.

37. Karl August Burckhardt-Koechlin an Hugo Simon, 22. März 1938, in: KMB, Archiv, O 001.065.000.000.

38. Vgl. ebd.

39. Fritz Hauser an Hugo Simon, 26. März 1938, in: StABS, Erziehungsakten DD7, 1937–1938.

40. Vgl. Hugo Simon an Kunstkommission, 30. März 1938, in: KMB, Archiv, O 001.065.000.000, und Hugo Simon an Fritz Hauser, 30. März 1938, in: StABS, Erziehungsakten DD7, 1937–1938.

Abb. 8: Otto Fischer, Konservator (Direktor) am Kunstmuseum Basel, 1930er-Jahre

Abb. 10: Regierungsrat Fritz Hauser auf einer Kundgebung der Sozialdemokraten und Kommunisten vor dem Basler Rathaus, 1. Mai 1935

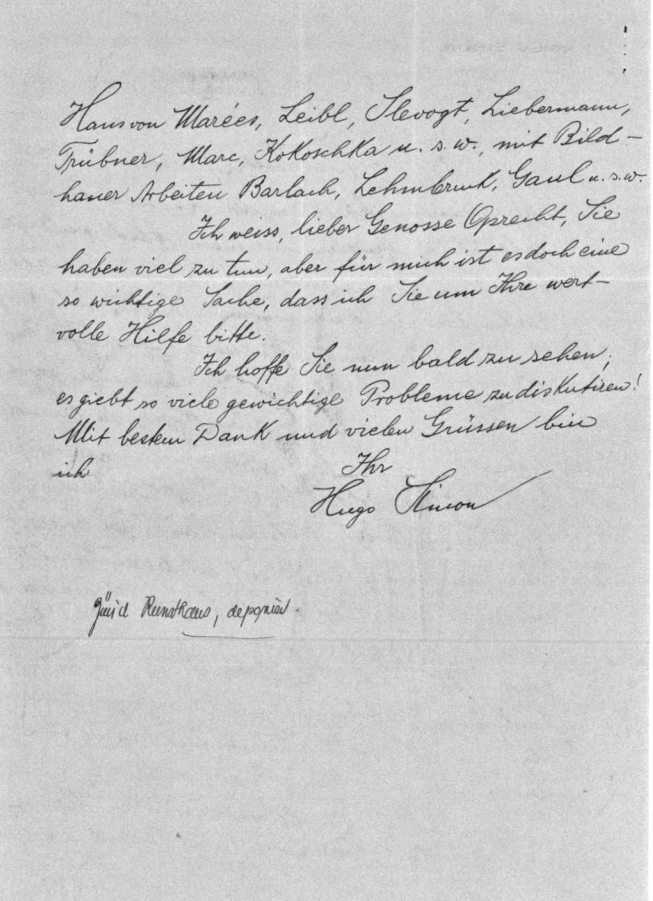

Abb. 9: Brief von Hugo Simon an Emil Oprecht, 7. Februar 1938

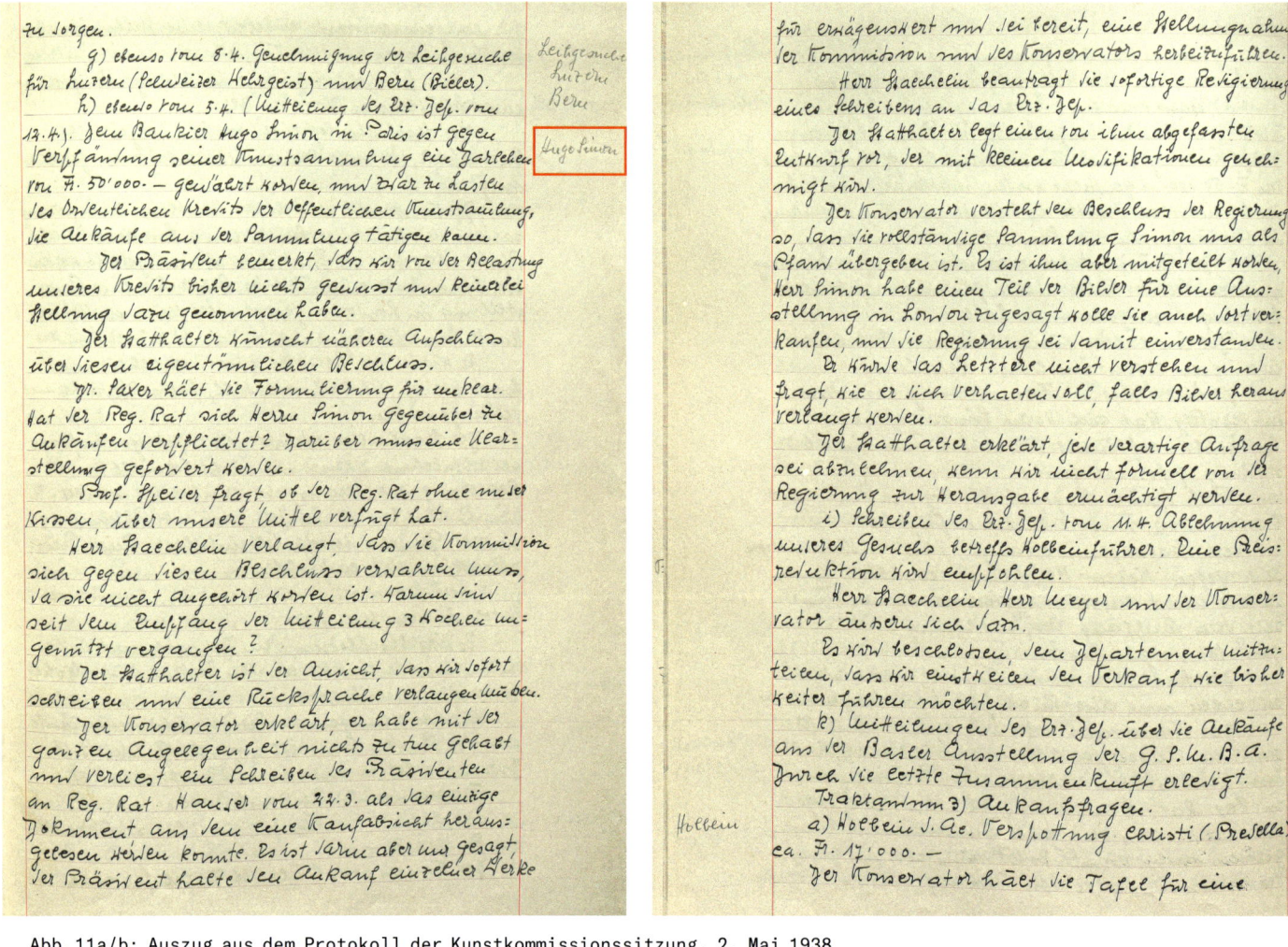

Kunstmuseumsdirektor Fischer wünschte die sechs Werke zu sehen.[41] Doch bevor sie regulär auf den Weg gebracht werden konnten, gingen bei Wartmann in Zürich seitens Hugo Simon, aber wohl auch des Kunstmuseums, dringende schriftliche und telefonische Gesuche ein, den gesamten Simon-Bestand sofort nach Basel zu überführen.[42] Die Hintergründe sind den Akten des Erziehungsdepartements im Basler Staatsarchiv zu entnehmen.[43] Offenbar war Hugo Simon zwischenzeitlich mit der Bitte um einen Kredit an Regierungsrat Fritz Hauser herangetreten und dieser hatte Erkundigungen eingeholt. Aus einem Schreiben

41. Vgl. Wilhelm Wartmann an Hugo Simon, 1. April 1938, in: KMB, Archiv, O 001.065.000.000.

42. Vgl. Wilhelm Wartmann und Franz Meyer an Karl August Burckhardt-Koechlin, 4. April 1938, in: KMB, Archiv, O 001.065.000.000.

43. Unser Dank gilt Esther Baur und Christoph Manasse vom Staatsarchiv Basel-Stadt für ihre Unterstützung beim Auffinden dieses Aktenbestands.

44. Genossenschaftliche Zentralbank Basel an Fritz Hauser, 2. April 1938, in: StABS, Erziehungsakten DD7, 1937–1938.

45. Vgl. Hugo Simon an Erziehungsdepartement des Kantons Basel-Stadt, 4. April 1938, in: StABS, Erziehungsakten DD7, 1937–1938: «Hierdurch bestaetige ich die heutige telefonische Unterhaltung mit Ihnen sehr geehrter Herr Regierungsrat Dr. Hauser derzufolge ich damit einverstanden bin, dass sämmtliche der öffentlichen Kunstsammlung (Museum) dort, angelieferte Kunstwerke meiner Sammlung als Sicherheit für einen mir eingeräumten Credit dienen sollen.»

46. Vgl. A. Rolin, Kassiererin Kunsthaus Zürich, an Öffentliche Kunstsammlung

Basel, 2. April 1938 und Franz Meyer und Wilhelm Wartmann an Karl August Burckhardt-Koechlin, 4. April 1938, in: KMB, Archiv, O 001.065.000.000. Rolin gibt sechs statt eigentlich fünf Plastiken an, da das Werk von Barlach zweiteilig ist.

47. Vgl. Franz Meyer und Wilhelm Wartmann an Karl August Burckhardt-Koechlin, 4. April 1938, in: KMB, Archiv, O 001.065.000.000, sowie Wilhelm Wartmann an Hugo Simon, 4. April 1938, in: ZKG/KHZ, Ausgehende Korrespondenz, 10.30.20.85, und Wilhelm Wartmann an Hugo Simon: Abschlussrechnung, 4. April 1938, in: Archiv ZKG/KHZ, Korrespondenz Ausstellung Besitzer/Händler, 10.30.30.66. Referenziell sind hier die Angaben der Rechnung.

48. Vgl. Wilhelm Wartmann an Otto Fischer, 6. Mai 1938, in: KMB, Archiv, O 001.065.000.000.

49. Vgl. Fritz Hauser an Kuratel der Universität, Rektorat der Universität, Kunstkommission, Konservator der öffentlichen Kunstsammlung, 12. April 1938, in: KMB, Archiv, O 001.065.000.000.

50. Vgl. ebd.

der Genossenschaftlichen Zentralbank Basel, das auf eine mündliche Unterredung mit Hauser Bezug nimmt, «betr. den an Herrn Hugo Simon in Paris zu gewährenden Kredit», geht hervor, dass

> «juristische Bedenken laut geworden sind, die es uns verunmöglichen, diesem Gesuche zu entsprechen. Es muss also eine andere Lösung gesucht werden und meines Erachtens [so der Bankdirektor] liegt sie darin, dass gegen Uebergabe und Verpfändung der Bilder und Plastiken der Vorschuss von der Staatskasse direkt bewilligt und seinerzeit mit dem Erlös aus den dem Kanton Basel-Stadt verkauften Objekten verrechnet wird.»[44]

Simon erklärte sich mit dem Vorschlag einverstanden.[45] Somit wurden 20 Ölgemälde und fünf Plastiken am 2. April 1938 nach Basel versandt.[46]

Da das Finanzielle vor dem kurzfristigen Transfer der Werke nicht geregelt werden konnte, meldeten Wartmann und der Präsident der Zürcher Kunstgesellschaft Franz Meyer-Stünzi (1889–1962) gegenüber Basel einen Pfandanspruch in Höhe von 1.698,55 CHF auf die Sammlung an. Bei einer möglichen Zahlung des Museums an Herrn Simon sollte diese Summe für Zürich zurückbehalten werden. Die Gebühr wurde für Aufbewahrung, Zoll und Speditionskosten erhoben, die während der vierjährigen Lagerung der Objekte im Kunsthaus angefallen waren.[47] Die Rechnung beglich Simon noch im selben Monat.[48]

Wenige Tage später vermittelte Fritz Hauser der Kunstkommission den am 5. April 1938 gefassten Regierungsratsbeschluss über die «grundsätzliche Zustimmung zum Ankauf einiger Werke aus einer Kunstsammlung Hugo Simon.» Darin heisst es:

> «Simon ersuche nun um eine vorläufige Zahlung von Fr. 50.000.- wofür er die Werke in der hiesigen Oeffentlichen Kunstsammlung deponiert d.h. als Sicherheit verpfändet habe. Der Vorsteher des Finanzdepartements habe seine Zustimmung erklärt.»[49]

Die sofortige Auszahlung dieser Summe wurde

> «zu Lasten des ordentlichen Kredites der Oeffentlichen Kunstsammlung ermächtigt in der Meinung, dass der diesen Kredit übersteigende Betrag der Oeffentlichen Kunstsammlung von der Staatskasse als unverzinslicher Vorschuss vorzustrecken und von der Oeffentlichen Kunstsammlung innerhalb zwei Jahren zurückzuzahlen sei.»[50]

Dieser Beschluss wurde in der Kunstkommissionssitzung vom 2. Mai aufgeregt diskutiert. Das Gremium fühlte sich von der über seine Köpfe hinweg getroffenen Regierungsentscheidung überrumpelt (Abb. 11a/b, 12).

 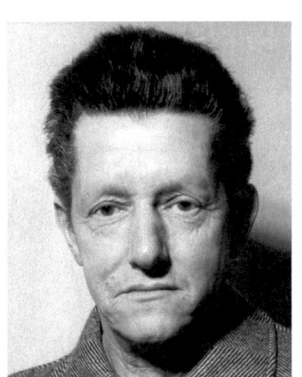

Abb. 12: Mitglieder der Kunstkommission, Mai 1938 (von links nach rechts, von oben nach unten): Karl August Burckhardt-Koechlin (Präsident), Dr. Ernst Saxer, Hermann Meyer, Alfred Heinrich Pellegrini, Rudolf Staechelin (Kassier), Prof. Dr. Felix Speiser, Prof. Dr. August Simonius (Statthalter), Heinrich Müller

Es wurde Einspruch gegen den Beschluss erhoben. In seinem Brief protestierte Kommissionspräsident Burckhardt-Koechlin dagegen, dass das Darlehen für Simon dem Ankaufsfonds des Kunstmuseums entnommen wurde und dadurch die zukünftige Handlungsfähigkeit der Kommission eingeschränkt werde. Die Kunstkommission habe noch gar nicht entschieden,

> «[o]b sie einen Ankauf beschliessen kann und [auch] was sie kaufen will, steht demnach noch offen. Es wird deshalb nicht möglich sein auch nur einen Teil des ordentlichen Kredits der Oeffentlichen Kunstsammlung für Ankäufe aus der Sammlung Simon festzulegen.»[51]

Doch gegen das Darlehen konnte rückwirkend nicht mehr vorgegangen werden. Die Mittel waren gesprochen. Simon wurde von Hauser per Telegramm über die Zahlung informiert.[52] In einem Brief, der sieben Tage nach der entscheidenden Regierungsratssitzung verfasst wurde, dankte er herzlich für die Zahlung und hoffte weiterhin auf «baldige und günstige Stellungnahme zu meiner Bitte um einen weiteren Vorschuss von sfrs 50,000.»[53] (Abb. 13a/b). Diesem Wunsch konnte Hauser aber nicht mehr entsprechen.[54] Hingegen fragte er wenig später in die andere Richtung, ob Simon einem in Deutschland bedrohten Parteifreund beim Erwerb eines Landguts in Frankreich helfen könne, was Simon über seinen Schwiegersohn Wolf Demeter zu tun versprach.[55] Diese selbstverständliche wechselseitige Unterstützung ist beeindruckend und war sicher keine Ausnahme unter politisch gleichgesinnten NS-Gegnern, auch wenn Hauser als protestantischer Schweizer natürlich ganz anders betroffen war, als Simon.

Da Fritz Hauser die grundsätzlichen Bedenken der Kunstkommission hinsichtlich des Ankaufs von Simons Werken vernommen hatte, nun aber bereits Gelder geflossen waren, drängte er auf eine rasche Entscheidung.[56] Diese konnte aber frühestens in der nächsten Kommissionssitzung gefällt werden, und da Burckhardt-Koechlin grosse Bedenken wegen der von Simon vorgeschlagenen Preise hegte, bat er Otto Fischer, noch einmal mit dem Anbieter zu sprechen.

> «[D]ie Preise, die in der Aufstellung Dr. Wartmanns angegeben sind, scheinen mir eben viel zu hoch. Wie wir schon besprochen, dürfte Marées Waldlandschaft nicht mehr wie circa 22'000.- Frs. kosten, die beiden Büsten von Lehmbruck zusammen vielleicht 6–7000.- frs. und die Barlachschnitzerei ebenso viel. [...] bei den grossen Differenzen in der Bewertung, sollten Sie vor allen Dingen mit Herrn Simon nochmals Fühlung nehmen um festzustellen zu welchen Preisen allenfalls die Kunstwerke, welche für die Sammlung in Betracht fallen könnten, abgegeben würden. Die Kunstkommission wird rascher zu einer Entschliessung kommen, wenn sie bei der Beratung weiss, wie es mit den Preisen bestellt ist.»[57]

Fischer nahm den Ball auf und besuchte Simon in Paris.[58] Kurz darauf bat er ihn schriftlich um neue Preise für Marées, Barlach, eine der zwei Lehmbruck-Plastiken, die Lehmbruck-Studie und eine von Friedrichs Landschaften. Weiterhin berichtete er in dem Brief

51. Karl August Burckhardt-Koechlin an Fritz Hauser, 4. Mai 1938, in: KMB, Archiv, O 001.065.000.000.

52. Vgl. Fritz Hauser an Hugo Simon: Telegramm, o.D.: «Anweisung von Fr. 50,000.- folgt Dienstag morgen unter Voraussetzung der Bestätigung der Verpfändung der Kunstwerke.», in: StABS, Erziehungsakten DD7, 1937–1938.

53. Hugo Simon an «Genosse Hauser», 12. April 1938 und 19. April 1938, in: StABS, Erziehungsakten DD7, 1937–1938.

54. Vgl. Fritz Hauser an Hugo Simon: Telegramm, o.D., in: StABS, Erziehungsakten DD7, 1937–1938: «Weiterer Vorschuss von Fr. 50,000.-

leider nicht möglich.»

55. Vgl. Fritz Hauser an Hugo Simon, 4. und 8. Juni 1938 und Hugo Simon an Fritz Hauser, 7. Juni 1938, in: StABS, Erziehungsakten DD7, 1937–1938.

56. Vgl. Fritz Hauser an Karl August Burckhardt-Koechlin, 18. Mai 1938, in: KMB, Archiv, O 001.065.000.000.

57. Karl August Burckhardt-Koechlin an Otto Fischer, 19. Mai 1938, in: KMB, Archiv, O 001.065.000.000.

58. Zum Paris-Besuch vgl. Hugo Simon an Otto Fischer, 24. Mai 1938, in: KMB, Archiv, O 001.065.000.000.

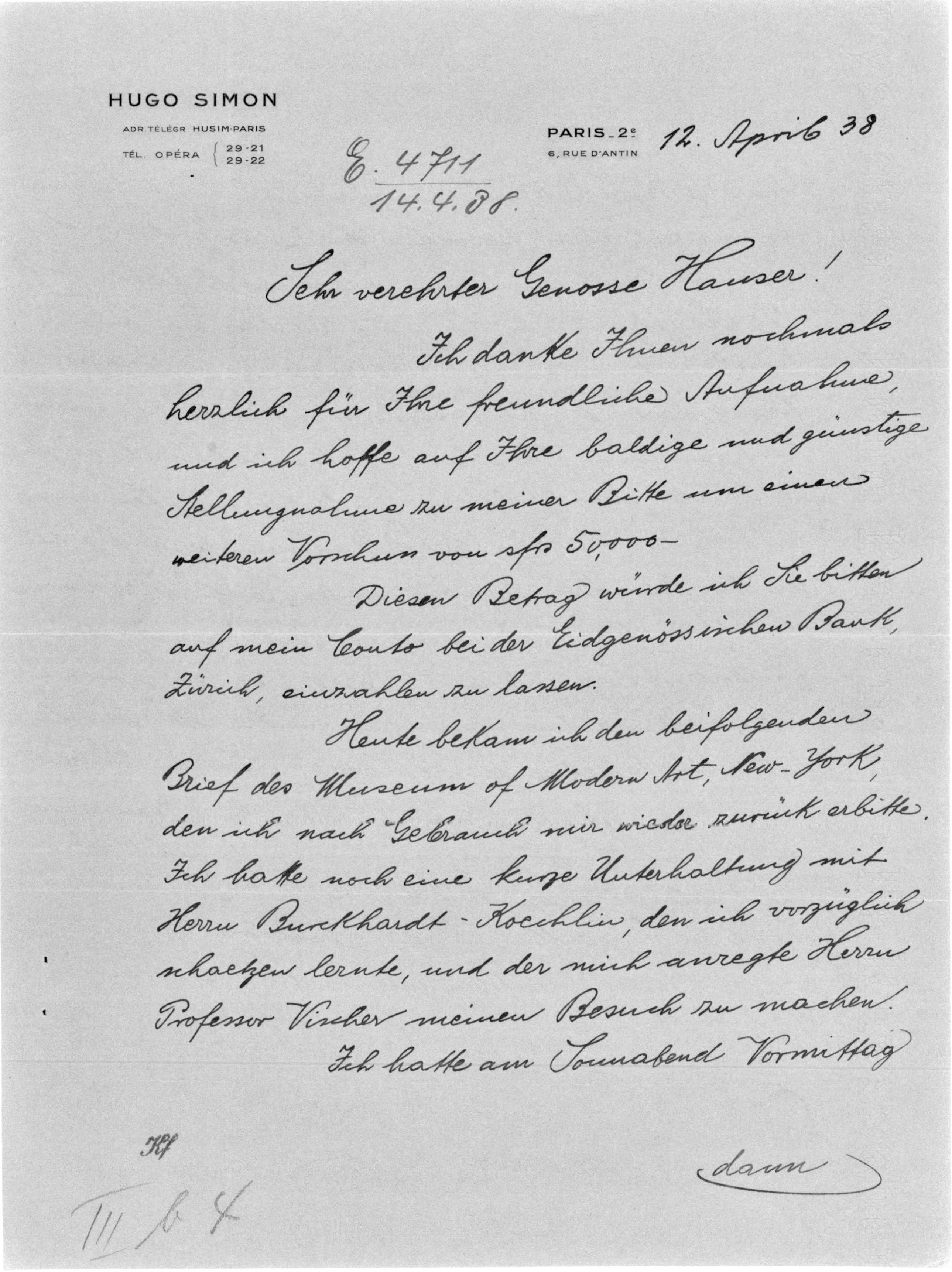

HUGO SIMON

ADR. TÉLÉGR. HUSIM-PARIS

TÉL. OPÉRA { 29-21 / 29-22

E. 4711
14.4.38.

PARIS_2ᵉ
6, RUE D'ANTIN

12. April 38

Sehr verehrter Genosse Hauser!

Ich danke Ihnen nochmals herzlich für Ihre freundliche Aufnahme, und ich hoffe auf Ihre baldige und günstige Stellungnahme zu meiner Bitte um einen weiteren Vorschuss von sfr 50,000.–

Diesen Betrag würde ich Sie bitten auf mein Conto bei der Eidgenössischen Bank, Zürich, einzahlen zu lassen.

Heute bekam ich den beifolgenden Brief des Museum of Modern Art, New-York, den ich nach Gebrauch mir wieder zurück erbitte. Ich hatte noch eine kurze Unterhaltung mit Herrn Burckhardt-Koechlin, den ich vorzüglich schätzen lernte, und der mich anregte Herrn Professor Vischer meinen Besuch zu machen!

Ich hatte am Sonnabend Vormittag

dann

Abb. 13a: Brief von Hugo Simon an Fritz Hauser, 12. April 1938

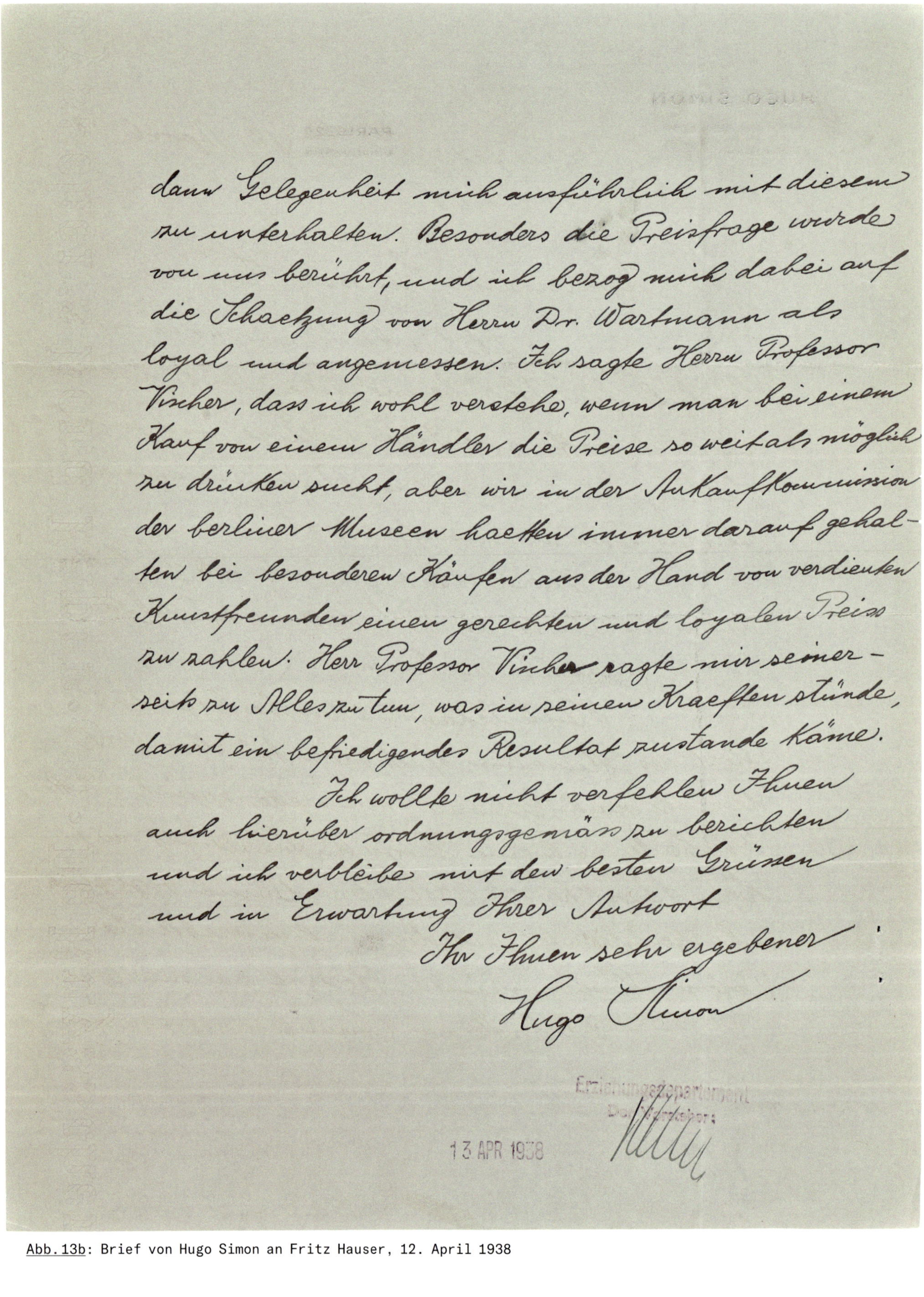

dann Gelegenheit mich ausführlich mit diesem
zu unterhalten. Besonders die Preisfrage wurde
von uns berührt, und ich bezog mich dabei auf
die Schaetzung von Herrn Dr. Wartmann als
loyal und angemessen. Ich sagte Herrn Professor
Vinher, dass ich wohl verstehe, wenn man bei einem
Kauf von einem Händler die Preise so weit als möglich
zu drücken sucht, aber wir in der Ankaufkommission
der berliner Museen haetten immer darauf gehalten bei besonderen Käufen aus der Hand von verdienten
Kunstfreunden einen gerechten und loyalen Preis
zu zahlen. Herr Professor Vinher sagte mir seinerseits zu Alles zu tun, was in seinen Kraeften stünde,
damit ein befriedigendes Resultat zustande Käme.

    Ich wollte nicht verfehlen Ihnen
auch hierüber ordnungsgemäss zu berichten
und ich verbleibe mit den besten Grüssen
und in Erwartung Ihrer Antwort
    Ihr Ihnen sehr ergebener
    Hugo Simon

Abb. 13b: Brief von Hugo Simon an Fritz Hauser, 12. April 1938

von einem Leihgesuchs Irmgard Burchards (1906–1964), die 16 Kunstwerke der Sammlung Simon für die Londoner Ausstellung *Twentieth Century German Art* angefragt hatte, die 1938 als Gegenausstellung zu der Münchner Ausstellung *Entartete Kunst* organisiert wurde.[59] Simon entschied, dass die Werke zu Frau Burchards Verfügung bereitgehalten werden sollten.[60] Was die Preise betraf, führten ihn, wie er schrieb, seine «Kenntnisse der deutschen Marktverhältnisse» und die von ihm angelegten Preise für seine «Käufe, in Goldmark berechnet» zu Preisnormierungen, die keine sehr grossen Abweichungen vom vorherigen Angebot erlaubten. Bei Marées *Waldszene* (zuvor 60.000 CHF) war er bereit, 10.000 CHF zu erlassen, bei den zwei Lehmbruck-Arbeiten 5.000 CHF (zuvor zusammen 20.000 CHF). Bei Barlachs *Vision* und der Friedrich-Landschaft blieb er bei der ursprünglichen Bewertung. Zusammenfassend bot er an, die geforderte Gesamtsumme von 145.000 auf 130.000 CHF zu reduzieren, wenn das Kunstmuseum alle sechs Werke im Paket übernähme.[61] Gegenüber Fritz Hauser erklärte er sich deutlicher. In der Ankaufskommission der Berliner Museen habe er die Erfahrung gemacht, dass man verdienten Kunstfreunden, einen «gerechten und loyalen Preis» zahle, und nicht, wie es etwa bei Händlern üblich sei, die Preise nach unten verhandele. Diesen Umgang erwarte er auch von der Basler Kommission (Abb. 13a/b).[62]

In Kenntnis von Simons neuen Preisen und seiner Haltung schrieben Fischer und Burckhardt-Koechlin noch einmal gemeinsam an Fritz Hauser. Sie wollten die Position der Kunstkommission zu den geplanten Leihgaben ins Ausland vermitteln: Wenn Simon aus dem verpfändeten Depotbestand von nunmehr 22 Gemälden und fünf Skulpturen zehn Gemälde und fünf Skulpturen nach London schicken liesse, so würde der Gesamtwert der Sammlung, den Simon bei 315.000 CHF ansetzte, durch das ausscheidende Konvolut um 121.000 CHF reduziert. Fischer selbst hatte den Gesamtwert des Werkbestands auf höchstens 125.000 CHF geschätzt und den ausscheidenden Teil auf 53.500 CHF.[63] Wegen dieser kapitalen Wertminderung der Pfandmasse war die Kunstkommission der Auffassung, «dass sie die Herausgabe dieser Kunstwerke nach London nicht verantworten könnte und dass nur der Regierungsrat in der Lage ist, eine derartige Verfügung zu treffen.»[64] Im selben Brief heisst es weiter, dass insbesondere bei dem Treffen mit Simon in Paris, der Eindruck entstanden sei,

> «dass seine endgültigen Bewertungen und Preisforderungen unsere eigene[n] Schätzungen der uns interessierenden Werke derart übersteigen, dass eine Einigung kaum wird zu Stande kommen können [...] und dass Herr Simon an Verkäufe in London denke.»[65]

Entsprechend wurde empfohlen, die Kunstwerke nach London zu senden, aber als Pfandbesitz der Öffentlichen Kunstsammlung. Etwaige Verkäufe müssten von ihr genehmigt und Erlöse sollten bis zum Gesamtbetrag von 50.000 CHF an die Kunstsammlung respektive die Staatskasse Basel abgeführt werden. Unter dieser Voraussetzung wäre der Versand der gepfändeten Werke vertretbar.[66] Der Regierungsrat beschloss in diesem Sinne.[67] Die

59. Vgl. Otto Fischer an Hugo Simon, 25. Mai 1938, in: KMB, Archiv, O 001.065.000.000. Zur Ausstellung vgl. Lucy Wasensteiner, The Twentieth Century German Art Exhibition. Answering Degenerate Art in 1930s London, London 2018 sowie Dies./Martin Faass, London 1938. Defending ‹Degenerate› German Art. Mit Kandinsky, Liebermann und Nolde gegen Hitler, Ausst. Kat. Liebermann-Villa am Wannsee (17. Oktober 2018 – 14. Januar 2019), Wädenswil 2018.
60. Vgl. Hugo Simon an Otto Fischer, 27. Mai 1938, in: KMB, Archiv, O 001.065.000.000.
61. Vgl. Hugo Simon an Otto Fischer, 30. Mai 1938, in: KMB, Archiv, O 001.065.000.000.
62. Vgl. Hugo Simon an Fritz Hauser, 12. April 1938, in: StABS, Erziehungsakten

DD7, 1937–1938.
63. Vgl. Karl August Burckhardt-Koechlin und Otto Fischer an Fritz Hauser, 31. Mai 1938, in: KMB, Archiv, O 001.065.000.000. In seiner offiziellen Schätzung beziffert Fischer den Gesamtwert abweichend mit 146.000 CHF (Abb. 16a/b).
64. Karl August Burckhardt-Koechlin und Otto Fischer an Fritz Hauser, 31. Mai 1938, in: KMB, Archiv, O 001.065.000.000.
65. Ebd.
66. Vgl. Karl August Burckhardt-Koechlin und Otto Fischer an Fritz Hauser, 31. Mai 1938, in: KMB, Archiv, O 001.065.000.000.
67. Vgl. Adjunkt des Erziehungsdepartements an Kunstkommission und Otto Fischer, 22. Juni 1938, in: KMB, Archiv, O 001.065.000.000.

Bedingungen wurden Hugo Simon mitgeteilt.[68] Dieser willigte ein.[69] Nach der Kunstkommissionssitzung vom 13. Juni 1938 sollten Burckhardt-Koechlin und Fischer die Position der Kommission ans Erziehungsdepartement übermitteln.[70] Die offizielle Zuständigkeit ablehnend, heisst es in dem entsprechenden Brief:

> «Die Kunstkommission ist der Auffassung, dass sie an dem von der Regierung mit Herrn Hugo Simon abgeschlossenen Rechtsgeschäft in keiner Weise beteiligt ist sondern nur die der Regierung verpfändeten Kunstwerke in ihre Verwahrung genommen hat. Sie betrachtet daher die in dem erwähnten Beschluss formulierte Ermächtigung [zum Versand der Simon-Werke nach London] als einen Auftrag der Regierung, den sie selbstverständlich auszuführen bereit ist. Sie hält sich jedoch nicht für befugt, dabei irgendwelche eigene Verantwortung zu übernehmen.»[71]

Was Ankäufe für Basel betraf, erklärte die Kommission gegenüber Fritz Hauser, dass sie nach mehreren beratenden Sitzungen nun definitiv zu dem Schluss gekommen sei,

> «dass kein einziges Kunstwerk der genannten Sammlung für die Oeffentliche Kunstsammlung eine wesentliche Bereicherung bedeuten würde und dass wir die Ergänzung unseres Bestandes auf anderen Gebieten, wo viel wichtigere Lücken [als im deutschen 19. und 20. Jahrhundert] bestehen, zu suchen haben. Sie muss es daher ablehnen, einen Ankauf aus der Sammlung Simon ins Auge zu fassen. Dieser Entschluss ist zum Teil auch in der Preisfrage begründet.»[72]

Da Simons Preise weit über den aktuellen Marktwerten angesiedelt waren, hatte das Kunstmuseum auf der Grundlage von eigenen Erfahrungswerten alternative Angebote formuliert. Die vorgeschlagenen Preise entsprachen Zahlungen, die zuvor für Kunstwerke derselben Künstler von ähnlicher Qualität geleistet oder als Angebote in der Kunstkommission ernsthaft diskutiert worden waren (Abb. 14a-c).[73]

Fritz Hauser reagierte ungehalten. Wenn das Museum keine Bilder von Simon kaufte, würde der kurzfristig vergebene Vorschuss für ihn als Politiker zum Problem. Er erinnerte an das ursprünglich «lebhafte Interesse» der Kunstkommission an einigen Werken und unterstellte dem Gremium «unberechtigte Gekränktheit», weil vor der Belastung des musealen Ankaufsfonds nicht Rücksprache mit ihm gehalten worden war. Dass dies nicht geschehen ist, sei dadurch zu erklären, dass die Angelegenheit sehr gedrängt habe. Für Hauser kam der Vorgang einer Respektlosigkeit gleich. Daher schloss er mit den Worten: «Es geht nicht an, dass eine Kommission sich über die Beschlüsse der Regierung hinwegsetzt, weil ihr irgend etwas an diesem Entscheid nicht passt.»[74] (Abb. 15)

Otto Fischer setzte auch Hugo Simon von der ablehnenden Entscheidung in Kenntnis. Neben dem Umstand, dass dessen «Bilder und Skulpturen [...] wenig geeignet wären irgendwelche wesentlichen Lücken unseres Besitzes zu ergänzen», sprach auch er

68. Vgl. Hans Koegler, Kustos des Kupferstichkabinetts (Adjunkt) an Hugo Simon, 22. Juni 1938, in: KMB, Archiv, O 001.065.000.000.
69. Vgl. Hugo Simon an Kunstmuseum Basel: Telegramm, 23. Juni 1938, in: KMB, Archiv, O 001.065.000.000: «Ihr Schreiben 22 Juni einverstanden Hugo Simon.»
70. Vgl. Protokoll der Kunstkommissionssitzung, 13. Juni 1938, in: KMB, Archiv, B 001.001.016.000: «Mit Herrn Simon ist mündlich und schriftlich verhandelt worden, es ist jedoch nicht gelungen [ihn] zu einer nennenswerten Preisreduktion zu bringen. [...] diese Preise sind unter den heutigen Umständen unsinnig, sie waren selbst vor 1933 und in Deutschland viel zu hoch. [...] Prof. Speiser findet die rechtliche Situation durch die Antwort Reg. Rat Hausers nicht geklärt. Wir unsererseits wollen ganz klar unser völliges Desinteressement an der Sammlung Simon aussprechen. [...] Herr Staechelin hält die Frage der Verfügung über den uns zustehenden staatlichen Kredit für grundsätzlich und auch praktisch sehr wichtig. Erhalten wir den im Juni

fälligen Kredit nicht, so müssen wir mit Entschiedenheit Stellung nehmen. [...] Der Konservator berichtet über die von Herrn Simon gewünschte Versendung von 10 Gemälden und 5 Skulpturen an eine Ausstellung in London und verliest den vom Präsidenten und ihm abgesandten Bericht an das Erz. Dep. Es besteht tatsächlich in London die Absicht, den Barlach für die Tate-Gallery zu erwerben.»
71. Karl August Burckhardt-Koechlin und Otto Fischer an den Regierungsrat Dr. A. Im Hof, Vorsteher des Justizdepartements, 24. Juni 1938, in: KMB, Archiv, O 001.065.000.000.
72. Karl August Burckhardt-Koechlin und Otto Fischer an Fritz Hauser, 14. Juni 1938, in: KMB, Archiv, O 001.065.000.000, Kopie in: E 001.007.003.000.
73. Vgl. ebd.
74. Fritz Hauser an Kunstkommission, 5. Juli 1938, in: StABS, Erziehungsakten DD7, 1937–1938.

OEFFENTLICHE KUNSTSAMMLUNG

KUNSTMUSEUM BASEL

ST. ALBANGRABEN 16 · TELEPHON Nr. 31.854

E·6940   Basel, den 14. Juni, 1938.
16.6.38.

Herrn Regierungsrat Dr. F. Hauser
Vorsteher des Erziehungsdepartements

                                    B a s e l

Sehr geehrter Herr Regierungsrat,

          Auf Jhr Schreiben vom 18. Mai
das sich auf Ankäufe der Kunstsammlung aus der Sammlung Hugo Simon
bezieht, beehren wir uns, Jhnen im Auftrag der Kunstkommission Folgendes mitzuteilen.

          Die Kommission hat sich in mehreren Sitzungen mit
der Frage von Ankäufen aus dieser Sammlung eingehend beschäftigt,es
ist auch die grosse Waldscene von Marées zur besseren Vergleichung mit
den bei uns vorhandenen Werken dieses Meisters in der Galerie gehängt
worden.Die Kommission ist jedoch einhellig zu der Ueberzeugung gelangt,
dass kein einziges Kunstwerk der genannten Sammlung für die Oeffentliche Kunstsammlung eine wesentliche Bereicherung bedeuten würde und dass
wir die Ergänzung unseres Bestandes auf anderen Gebieten, wo viel wich-
tigere Lücken bestehen, zu suchen haben.Sie muss es daher ablehnen,
einen Ankauf aus der Sammlung Simon ins Auge zu fassen.

          Dieser Entschluss ist zum Teil auch in der <u>Preis-</u>
<u>frage</u> begründet.Wären einzelne Kunstwerke der Sammlung Simon zu be-
sonders günstigen Preisen uns angeboten worden, so hätte man wohl die
eine oder andere (kleinere) Erwerbung in Erwägung ziehen können.Nun sind
aber die von Herrn Simon geforderten Preise unter den heutigen Umständen als viel zu hoch und xx den Marktwert um ein Mehrfaches über-
steigend anzusehen.Wir haben dies dem Besitzer der Sammlung gegenüber
mit aller Deutlichkeit zum Ausdruck gebracht und ihn ersucht, für die
uns allenfalls interessierenden Werke eine wesentliche Reduktion seiner

<u>Abb. 14a</u>: Brief von Karl August Burckhardt-Koechlin und Otto Fischer an Fritz Hauser, 14. Juni 1938

-2-

Forderungen eintreten zu lassen. Herr Simon hat sich jedoch nicht
entschliessen können, seine Preise in irgend einem Punkt nennenswert
herabzusetzen.Zur Jllustrierung diene der folgende Vergleich seiner
Forderungen mit Preisen, die in den letzten Jahren, ja teilweise noch
in einer viel besseren Konjunktur für ähnliche und gleichwertige Kunstwerke bezahlt oder verlangt worden sind.

C.D.Friedrich: Kleine frühe Landschaft.Gefordert Fr. 30'000.-

"   "   "   Kreuz an der Ostsee.1929-32 angeboten
                                    zu   Mk. 10'000.-

Hans von Marées: Waldszene. Gefordert   " 50'000.-

"   ", "   Das Kind. 1930 von uns erworben
                                    zu   Fr. 30'000.-

Ernst Barlach: Vision.Gefordert   " 50'000.-

"   "   Der Rächer(ein etwas kleineres
               Holzbildwerk) 1931 vom Kunsthaus
               Zürich auf einer Schweizer Auktion
                                erworben zu "4- 5'000.-

Wilhelm Lehmbruck: Zwei Terracottabüsten.

                   Gefordert   " 10'000.-

Aehnliche Werke sind uns wiederholt
angeboten worden zu   Fr. 1500-   2'500.-

Dabei ist zu bedenken, dass Werke der jüngsten deutschen
Kunst in Deutschland heute überhaupt nicht mehr, ausserhalb Deutschlands nur schwer verkäuflich sind. Für ältere Werke,wie die von Friedrich und Marées besteht nur in Deutschland selbst ein grösseres Jnteres-
se, ausserhalb Deutschlands ebenfalls nur ein sehr beschränktes.Herr
Simon ist aber darauf angewiesen, ausserhalb Deutschlands zu verkaufen.
Die von ihm geforderten Preise sind aber ganz ungerechtfertigt hoch,und
die Kunstkommission ist auch aus diesem Grunde nicht in der Lage, ihre
Mittel für derartige Ankäufe zu verausgaben.

Zu dem Schreiben des Präsidenten und des Konservators vom 31.Mai
möchte die Kunstkommission bemerken, dass der Rat, einen Teil der an
die Regierung verpfändeten Kunstwerke zur Ausstellung nach London zur
Verfügung zu stellen, eine persönliche Empfehlung der Unterzeichneten,
nicht aber eine solche der Kommission gewesen ist.Die Frage der not-
wendigen Wahrung des Pfandrechtes an den nach London zu versendenden

Abb.14b/c: Brief von Karl August Burckhardt-Koechlin und Otto Fischer an Fritz Hauser, 14. Juni 1938

-3-

Kunstwerken möchte die Kommission der Regierung zur Entscheidung überlassen.

Jn ausgezeichneter Hochachtung

Der Präsident   Der Konservator

Fischer

Erziehungsdepartement
Der Vorsteher:

1 6. JUNI 1936

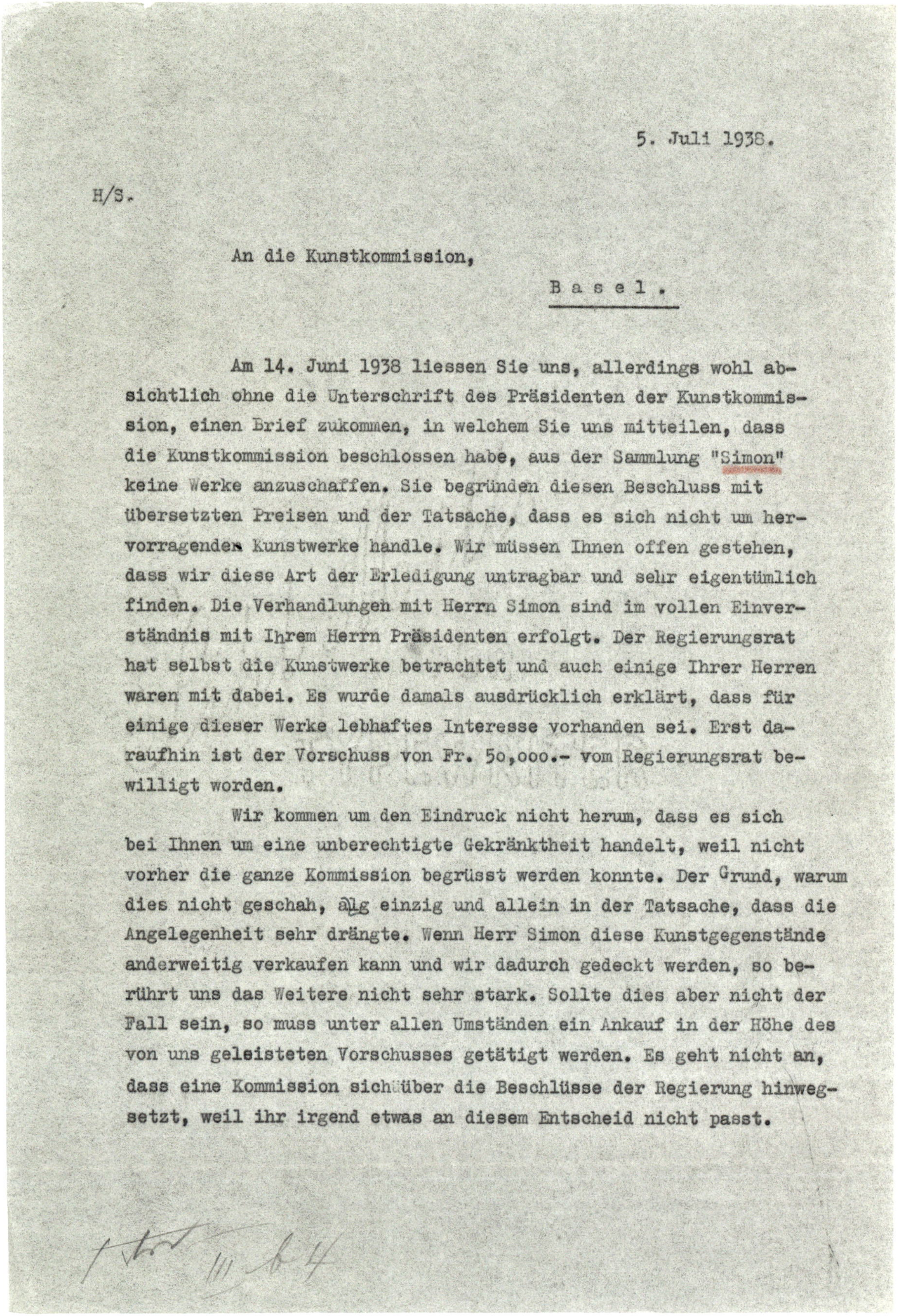

5. Juli 1938.

H/S.

An die Kunstkommission,

                    B a s e l .

        Am 14. Juni 1938 liessen Sie uns, allerdings wohl ab-
sichtlich ohne die Unterschrift des Präsidenten der Kunstkommission, einen Brief zukommen, in welchem Sie uns mitteilen, dass
die Kunstkommission beschlossen habe, aus der Sammlung "Simon"
keine Werke anzuschaffen. Sie begründen diesen Beschluss mit
übersetzten Preisen und der Tatsache, dass es sich nicht um her-
vorragendes Kunstwerke handle. Wir müssen Ihnen offen gestehen,
dass wir diese Art der Erledigung untragbar und sehr eigentümlich
finden. Die Verhandlungen mit Herrn Simon sind im vollen Einverständnis mit Ihrem Herrn Präsidenten erfolgt. Der Regierungsrat
hat selbst die Kunstwerke betrachtet und auch einige Ihrer Herren
waren mit dabei. Es wurde damals ausdrücklich erklärt, dass für
einige dieser Werke lebhaftes Interesse vorhanden sei. Erst daraufhin ist der Vorschuss von Fr. 50,000.- vom Regierungsrat bewilligt worden.

        Wir kommen um den Eindruck nicht herum, dass es sich
bei Ihnen um eine unberechtigte Gekränktheit handelt, weil nicht
vorher die ganze Kommission begrüsst werden konnte. Der Grund, warum
dies nicht geschah, alg einzig und allein in der Tatsache, dass die
Angelegenheit sehr drängte. Wenn Herr Simon diese Kunstgegenstände
anderweitig verkaufen kann und wir dadurch gedeckt werden, so berührt uns das Weitere nicht sehr stark. Sollte dies aber nicht der
Fall sein, so muss unter allen Umständen ein Ankauf in der Höhe des
von uns geleisteten Vorschusses getätigt werden. Es geht nicht an,
dass eine Kommission sich über die Beschlüsse der Regierung hinwegsetzt, weil ihr irgend etwas an diesem Entscheid nicht passt.

Abb. 15: Beschwerdebrief von Fritz Hauser an die Kunstkommission, 5. Juli 1938

sich gegen die hohen Preise aus, «die uns ganz erheblich über den gegenwärtigen Markt-werten, besonders über den ausserhalb Deutschlands anzunehmenden zu liegen schei-nen.»[75] Simon kündigte daraufhin an, in absehbarer Zeit nach Basel kommen zu wollen. Er hoffte «auf eine letzten Endes alle Teile befriedigende Erledigung der schwebenden Angelegenheit.»[76]

Das war nun der Stand der Dinge im Sommer 1938: Die Sammlung Simon be-fand sich physisch im Kunstmuseum Basel, verpfändet an den Kanton. Fritz Hauser hatte Simons Wunsch nach einem Kredit kurzfristig in den Regierungsrat eingebracht und dieser unmittelbar ein zinsloses Darlehen von 50.000 CHF gewährt. Hauser war davon ausgegangen, dass für mindestens diese Summe Kunstwerke aus dem Depositum Simon erworben würden und hatte damit den Ankaufsetat des Kunstmuseums belastet. Dies war geschehen, ohne dass die Kunstkommission zu dem Vorgehen befragt worden wäre oder dafür ihr Einverständnis gegeben hätte. Als kantonale Institution wird der Ankaufsfonds des Museums aus Mitteln der kantonalen Verwaltung gespeist. Diese sind im Verwendungszweck gebunden für Erwerbungen, über die die Kunstkommission ent-scheidet. Der Kanton als Pfandnehmer der Werke Hugo Simons hat also dem Museum zustehende Gelder für die Auslage genutzt. Über die Laufzeit des Kredits (zwei Jahre) hatte dies zur Folge, dass das Museum über weniger freie Mittel für andere Ankäufe ver-fügte, was verständlicherweise zu Unmut führte. Denn im Jahr 1938 waren 50.000 CHF ein hoher Betrag.[77]

Es sei hier in Erinnerung gerufen, dass Fischers Nachfolger, Georg Schmidt (1896–1965), nur ein Jahr später ein Sonderkredit gleicher Höhe vom Kanton genehmigt wurde, um damit Kunstwerke zu ersteigern, die im Rahmen der NS-Aktion «Entartete Kunst» aus deutschen Museen beschlagnahmt worden waren. Möglicherweise wäre dieser Sonderkredit ohne die vorangegangene Vorschusszahlung an Hugo Simon gar nicht nötig gewesen, da die Kassen gefüllt gewesen wären, und eventuell findet sich hier auch die Begründung für seine kurzfristige, von Hauser stark unterstützte, Bewilligung. Schmidt und Hauser scheinen sich im Vorfeld sogar darüber ausgetauscht zu haben, ob Kunstwerke der deutschen und französischen Moderne nicht einfacher aus der in Basel eingelagerten Sammlung Simon zu übernehmen wären, als in Luzern auf das Glück im Auktionssaal zu hoffen, respektive Werke über die Kunsthändler Hildebrand Gurlitt (1895–1956) und Karl Buchholz (1901–1992) aus den Beständen des Reichspropaganda-ministeriums in Berlin zu beziehen. Doch Georg Schmidt hatte Hauser darüber infor-miert, «dass gegenüber der Sammlung Simon einerseits die [Berliner] Preise schon viel niedriger sind und andrerseits die Qualität unvergleichlich höher» sei.[78] Mit dem ihm zur Verfügung gestellten Betrag kaufte Schmidt im Juni 1939 insgesamt 21 Meisterwerke von Ernst Barlach, Max Beckmann, Marc Chagall (2), Lovis Corinth (2), André Derain (2), Otto Dix, Paul Klee, Oskar Kokoschka, Franz Marc (2), Paula Modersohn-Becker (3), Oskar Schlemmer (2), Georg Schrimpf (2) und Emil Nolde.[79]

Zur gleichen Zeit, da einige von Simons Kunstwerken auf der Ausstellung *Twentieth Century German Art* in London präsentiert wurden, begannen in Basel die Sorgen darum, wie die Vorschusszahlung zurückzuerlangen sei. Burckhardt-Koechlin informierte den Vorsteher des Finanzdepartements, Regierungsrat Carl Ludwig (1889–1967),[80] dass die Werke der Sammlung Simon wegen der hohen Wartmann'schen Schätzung, die Simon als Referenz anbrachte, bisher nirgends verkauft werden konnten. Mittlerweile sei der

75. Otto Fischer an Hugo Simon, 28. Juni 1938, in: KMB, Archiv, O 001.065.000.000.
76. Hugo Simon an Otto Fischer, 7. Juli 1938, in: KMB, Archiv, O 001.065.000.000.
77. 50.000 CHF in 1938 entsprechen dem heutigen Kaufwert von 400.000 CHF, vgl. https://lik-app.bfs.admin.ch/de/lik (7.3.2025).
78. Georg Schmidt an Fritz Hauser, 23. Juni 1939, in: StABS, Erziehungsakten DD7, 1939–1940.

79. Vgl. dazu Tessa Rosebrock, «Wenn dat man gut geit». Wie Georg Schmidt die Moderne ans Kunstmuseum Basel holte, in: Eva Reifert/Dies. (Hrsg.), Zerrissene Moderne. Die Basler Ankäufe «entarteter» Kunst, Ausst.-Kat. Kunstmuseum Basel (22. Oktober 2022 – 19. Februar 2023), Berlin 2022, S. 139–157.
80. Zu Carl Ludwig, Jurist und Mitglied der liberalen Partei, vgl. www.deutsche-biographie.de/gnd137877137.html#ndbcontent (7.3.2025).

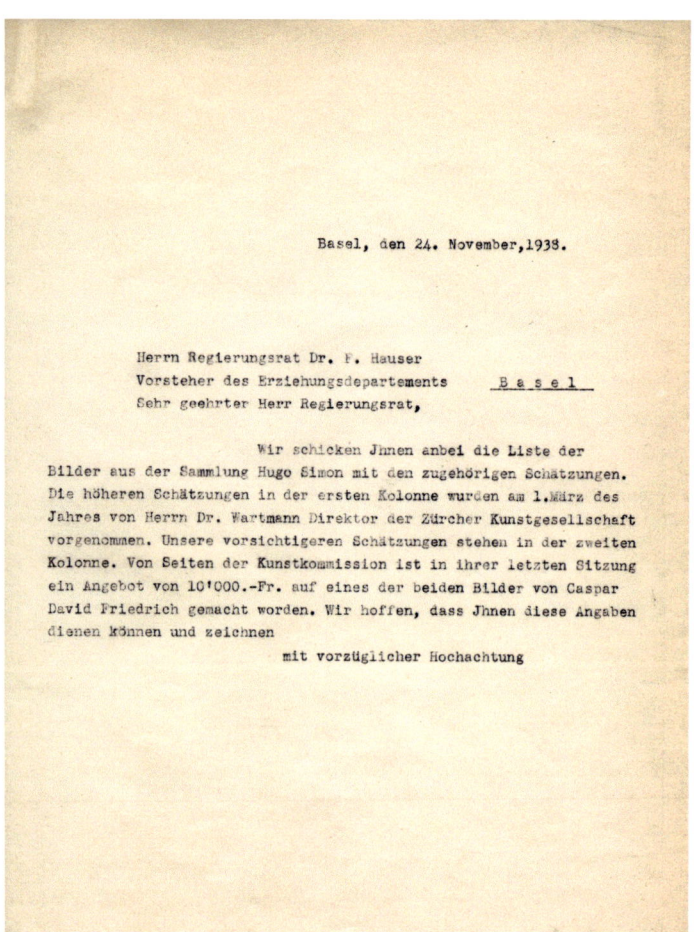
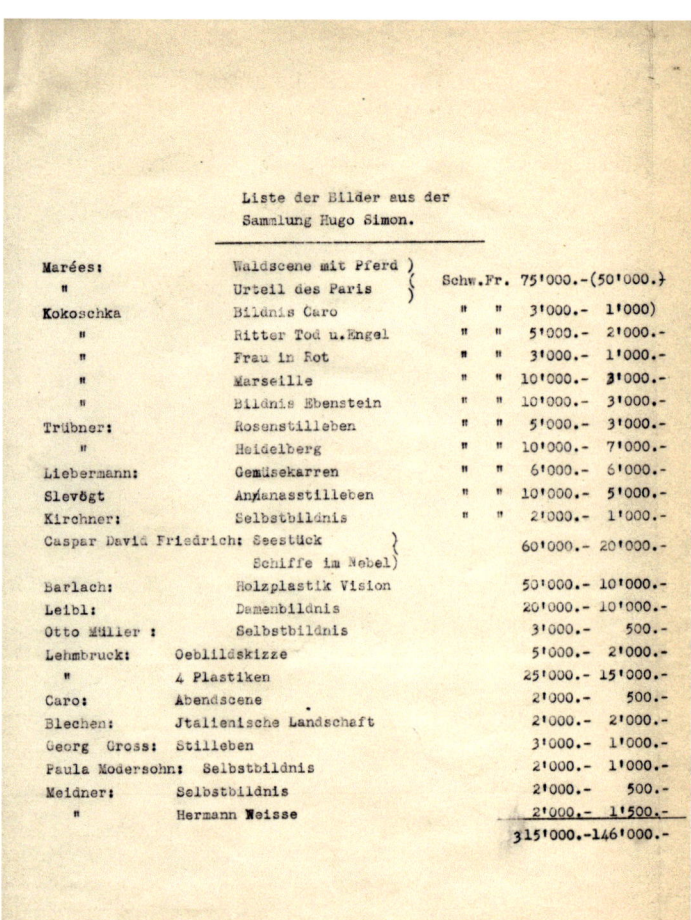

Basel, den 24. November, 1938.

Herrn Regierungsrat Dr. F. Hauser
Vorsteher des Erziehungsdepartements   B a s e l
Sehr geehrter Herr Regierungsrat,

Wir schicken Jhnen anbei die Liste der
Bilder aus der Sammlung Hugo Simon mit den zugehörigen Schätzungen.
Die höheren Schätzungen in der ersten Kolonne wurden am 1.März des
Jahres von Herrn Dr. Wartmann Direktor der Zürcher Kunstgesellschaft
vorgenommen. Unsere vorsichtigeren Schätzungen stehen in der zweiten
Kolonne. Von Seiten der Kunstkommission ist in ihrer letzten Sitzung
ein Angebot von 10'000.-Fr. auf eines der beiden Bilder von Caspar
David Friedrich gemacht worden. Wir hoffen, dass Jhnen diese Angaben
dienen können und zeichnen

mit vorzüglicher Hochachtung

Liste der Bilder aus der
Sammlung Hugo Simon.

Marées:	Waldscene mit Pferd)		
"	Urteil des Paris	Schw.Fr. 75'000.-	(50'000.)
Kokoschka	Bildnis Caro	" " 3'000.-	1'000)
"	Ritter Tod u.Engel	" " 5'000.-	2'000.-
"	Frau in Rot	" " 3'000.-	1'000.-
"	Marseille	" " 10'000.-	3'000.-
"	Bildnis Ebenstein	" " 10'000.-	3'000.-
Trübner:	Rosenstilleben	" " 5'000.-	3'000.-
"	Heidelberg	" " 10'000.-	7'000.-
Liebermann:	Gemüsekarren	" " 6'000.-	6'000.-
Slevögt:	Ananasstilleben	" " 10'000.-	5'000.-
Kirchner:	Selbstbildnis	" " 2'000.-	1'000.-
Caspar David Friedrich:	Seestück)		
	Schiffe im Nebel)	60'000.-	20'000.-
Barlach:	Holzplastik Vision	50'000.-	10'000.-
Leibl:	Damenbildnis	20'000.-	10'000.-
Otto Müller :	Selbstbildnis	3'000.-	500.-
Lehmbruck:	Oelbildskizze	5'000.-	2'000.-
"	4 Plastiken	25'000.-	15'000.-
Caro:	Abendscene	2'000.-	500.-
Blechen:	Jtalienische Landschaft	2'000.-	2'000.-
Georg Gross:	Stilleben	3'000.-	1'000.-
Paula Modersohn:	Selbstbildnis	2'000.-	1'000.-
Meidner:	Selbstbildnis	2'000.-	500.-
"	Hermann Neisse	2'000.-	1'500.-
		315'000.-	146'000.-

Abb. 16a/b: Brief der Kunstkommission an Fritz Hauser mit Liste der Schätzpreise für die Sammlung Hugo Simon von Wilhelm Wartmann (linke Spalte) und Otto Fischer (rechte Spalte) im Vergleich, 24. November 1938

Sammler zwar bereit, die sechs interessierenden Werke mit einem Rabatt von 12% ans Kunstmuseum abzugeben, aber auch das sei objektiv noch zu teuer.[81]

«Herr Simon erklärte nach wie vor die Sammlung verkaufen zu müssen. Er hatte sich aber zu einer weiteren Preisreduktion nicht bereit erklärt. Mitglieder der Kunstkommission, welche in solchen Angelegenheiten Erfahrung besitzen, glauben eine oeffentliche Auktion in der Schweiz oder im Ausland würde Herrn Simon am ehesten zu Gelde kommen lassen.»[82]

Kurz darauf kündigte Simon erneut einen Basel-Besuch an.[83] Als Ludwig davon erfuhr, wollte er mit ihm sprechen.[84] Das Treffen der zwei Finanzexperten fand am 17. November 1938 statt.[85] Zuvor brachte Ludwig sein Vorhaben in die Regierungsratssitzung vom 15. November 1938 ein, als deren Ergebnis Folgendes festgehalten wurde:

«[...] aus einem Schreiben der Kunstkommission geht hervor, dass diese Kommission für die Bilder des Herrn Hugo Simon, die der hiesigen Kunstsammlung verpfändet seien, überhaupt kein besonderes Interesse habe und auch nicht gehabt habe.» Deshalb wurde «das Finanzdepartement beauftragt, Herrn Hugo Simon unter Ansetzung einer kurzen Frist zur Rückzahlung des ihm gewährten Darlehens von Fr. 50,000.- aufzufordern in der Meinung, dass für den Fall der Nichteinhal-

tung dieser Frist die Einleitung
des Pfandverfahrens anzuordnen
[sei].»[86]

In dem Gespräch zwischen Ludwig und
Simon ging es somit darum, eine Lösung
für die Rückzahlung des Kredits zu finden.
Hauser geriet in der Sache zunehmend
unter Druck. Um sich ein eigenes Bild
machen zu können, forderte er nach der
Sitzung die Liste der Simon-Werke mit
den von Wartmann und Fischer in März
und November 1938 formulierten Schätzpreisen an. Wie erwähnt fielen Fischers
Schätzungen etwa halb so hoch aus wie
Wartmanns (Abb. 16a/b).[87]

Die Kunstkommission mach-
te noch einmal ein Angebot für Caspar
David Friedrichs «Schiffe im Nebel»
(Abb. 17) und war bereit, 10.000 CHF zu
zahlen.[88] Wartmann hatte beide zum Angebot stehenden Friedrich-Bilder zu-

Abb.17: Caspar David Friedrich, *Meeresstrand im Nebel*, um 1807, Öl auf
Leinwand, 34,2 × 50,2 cm, Österreichische Galerie Belvedere, Wien

sammen auf 60.000 CHF geschätzt; Otto Fischer fand für beide 20.000 CHF angemessen.[89]
Somit war aus Sicht des Museums die Offerte von 10.000 CHF für eines der beiden Bilder,
also die Hälfte der Schätzung ihres Konservators, ein korrekter Vorschlag.

Die Vorgänge gerieten in die Öffentlichkeit und sorgten auch hier für Aufruhr.
Am 23. November 1938 reichte der Notar Max Hagmann-Rodi (1902–1983), ein Vertreter
der (konservativen) Katholischen Volkspartei, eine Fritz Hauser und den ausgezahlten Vorschuss an Hugo Simon betreffende Interpellation im Grossen Rat, dem Parlament des Kantons, ein.[90] Hauser erklärte sich umfassend, und am nächsten Tag fand sich die scharfe
Debatte in den schweizerischen Zeitungen wieder. Hauser wehrte sich vehement gegen
den Vorwurf, dass es sich bei dem Kredit um eine private Unterstützung Simons oder gar
ein Bankgeschäft handele (Abb. 18/19). Durch die Berichte wurde der Luzerner Auktionator Theodor Fischer (1878–1957) auf die Vorgänge aufmerksam und bot seine Hilfe an, in
Form einer Versteigerung der Sammlung Simon in seinem Haus.[91]

Am 6. Dezember referierte Burckhardt-Koechlin Carl Ludwig, als Vorstand des
Finanzdepartementes, den aktuellen Stand in Sachen Sammlung Hugo Simon: 1.) Der
Sammler habe das erneute Angebot, die Friedrich-Landschaft für 10.000 CHF zu ver-
kaufen, ausgeschlagen. 2.) Die von der Ausstellung in London nach Brüssel geschickten
Plastiken der Sammlung Simon seien trotz mehrfacher Nachfragen noch immer nicht

81. Vgl. Karl August Burckhardt-Koechlin an Carl Ludwig, 9. November 1938, in: KMB, Archiv, O 001.065.000.000.
82. Karl August Burckhardt-Koechlin an Carl Ludwig, 9. November 1938, in: KMB, Archiv, O 001.065.000.000.
83. Vgl. Hugo Simon an Karl August Burckhardt-Koechlin, 10. und 14. November 1938, in: KMB, Archiv, O 001.065.000.000.
84. Vgl. Carl Ludwig an Karl August Burckhardt-Koechlin, 15. November 1938, in: KMB, Archiv, O 001.065.000.000.
85. Vgl. Karl August Burckhardt-Koechlin an Carl Ludwig, 14. November 1938, in: StABS, Erziehungsakten DD7, 1937–1938.
86. Sekretär des Erziehungsdepartementes an Kuratel der Universität, Öffentliche Kunstsammlung und Otto Fischer, 24. November 1938, in: KMB, Archiv, O 001.065.000.000.
87. Karl August Burckhardt-Koechlin an Fritz Hauser mit «Liste der Bilder aus der

Sammlung Hugo Simon». 24. November 1938, in: KMB, Archiv, O 001.065.000.000.
88. Vgl. N.N. (wohl Karl August Burckhardt-Koechlin) an Hugo Simon, 24. November 1938, in: O 001.065.000.000.
89. Vgl. die am 24. November 1938 an Fritz Hauser versandte «Liste der Bilder aus der Sammlung Hugo Simon» mit Preisen von Wilhelm Wartmann und Otto Fischer im Vergleich, o. D., in: KMB, Archiv, O 001.065.000.000.
90. Vgl. Dr. Hagmann: Interpellation, 23. November 1938, in: StABS, Erziehungs-akten, DD7, 1937–1938. Zu Hagmann-Rodi vgl. u.a. N.N., Zum Gedenken Max Hagmann, Abendzeitung, 27. Juli 1983, in: StABS, Zeitungsausschnittsammlung BIO H 288. Freundlicher Hinweis vom Christoph Manasse, Staatsarchiv Basel-Stadt.
91. Vgl. Theodor Fischer an Fritz Hauser, 1. Dezember 1938, in: StABS, Erziehungsakten, DD7, 1937–1938.

Ein Darlehen der Basler Regierung an einen ehemaligen preußischen Minister!

Dr. M. Hagmann (kath.) begründet folgende Interpellation:

1. Aus welchen Gründen hat die Regierungsrat am 5. April 1938 beschlossen, dem vom Erziehungsdepartement beantragten Ankauf einiger Werke aus der Kunstsammlung Hugo Simon, früherer preußischer Minister, grundsätzlich zuzustimmen und diesem die sofortige Auszahlung eines Vorschusses von 50,000 Fr. zu Lasten des ordentlichen Kredites der Oeffentlichen Kunstsammlung zu gewähren?

2. Sind überhaupt ein definitiver Kaufvertrag oder welche sonstige Abmachungen mit Herrn Simon abgeschlossen worden?

3. Hat der Regierungsrat vor der Auszahlung des Vorschusses die Bilder des Herrn Simon schätzen lassen, hat er dessen Solvenz geprüft, und wie sind diese allfälligen Erhebungen ausgefallen?

4. Hat der Regierungsrat vor seiner Beschlußfassung die Kunstkommission angefragt, ob sie den Ankauf einiger Bilder aus der Sammlung Simon wünscht, und wie hat sich die Kunstkommission allenfalls dazu gestellt?

5. Ist der Regierungsrat bereit, nachdem er am 15. November 1938 auf dringenden Wunsch der Kunstkommission die Rückforderung des ausbezahlten unverzinslichen Vorschusses beschlossen hat, dem Großen Rat über das Resultat des durchgeführten Vorgehens gegen Herrn Simon zu berichten?

Der Interpellant stellt auf Grund der Regierungsratsprotokolle fest, daß die Regierung den Herrn Simon gegebenen Vorschuß als Darlehen zurückverlangt hat. Ein Kaufvertrag ist also nicht abgeschlossen worden; wie kommt dann die Regierung dazu, einen Vorschuß zu gewähren? Die Regierung ist schließlich keine Bank für Vorschüsse oder Darlehen an Ausländer! Der grundsätzliche Beschluß der Regierung erfolgte offenbar, ohne daß die Kunstkommission begrüßt wurde. Tatsächlich kommt der Regierung nicht die Kompetenz zu, hier über das Urteil der Sachverständigen weg einen auf mehrere Jahre gegebenen Kredit nach ihrem Gutdünken zu verwenden! Im Interesse der Staatsfinanzen ist zu hoffen, daß der zurückgeforderte Vorschuß tatsächlich wieder eingeht; damit aber ist die Regierung noch nicht salviert!

Ein Darlehen der Basler Regierung an einen ehemaligen deutschen Minister?

Regierungsrat Dr. Hauser beantwortet die Interpellation Dr. Hagmann (kath.). Die Regierung wurde von der Seite eines Sachverständigen auf die Möglichkeit der Erwerbung von Kunstwerken aus der in Zürich deponierten Sammlung Minister Simons hingewiesen. Der Vorsteher des Erziehungsdepartements forderte darauf den Präsidenten der Kunstkommission auf, sich die Bilder in Zürich anzusehen und mit Herrn Simon in Verbindung zu treten. Die ganze Sammlung wurde von Dr. Wartmann in Zürich auf 315,000 Fr. geschätzt. Nachdem vom Präsidenten der Kunstkommission einige Bilder zur Anschaffung empfohlen worden waren, wurden die Bilder von der Regierung und einigen Mitgliedern der Kunstkommission besichtigt, worauf der Regierungsrat den Beschluß faßte, es sollte Herrn Simon, der sich in augenblicklicher Verlegenheit befand, ein Vorschuß von 50,000 Fr. gegen Hinterlegung des gesamten Kunstbesitzes gewährt werden. Die Angelegenheit blieb dann längere Zeit liegen. Auf Ersuchen Herrn Simons wurden dann einige Werke nach London zu einer Ausstellung deutscher Kunst gesandt, kamen aber wieder nach Basel zurück. Ueber die Preise konnte sich die Kunstkommission nicht einigen; sie war der Auffassung, daß die Schätzung Dr. Wartmanns unbedingt zu hoch gegriffen habe. Indessen ist es unrichtig, wenn behauptet wird, die Kunstkommission habe sich für die Kunstwerke überhaupt nicht interessiert. Das Interesse der Kunstkommission nahm erst in dem Moment etwas ab, als der Regierungsrat ihr erklärte, daß er für die Anschaffung der Bilder bei der heutigen Finanzlage des Staates nicht einen Sonderkredit des Großen Rates ansuchen könne, daß vielmehr die Kunstkommission dafür eigene Mittel flüssig machen müsse. Für unsern Vorschuß sind wir auf alle Fälle gedeckt; es handelte sich bei dem Vorschuß nur um eine Unterstützung Herrn Simons und auch nicht um ein Bankgeschäft! Die Angelegenheit braucht das Licht der Oeffentlichkeit nicht zu scheuen; sonst hätten wir sie nicht im offiziellen, sondern im geheimen Protokoll des Regierungsrates verzeichnet (Heiterkeit)!

Dr. Hagmann (kath.) ist von der Antwort der Regierung nur teilweise befriedigt.

— —

Abb. 18: Zeitungsberichte zur Kreditvergabe an Hugo Simon, Basler Nachrichten, 24. und 25. November 1938

Bilder aus deutschem Besitz

Dr. M. Hagmann (kath.) begründet folgende Interpellation:

1. Aus welchen Gründen hat der Regierungsrat am 5. April 1938 beschlossen, dem vom Erziehungsdepartement beantragten Ankauf einiger Werke aus der Kunstsammlung Hugo Simon, früherer preussischer Minister, grundsätzlich zuzustimmen und diesem die sofortige Auszahlung eines Vorschusses von 50,000 Fr. zu Lasten des ordentlichen Kredites der Oeffentlichen Kunstsammlung zu gewähren?

2. Sind überhaupt ein definitiver Kaufvertrag oder welche sonstige Abmachungen mit Herrn Simon abgeschlossen worden?

3. Hat der Regierungsrat vor der Auszahlung des Vorschusses die Bilder des Herrn Simon schätzen lassen, hat er dessen Solvenz geprüft, und wie sind die allfälligen Erhebungen ausgefallen?

4. Hat der Regierungsrat vor seiner Beschlussfassung die Kunstkommission angefragt, ob sie den Ankauf einiger Bilder aus der Sammlung Simon wünscht, und wie hat sich die Kommission allenfalls dazu gestellt?

5. Ist der Regierungsrat bereit, nachdem er am 15. November 1938 auf dringenden Wunsch der Kunstkommission die Rückforderung des ausbezahlten unverzinslichen Vorschusses beschlossen hat, dem Grossen Rat über das Resultat des durchgeführten Vorgehens gegen Herrn Simon zu berichten?

Was ist eigentlich mit Herrn Simon vereinbart worden? Wie kommt die Regierung dazu, einen Vorschuss zu gewähren, ohne dass überhaupt ein Kaufvertrag über diese Helgen abgeschlossen worden ist? Wenn die Regierung nun schon die Rolle des Bankiers gespielt hat, so möchten wir wissen, ob sie sich auch über die Solvenz des Herrn Simon informiert und diese Bilder hat schätzen lassen. Es geht nicht an, dass die Regierung gegen den Willen der sachverständigen Kunstkommission diese Bilder kaufen will. Im Interesse der Staatsfinanzen wollen hoffen, dass Herr Simon in der Lage sein wird, dieses Darlehen zurückzuzahlen. Es geht hier um die grundsätzliche Frage: Darf die Regierung gegen den Willen der Kunstkommission eigenmächtig über Kredite verfügen und insbesondere einem Ausländer unverzinsliche Darlehen gewähren?

Die Interpellationen werden in der Nachmittagssitzung beantwortet werden.

Bilder aus deutschem Besitz

Regierungsrat Hauser beantwortet die Interpellation Dr. Hagmann (kath.). Wenn der Interpellant glaubt, hier ein «Fündlein» gemacht zu haben, so muss ich ihn enttäuschen; denn die kritisierten Beschlüsse des Regierungsrates sind einstimmig gefasst worden. Bei diesen Bildern aus der Sammlung Simon handelt es sich um Kunstwerke, für die in Deutschland grosses Interesse vorhanden sei. Ich hatte den Präsidenten der Kunstkommission gebeten, die Bilder in Zürich zu besichtigen. Herr Simon hat uns erklärt, er sei genötigt, seine Gemäldesammlung, die auf 315,000 Fr. geschätzt wurde, zu verkaufen. Ich habe den Regierungsrat über die Sache orientiert; wir haben in Anwesenheit einiger Mitglieder der Kunstkommission diese Bilder besichtigt, und man war allgemein der Auffassung, dass ein Kauf dieser Sammlung durchaus in Frage komme. Daraufhin hat die Regierung grundsätzlich jenen Vorschuss von 50,000 Fr. bewilligt gegen Verpfändung der gesamten Sammlung. Der Kunstkommission blieb es überlassen, die ihr genehmen Gemälde aus dieser Sammlung auszuwählen.

Es verging dann die Zeit; die Angelegenheit blieb liegen. Herr Simon hatte gebeten, einige Bilder seiner Sammlung in London ausstellen zu dürfen; wir haben das Gesuch bewilligt; diese Bilder sind dann alle wieder nach Basel zurückgekommen.

Es kam dann zu Verhandlungen zwischen Simon und der Kunstkommission, die allerdings die geforderten Preise als zu hoch fand; sie erklärte aber immer wieder, dass sie sich nach wie vor für diese Bilder interessiere – nur seien sie nach ihrer Meinung zu teuer. Auch nach dem Urteil des Konservators ist aber diese Sammlung weit mehr wert als 50,000 Franken, so dass wir also unter allen Umständen die nötige Deckung für den Vorschuss besitzen; es war also kein «Bankgeschäft».

Ich betone nochmals, dass die Kunstkommission nie ihr Desinteressement an dieser Sammlung bekundet hat; sie hat vielmehr erst später erklärt, dass man sich bei der momentan gespannten Finanzlage bei Bilderkäufen etwas Zurückhaltung auferlegen müsse.

Sie sehen: diese Sache hat das Licht durchaus nicht zu scheuen — sonst hätten wir diese Beschlüsse nicht offiziell im Regierungsprotokoll (sondern im «Geheimprotokoll»!) festgelegt!

Der Interpellant ist von der Auskunft ebenfalls nur zum Teil befriedigt. Wenn die Kunstkommission jetzt auf eine Liquidation dieser Angelegenheit drängt, so heisst das doch offenbar, dass sie mit der Entwicklung der Dinge nicht durchaus einverstanden war.

Abb. 19: Zeitungsberichte zur Kreditvergabe an Hugo Simon, National-Zeitung, 24. und 25. November 1938

zurückgekommen. 3.) Theodor Fischer habe Simons Werke auf ihre Auktionstauglichkeit hin geprüft.[92] Das Finanzdepartment nahm die Entwicklungen zur Kenntnis und drängte. Burckhardt-Koechlin sollte den Sammler im Namen des Finanzdepartements zur Auslösung seiner Sammlung bewegen. Nach mehreren erfolglosen Briefwechseln zwischen Basel und Paris setzte Ludwig schliesslich ein Ultimatum:

> «In der Angelegenheit Simon ist seit dem letzten Schreiben von Herrn Simon wieder ein Monat vergangen, ohne dass etwas entscheidendes geschehen wäre. Ich bitte Sie deshalb, Herrn Simon mitzuteilen, dass unsere Geduld allmählich zu Ende gehe und dass wir die Pfandverwertung in Aussicht nehmen, sofern das Darlehen nicht bis Ende dieses Monates zurückbezahlt ist.»[93]

Die undankbare Aufgabe, der Bote dieser schlechten Nachricht des Regierungsrats zu sein, fiel erneut auf den Kommissionspräsidenten Burckhardt-Koechlin. Simon reagierte irritiert, weil er aktiv nach Lösungen suchte. Er antwortete daher bestimmt:

> «Wie sich aus meinem Brief vom 17. ds. Mts. an das Kunstmuseum ergibt, stehe ich in Verhandlungen wegen des Verkaufs der Bilder von Caspar David Friedrich. Diese Verhandlungen scheinen sehr weit fortgeschritten und der Kunsthändler, Dr. Tannenbaum, Amsterdam, der Ihren Museumsherren als seriös bekannt ist, ist schon in seinem eigenen Interesse recht bemüht, das Geschäft zustande zu bringen. Ich berichtete Ihnen schon etwa Mitte Dezember von der projektierten Tauschoperation. Zu meinem eigenen Bedauern ziehen sich die Verhandlungen hin, da, soweit ich im Bilde bin, die Gegenseite ein Museum ist und Sie wissen selbst, sehr geehrter Herr Burckhardt, dass Kunstkommissionen nicht arbeiten wie Geschäftsbetriebe. Umsoweniger verstehe ich die Drohung des Herrn Finanzdirektors, noch dazu der unglückliche Verlauf dieser ganzen Angelegenheit mir keineswegs zur Last zu schreiben ist. Ich bemühe mich durchaus zu einer Regelung zu kommen, die für beide Teile jede Schädigung vermeidet, und ich glaube, dass dies im selbstverständlichen Interesse beider Parteien liegen sollte. Ich bitte Sie, mir durch Ihre Intervention die Möglichkeit zu geben die ganze Affaire gewiss mit Einsetzung aller Kraft, aber auch in Ruhe zu liquidieren.»[94]

In der Zwischenzeit wurde über das Sekretariat des Kunstmuseums mehrfach und an verschiedenen Stellen in London nach dem Verbleib der Simon'schen und Basler Leihgaben gefragt.[95] Da entweder unklare oder keine Reaktionen auf diese Anfragen erfolgten, bat Burckhardt-Koechlin den Speditionsunternehmer Karl Im Obersteg (1883–1969), der seit Juli des Jahres ebenfalls Mitglied der Kunstkommission war, um Hilfe bei der Recherche. Über eine Partnerfirma vor Ort liess Im Obersteg Informationen zu den verschollenen Werken einholen.[96] Daraufhin ging eine Erklärung für die nicht erfolgte Rücksendung der Leihgaben von Herbert Read (1893–1961), einem der Kuratoren der Londoner Schau, in Basel ein: Nachdem die zweite Station der Ausstellung in Brüssel aufgrund der sich zuspitzenden politischen Krise abgesagt worden war, sei die Idee aufgekommen, einige der Kunstwerke zu behalten, um möglicherweise eine zweite Station in den USA zu realisieren. Der Rest der Werke wurde an die Firma Stiles & Hammersmith

92 . Vgl. Karl August Burckhardt-Koechlin an Carl Ludwig, 6. Dezember 1938, in: KMB, Archiv, O 001.065.000.000.
93 . Carl Ludwig an Karl August Burckhardt-Koechlin, 18. Januar 1939, in: KMB, Archiv, O 001.065.000.000.
94 . Hugo Simon an Karl August Burckhardt-Koechlin, 20. Januar 1939, in: KMB, Archiv, O 001.065.000.000.

95 . Vgl. N.N., Sekretariat Öffentliche Kunstsammlung, an Herbert Read, 14. und 24. November, 1. und 23. Dezember 1938, in: KMB, Archiv, O 001.065.000.000.
96 . Vgl. Continental Express an Karl Im Obersteg, 19. und 20. Januar 1939, sowie Karl Im Obersteg an Öffentliche Kunstsammlung Basel, 25. Januar 1939, in: KMB, Archiv, O 001.065.000.000.

übergeben, die sie verpacken und an die Leihgeber zurücksenden sollte. Read wusste nicht, ob die Basler Kunstwerke zum Versand vorbereitet oder noch für die USA zurückgehalten wurden.[97] Erst im Februar 1939 traf endlich eine Teilsendung in Basel ein. Die Skulptur *Vision* von Ernst Barlach und das *Selbstporträt* von Otto Mueller aus der Sammlung Simon fehlten aber noch immer.[98]

Da sich bei den Verkäufen aus der Sammlung Simon weiterhin keine Fortschritte abzeichneten und auch das erwähnte Interesse des Kunsthändlers Herbert Tannenbaum zu keinem Geschäft führte, schien eine Auktionierung der einzige Weg zu sein, die ausgelegten Mittel in die Basler Kasse zurück zu spülen. Burckhardt-Koechlin schrieb an das Finanzdepartement:

> «Wenn Herr Simon bis kommenden Mai nicht sonst seine Sammlung verwertet hat, so ist die Möglichkeit die Fischer'sche Auktion in Zürich zu benutzen, begrüssenswert. [...] Herr Staechelin glaubt wie ich, eine Auktion werde kein besonders günstiges Resultat ergeben; die zu erzielenden Preise werden längst nicht die von Herrn Simon (resp. Wartmann) angesetzten Beträge erreichen. Da kommenden Sommer vom gleichen Hause für das Deutsche Reich ein Teil der in seinem Besitze befindlichen, ‹entarteten Kunst› vergantet [zwangsversteigert] werden soll, so ist es fraglich, ob diese Tatsache noch besonders auf den Wert der Sammlung Simon, die z.T. auch aus ‹entarteter Kunst› besteht, drücken wird.»[99]

Im Februar machte Simon Ludwig einen Vorschlag zur Darlehensrückzahlung. In der Regierungsratssitzung vom 11. Februar 1939 wurde beschlossen, «dem Vorschlag des Herr Hugo Simon zuzustimmen, wonach dieser sich verpflichtet, seine Darlehensschuld in vier Raten von je Fr. 12,500.- am 1. März, 1. Juni, 1. September und 1. Dezember 1939 abzuzahlen.»[100] Rückwirkend ab 1. Dezember 1938 sollte ein Verzugszins von 5% berechnet werden.[101]

Am 28. Februar 1939 schickte Simon einen Scheck über 12.500 CHF.[102] Doch schon das Bedienen der zweiten Rate erwies sich als schwierig. Im Mai besuchte er Georg Schmidt, seit 1. März 1939 als neuer Direktor und Nachfolger Otto Fischers im Amt.[103] Gemeinsam fassten sie den Beschluss, den Weg der Auktion bei Fischer zu bestreiten; für die das Kunstmuseum interessierenden Werke vereinbarten sie ein Vorkaufsrecht.[104] Im folgenden Regierungsratsbeschluss heisst es:

> «Herr Simon habe die erste am 1. März a.c. fällig gewordene Rückzahlungsrate von Fr. 12,500.- entrichtet, habe aber erklärt, zur Zahlung der zweiten Rate per 1. Juni a.c. nicht in der Lage zu sein. Um Geldmittel zu erhalten, möchte er nun die Kunstwerke durch den Auktionator Fischer versteigern lassen, dem sie hierfür zur Verfügung stellen zu wären. Er [Carl Ludwig] schlage vor, das Finanzdepartement sei zu ermächtigen, sich damit einverstanden zu erklären, dass Herr Simon, die zweite Rückzahlungsrate einstweilen nicht leiste, dass unbeschadet des Pfandrechts die Kunstwerke dem Auktionator Fischer für die Durchführung der Versteigerung zur Verfügung gestellt werden und dass, falls die Versteigerung nicht zum Ziele führe, am 1. September a.c. die zweite Rückzahlungsrate mit der dritten Rate entrichtet werden müsse.»[105]

Am 1. Juni informierte Hugo Simon das Finanzdepartement offiziell über die Auktion. Theodor Fischer sei von ihm verständigt, «die Bilder zu getreuen Händen und als Ihren [des Finanzdepartements] Faustpfandbesitz» zu übernehmen und zu versichern.[106] Bei Georg Schmidt bedankte er sich für den persönlichen Austausch in Basel und lud ihn zum Gegenbesuch nach Paris zu sich ein.

Mitte August hatte Georg Schmidt die Auktion Simon bei Fischer vorbesichtigt und den Katalog eifrig studiert. Er erklärte Fritz Hauser, dass auch er (wie schon sein Vorgänger) trotz unzureichender Mittel gern eins der beiden Friedrich-Werke kaufen würde. Die Bilder würden für 50.000 CHF als Paar angeboten. Unklar war, ob auch ein einzelnes Werk für 25.000 CHF erhältlich sei. Schmidt schrieb:

> «Wenn es nur so wäre, wie die ‹Basler Nachrichten› immer wieder behaupten: dass der Staat die Simonschen Bilder nicht nur belehnt hat, sondern ‹gezwungen› ist, für den Restbetrag des geliehenen Geldes Bilder zu übernehmen! Rein künstlerisch könnten wir uns nichts Schöneres wünschen. Ich sehe also leider keinen Weg, eines dieser kostbaren Werke unserer Sammlung zu erhalten.»[107]

Weiterhin vermittelte der neue Direktor in seinem Schreiben, dass er die «Akten Simon» von Hauser erhalten habe. Er schicke sie «in den nächsten Tagen zurück, nachdem [er sich] überzeugt habe, dass alles in voller Ordnung und Sauberkeit vor sich gegangen ist.»[108]

In seinem Antwortbrief erklärte Hauser, dass der Kanton keine Mittel für Bilderkäufe stellen könne. Entwaffnend erinnerte er Schmidt daran, dass der ausnahmsweise bewilligte Sonderkredit für den Erwerb von beschlagnahmter «entarteter» Kunst aus deutschen Museen bereits schwer genug zu erringen gewesen war.

> «So sehr wir es auch begrüssen würden, wenn die von Ihnen genannten Bilder von Caspar David Friedrich für die öffentliche Kunstsammlung erworben werden könnten, so ist das ein unausführbarer Plan, weil zur Zeit öffentliche Mittel für diesen Zweck nicht flüssig zu machen sind. Wie Sie wissen, hat es schon ziemliche Schwierigkeiten gegeben, um einen ausserordentlichen Kredit für den Ankauf von modernen Bildern aus deutschen Museen zu bekommen. Wenn also an der Auktion Simon Gemälde angekauft werden sollen, so muss die Öffentliche Kunstsammlung auf ihre eigenen Mittel oder auf private Spenden verweisen.»[109]

Die Versteigerung fand vom 23. bis 26. August 1939 im Hotel National in Luzern als Sammelauktion diverser Anbieter statt. Hugo Simon wird im Katalog nicht namentlich als Vorbesitzer seiner Objekte genannt.[110] Von seinen Werken wurden nur wenige versteigert. Als Gesamtergebnis der Versteigerungsmasse Simon wurden der Kunstkommission 33.650 CHF kommuniziert, für den Verkauf der beiden Friedrich-Gemälde, einer Landschaft von Carl Blechen und Liebermanns *Gemüsemarkt*. «Danach wären auf die Fr. 37'500,- noch rund Fr. 4'000.- ungedeckt, die jedoch durch die unverkauften Bilder

97. Vgl. Continental Express an Karl Im Obersteg, 20. Januar 1939, in: KMB, Archiv, O 001.065.000.000.

98. Die Suche nach dem letztgenannten Bild beschäftigte das Museum noch über Jahre. Vgl. zusammenfassend Georg Schmidt an Patrick Blackwood, Burlington Galleries, 8. Juni 1939 sowie Ders. an Theodor Fischer, 5. Juli 1939, und die Korrespondenz von Hans Eckert und Georg Schmidt zwischen dem 30. Mai und 12. Juni 1940. Alle Briefe in: KMB, Archiv, O 001.065.000.000. Ausserdem Hans Eckert an Georg Schmidt, 29. Oktober und 10. Dezember 1947, sowie Georg Schmidt an Patrick Blackwood, 10. Dezember 1947, in: KMB, Archiv, O 001.038.008.000. Das Porträt ging später als anonyme Schenkung in die Sammlung des York Castle Museums ein und wurde 2011 an die Erben nach Hugo Simon zurückgegeben. Vgl. https://artuk.org/discover/artworks/portrait-of-the-artist-8721 und Liste der wiedergefundenen Kunstwerke: www.hugo-simon-stiftung.de/hugo-simon (16.12.2024).

99. Kunstmuseum Basel an Carl Ludwig, 31. Januar 1939, in: KMB, Archiv, O 001.065.000.000.

100. Erziehungsdepartement an Kuratel der Universität, Rektorat der Universität, Kunstkommission und Konservator der Öffentlichen Kunstsammlung, 14. Februar 1939, in: KMB, Archiv, O 001.065.000.000.

101. Vgl. ebd.

102. Vgl. Hugo Simon an Karl August Burckhardt-Koechlin, 28. Februar 1939, in: KMB, Archiv, O 001.065.000.000.

103. Vgl. Hugo Simon an Georg Schmidt, 15. Mai 1939, in: KMB, Archiv, O 001.065.000.000.

104. Vgl. Georg Schmidt: Aktennotiz, 19. Mai 1939 und Hugo Simon an Georg Schmidt, 1. Juni 1939, in: KMB, Archiv, O 001.065.000.000.

105. Sekretär des Erziehungsdepartements an die Kuratel der Universität, das Rektorat der Universität und den Konservator der Öffentlichen Kunstsammlung Basel, 30. Mai 1939, in: KMB, Archiv, O 001.065.000.000.

106. Vgl. Hugo Simon an Finanzdepartement Basel-Stadt, 1. Juni 1939, in: KMB, Archiv, O 001.065.000.000.

107. Georg Schmidt an Fritz Hauser, 15. August 1939, in: KMB, Archiv, O 001.065.000.000.

108. Ebd.

109. Fritz Hauser an Georg Schmidt, 17. August 1939, in: KMB, Archiv, O 001.065.000.000.

110. Vgl. Mobiliar des Herrn Reichenbach, St. Gallen, aus Zürcher und Waadtländer Privatbesitz, Gemälde alter und neuer Meister, diverser Privatbesitz, Aukt.-Kat. Galerie Fischer, 23.–26. August 1939, Luzern.

sichergestellt sind.»[111] Der fehlende Betrag wurde dann offenbar aus dem Erlös für Nachverkäufe beglichen, denn am 9. Januar 1940 meldete Theodor Fischer an Georg Schmidt:

> «Die Staatskasse hat mir die Schuld von Herrn H. Simon mit Fr. 11.180.40 mitgeteilt und habe ich diesen Betrag bezahlt. Der Ordnung halber melde ich Ihnen noch, dass ich für den Marée [sic] Reiterszene im Wald den Limitpreis von Fr. 20000.- doch noch mit Müh und Not erreichte, sodass die Differenz zwischen dieser Remittierung an die Staatsbank resp. Staatskasse und diese Summe abzüglich meiner Provision Herrn Simon gutgeschrieben werden konnte.»[112]

Das Finanzdepartement bestätigte,

> «in der Darlehensangelegenheit Hugo Simon, aus dem Erlös der Versteigerung einer Anzahl Kunstwerke sei ihm im Oktober 1939 ein Betrag von Fr. 28,166.30 überwiesen worden. Am 29. Oktober 1939 habe ihm Herr Theodor Fischer, Kunsthändler in Luzern, einen Check über Fr. 11.180,40 zukommen lassen. Damit sei die Schuld Simon incl. Zins vollkommen getilgt und die Angelegenheit habe dadurch ihre Erledigung gefunden.»[113]

Fritz Hauser resümierte in seinen Worten: «Damit ist die Angelegenheit Simon für uns definitiv erledigt.»[114] Auch die Kunstkommission befand in ihrer Sitzung vom 22. Januar 1940, «dass die Schuld Simon an die Staatskasse abgetragen ist.»[115]

DIE VERHINDERTE BETREIBUNGSAUKTION UND ERNEUTE EINLAGERUNG IM KUNSTMUSEUM AB 1941

Die Erleichterung währte indes nur wenige Monate. Im April meldete Theodor Fischer Unstimmigkeiten mit Hugo Simon. Dieser hatte den freihändigen Verkauf der *Waldszene mit Reiter* von Hans von Marées für 18.000 CHF moniert. Er war von einem Erlös über 40.000 CHF ausgegangen und nicht von einem Limit- oder Nachverkaufspreis. Fischer musste das Geschäft rückgängig machen. Als er danach um die Rückzahlung der bereits überwiesenen Summe für das Bild bat, war Simon dazu nicht bereit. Er führte ins Feld, dass auch die zwei Friedrich-Landschaften, die für 30.000 CHF zugeschlagen wurden, eigentlich 60.000 CHF hätten erbringen müssen und forderte eine entsprechende Nachzahlung von Fischer. Der Auktionator erklärte dazu gegenüber Georg Schmidt:

> «Der Zuschlag fand amtlich statt und wurde von zwei Herren von der Staatskasse, die extra hierherkam und geprüft und richtig befunden [sic]. Es ist klar, dass diese mutwillige Forderung nur dazu dient, um die Rückzahlung der bereits empfangenen

111. Protokoll der Kunstkommissionssitzung, 12. September 1939, in: KMB, Archiv, B 001.001.018.000.
112. Theodor Fischer an Georg Schmidt, 9. Januar 1940, in: KMB, Archiv, O 001.065.000.000.
113. Sekretär des Erziehungsdepartements an die Kuratel der Universität, das Rektorat der Universität und den Konservator der Öffentlichen Kunstsammlung, 11. Januar 1940, in: KMB, Archiv, O 001.065.000.000.
114. Fritz Hauser an die Kuratel der Universität, die Kunstkommission und den Konservator der Öffentlichen Kunstsammlung, 20. Januar 1940, in: KMB, Archiv, O 001.065.000.000.
115. Protokoll der Kunstkommissionssitzung, 22. Januar 1939, in: KMB, Archiv, B 001.001.018.000.
116. Theodor Fischer an Georg Schmidt, 10. April 1940, in: KMB, Archiv, O 001.065.000.000.
117. Die Unterlagen zur Streitsache Hugo Simon vs. Theodor Fischer befinden

sich im Staatsarchiv Luzern. Vgl. StALU X2/1280.
118. Hans Eckert an Georg Schmidt, 28. November 1940, in: KMB, Archiv, F 001.072.006.000.
119. Ebd.
120. Vgl. Hans Eckert: Zirkular zur Versteigerung der Kunstsammlung Hugo Simon mit Betreibungspreisen, 7. Februar 1941, in: KMB, Archiv, O 001.065.000.000.
121. Hans Eckert: Nachtrag zum Zirkular vom 7. Februar 1941, in: KMB, Archiv, O 001.065.000.000.
122. Vgl. Hans Eckert an Georg Schmidt, 18. Februar 1941, und Übergabequittung, 22. Februar 1941, in: KMB, Archiv, O 001.065.000.000.
123. Die Originale dieser Überlieferung befinden sich im Exilarchiv der Deutschen Nationalbibliothek in Frankfurt am Main. Unser Dank gilt den Erben Rita Janetts für das Überlassen dieser rund 170 Briefe in Kopie.

Fr. 18000.- hinauszuschieben, ad aeternam. [...] Ich bin leider nicht in der Lage diesem Herrn Simon auf lange Frist Geld zu leihen.»[116]

Der Dissens wurde für alle Beteiligten unangenehm. Am 17. April 1940 leitete Fischer eine Betreibung auf Pfandverwertung für die Forderung von 18.000 CHF ein.[117] Erst ein halbes Jahr später bezog Hugo Simons Rechtsvertreter Hans Eckert gegenüber Schmidt Stellung zu dieser Angelegenheit. Unter Anerkennung der Tatsache, dass das hier geltend gemachte Pfandrecht des Herrn Fischer aus dem Auktionsvertrag hervorginge, erklärte er die schwierige Lage seines Mandanten, die sich seit der nationalsozialistischen Besetzung von Teilen Frankreichs bedrohlich zugespitzt hatte:

Abb. 20: Rita Janett in ihrem Garten, Langwies, Anfang der 1940er-Jahre

> «Herr Simon befindet sich nun in einer äusserst prekären Situation. Im Hinblick auf seine Abstammung und seine politische Belastung ist er gezwungen,
>
> sich in Frankreich versteckt zu halten und ist ausserstande, die nötigen Mittel zur Befriedigung Fischers aufzubringen, so dass befürchtet werden muss, dass die in Luzern liegenden Bilder demnächst zur Zwangsversteigerung gelangen. Dies würde natürlich einen ungeheuren Schaden für meinen Klienten bedeuten, da zweifellos bei einer Zwangsverwertung für die Bilder nur schwache Preise gelöst würden und Fischer selbst in der Lage wäre zu geringsten Preisen für sich zu erwerben.» Er bitte deshalb das Kunstmuseum darum, «nochmals zu prüfen, ob nicht doch der Erwerb dieses oder jenes Werkes heute für die Gemäldesammlung in Frage käme.»[118]

Eckert führte weiter das bei dem Verleih nach London abhandengekommene Selbstporträt von Otto Mueller ins Feld und schlug einen Handel vor: Simon sei der Meinung, «dass ihm die Kommission resp. der Staat Basel-Stadt hierfür verantwortlich ist, da mit ihm über einen Ausschluss der Haftung der Kommission nichts vereinbart worden war.» Wenn das Museum jetzt eines oder mehrere Werke käuflich erwerben würde, könnte «gleichzeitig die Frage der Haftbarkeit für das vorerwähnte Gemälde [...] erledigt werden.»[119] Eine Antwort Georg Schmidts auf dieses Schreiben ist nicht überliefert.

Die Betreibungsauktion der noch bei Fischer verbliebenen Kunstwerke der Sammlung Simon war für den 18. Februar 1941 angekündigt.[120] Am 13. Februar 1941 wurde sie aber im letzten Moment wieder abgesagt.[121] Telefonisch vermittelte Eckert die Hintergründe: Mit Hilfe von Freunden sei es gelungen, die Zwangsversteigerung zu vermeiden. Nun bat er darum, die verbliebenen Kunstwerke der Sammlung Simon erneut im Kunstmuseum «in Aufbewahrung zu nehmen, ohne dass dadurch meinem Klienten Kosten entstehen.» Georg Schmidt liess sich darauf ein.[122]

Die genauen Hintergründe der Abwendung der Versteigerung sind nicht in Basler Archiven überliefert. Sie finden sich im Privatarchiv der Erben von Rita Janett (1893–1965), einer Bekannten von Hugo Simon aus Langwies/Graubünden, die sich, als Künstlerin tätig, in Paris aufgehalten und den Sammler dort kennengelernt hatte (Abb. 20).[123]

Hugo Simon wollte die Zwangsversteigerung unbedingt verhindern und ging anwaltlich dagegen vor.[124] Ausserdem hatte er Eckert beauftragt, in seinem Namen Briefe an ihm bekannte Personen in der Schweiz zu versenden und zu fragen, ob sie seine Kunstwerke, die derzeit bei Theodor Fischer lagerten, an sich nehmen könnten. Zu den Angeschriebenen zählte auch Rita Janett.[125] Diese scheint sehr besorgt reagiert zu haben, weshalb Eckert ihr den Vorgang näher erklärte:

> «Wie Ihnen vielleicht bekannt ist, hatte Herr Simon seinerzeit dem Basler Kunstmuseum Teile seiner Gemäldesammlung zum Verkauf angeboten. Der bereits in Aussicht genommene Kauf verschiedener Werke kam jedoch wegen politischer Intrigen nicht zustande, sodass mein Klient gezwungen war, einen bereits erhaltenen beträchtlichen Vorschuss an den Staat Basel-Stadt zurückzuzahlen. Um hierzu in der Lage zu sein, sah er sich veranlasst, dem Kunsthändler Fischer in Luzern die Sammlung zur öffentlichen Versteigerung zu übergeben. In der Folge konnte der Kanton Basel-Stadt für seine Forderungen befriedigt werden, hingegen wird mein Klient, der sich zurzeit in einer sehr misslichen Lage in Frankreich befindet, von Fischer wegen Rückforderungsansprüchen bedrängt. Es steht sogar zu befürchten, dass in absehbarer Zeit eine Zwangsversteigerung einzelner Bilder erfolgen wird, was für Herrn Simon einen riesigen Schaden bedeuten würde. Mein Klient [...] ersucht mich nun, seinen Hilferuf an Sie weiterzugeben. Ich tue das in der Erwägung, dass es Ihnen vielleicht möglich ist, das eine oder andere der Bilder selbst zu erwerben, oder mir Dritte zu nennen, die sich für einen allfälligen Kauf interessieren würden. Ich gestatte mir daher eine Liste der fraglichen Bilder beizulegen.»[126]

Janett wollte keine Kunstwerke kaufen, löste aber schliesslich den gesamten Bestand bei Fischer aus. Im Gegenzug erhielt sie ein vertraglich gesichertes Faustpfand auf die verbliebenen Werke der Sammlung Simon. Die Pfandforderung betrug 22.000 CHF, nebst 5% Zins ab 12. Februar 1941. Janett wurde Pfandgläubigerin, Georg Schmidt wurde nach Übergabe der Werke zum Pfandhalter bestimmt. Das Pfandrecht wurde mit der Bestimmung stipuliert,

> «dass der Vertreter des Eigentümers und Pfandgebers wie bis anhin berechtigt sein soll, die Pfandobjekte zwecks Kaufverhandlungen durch Interessenten unbehindert besichtigen zu lassen. Ein allfälliger Kauferlös ist in erster Linie und direkt zur Ablösung der Pfandforderung zu verwenden.»[127]

In den kommenden Jahren versuchten Rita Janett und Hans Eckert, Käufer:innen für die Simon-Werke zu finden. Da fast alle von deutschen Künstler:innen stammten, die vor dem Hintergrund des Krieges auf wenig internationale Begeisterung stiessen, aber auch weil Simon noch immer nicht von Wartmanns hohen Vorkriegsschätzungen abrücken wollte, fanden bis 1945 fast keine Verkäufe statt. Sowohl Janett als auch Eckert, der für seine Dienste über Jahre hinweg keinen Lohn von Simon erhalten hatte, waren darum bemüht, ihr Geld zurückzuerhalten. Die wenigen Erlöse teilten sie im Verhältnis 7:1.[128]

DER ANKAUF VON CARUS' *MONDAUFGANG AM MEER* IM SOMMER 1946

In den letzten Kriegsjahren war es im Kunstmuseum ruhig geworden um das Depositum Hugo Simon. Mit Ende des Krieges musste sich Georg Schmidt wieder damit beschäftigen. Auf Druck der Alliierten hatte der Bundesrat am 16. Februar 1945 auf alle in der Schweiz lagernden Vermögenswerte deutscher Staatsbürger eine Sperre verhängt. Am 29. Mai 1945 folgte ein weiterer Bundesratsbeschluss, gemäss dem diese Vermögenswerte bei der Schweizerischen Verrechnungsstelle angemeldet werden mussten. Die Regelung betraf auch Kulturgüter. Im Fall des Basler Kunstmuseums waren sämtliche dem Haus überlassenen und auf deutsche Namen lautenden Deposita zu registrieren, und dies zunächst unabhängig davon, ob es sich bei den Eigentümer:innen um weiterhin in Deutschland lebende oder um vor dem NS-Regime geflüchtete Personen handelte.[129] Entsprechend reichte Schmidt im Dezember 1945 eine Übersicht über den verbliebenen Bestand der Sammlung Simon bei der Verrechnungsstelle ein – zwölf Gemälde und fünf Skulpturen, samt einer aktualisierten, durch ihn realisierten Schätzung zu jeder einzelnen Position (Abb. 22).[130]

In diesem Zusammenhang ergab sich auch ein erneuter Austausch mit Simons Bevollmächtigtem Eckert. Dieser hatte im Februar 1946 einen Antrag auf Aufhebung der Sperre der Simon'schen Sammlung gestellt. Laut einem offenbar beigefügten, leider nicht überlieferten Dokument hatte Hugo Simon das Eigentum an seinen in Basel befindlichen Kunstwerken im April 1941, also kurz nach seiner Auswanderung nach Brasilien, an «Thomas I. Reynolds, Chicago» (recte New York) übertragen.[131] Den genauen Hintergrund erläuterte Eckert gegenüber Schmidt nicht, doch besteht kein Zweifel, dass es sich um eine temporäre Übertragung handelte, um die Sammlung vor möglichen Zugriffen der deutschen oder brasilianischen Behörden zu schützen. Reynolds (1912–1990) war amerikanischer Staatsbürger und mit Hugo Simons Nichte Eva Simon (1911–1994) verheiratet.[132] Er vertrat Simons Interessen bei Verkaufsversuchen bis 1945, unter anderem indem er an den Schätzpreisen Wilhelm Wartmanns von März 1938 festhielt.[133] Da diese für Simon bindend blieben, hatte Reynolds mehrere sich über Eckert ergebende Angebote als unterpreisig abgelehnt.[134] Am 20. Oktober 1945 meldete sich Hugo Simon als nun wieder Zuständiger für seine Sammlung bei Eckert zurück (Abb. 21).[135]

Abb. 21: Hugo Simon in Brasilien, um 1950

124. Zu den Vorstössen von Simons Anwalt Arnold Gysin gegenüber Theodor Fischer vgl. Senger 2024, S. 146–149.

125. Vgl. Hans Eckert an Rita Janett, 25. April 1941, in: Privatarchiv Erben Rita Janett, Nr. 15.

126. Hans Eckert an Rita Janett, 27. Januar 1941, in: Privatarchiv Erben Rita Janett, Nr. 16. Was mit «politische Intrigen» gemeint ist, bleibt unklar.

127. Hans Eckert: Faustpfandbestellung, 14. Februar 1941, in: Privatarchiv Erben Rita Janett, Nr. 19.

128. Die Auswertung der Briefe aus dem Privatarchiv Janett zwischen Hugo Simon, Rita Janett, Hans Eckert und später dem brasilianischen Anwalt Carlos Heymann bei ihren Versuchen, Simons in Basel lagernden Kunstwerke ab 1941 zu veräussern, ist spannend, führt aber hier, da es um Basels Rolle im Zusammenhang mit dem Depositum und dem Ankauf des Carus-Gemäldes geht, zu weit. Der Schriftwechsel beinhaltet keinerlei Äusserungen der Kritik Hugo Simons am Kunstmuseum Basel oder an Georg Schmidt. Erwähnt sei eine Passage aus Simons Brief an Janett vom 1. April 1946: «Von Dr. Eckert habe ich einen Bericht bekommen, aus dem ich schliessen moechte, dass Herr Dr. Schmidt keine ‹Feindliche Partei› ist. Sollte ich ihm also – in meinen Gedanken – Unrecht getan haben, so will ich auch Abbitte leisten. Natuerlich, er muss die Interessen seines Museums wahrnehmen, ich aber muss die Meinigen, das sind die Unsrigen, schuetzen.», in: Privatarchiv Erben Rita Janett, Nr. 52.

129. Zu den Bundesratsbeschlüssen von 1945 und dem im Folgejahr geschlossenen Washingtoner Abkommen vgl. Tisa Francini/Heuss/Kreis 2001, S. 424–246.

130. Vgl. Anmeldeformular der Schweizerischen Verrechnungsstelle und Detailaufstellung über Vermögenswerte, eingereicht am 28. Dezember 1945, in: KMB, Archiv, O 001.005.006.000. Der Bestand von insgesamt 17 Kunstwerken

entsprach der am 6. Oktober 1943 erstellten Liste. Vgl. KMB, Archiv, O 001.065.000.000. Zwischen der (erneuten) Einlagerung des Depositums im Februar 1941 und Herbst 1943 hatte Schmidt insgesamt sieben Gemälde an Eckert ausgehändigt.

131. Hans Eckert an Schweizerische Verrechnungsstelle, 22. Februar 1946, in: KMB, Archiv, O 001.005.006.000.

132. Vgl. Senger 2024, S. 151.

133. Vgl. Hans Eckert an Rita Janett, 27. Mai 1941, in: Privatarchiv Erben Rita Janett, Nr. 22: «Ich erhielt nun gestern [...] ein Schreiben des Herrn Simon datiert vom 2. Mai 1941, aus dem hervorgeht, dass er das Eigentum an den Ihnen verpfändeten und in Basel deponierten Bildern an einen gewissen Herrn Thomas I. Reynolds, 553 West 114th Street, New York City, übertragen hat. [...] Gleichzeit schrieb mir der neue Eigentümer der Bilder, dass er gedenke, diese zu den Preisen der Schätzung des Herrn Dr. Wartmann in Zürich zu verkaufen und mich mit dem Verkauf zu beauftragen.»

134. Vgl. Diverse Briefe zwischen Rita Janett und Hans Eckert, 27. Mai 1941 bis 14. September 1945, in: Privatarchiv Erben Rita Janett, Nr. 22–40.

135. Vgl. Hugo Simon an Hans Eckert, 20. Oktober 1945, in: Privatarchiv Erben Rita Janett, Nr. 42: «De malheureuses circonstances m'empêchaient, pendant la guerre, de m'occuper personnellement de ma collection en Suisse et j'ai beaucoup regretté de ne pas être en contact avec vous pendant toutes ces années. [...] Comme c'est maintenant moi-même qui prendrai de nouveau mes affaires en main je suis [...] impatient de les régler aussi vite et aussi satisfactoirement que possible, et j'espère de tout cœur que vous, cher Monsieur, m'y assisterez dans l'avenir comme vous l'avez fait dans le passé.»

| ANMELDUNG DEUTSCHER VERMÖGENSWERTE (Bundesratsbeschluss betreffend die Meldepflicht für deutsche Vermögenswerte in der Schweiz vom 29.5.1945) | DÉCLARATION DES AVOIRS ALLEMANDS (Arrêté du Conseil fédéral du 29 mai 1945 instituant l'obligation de déclarer les avoirs allemands en Suisse) | Form. 11 |

Detailaufstellung über Vermögenswerte - Liste détaillée des avoirs zu Gruppe - relatifs au groupe (Buchstabe und Bezeichnung der Gruppe - lettre et désignation du groupe) (Im Doppel einzureichen) (à remettre en double exemplaire)

Name und Adresse des Eigentümers bzw. Berechtigten : Nom et adresse du propriétaire resp. de l'ayant droit : **Hugo Simon, Rua Aparicio, Borges 25, Rio de Janeiro (Brasilien)**

Genaue Bezeichnung - Désignation exacte	Währung Monnaie	Betrag - Montant	Verkehrswert Total Valeur vénale totale	der Schweiz Suisse	Deutschland Allemagne	U.S.A.	Übrige Länder d'autres pays
G. Carus, Mondaufgang am Meeresstrand		2.000.—	2.000.—				
O. Kokoschka, Bildnis Caro		5.000.—	3.000.—				
", Bildnis Ehrenstein		5.000.—	7.500.—				
", Frau in Rot		1.200.—	2.000.—				
", Ritter, Tod und Engel		8.000.—	4.000.—				
", Marseille		8.000.—	15.000.—				
E.L. Kirchner, Selbstbildnis		1.500.—	1.600.—				
W. Lehmbruck, Frauenakt		6.000.—	5.000.—				
H.v. Marées, Waldszene mit Pferd		35.000.—	40.000.—				
L. Meidner, Selbstbildnis		2.000.—	3.000.—				
", Bildnis Neisse		2.000.—	3.000.—				
M. Slevogt, Ananas-Stilleben		48.000.—	5.000.—				
E. Barlach, Vision (Schläfer und Schwebende) Holz		15.000.—	25.000.—				
W. Lehmbruck, weibl. Halbakt 3/4 Figur (Kunststein)		6.000.—	2.000.—				
", weibl. Halbakt (Gips)		4.000.—	2.500.—				
", Frauenkopf (Terracotta)		2.000.—	4.000.—				
", Frauenbüste mit geneigtem Kopf (Terracotta)		2.000.—	2.500.—				
Total (bzw. Uebertrag auf Blatt) (resp. report sur page)		112.700.—	135.400.—				

Reicht dieses Blatt nicht aus, so ist ein weiteres Formular 11 zu verwenden. Si cette page ne suffit pas, une seconde formule No. 11 doit être utilisée.

Die Vollständigkeit und Richtigkeit der vorstehenden Angaben bestätigt: Je confirme/Nous confirmons que les déclarations ci-dessus sont exactes et complètes:

* Nichtzutreffendes streichen (vgl. Rückseite)
* Biffer ce qui ne convient pas (voir au verso)
** Der Totalbetrag dieser Kolonne muss mit dem entsprechenden Betrag in Form. 1 übereinstimmen
** Le total de cette colonne doit concorder avec le montant correspondant à la formule No. 1

den .... 194.....

Form. 4123 - Schweizerische Verrechnungsstelle/Office Suisse de Compensation, Zürich

(Unterschrift - signature)

Abb. 22: Anmeldung der Sammlung Simon bei der Schweizerischen Verrechnungsstelle mit Schätzpreisen von Georg Schmidt (und Wilhelm Wartmann, in Bleistift), 28. Dezember 1945

Entscheidend für Eckert war, dass mit der im Juni 1946 bescheinigten Aufhebung der Sperre der Weg für Veräusserungen wieder offenstand.[136] Schon im Februar hatte er Georg Schmidt darum gebeten, einem ausgewählten Kreis von Kunstschaffenden und im Kunsthandel tätigen Personen Zugang zu den Werken zu gewähren, um Verkaufsoptionen zu eruieren.[137] Nur wenige Tage, nachdem die Sammlung wieder freigegeben worden war, schlug der Direktor der Kunstkommission den Ankauf des *Mondaufgangs* von Carl Gustav Carus vor.[138] «Gewiss, es ist kein C.D. Friedrich, hat aber doch etwas von der Haltung der friedrichschen Frühromantik», begründete Georg Schmidt sein Votum für die Erwerbung.[139]

Für den Ankaufspreis hatte er ein spezielles Arrangement erdacht, dem die Kunstkommission sogleich zustimmte: Als Basispreis wurden 2.000 CHF veranschlagt. Von diesem brachte der Direktor 1.000 CHF als Spesen für die Aufbewahrung und Betreuung des Depositums in Abzug, so dass das Kunstmuseum letztlich nur 1.000 CHF für das Bild zahlte.[140] Dem Anwalt schrieb er, er habe «für die Deponierung der ehemaligen Sammlung Hugo Simon im Kunstmuseum Basel Spesen im Betrage von Fr. 1'000.- angerechnet» und diese vorausschauend bis 31. Dezember des Folgejahrs veranschlagt, «in der Meinung, dass bis dahin entweder das Depositum vom Eigentümer zurückgezogen werden kann oder, falls das nicht möglich sein sollte, dann vom Museum eine neue bescheidene Spesenrechnung erhoben wird.»[141] Die zustimmende Antwort Eckerts folgte postwendend:

«Dieser Betrag [der Kaufpreis von 2.000 CHF] ist wie folgt zu begleichen: 1.) Durch Verrechnung mit Ihrer Forderung von Fr. 1000.- für ihre Depot- und Versicherungsspesen bis inkl. 31. Dezember 1947. 2.) durch Zahlung von Fr. 1000.- auf mein Postcheckkonto bis 31. Oktober 1946.»[142]

Die vereinbarten 1.000 CHF wurden nach Rechnungsstellung Ende August überwiesen.[143] Damit war Georg Schmidt ein Sammlungszuwachs gelungen, der zweifellos als günstig zu werten ist. Den zugrundeliegenden Ansatz von 2.000 CHF bezeichnete er selbst gegenüber der Kunstkommission als niedrig.[144] Gleichwohl entsprach dieser dem von Simon akzeptierten Schätzwert Wilhelm Wartmanns, mit dem das Gemälde bereits im März 1938 taxiert worden war. Während die Bewertungen der Direktoren des Zürcher Kunsthauses und des Basler Kunstmuseums hinsichtlich einzelner Positionen der Sammlung Hugo Simon deutliche Differenzen aufweisen, herrschte bei der Einschätzung des Bildes von Carus Einigkeit zwischen beiden Kollegen (Abb. 22). Auch in der Luzerner Auktion der Galerie Fischer 1939 lag die Limite des Bildes bei 2.000 CHF.[145] Und im Juli 1941 hatte der Basler Kunsthändler Willi Raeber (1897–1976) das Bild in Eckerts Auftrag mit dieser Bepreisung als Kommissionsware übernommen. Im Oktober gab er es unverkauft ans Museum zurück.[146] Wie sieht es aber mit der Halbierung des Kaufpreises durch Abzug von Spesen aus? Das Depositum hatte sich bis zum Kaufdatum rund sechseinhalb Jahre (von April 1938 bis Juni 1939 und erneut von Februar 1941 an) im Basler Kunstmuseum befunden. Für die endgültige Liquidierung kalkulierte Schmidt rund weitere eineinhalb Jahre, also bis Ende 1947.

Seit dem Machtantritt der Nationalsozialisten hatte das Kunstmuseum verschiedene Bestände jüdischer Sammler:innen aufgenommen. Neben deren Unterstützung durch die Inobhutnahme der Sammlungen brachte das auch eigene Vorteile. Das Museum war berechtigt, eine Auswahl der geliehenen Bilder in den Galerieräumen zu zeigen und so die Ausstellung temporär zu ergänzen. Für die Leihgeber:innen war neben der sicheren Aufbewahrung auch die dadurch wachsende Bekanntheit ihrer Werke von Interesse, da sie etwaige Verkäufe begünstigte. Dem Museum oblag die Versicherung und die sachgerechte Aufbewahrung der Kunstwerke, die insbesondere während der Kriegsjahre Aufwand bedeutete. Zudem fielen für das Depositum Hugo Simon gerade in den ersten Jahren reger Schriftverkehr und Versandleistungen an, da der Eigentümer mehrfach darum bat, Werke zur Ansicht an Händler oder zu Ausstellungen zu verschicken.

Dem Deponenten derartige Dienste in Rechnung zu stellen, entsprach, zumindest in der Schweiz, der üblichen Praxis. So kalkulierte etwa das Kunsthaus Zürich für das Depositum Hugo Simon zunächst, gerechnet ab 1. Januar 1935, neben den Kosten für die Versicherung in Höhe von 1 Promille auf den Gesamtwert der Sammlung, eine Aufbewahrungsgebühr von 5 CHF pro Kunstwerk und Jahr.[147] Diese wurde im Nachhinein herabgesetzt auf eine Pauschale von 100 CHF pro Jahr. Zusätzlich wurden Aufwände für die Schätzung der Kunstwerke, die Verzollung bei ihrer Einfuhr in die Schweiz sowie Verpackungs- und Transportspesen verrechnet.[148] Im Vergleich erscheinen die Berechnungen von Georg Schmidt für eine sehr viel längere und betreuungsintensivere Einlagerung

136. Vgl. Schweizerische Verrechnungsstelle an Hans Eckert, 18. Juni 1946, in: KMB, Archiv, O 001.005.006.000.

137. Vgl. Hans Eckert an Georg Schmidt, 16. Februar 1946, in: KMB, Archiv, O 001.005.006.000.

138. Abweichender Titel im Werkverzeichnis: *Mondaufgang am mittelländischen Meer*, 1827. Vgl. Marianne Prause, Carl Gustav Carus, Leben und Werk, Berlin 1968, S. 157, Nr. 321. Die von Prause vermittelte Provenienzstation der Österreichischen Galerie Belvedere konnte nicht bestätigt werden. Auch der angebliche Stempel von «Dr. A Gisin (recte Gysin), Luzern, Blumenweg», Kanzleipartner von Hans Eckert, der sich auf dem Keilrahmen befinden soll, ist nicht nachweisbar.

139. Vgl. Protokoll der Kunstkommissionssitzung, 25. Juni 1946, in: KMB, Archiv, B 001.001.019.000, S. 160.

140. Vgl. ebd.

141. Georg Schmidt an Hans Eckert, 10. Juli 1946, in: KMB, Archiv, O 001.005.006.000.

142. Hans Eckert an Georg Schmidt, 11. Juli 1946, in: KMB, Archiv, O 001.005.006.000.

143. Vgl. Hans Eckert an Georg Schmidt: Rechnung, 29. August 1946, in: KMB, Archiv, O 001.005.006.000.

144. Vgl. Protokoll der Kunstkommissionssitzung, 25. Juni 1946, S. 160, in: KMB, Archiv, B 001.001.019.000: «Ich musste die gesamte Sammlung für die Schweiz. Verrechnungsstelle schätzen und habe dieses Bild niedrig auf Fr. 2.000 [Unterstreichung im Original] geschätzt.».

145. Vgl. Hans Eckert an Georg Schmidt: Anlage, 28. November 1940, in: KMB, Archiv, F 001.072.006.000. In der Ankündigung der für den 18. Februar 1941 geplanten Betreibungsauktion war das Bild von Carus hingegen nur mit 1.000 CHF angesetzt gewesen. Vgl. Hans Eckert: Zirkular, 7. Februar 1941, in: KMB, Archiv, O 001.065.000.000, und Hugo Simon an Hans Eckert, 20. Oktober 1945, in: Privatarchiv Erben Rita Janett, Nr. 42.

146. Vgl. Galerie Raeber, Kommissionswaren: 658, S. 79, in: SIK-ISEA, HNA 213A.2.

147. Vgl. Wilhelm Wartmann an Hugo Simon, 17. Oktober 1934, in: Archiv ZKG/KHZ, Ausgehende Korrespondenz, 10.30.20.75.

148. Vgl. Wilhelm Wartmann an Hugo Simon: Abschlussrechnung, 4. April 1938, in: Archiv ZKG/KHZ, Korrespondenz Ausstellung Besitzer/Händler, 10.30.30.66.

daher durchaus angemessen. Allerdings waren entsprechende Kosten für das Depositum offenbar im Fall von Hugo Simon nie vertraglich geregelt worden. Vielmehr hatten Eckert und Schmidt, wie erwähnt, bei der Rückkehr des Depositums nach Basel im Frühjahr 1941 abgemacht, dass für die Aufbewahrung der Sammlung Simon keine Kosten entstehen.[149] Im Gegenzug hatte der Direktor herausgehandelt, «dass wir als Entgelt für die kostenlose Deponierung und für unsere Bereitwilligkeit, allfälligen Interessenten die Bilder zu zeigen, auf alle Bilder ein Vorkaufsrecht erhalten und von jedem Kaufangebot Kenntnis bekommen.»[150]

Vor dem Hintergrund dieser Verabredung erstaunt Schmidts Ansinnen gut fünf Jahre später, Spesen für das Depot anzurechnen. Die Höhe der Summe entsprach in etwa dem Spesenbetrag von 900 CHF, den er bei der Verrechnungsstelle für die Verwahrung der Sammlung Simon angegeben hatte.[151] Vor Abschluss des Geschäfts hatte Eckert Hugo Simon über die Zahlungsmodalitäten orientiert:

> «Ich kann Ihnen die erfreuliche Mitteilung machen, dass sich die Kommission der Kunstsammlung Basel entschlossen hat, das Bild von Carus (Abendszene) zum Preise von Fr. 2000.- entsprechend der Schätzung von Herrn Dir. Wartmann käuflich zu erwerben. An den Kaufpreis sollen die Versicherungs- und Depotkosten der Kommission von rund Fr. 1000.- (bis Februar 1946) verrechnet werden. Andererseits würde die Kommission auf die Erhebung weiterer Einlagerungs- und Versicherungsgebühren verzichten.»[152]

Simon bat Eckert daraufhin, die Frage der Depotspesen nochmals überdenken zu lassen:

> «Mit dem Verkauf des Bildes von Carus ‹Abendszene› fuer den Preis von Schwfrs. 2000,00 bin ich einverstanden, doch bitte ich Sie um die Guete der Kommission der Kunstsammlung vorzustellen auf Depot und Versicherungskosten in der Hoehe von Schwfrs. 1000,00 zu verzichten. Die Sammlung ist ursprünglich als Leihgabe dem Museum ueberlassen worden. Mir ist es als einstigem Mitglied der Ankaufskommission des preussischen Staatsmuseums wie auch aus meinen sonstigen Erfahrungen bekannt, dass die kostenlose Gastfreundschaft fuer Kunstwerke seitens der Museen ueblich ist, und besonders wo es sich um bekannte Förderer der Kunst handelt. Mich zu denen zu zaehlen, soweit es sich um zeitgenössische Kunst handelt, habe ich besonderes Recht. Ich bin sicher, dass wenn Sie diese, meine Auffassung in freundschaftlicher Weise Herrn Dr. Schmidt zur Kenntnis bringen, dass er sich ihr anschliessen wird. Bitten Sie bei dieser Gelegenheit auch Herrn Dr. Schmidt um sein Einverstaendnis, dass die Sammlung bis auf weiteres noch unter der Obhut des Museums bleibt. Es ist ihm ja bekannt, dass ich die Absicht habe, die Kunstwerke zu veraeussern, doch laesst sich ein genauer Termin nicht bestimmen.»[153]

Hans Eckert leitete Simons Ansinnen nach Basel weiter. Er überliess es aber Georg Schmidt, ob dieser den Wunsch seines Mandanten an die Kunstkommission weitergebe, oder nicht.[154] An Simon erfolgte seinerseits keine Antwort mehr; es bleibt unklar, ob er ihn mündlich über die diversen, im Laufe der Deponierung angefallenen Spesen für Versicherung, Korrespondenz mit Behörden und Versand aufgeklärt hat.

DIE AUFLÖSUNG DES DEPOSITUMS

Die Korrespondenz der nächsten zehn Jahre im Archiv des Kunstmuseums befasst sich mit der Auflösung des Depositums. Sie wurde durchgehend mit Hugo Simons Bevollmächtigtem Eckert geführt. Immer wieder beauftragte er Georg Schmidt, einzelne Werke an Interessenten zu versenden, Fotoaufnahmen für Angebote fertigen zu lassen oder Besichtigungen zu ermöglichen. Der gesamte Prozess zog sich deutlich länger hin, als noch 1946 gedacht. Erst Anfang Juli 1957 verliessen mit den beiden Porträts von Ludwig Meidner, die an die Basler Galerie Beyeler verkauft worden waren, die letzten Werke das Depot des Kunstmuseums.[155]

Schmidt stellte dem Leihgeber auch diesmal seine in der Tat zeitintensiven Dienste in Rechnung. Im Dezember 1951 war er erneut gebeten worden, ein Gutachten zur Sammlung Simon zu verfassen. In diesem Zusammenhang schickte er Eckert eine Rechnung über 70 CHF und vermerkte in seinem Begleitschreiben:

> «Im Augenblick wo die Liquidation der Sammlung Simon offenbar zu Ende geht, erlaube ich mir, Sie an Punkt 7 meines Schreibens vom 2. Dezember 1950 an Frl. R. Janett, Langwies, zu erinnern, von dem ich Ihnen seinerzeit Kopie zugeschickt habe. Glauben Sie, es besteht irgend eine Hoffnung, das Museum für seine Bemühungen seit 1946 irgendwie zu entschädigen?»[156]

Eckert antwortete umgehend:

> «Auf Ihre Anfrage [...] kann ich Ihnen dahingehend antworten, dass der Anspruch des Kunstmuseums auf eine angemessene Entschädigung für die Aufbewahrung der Bilder selbstverständlich anerkannt wird. Da damit zu rechnen ist, dass der Restbestand der Sammlung in absehbarer Zeit vollständig liquidiert wird, schlage ich Ihnen vor, die ziffernmässige Reglierung [sic] vorzunehmen, sobald die Liquidation beendet ist.»[157]

Im März 1954 erhielt das Kunstmuseum so eine weitere Spesenzahlung in Höhe von 900 CHF.[158] Auf eine nochmalige Forderung bei der Auflösung des Depositums verzichtete Georg Schmidt; weitere Auslagen seien nicht angefallen «und eine Depotgebühr haben wir für die Sammlung Simon nie vorgesehen gehabt.»[159] Im September 1957 reichte Eckert den verbindlichsten Dank der Witwe Gertrud Simon an Schmidt weiter «für alle Ihre Bemühungen um die Aufbewahrung und Liquidation der Sammlung.» Eckert selbst dankte für «die vielen guten Ratschläge, die [er] im Laufe [seiner] Bemühungen um den Verkauf einzelner Objekte [...] entgegennehmen durfte» und betonte seinerseits «das verhältnismässig gute Resultat dieses Verkaufs».[160] Rund sieben Jahre nach dem Tod des Sammlers konnten Museum und Verwalter so «das dicke Dossier ‹Sammlung Hugo Simon› endgültig ad acta legen.»[161]

149. Vgl. Hans Eckert an Georg Schmidt, 18. Februar 1941, in: KMB, Archiv, O 001.065.000.000.

150. Georg Schmidt an Ernst Wolf, Rechtsanwalt und Partner von Hans Eckert, 25. Februar 1941, in: KMB, Archiv, O 001.065.000.000.

151. Vgl. Protokoll der Kunstkommissionssitzung, 25. Juni 1946, in: KMB, Archiv, O 001.065.000.000: «*Konservator*: wir haben dieses Bild [Mondaufgang am Meer] schon lange als Leihgabe aus der bei uns deponierten Sammlung Simon ausgestellt. Ich musste aber die ganze Sammlung für die Schweiz. Verrechnungsstelle schätzen und habe dieses Bild niedrig aus Fr. 2.000 geschätzt. Gleichzeitig haben wir der Verrechnungsstelle als Spesen für die ganze Sammlung Simon Fr. 900.- angemeldet. Unterdessen ist die Sammlung Simon frei geworden, weil Hugo Simon Amerikaner geworden ist. Die Sammlung muss nun in der Schweiz verwertet werden. Der damit betraute Notar hat meinen Vorschlag angenommen, Fr. 1.000.- für das Depot an den Kauf des Bildes von Carus anzurechnen.»

152. Hans Eckert an Hugo Simon, 9. Juli 1946, in: Privatarchiv Erben Rita Janett, Nr. 57.

153. Hugo Simon an Hans Eckert, 12. September 1946, in: Privatarchiv Erben Rita Janett, Nr. 62, und Hans Eckert an Georg Schmidt, 3. Oktober 1946, in: KMB, Archiv, O 001.038.008.000.

154. Vgl. Hans Eckert an Georg Schmidt, 3. Oktober 1946, in: KMB, Archiv,

O 001.038.008.000: «Ich wollte nicht verfehlen, diesem Wunsch meines Klienten noch Rechnung zu tragen, es jedoch Ihrem Ermessen erlassen, ob Sie ihn an die Kommission der Kunstsammlung weiterleiten wollen.»

155. Vgl. Georg Schmidt an Hans Eckert, 12. Juli 1957, in: KMB, Archiv, O 001.018.003.000.

156. Georg Schmidt an Hans Eckert, 15. Dezember 1951, in: KMB, Archiv, O 001.038.008.000. In der Referenzquelle werden als Gründe für Abzüge «unentgeltliche Aufbewahrung, Versand an Ausstellungen, Beratung von Kaufinteressenten und Korrespondenz» genannt. Vgl. Georg Schmidt an Rita Janett, 2. Dezember 1950, in: Privatarchiv Erben Rita Janett, Nr. 153.

157. Hans Eckert an Georg Schmidt, 3. Januar 1952, in: KMB, Archiv O 001.038.008.000.

158. Vgl. Georg Schmidt an Hans Eckert: Rechnung, 26. Februar 1954, und Quittung, 15. März 1957, in: KMB, Archiv, O 001.018.003.000.

159. Georg Schmidt an Hans Eckert, 12. Juli 1957, in: KMB, Archiv, O 001.018.003.000.

160. Hans Eckert an Georg Schmidt, 4. September 1957, in: KMB, Archiv, O 001.018.003.000.

161. Georg Schmidt an Hans Eckert, 12. Juli 1957, in: KMB, Archiv, O 001.018.003.000.

Die verbliebenen Bestände der Sammlung Simon waren über Händler, Galerien oder auf privatem Wege vor allem in amerikanische und Schweizer Sammlungen vermittelt worden. So konnte etwa das Kunstmuseum Winterthur 1952 über Vermittlung der Basler Kunsthändler Ernst Beyeler (1921–2010) und Christoph Bernoulli (1897–1981) das *Bildnis Hugo Caro* von Oskar Kokoschka aus der Sammlung Simon erwerben. 1987 gelangte Kokoschkas *Ritter, Tod und Engel I* (Abb. 23) als Schenkung aus Privatbesitz in das Kunsthaus Zürich und kehrte damit an den Ort seines einstigen Depositums vor dem Krieg zurück.[162] Das Bündner Kunstmuseum Chur verwahrt heute zudem das *Stillleben mit Ananas* von Max Slevogt als Dauerleihgabe aus Privatbesitz (Abb. 24). Es gehörte zu den Werken, die Rita Janett 1951 als Entschädigung an Zahlungs statt für das Darlehen, das sie Simon im Frühjahr 1941 zur Abwendung der Betreibungsauktion bei Theodor Fischer gewährt hatte, übernahm.[163]

Es ist nicht bekannt, wieviel von dem Erlös der einzelnen Verkäufe dem Ehepaar Simon zugeflossen ist, da zunächst zahlreiche Gläubiger befriedigt werden mussten. Hierzu zählten neben Rita Janett auch Hans Eckert, der unmittelbar nach Hugo Simons Tod 1950 begann, seine seit Jahren ausstehenden Honorare zu fordern. Da Hugo Simon, wie Rita Janett aufgrund ihres freundschaftlichen Kontakts zu berichten wusste, «seine Frau beinahe mittellos» hinterliess, musste schliesslich auch Eckert die Übernahme von Bildern zur Befriedigung seiner Forderungen akzeptieren.[164]

Abb. 23: Oskar Kokoschka, *Ritter, Tod und Engel I*, 1910/11, Öl auf Leinwand, 86 × 75,5 cm, Kunsthaus Zürich, Vereinigung Zürcher Kunstfreunde, Geschenk Elisabeth und Hans C. Bechtler, 1987

SYNTHESE

Der Ankauf des Gemäldes von Carl Gustav Carus fand im Jahr 1946 statt. Wie oben gesehen, war das Preisniveau angemessen. Auch die Höhe der Spesenabzüge war, objektiv betrachtet, gerechtfertigt angesichts des beträchtlichen Aufwands um die verwahrten Kunstwerke. Allerdings äusserte Hugo Simon – zumindest als erste Reaktion – Einwände gegen diese Regelung. Hat Georg Schmidt die von Eckert übermittelte Bitte Simons, die Reduktion des Kaufpreises nochmals zu überdenken, an die Kunstkommission weitergegeben, oder hat er, wie Eckert ihm freistellte, darauf verzichtet? Oder erhielt Eckert möglicherweise Simons Zustimmung, als dieser erfuhr, dass die Kosten für die Erstellung von Schätzgutachten, Zugänglichmachung und Versendung der Objekte und nicht nur für die Inobhutnahme der Sammlung bilanziert wurden? Hier fehlt die Überlieferung.

Jedenfalls ist der Erwerbsvorgang nicht losgelöst von der komplexen und langwierigen Geschichte des Depositums Hugo Simon im Kunstmuseum zu

Abb. 24: Max Slevogt, *Stillleben mit Ananas*, um 1890/1930, Öl auf Leinwand, 49,5 × 60 cm, Bündner Kunstmuseum Chur, Depositum aus Privatbesitz

betrachten. Während die Überführung der Kunstwerke vom Kunsthaus Zürich ins Kunstmuseum Basel Ende März 1938 durchaus im Interesse Otto Fischers und der Kunstkommission gelegen hatte, so zeigen insbesondere die Akten des Erziehungsdepartements, dass der durch den Regierungsrat an Hugo Simon vergebene Kredit, der zu Lasten des Ankaufsfonds des Kunstmuseums verbucht wurde, zwischen der Basler Regierung und der Kunstkommission nicht abgesprochen war. Da die Preise für diejenigen Werke, die als Sammlungsergänzung von Interesse gewesen wären, weder den aktuellen Marktverhältnissen noch den finanziellen Möglichkeiten des Museums entsprachen und der Sammler nicht bereit war, niedrigere Angebote zu akzeptieren, wurde letztlich als einziger Ankauf des Kunstmuseums aus der Sammlung Hugo Simon Carus' *Mondaufgang am Meer* realisiert.

162. Zum *Bildnis Hugo Caro* vgl. den Catalogue Raisonné der Fondation Kokoschka in Vevey, https://www.oskar-kokoschka.ch/fr/1020/1127/Hugo%20 Caro (12.12.2024), zu *Ritter, Tod und Engel I*, https://www.oskar-kokoschka.ch/fr/1020/1315/Ritter%2C%20Tod%20und%20Engel%20I (12.12.2024) sowie https://collection.kunsthaus.ch/de/collection/item/129/ (12.12.2024).
163. Vgl. Briefwechsel zwischen Rita Janett und Georg Schmidt vom 17. November 1950 bis 4. Januar 1951 (vier Briefe). Im Sommer 1951 beauftragte Hans Eckert Schmidts Assistenten, Georg Duthaler, das Gemälde *Waldszene* von Hans von Marées sowie das *Stillleben mit Ananas* von Slevogt zu Händen von Rita Janett an den Bündner Kunstverein in Chur zu verschicken. Vgl.

Hans Eckert an Georg Duthaler, 5. Juni 1951, und Bündner Kunstverein: Eingangsbestätigung, 15. Juni 1951, alle in: KMB, Archiv, O 001.018.003.000. Vgl. auch https://kunstmuseum.gr.ch/de/Sammlung/Provenienzforschung/Documents/DEF_Schlussbericht_BKM%20Provenienzforschung_2023-24_NEUNEU%c3%bcberarbeitet.pdf (12.12.2024), S. 8–16.
164. Vgl. Rita Janett an Carlos Heymann, 24. September 1950, in: Privatarchiv Erben Rita Janett, Nr. 132 und Rita Janett an Georg Schmidt, 17. November 1950, sowie Georg Schmidt an Rita Janett 2. Dezember 1950, in: KMB, Archiv, O 001.018.003.000.

KATHARINA GEORGI-SCHAUB

DAS ENDE EINER FREUNDSCHAFT.

GEORGE BEHRENS, DIE HAMBURGER KUNSTHALLE UND DAS *VERZEICHNIS DER NATIONAL WERTVOLLEN KUNSTWERKE*

Am 21. März 2007 erreichte das Kunstmuseum Basel ein Schreiben des Anwalts der Erbengemeinschaft nach George Eduard Behrens (1881–1956). Darin forderte dieser die Rückgabe des Gemäldes *Die Auferweckung des Lazarus* von Eugène Delacroix, basierend auf der Annahme eines NS-verfolgungsbedingten Verlusts (Abb. 1). Dass George Behrens und seine Schwester Elisabeth (1883–1950) aufgrund ihrer jüdischen Wurzeln von der Verfolgung durch die Nationalsozialisten betroffen gewesen sind, war unbestritten. Die Umstände der Veräusserung oder des Verlusts des genannten Gemäldes lagen hingegen im Dunkeln. Auch die Frage, ob das Bild während der Zeit des Nationalsozialismus oder erst in der Nachkriegszeit aus der Sammlung ausschied, war nicht geklärt.

Das Gemälde gehörte ab 1894 zum Eigentum der Hamburger Bankiersfamilie Behrens und war zuletzt am 12. Oktober 1939 im Banksafe der Familie nachweisbar.[1] Die nächste Spur stammt erst aus dem Jahr 1954. Am 23. April 1954 erwarb die Galerie Wildenstein & Co., New York, das Bild bei dem ebenfalls in New York ansässigen Kunsthändler Kurt M. Stern (1895–1962).[2] Nachdem es wiederholt in den USA ausgestellt worden war, verkaufte Wildenstein das Werk am 3. Februar 1964 an die

Abb. 2: Franz von Lenbach, *Porträt Eduard Ludwig Behrens sen.*, um 1890, ehemals Sammlung Behrens, Hamburg, Verbleib unbekannt

Zürcher Galeristen Dr. Fritz Nathan (1895–1972) und Dr. Peter Nathan (1925–2001). Der Eingang in die Öffentliche Kunstsammlung Basel erfolgte nur wenige Tage später als Geschenk des Basler Juristen und Verlegers Dr. Fritz Hagemann (1890–1979).[3]

Trotz intensiver Recherchen seitens des Kunstmuseums konnte der Verbleib des Bildes zwischen Oktober 1939 und März 1954 nicht weiter erhellt werden. Mit einem Brief vom 27. Juli 2010, mit dem der Erbengemeinschaft Rückseitenaufnahmen des Delacroix-Gemäldes zur Verfügung gestellt wurden, endete die Korrespondenz (Abb. 1b).

DIE SAMMLUNG BEHRENS BIS 1935

Die Sammlung Behrens zählte zwischen den letzten Jahrzehnten des 19. Jahrhunderts und dem Beginn des Nationalsozialismus zu einer der prominentesten Kollektionen Hamburgs. Ihre Ursprünge gehen auf den Bankier und Unternehmer Eduard Ludwig Behrens sen. (1824–1895) zurück (Abb. 2).[4]

Sein umfangreiches Vermögen stammte aus der Ende des 18. Jahrhunderts von seinem Grossvater begründeten Tuchhandelsfirma L. Behrens & Söhne. Mittlerweile war das Handelshaus allerdings nicht nur um weitere Geschäftszweige gewachsen, sondern auch durch die Gründung einer Handelsbank erweitert worden, die während der Kaiserzeit und der Weimarer Republik zu den einflussreichsten deutschen Privatbanken gehörte (Abb. 3).[5]

Eduard Ludwig Behrens begann ab circa 1855 mit dem Erwerb von Kunstwerken. Bis zu seinem Tod im Jahr 1895 hatte er rund 80 Gemälde und Werke auf Papier zusammengestellt. Die Sammlung umfasste einerseits französische Künstler mit einem

EUGÈNE DELACROIX (1798–1863)

DIE AUFERWERWECKUNG DES LAZARUS 1850

Öl auf Leinwand
61,1 × 50,1 cm
Bezeichnet unten rechts
der Mitte: Eug. Delacroix. 1850

Kunstmuseum Basel, Inv. G 1964.2
Schenkung Dr. Fritz Hagemann 1964

PROVENIENZ:	Mindestens 1851 – Datum unbekannt: Frédéric Villot (1809–1875), Paris

PROVENIENZ:

Mindestens 1851 – Datum unbekannt:
Frédéric Villot (1809–1875), Paris

Mindestens 1865 – 1888:
Jules Van Praet (1806–1887), Brüssel, bzw.
in seinem Nachlass

1888 – 31.12.1892:
Paul Devaux († 1892), Neffe von Van Praet

31.12.1892 – 30.3.1893:
Henri Garnier, Paris, angekauft aus dem
Nachlass Devaux

30.3.1893 – 20.1.1894:
Galerie Goupil / Boussod, Valadon & Cie,
Paris, angekauft bei Garnier

20.1.1894 – 1895:
Eduard Ludwig Behrens (1824–1895),
Hamburg, angekauft bei Goupil / Boussod,
Valadon & Cie

1895 – 1925:
Eduard Ludwig Behrens jun. (1853–1925),
Hamburg, geerbt von seinem Vater

1925 – mindestens 13.10.1939:
E.L. Behrens Gesamtgut, Erbengemeinschaft
nach Eduard Ludwig Behren (Franziska
[1856–1951], George Eduard [1881–1956] und
Elisabeth Emma Behrens [1883–1950])

[...]

Datum unbekannt – 23.4.1954:
Kurt M. Stern (1895–1962), New York

23.4.1954 – 3.2.1964:
Wildenstein & Co. Inc., New York, angekauft
bei Stern

3.2.1964 – Februar 1964:
Dr. Fritz (1895–1972) und Dr. Peter Nathan
(1925–2001), Zürich, angekauft bei
Wildenstein

Februar 1964:
Dr. Fritz Hagemann (1890–1970), Basel,
angekauft bei Nathan für das Kunstmuseum
Basel

Februar 1964 – heute:
Kunstmuseum Basel, Geschenk von
Dr. Fritz Hagemann

<u>Abb.1a/b</u>:
Eugène Delacroix,
Die Auferweckung des Lazarus, 1850,
recto und verso

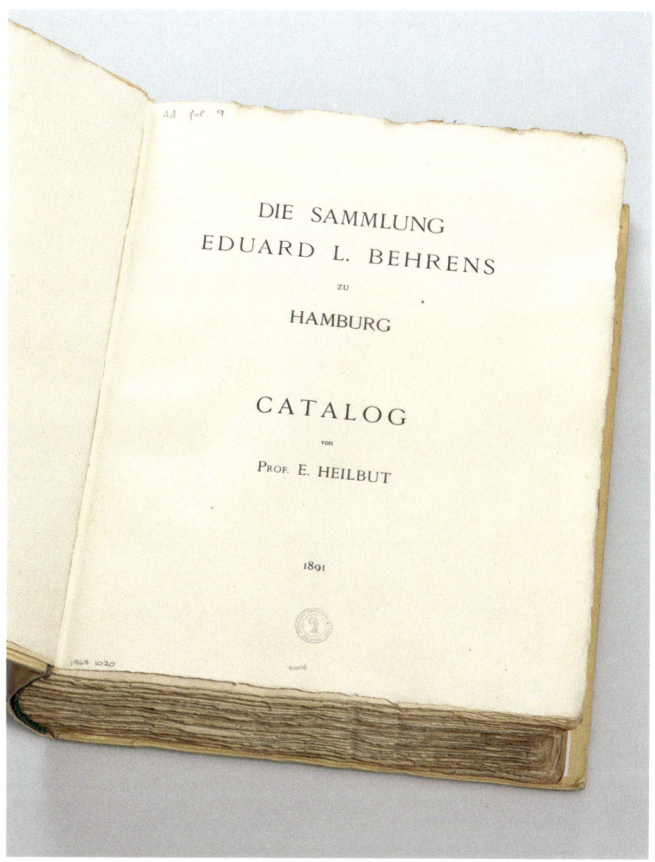

Abb. 3: Privatbank L. Behrens & Söhne, Hermannstr. 31, Hamburg, vor 1938

Abb. 4: Katalog der Sammlung Behrens, 1891, Bibliothek Kunstmuseum Basel

Schwerpunkt auf der Schule von Barbizon, andererseits Vertreter des deutschen 19. Jahrhunderts, darunter mehrheitlich Gemälde des Biedermeiers, bis hin zu einem grösseren Konvolut an Werken von Adolph von Menzel (Abb. 4).[6] Behrens unterhielt enge Kontakte zu den kulturellen Institutionen seiner Vaterstadt, war Ehrenmitglied des Hamburger Kunstvereins und Mitglied der Kommission für die Verwaltung der Kunsthalle. An der vom Kunstverein veranstalteten Gedächtnisfeier anlässlich seines Todes würdigten die Direktoren der Hamburger Kunsthalle, Alfred Lichtwark (1852–1914), und des Museums für Kunst und Gewerbe, Justus Brinckmann (1853–1915), die grossen Verdienste des Sammlers und hoben vor allem sein Engagement für die in Hamburg erst wenig bekannte französische Kunst hervor.[7]

Eduard Ludwig Behrens vermachte die Gemäldesammlung seinem ältesten Sohn gleichen Namens (1853–1925). Dieser behielt das Ensemble weitestgehend unver-

1. Vgl. Bericht [wohl Wolf Stubbe, wissenschaftlicher Angestellter, ab August 1940 Kustos der Hamburger Kunsthalle] an die Verwaltung für Kunst- und Kulturangelegenheiten, 13. Oktober 1939, in: HAHK, U 251, Schutz des national wertvollen Kunstbesitzes gegen die Ausfuhr 1919–1953, Bl. 18–19.
2. Claudine Godts, Wildenstein & Co., New York an Nina Zimmer, Kunstmuseum Basel, 28. Juli 2006.
3. Vgl. Protokoll der Kunstkommissionssitzung, 13. Februar 1964, S. 61–62, in: KMB, Archiv, B 001.001.022.000.
4. Zum Sammlerwesen der Hansestadt vgl. Private Schätze. Über das Sammeln von Kunst in Hamburg bis 1933, Ausst.-Kat. Hamburger Kunsthalle (23. März – 17. Juni 2001), hrsg. v. Ulrich Luckhardt und Uwe Schneede, Hamburg 2001. Zu Behrens vgl. Ulrich Luckhardt, Eduard L. Behrens und Theodor E. Behrens. Sammeln moderner Kunst in zwei Generationen, in: ebd., S. 35–45.

5. Vgl. Festschrift 175 Jahre L. Behrens & Söhne, Hamburg, 1780–1955, Hamburg 1955.
6. Vgl. Emil Heilbut, Die Sammlung Eduard L. Behrens zu Hamburg: Catalog, München, 1891 sowie Ders., Die Sammlung Eduard L. Behrens zu Hamburg: Catalog (Nachtrag), München 1898, https://doi.org/10.11588/diglit.22373 (27.11.2024). Der 1891 in limitierter Auflage gedruckte Katalog enthält 67 Werke; der nach dem Tod des Sammlers erschienene Ergänzungsband weitere zehn Nummern. Für eine abweichende Liste mit offenbar zwischenzeitlich wieder verkauften Bildern vgl. Luckhardt 2001, S. 36–37.
7. Vgl. [Autor unbekannt / ohne Titel], in: Hamburgischer Korrespondent [o. D. / nach dem 27. Mai 1895], eingesehen in: STAHH, 731-8, Zeitungsausschnittsammlung, A 752, Eduard Ludwig Behrens (sen.).

Abb.5: George Eduard Behrens, um 1955

Abb.6: Galerieräume im Gebäude der Behrens-Bank, Hamburg,
vor 1938

Abb.7: Sitzungszimmer im Gebäude der Behrens-Bank, Hamburg, vor 1938

ändert beisammen.[8] Als kunstsinniger Grossbürger pflegte er die Kontakte mit den Hamburger Kunstkreisen und lieh seine Werke wiederholt zu Ausstellungen. Im Winter 1910 erhielt die Sammlung einen vielbeachteten Auftritt in der Berliner Galerie Paul Cassirer.[9]

Eduard Ludwig Behrens jun. verstarb am 6. Februar 1925. Aus seiner Ehe mit Franziska Behrens, geb. Gorrissen (1856–1951), stammten zwei Kinder, George Eduard, der seit 1907 Mitinhaber von L. Behrens & Söhne war (Abb. 5), sowie Elisabeth Emma, gen. Ella. Die Kunstsammlung verblieb als Teil des «E. L. Behrens Gesamtgut» in fortgesetzter Gütergemeinschaft zwischen der Witwe und ihren Kindern.

Um die hohen Erbschaftssteuern zu senken, unterzeichneten George und seine Mutter 1926 einen Vertrag mit der Hamburger Hochschulbehörde. Hierin verpflichteten sie sich, über einen Zeitraum von zehn Jahren ab Todesdatum des Erblassers, jährlich für die Dauer von drei Monaten eine Auswahl von Gemälden zur Ausstellung in der Hamburger Kunsthalle oder einem anderen öffentlichen Gebäude der Stadt zur Verfügung zu stellen.[10] Das Recht zum Verkauf von Gemälden aus dem Bestand der Sammlung, die ansonsten die Wände der Geschäftsräume der Bank in der Hermannstrasse 31 schmückten, blieb davon unberührt (Abb. 6/7).

Für die erste Präsentation wählte Kunsthallendirektor Gustav Pauli (1866–1938, Amtszeit 1914–1933) noch im Frühjahr 1926 zwanzig Werke aus, die als Höhepunkte der Sammlung galten. Neben vier Gemälden von Menzel und einem von Böcklin waren dies vor allem die Franzosen der Schule von Barbizon – Corot, Daubigny, Dupré und Rousseau. Aber auch das hier interessierende Gemälde von Delacroix war darunter und wurde gemäss den erhaltenen Listen auch in den folgenden Präsentationen wiederholt gezeigt.[11]

Wie wertvoll die Sammlung Behrens für die Hamburger Kunsthalle war, um Lücken in den eigenen Beständen zu schliessen, wurde den Sammlungsverantwortlichen besonders deutlich, als sich die zehnjährige Vertragslaufzeit dem Ende zuneigte. Eine Erneuerung der Verpflichtung stand für Behrens offenbar nicht zur Debatte. Stattdessen erkundigte er sich im März 1935 telefonisch bei dem Verwaltungsbeamten der Hamburger Kunsthalle, Dr. Curt Wawrczeck (*1887–?), nach der Möglichkeit, seine Werke von Corot zu Ausstellungszwecken in die Schweiz zu versenden. Dabei machte er keinen Hehl daraus, dass er mit dem Transfer der Bilder die Hoffnung auf einen Verkauf verband.[12]

In Hamburg hatte man mit dergleichen Absichten offenbar gerechnet und Vorkehrungen getroffen. Bereits am 11. Februar 1935 hatte der Kustos der Hamburger Kunsthalle, Dr. Harald Busch (1904–1983), ein Gesuch bei der Behörde für Volkstum, Kirche und Kunst eingereicht, um die wichtigsten Stücke der Sammlung Behrens in das *Verzeichnis der national wertvollen Kunstwerke* eintragen zu lassen. Beigelegt wurde eine Liste von 20 Bildern, unter denen sich auch Delacroix' *Die Auferweckung des Lazarus* findet (Abb. 8a/b).[13]

8. Nicht zu verwechseln ist die Sammlung von Eduard Ludwig Behrens jun. mit derjenigen seines Bruders Theodor Ernst (1857–1921). Dieser hatte die väterliche Porzellansammlung geerbt, war selbst jedoch auch Sammler von Gemälden. Neben einem Schwerpunkt auf französischem Impressionismus setzte er sich mit den aktuellen Tendenzen um die Jahrhundertwende auseinander. Bereits 1909 hatten Theodor Behrens und seine Frau Esther testamentarisch eine Schenkung des wertvollen Bestands von 27 Menzel-Zeichnungen an die Hamburger Kunsthalle verfügt. Einzelne Gemälde wurden innerhalb der Familie weitergegeben, der grösste Teil jedoch auf dem Kunstmarkt veräussert. Der Hamburger Kunsthalle gelang 1924 der Erwerb von Manets *Nana* sowie von Corinths *Nach dem Bade*. Grosse Teile der von Theodor Behrens erweiterten Porzellansammlung gelangten als Vermächtnis an das Hamburger Museum für Kunst und Gewerbe. Zur Sammlung vgl. v.a. Luckhardt 2001 sowie Maike Bruhns, Kunst in der Krise, 2 Bde., Hamburg 2001, Bd. 1: Hamburger Kunst im «Dritten Reich», S. 236–238.

9. Vgl. Die Sammlung Eduard L. Behrens zu Hamburg, Ausst.-Kat. Kunstsalon Paul Cassirer, Berlin (8. Januar – 6. Februar 1910), Berlin 1910,

vgl. https://doi.org/10.11588/diglit.62145 (27.11.2024). Besprechungen der Sammlungspräsentation in Berlin bei Bernhard Echte/Walter Feilchenfeldt (Hrsg.), «Ganz eigenartige neue Werte». Kunstsalon Paul Cassirer. Die Ausstellungen, Bd. 4: 1908–1910, Wädenswil 2013, S. 331–358.

10. Vgl. beglaubigte Abschrift des am 23. März 1926 geschlossenen Vertrags zwischen Hochschulbehörde und Gesamtgutverwaltern, in: HAHK, Slg. 1003, Sammlung Ed. L. Behrens, o. S.

11. Vgl. die erhaltenen Listen, 17. April 1926, [?] September 1927, 3. Mai 1929, 7. November 1930, in: HAHK, Slg. 1003, Sammlung Ed. L. Behrens, o. S.

12. «Behrens erwiderte darauf, dass er an sich kein Interesse daran hätte, seinen wertvollen Besitz dauernd wandern zu lassen, ihm könne nur daran liegen, auch die Möglichkeit zu haben, die Bilder gegebenenfalls auch im Auslande abzusetzen.» Wawreczeck über Gespräche mit Behrens, 8. März 1935, in: HAHK, Slg. 1003, Sammlung Ed. L. Behrens, o. S.

13. Harald Busch an die Behörde für Volkstum, Kirche und Kunst, 11. Februar 1935, in: HAHK, U 251, Schutz des national wertvollen Kunstbesitzes gegen die Ausfuhr 1919–1953, Bl. 89–90.

89

am 11. Febr. 1935.

Ausg. Kunsthalle

11. II. 35

Tagb. Nr.

An die

Behörde für Volkstum, Kirche und Kunst,

Hamburg.

Rathaus.

betrifft: <u>die Bilder der Sammlung Behrens, Hamburg, Hermannstrasse 31.</u>

Auf Grund der Verordnung über die Ausfuhr von Kunstwerken vom 11.Dez. 1919 und der späteren Verlängerung der Rechtswirksamkeit dieser Verfügung, ersuche ich hierdurch, die Eintragung der nachstehend aufgeführten Stücke der oben bezeichneten Sammlung in das Verzeichnis der national wertvollem Kunstwerke herbeizuführen.

Das Verzeichnis wird beim Reichsministerium des Innern unter dem Aktenzeichnen III 2733^{22} geführt.

Da gemäss § 2 der oben angezogenen Verordnung die Eintragung erfolgen muss, wenn eine Landeszentralbehörde sie verlangt, dürfte das Ersuchen der Kunsthalle an den Senat zur Stellung des Antrages auf Eintragung weiterzureichen sein.

Der Antrag auf Eintragung der Gemälde wird gestellt, da die Absicht besteht, einen Teil der in der beiliegenden Liste aufgeführten Werke in die Schweiz zu verschicken. Es handelt sich um besonders wertvolle Stücke des in Deutschland nur wenig vertretenen Camille Corot deren Verlust für den national wertvollen Kunstbesitz besonders empfindlich wäre.

gez. Busch

M 251

<u>Abb. 8a/b</u>: Brief von Harald Busch an die Hamburger Behörde für Volkstum, Kirche und Kunst mit Liste «Bilder der Sammlung Behrens», 11. Februar 1935

Bilder der Sammlung Behrens, Hamburg. Ecke Ferdinand-und Paulstrasse.
--- ---------

Corot	:	Landschaft mit Weiden.	59 x 81 cm. Leinwand.
"		Mädchenfigur.	64 X 40½ " "
"		Stimmungslandschaft.	31 x 51 " "
"		Gardeuse de Vaches.	39 x 56 " "
"		le Laboure.	34½x 47 " "
Dupré	:	Marine	64 x 92 " "
Menzel	:	Parise Wochentag.	48 x 69 " "
"		Aus der Alt-Neu-Synagoge zu Prag.	58 x 43 cm. Leinen.
"		Hochaltar der Damenstiftskirche.	40 x 26 cm.Gouache.
"		Beati possidentes.	27 x 21 cm. "
"		Sämtliche nicht bei der Sache.	15 x 11 cm. "
"		Jardin des Plantes.	21 x 35 cm. Gouache u. Aquarell.
"		Prager Synagoge.	29 x 22 cm. Gouache.
"		Landschaft	39 x 24 cm. Leinen.

unter Vorbehalt :

Daubigny	:	Abendlandschaft.	24 x 46 cm. Holz.
"		Landschaft mit waschenden Frauen.	38 x 66 cm. Holz.
"		Landschaft an der Oise.	32 x 58 cm. "
"		Flusslandschaft.	25 x 51 cm. "
"		Waldlandschaft.	51 x 35 cm. "
Delacroix	:	Die Auferweckung des Lazarus.	39 x 24 cm. Leinen.
Böcklin	:	Diana.	78 x 108 cm. "

Das *Verzeichnis der national wertvollen Kunstwerke* war nach dem Ersten Weltkrieg auf Initiative von deutschen Kunsthistorikern, Beamten, Museumsleuten, Denkmalpflegern und Juristen erarbeitet worden, um die Abwanderung bedeutender Kunstwerke ins Ausland, und hier vor allem in die finanzstarken USA, zu verhindern. Im Fokus standen sowohl die sich auflösenden fürstlichen Sammlungen als auch die von Persönlichkeiten der Gründerzeit aufgebauten Kollektionen. 1922 wurde das erste Verzeichnis veröffentlicht.[14] Es folgte auf die im Dezember 1919 erlassene «Verordnung über die Ausfuhr von Kunstwerken» und reihte sich in vergleichbare Initiativen in anderen europäischen Ländern wie auch in Sowjetrussland ein. Nach der Machtübernahme der Nationalsozialisten stand eine Revision im Raum. Wilhelm Frick (1877–1946), Reichs- und preussischer Minister des Inneren, richtete im Dezember 1934 die Aufforderung an die Museumsverantwortlichen, an der Erweiterung des Verzeichnisses mitzuwirken und insbesondere bei Werken in Privatbesitz zu erwägen, ob nicht «unter den veränderten Gesichtspunkten», Meldung zu machen sei.[15]

Dieser Aufforderung kam Harald Busch mit seinem erwähnten Schreiben nach. Die Tatsache, dass er das Bild von Delacroix, zusammen mit anderen, mehrheitlich französischen Gemälden der Sammlung Behrens, zunächst nur «unter Vorbehalt» auf seine Liste setzte, ist vor dem Hintergrund divergierender Ansichten über die Einbeziehung von Werken ausländischer Herkunft zu verstehen. Das Verzeichnis von 1938, die sogenannte *Reichsliste*, die bis zum Ende des Zweiten Weltkriegs Gültigkeit behielt, wies schliesslich einen deutlich erhöhten Anteil französischer Kunstwerke des 19. Jahrhunderts auf. Primäre Motivation einer Verzeichnung auf der Liste war also nicht die tatsächliche national-identitätsstiftende Bedeutung eines Werks; vielmehr standen marktwirtschaftliche Interessen im Vordergrund.[16]

Am 1. April 1935 teilte das Reichsinnenministerium George Behrens per Einschreiben die erfolgte Eintragung aller auf Buschs Liste aufgeführten Werke in das *Verzeichnis der national wertvollen Kunstwerke* mit.[17] Mit 20 Posten machte die Sammlung Behrens mehr als die Hälfte der insgesamt 36 von den Hamburger Behörden zur Eintragung beantragten Kunstwerke aus.[18] Damit war eingetreten, was Behrens bereits bei seinen Gesprächen mit der Kunsthalle befürchtet hatte: Eine Ausfuhr der gelisteten Werke war fortan nur noch mit Genehmigung durch das Ministerium möglich, und die Chancen für eine Veräusserung ausserhalb Deutschlands schwanden.

Die Kunsthalle hatte gehofft, die Familie Behrens würde der städtischen Sammlung ein Vorkaufsrecht für einige dieser Werke einräumen, was George Behrens jedoch grundsätzlich ablehnte, da er sich «als Bankier durchaus freie Hand vorbehalten» müsse.[19] Im Sommer 1935 beantragte die Hamburger Behörde für Volkstum, Kirche und Kunst im Senat den Ankauf von Menzels *Hochaltar der Damenstiftskirche zu München* aus der Sammlung Behrens. Der Antrag wurde von Senator Wilhelm von Allwörden (1892–1955) jedoch mit der handschriftlichen Notiz abgelehnt: «Der Staat kann nicht beim Juden kaufen».[20] Eine weitere Option für einen Ankauf aus der Sammlung Behrens sollte sich für die Hamburger Kunsthalle nicht ergeben.

DAS SCHICKSAL DER FAMILIE BEHRENS IM NATIONALSOZIALISMUS

Hatten die jüdischen Wurzeln in der bereits Anfang des 19. Jahrhunderts zum Protestantismus konvertierten, vollständig assimilierten und in der besten Hamburger Gesellschaft verkehrenden Familie in den vorangegangenen Generationen scheinbar keine Rolle gespielt, so bekamen ihre Mitglieder nach der Machtübernahme der Nationalsozialisten die Folgen des sich offen ausbreitenden Antisemitismus zunächst schleichend, dann immer offensichtlicher zu spüren. Bereits im Herbst 1934 war

Kustos Harald Busch nachdrücklich ermahnt worden, als er sieben Gemälde aus der Sammlung Behrens, «nichtarischen» Eigentums also, in seine Ausstellung *Das Bild der Landschaft* integrieren wollte.[21] Was sich im Umfeld der Hamburger Kunsthalle abspielte, mit der die Familie über mehrere Direktionswechsel hinweg eng verbunden gewesen war und in deren Förderkreis sie Seite an Seite mit namhaften Familien wie den Warburgs oder den von Amsincks rangierte, war nur eine Facette. Berufliches und Gesellschaftliches waren in der gehobenen Schicht der untereinander vielfach vernetzten Kaufleute aufs Engste verwoben.

George Behrens, seit dem Tod des Vaters Seniorchef von L. Behrens & Söhne, bekam die zunehmende Ausgrenzung auf mehreren Ebenen zu spüren. Erfolgreich hatte die Privatbank und die mit ihr verbundene Handelsfirma sowohl die Devisenknappheit nach dem Ersten Weltkrieg als auch die Herausforderungen der nachfolgenden Weltwirtschaftskrise gemeistert. Den Teilhabern war es gelungen, die Geschäfte zu konsolidieren, sodass das Unternehmen zu Beginn der 1930er-Jahre erneut florierte.[22] George Behrens bekleidete 1932 elf Aufsichtsratsposten in teilweise von der eigenen Firma mitgegründeten Unternehmen.[23]

In die optimistische Stimmung mischten sich mit der Machtübernahme der Nationalsozialisten für die jüdischen Privatbanken allmählich düstere Vorahnungen in Bezug auf ihren Fortbestand. Die allgemein zu beobachtende Verschärfung antijüdischer Propaganda erhielt mit dem 7. Reichsparteitag der NSDAP in Nürnberg eine neue Grundlage: Das am 15. September 1935 erlassene «Reichsbürgergesetz» definierte George Behrens als Zugehörigen der «jüdischen Rasse», der sich den nachfolgend erlassenen Zwangsmassnahmen ausgesetzt sah. Angesichts dieser Situation erwog George Behrens erstmals im Herbst 1935 die Verlagerung seiner Privatbank ins Ausland. Durch Reaktivierung der 1924 gegründeten, aber im Zuge des Börsenkrachs 1930 stillgelegten Amsterdamer Filiale N.V. Bank van L. Behrens & Söhne plante er, ein zweites Standbein ausserhalb Deutschlands zu schaffen. Die diesbezüglich mit der Reichsbank geführten zähen Verhandlungen scheiterten im März 1938 endgültig, woraufhin Behrens sich gezwungen sah, die Liquidation seiner Geschäfte in die Wege zu leiten. Das Warenhaus wurde am 28. Februar 1938 durch die ebenfalls in Hamburg ansässige Firma Willink & Co. übernommen. Am 31. Mai 1938 wurde eine Übernahme der Bank durch die Norddeutsche Kreditbank unterzeichnet. Rein formalrechtlich blieb die Bankfirma Behrens innerhalb der neuen Struktur jedoch weiterhin bestehen und ermöglichte den Inhabern die Vermögensverwaltung und die Abwicklung der weitverzweigten ausländischen Aktivitäten.[24]

Durch seine Bemühungen um die Geschäftsverlegung ins Ausland hatte George Behrens das Misstrauen des Reichswirtschafts- sowie des Reichsinnenministeriums auf sich gelenkt, die einen illegalen Vermögenstransfer befürchteten.[25] Innerhalb kürzester

14. Vgl. Maria Obenaus, Für die Nation gesichert? Das «Verzeichnis der national wertvollen Kunstwerke»: Entstehung, Etablierung und Instrumentalisierung 1919–1945, Berlin/Boston 2016. Die Sammlung Behrens (resp. die Sammlungen von Eduard Ludwig sen. und Theodor Ernst Behrens) gehört zu den vier von ihr untersuchten Fallstudien, S. 293–298. Sie spricht vom NS-verfolgungsbedingten Verlust eines grossen Teils der Werke auf der Liste.
15. Vgl. ebd., S. 258.
16. Vgl. ebd., S. 207–208 und 232.
17. Reichsinnenministerium an George Behrens, 1. April 1935 (Abschrift), in: HAHK, Slg. 1003, Sammlung L. Behrens, o. S.
18. Vgl. Obenaus 2016, S. 218.
19. Wawreczeck über Gespräche mit Behrens, 8. März 1935, in: HAHK, Slg. 1003, Sammlung Ed. L. Behrens, o. S.
20. Behörde für Volkstum, Kirche und Kunst: Antrag, 30. Juli 1935, retourniert mit der erwähnten Notiz von Wilhelm von Allwörden, 17. August 1935, in: HAHK, Slg. 1003, Sammlung L. Behrens, o. S.
21. Vgl. Bruhns 2001, S. 237. Sein Engagement für die Kunst der Moderne kostete Busch Ende November 1935 das Amt, vgl. ebd. S. 589–590. Der seit Frühjahr 1934 kommissarisch mit der Direktion der Hamburger Kunsthalle beauftragte

Dr. Wilhelm Kleinschmit von Lengefeld (1888–1970) sah sich daraufhin genötigt, die Ausstellung der Behrens'schen Gemälde vor dem Hamburger Senat zu rechtfertigen und wies hierzu auf die zehnjährige Leihvereinbarung hin. Vgl. Wilhelm Kleinschmit von Lengefeld an Wilhelm von Allwörden, 12. Dezember 1934, in: STAHH, 131-4, Bestand Senatskanzlei – Präsidialabteilung, 1934 A 95, zit. n. Ina Lorenz/Jörg Berkemann, Die Hamburger Juden im NS-Staat 1933 bis 1938/39, 7 Bde., Göttingen 2016, Bd. 6, S. 284. Zur Hamburger Kunsthalle im Nationalsozialismus und ihrer antisemitischen Haltung vgl. Bruhns 2001, S. 76–84, bes. S. 83–84.
22. Festschrift 1955, S. 25–34.
23. Vgl. Ingo Köhler, Die «Arisierung» der Privatbanken im Dritten Reich. Verdrängung, Ausschaltung und die Frage der Wiedergutmachung, München 2005, S. 288 sowie die Übersicht auf S. 141.
24. Vgl. ebd., S. 288–290.
25. Vgl. Korrespondenzen im Aktenbestand der Reichsbank in Berlin, insbesondere mit Reichsbankdirektor Emil Puhl (1889–1962), in: BArch B, R 2501/9325. Die Bemühungen von George Behrens ziehen sich von September 1935 bis März 1938 hin. Vgl. hierzu die Chronologie «Betr. Reaktivierung N.V. Bank, L. Behrens & Söhne, Amsterdam», in: BArch B, R 2501/9325, Bl. 129–130. Vgl. auch Köhler 2005.

Zeit überstürzten sich die Ereignisse: Am 12. August 1938 erliess die Zollfahndungs-stelle eine vorläufige Sicherungsanordnung für das Vermögen von George Behrens. Das bedeutete, dass dieser fortan nur mit Genehmigung darüber verfügen durfte. Die geforderte Aufstellung aller ihm respektive der Firma gehörenden Vermögenswerte, reichte Behrens zehn Tage später ein. Am 11. Oktober 1938 teilte die Zollfahndungsstelle die Durchsuchung des persönlichen Schliessfachs mit und beantragte die Prüfung der Firma Behrens durch einen Devisenkontrolleur.[26] Einen Monat später, im Zusammen-hang mit der «Reichspogromnacht» vom 9. November 1938, wurde Behrens in «Schutz-haft» genommen und ins Konzentrationslager Sachsenhausen verbracht. Erst am 22. Dezember 1938 kehrte er nach Hause zurück.[27]

Der mit Behrens in engem geschäftlichen wie privaten Kontakt stehende Bankier Cornelius Freiherr von Berenberg-Gossler (1874–1953) notierte in seinem Tagebuch be-stürzt das Verschwinden von George Behrens und weiteren jüdischen Kollegen nach den Ereignissen des 9. Novembers. Wochenlang blieb er ohne Nachricht über deren Aufent-haltsort, und als er Behrens unmittelbar nach der Haftentlassung aufsuchen konnte, be-richtete er, dass dieser ihm wegen schmerzhafter Frostbeulen kaum die Hände reichen konnte. Wenige Tage später traf man sich wieder anlässlich der Trauerfeier für den am 25. Dezember verstorbenen Percy Hamberg, Mitinhaber von Behrens & Söhne, der, gleich-zeitig mit Behrens verhaftet, «durch die Brutalitäten der Nazis umgekommen» war.[28]

Spätestens nach seiner Haftentlassung wird für George Behrens festgestanden haben, dass er Deutschland schnellstmöglich verlassen musste. Vom 12. Januar 1939 da-tiert sein Antrag auf Auswanderung. Das angegebene Ziel auf dem Fragebogen laute-te zunächst Bolivien, wohin die Firma Geschäftsbeziehungen unterhielt.[29] Eine Un-bedenklichkeitsbescheinigung der Steuerverwaltung vom 5. Januar 1939 als Nachweis der fristgerechten Zahlung der Steuern und weiterer Abgaben legte er bei; eine weite-re, ausgestellt am 19. Januar 1939 von der Reichsbankhauptstelle in Berlin, reichte er nach.[30] Jüdische Ausreisewillige mussten sich «von der Steuerbehörde quittieren las-sen, dass sie die fälligen Abgaben bezahlt oder aber Vermögensteile in ausreichendem Umfang zugunsten des Staates auf sog. Sperr- oder Sicherungskonten deponiert hat-ten, um ihre persönliche Steuerschuld abzudecken.»[31] Dies betraf zunächst neben den «ordentlichen» Einkommenssteuern die Reichsfluchtsteuer. 1938 kam zudem mit der neu eingeführten Judenvermögensabgabe die explizit antijüdische Zwangsabgabe hinzu.[32] Behrens erklärte am 17. Januar 1939 in einem Brief an den Hamburger Ober-finanzpräsidenten, «[...] sämtliche Aktiven, die ich bzw. meine Firma, deren alleiniger Inhaber ich bin, besitzen, verpfändet [zu haben] zum Zweck der Ausstellung einer Un-bedenklichkeitsbescheinigung».[33] Eine weitere Sicherungsanordnung, diesmal seitens des Oberfinanzpräsidenten, datiert vom 2. Februar 1939.[34] Die Vermögenssicherung um-fasste dabei sowohl Geschäfts- als auch private Werte. Ausstehende Forderungen gegen-über ausländischen Schuldnern trat Behrens an die Norddeutsche Kreditbank ab; seine Schmuckgegenstände übergab er in ein Sperrdepot.[35]

Am 31. März 1939 erhielt George Behrens schliesslich die Genehmigung, Deutschland zu verlassen. Anstatt nach Südamerika auszureisen, liess er sich zunächst in Brüssel nieder. Als Kontaktperson und offiziellen Bevollmächtigten in Deutschland hatte er seinen ehemaligen Prokuristen, Oberbuchhalter und langjährigen Vertrauens-mann Heinrich Weiss eingesetzt. Dieser war mittlerweile in leitender Funktion bei der Norddeutschen Kreditbank angestellt und dort mit der am 31. Dezember 1938 er-öffneten Liquidation der Behrens-Bank betraut.[36] Als weiteren Generalbevollmächtigten hatte Behrens den Rechtsanwalt Dr. Hans Dehn (1882–1953) bestimmt.[37] Über diese zwei Personen lief in der Folgezeit der grösste Teil der Korrespondenz mit der Oberfinanz-direktion, aus der hervorgeht, dass Behrens jeglicher Zugriff auf die in Deutschland lagernden Vermögenswerte verwehrt blieb. Dies auch, nachdem alle Steuern, inklusive einer erst nach der Auswanderung eingeforderten zusätzlichen 5. Rate der Judenver-mögensabgabe, bezahlt worden waren.[38] Behrens' Hoffnung auf Freigabe des auf einem Auswanderer-Sperrkonto lagernden Vermögens wurde enttäuscht, und auch auf den Erlös aus dem von der Norddeutschen Kreditbank abgewickelten Verkauf zweier Immobilien in unmittelbarer Nachbarschaft der Behrens-Bank konnte er nicht zugreifen.[39]

Zu diesem Zeitpunkt sass George Behrens erneut in Haft, diesmal interniert in einem Lager im inzwischen unter deutscher Besetzung stehenden Frankreich. Seine Befreiung war vermutlich dem Einsatz allerhöchster Stellen beim Reichswirtschafts-ministerium in Berlin zu verdanken. Diesen gegenüber wurde argumentiert, der In-haftierte müsse sich nach Brasilien begeben, um sich dort persönlich für die Interessen seiner, inzwischen an die Norddeutsche Kreditbank abgetretenen, Anleihen einzu-setzen.[40] Nach seiner Befreiung Ende 1940 verliess Behrens Europa. Allerdings wander-te er nicht wie geplant nach Brasilien aus, sondern nach Kuba, für das ihm Freunde in Havanna ein Visum beschafft hatten.

Dorthin kam ein Jahr später auch seine Schwester Elisabeth. Sie hatte ihre Aus-wanderung lange hinausgezögert und Hamburg erst im Dezember 1941 verlassen, als jüdischen Personen eine Ausreise offiziell gar nicht mehr erlaubt war.[41] Dass es ihr, inmitten der Kriegswirren, gelang, quer durch die nationalsozialistisch besetzten Ge-biete bis nach Lissabon zu reisen, um sich von dort aus nach Kuba einzuschiffen, ist bemerkenswert und vermutlich den über Generationen gewachsenen familiären und ge-schäftlichen Netzwerken zuzuschreiben.[42]

Im April 1947 verliessen die Geschwister Kuba und zogen nach Miami. 1948 kehrten sie, zunächst zeitweilig, 1950 dann definitiv, nach Hamburg zurück. Im Som-mer desselben Jahres verstarb Elisabeth, im Folgejahr die hochbetagte Mutter Franziska. Die Warenfirma L. Behrens & Söhne konnte noch 1945 aus Rückübertragung der Firma Willink & Co. mit George Behrens als Seniorchef wiederbegründet werden und existier-te bis 1970. Das Bankgeschäft – auf die «Arisierung» durch die Norddeutsche Kreditbank war nach Kriegsende eine Übernahme durch die Berenberg Bank gefolgt – wurde nicht

26. Zollfahndungsstelle an George Behrens, 12. August 1938, und George Behrens an Zollfahndungsstelle, 22. August 1938, sowie Zollfahndungsstelle an Oberfinanzpräsident, 11. Oktober 1938, sämtlich in: STAHH, 314-1, Bestand Oberfinanzpräsident, R1938-2689, Bl. 1–3.

27. George Behrens: Antrag auf Entschädigung für die Haftzeit, 22. September 1954, in: STAHH, 351-11, Bestand Amt für Wiedergutmachung, Nr. 5408.

28. Vgl. Tagebuch von Cornelius Freiherr von Berenberg, Einträge vom 11. November, 22. Dezember und 30. Dezember 1938, in: STAHH, 622-1/9, 68, Bd. 27 (1938).

29. Vgl. Fragebogen zum Auswandererantrag, 12. Januar 1939, in: STAHH, 314-15, Bestand Oberfinanzpräsident, F110, o. S.

30. Vgl. Bestätigung der Steuerverwaltung, 5. Januar 1939, und Bestätigung der Reichsbankhauptstelle, 19. Januar 1939, in: STAHH, 314-15, Bestand Oberfinanzpräsident, F110, Bl. 19–20.

31. Köhler 2005, S. 426.

32. Vgl. ebd.

33. George Behrens an Oberfinanzpräsident, 17. Januar 1939, in: STAHH, 314-15, Bestand Oberfinanzpräsident, F110, Bl. 3.

34. Vgl. Oberfinanzpräsident an George Behrens, 2. Februar 1939, in: STAHH, 314-15, Bestand Oberfinanzpräsident, F110, Bl. 158. Dass die Gemäldesammlung Teil des «E.L. Behrens Gesamtgut» war, geht aus der Aufstellung über die darin erhaltenen Vermögenswerte von George Behrens vom 27. Januar 1939 hervor. Der Wert der Gemäldesammlung ist hier mit «170,314.- (abzüglich verkaufter Gemälde 1,800.- = 168,514.-)» beziffert, vgl. STAHH, 314-15, Bestand Oberfinanzpräsident, R1938-2689, Bl. 49.

35. Vgl. Bescheinigungen der Norddeutschen Kreditbank, 2. Februar und 3. Februar 1939, in: STAHH, 314-15, Bestand Oberfinanzpräsident, F110, Bl. 83 und 91–92.

36. Vgl. George Behrens an Oberfinanzpräsident, 17. Januar 1939, in: STAHH, 314-15, Bestand Oberfinanzpräsident, F110, Bl. 4.

37. Dr. jur. Hans Otto Dehn gehörte zum engeren Umfeld von George

Behrens. Evangelisch getauft, blieb er durch seine «privilegierte Mischehe» mit einer Nichtjüdin zunächst von der unmittelbaren Verfolgung verschont. Dennoch wurde er mehrfach von der Gestapo verhaftet. Zum 30. November 1938 erhielt Dehn offizielles Berufsverbot, blieb jedoch mindestens bis Oktober 1940 für Behrens tätig. Nach dem Krieg kümmerte er sich um die Wiedergutmachungsangelegenheiten der Familie. Zu Dehn vgl. Lorenz/Berkemann 2016, Bd. 6, S. 679.

38. Vgl. George Behrens an Heinrich Weiss, 17. Dezember 1939, in: STAHH, 314-15, Bestand Oberfinanzpräsident, 1940 R/0041, o. S.

39. Vgl. Gemeindeverwaltung Hamburg an Hamburgische Landesbank (Käuferin der Immobilien), 6. Dezember 1940, in STAHH, 314-15, Bestand Oberfinanzpräsident, F110, Bl. 250: «Die Überweisung des George Behrens zustehenden Anteils hat auf ein Auswanderer-Sperrkonto zu erfolgen», in: STAHH, 314-1, Bestand Oberfinanzpräsident, F110, Bl. 250.

40. Vgl. Oberfinanzpräsident an den Reichswirtschaftsminister, 16. November 1940, in: STAHH, 314-15, Bestand Oberfinanzpräsident, F110, Bl. 248-249.

41. Zu den der Auswanderung vorhergehenden Ereignissen vgl. STAHH, 314-15, Bestand Oberfinanzpräsident: Abl. 1998 B 36; R1938/2240; FVg8728. Ein ungefähres Ausreisedatum ergibt sich aus der Mitteilung des Oberfinanzpräsidenten vom 11. Dezember 1941, mit dem er die Sicherungsanordnung für Elisabeth Behrens nach erfolgter Ausreise aufhebt, vgl. STAHH, 314-15, Bestand Oberfinanzpräsident, R1938/2240, o. S.

42. Elisabeth war noch wohlhabender als ihr Bruder. Zum eigenen Vermögen kam das ihres geschiedenen Ehemanns hinzu. Richard Merton (1881-1960), aus einer Frankfurter Industriellen-Dynastie mit ebenfalls jüdischen Wurzeln stammend und Vorsitzender der Metallgesellschaft, war vor seiner Emigration nach England im Jahr 1939 einer der reichsten Deutschen gewesen, vgl. Hans Dehn an das Wiedergutmachungsamt, 12. März 1952, in: STAHH, 314-15, Bestand Oberfinanzpräsident, Abl. 1998 B 36, Bl. 37. Zu Richard Merton vgl. https://de.wikipedia.org/wiki/Richard_Merton (28.11.2024).

wiederaufgenommen. In der 1955 anlässlich der 175-Jahr-Feier herausgegebenen Fest-schrift erfuhren die Dienste von Generalverwalter Heinrich Weiss während der Zeit des Nazi-Regimes besondere Erwähnung.[43]

Am 14. Mai 1947 meldete Rechtsanwalt Hans Dehn, der sich als Bevollmächtigter während des Exils ebenfalls als loyaler Wahrer der Interessen der Familie erwiesen hatte, bei der Beratungsstelle für Wiedergutmachungsschäden Ansprüche für die Geschwister Behrens an.[44] Für George Behrens wurden Anträge aufgrund verschiedener Zwangs-abgabengestellt: 70.000 RM Judenvermögensabgabe, 33.088 RM Reichsfluchtsteuer, 8.484 RM Auswandererabgabe an den Jüdischen Religionsverband, zwei an die Reichs-bank abgelieferte Auslandszahlungen in Höhe von umgerechnet 5.726,19 RM und 2.597,64 RM, 6.400 RM für Schmuckgegenstände sowie Schadensersatz für den Zwangs-verkauf der Immobilien Hermannstr. 31/33 und Paulstr. 11/13.[45] 1952 erhielt George Beh-rens in einem ersten Teilbeschluss die Zusage für die Entschädigung von Judenvermögens-abgabe und Reichsfluchtsteuer sowohl für sich als auch für seine inzwischen verstorbene Schwester. 1953 folgte der positive Bescheid betreffend die Schmuckgegenstände.[46] George Behrens verstarb am 5. Juni 1956; die Auszahlungen zogen sich bis in die 1960er-Jahre hin. Rückerstattungsanträge für während der Zeit der Verfolgung beschlagnahmte oder unter Zwang veräusserte Kunstwerke wurden offenbar nicht gestellt.[47]

VERÄUSSERUNGEN VON KUNSTWERKEN AUS DER SAMMLUNG BEHRENS AB 1935

Das Schicksal der Sammlung Behrens war eng verknüpft mit der Geschäftstätigkeit ihrer Besitzer. Die Gemälde waren durch die Erbschaftsregelung in fortgesetzter Güter-gemeinschaft Teil des «E. L. Behrens Gesamtgut». Franziska Behrens fungierte dabei als Vorerbin für ihre Kinder. Diese Konstellation stellte nach dem Erlass des «Reichsbürger-gesetzes» einen bedeutsamen Vorteil dar, da Franziska Behrens, die in ihrem Stamm-baum zwei nicht-jüdische Grosseltern nachweisen konnte, nach der offiziellen Rassen-gesetzgebung «Mischling 1. Grades» war.[48] So galt für sie – zumindest vorerst – ein sogenannter privilegierter Status, der sie von den antijüdischen Massnahmen ausnahm und es ihr ermöglichte, in Hamburg wohnen zu bleiben.[49]

Franziska Behrens bemühte sich vergeblich darum, ihren privilegierten Status auf George und Elisabeth übertragen zu lassen. Am 23. Januar 1939 stellte sie für sie einen «Antrag auf Gleichstellung mit einem Mischling 1. Grades». Als Begründung wies sie auf die seit drei Generationen bestehende Zugehörigkeit zum christlichen Glauben hin sowie auf die Verdienste des Familienunternehmens in den vergangenen 100 Jahren. Auch das Engagement ihres verstorbenen Ehemanns als Honorarkonsul von Belgien führte sie ins Feld.[50] Derartige Anträge wurden ab 1935, insbesondere jedoch nach den nochmals verschärften Massnahmen infolge der «Reichspogromnacht», zu Tausenden gestellt, blieben jedoch fast durchweg erfolglos.[51]

Nachdem der Leihvertrag mit der Hamburger Kunsthalle ausgelaufen war, erwog George Behrens den Verkauf einzelner Kunstwerke. Vermutlich war bei der Entscheidung nicht zuletzt die Enttäuschung über den Umgang mit seiner Familie ausschlaggebend. Die Ankündigung, dass grosse Teile der Sammlung von Mitarbeitern des Museums auf die *Kulturgutliste* gesetzt worden waren, dürfte für ihn sehr schmerzhaft gewesen sein. Hatte er in seinen Briefen an die Kunsthalle vom Frühjahr 1935 zunächst noch recht unverbindlich von Verkaufsabsichten gesprochen und angekündigt, auf eine günstige Gelegenheit zu warten, so änderte sich die Situation offenbar noch im selben Jahr. Nun kamen konkrete wirtschaftliche Überlegungen ins Spiel: Im Zuge seines – letztlich erfolglosen – Vorhabens, den Firmensitz in Amsterdam wiederzubeleben, plante George Behrens, einige seiner wertvollsten Gemälde zu veräussern. Da der heimische Markt nur eingeschränkte Möglichkeiten bot, bemühte er sich bei der Reichsbank in Berlin, mit der langjährige gute Geschäftsbeziehungen bestanden, um Fürsprache für die Bewilligung zur Ausfuhr verschiedener Gemälde von internationaler Bedeutung.[52] Offenbar hatte er mit Pariser Kunsthändlern Kontakt aufgenommen, die ihm Hoffnungen auf Verkäufe machten. Es darf vermutet werden, dass das hier interessierende Gemälde von Delacroix zu den Werken gehörte, die Behrens noch im Frühjahr 1936 plante, nach Paris zu senden. Konkret erwähnt sind seine Corot-Bilder, die Behrens gerne für eine Ausstellung im Grand Palais zur Verfügung gestellt hätte (Abb. 9a/b).[53] Doch scheiterten alle Bemühungen um die Ausfuhr an den strikten Bestimmungen zur Bekämpfung illegalen Devisenverkehrs.

Daraufhin entschloss sich George Behrens zu einzelnen Verkäufen auf dem deutschen Markt. Unterstützt wurde er vor allem durch den in Starnberg ansässigen und in Süddeutschland vielseitig vernetzten Kunsthistoriker und Germanisten Prof. Hermann Uhde-Bernays (1873–1965). Dieser befasste sich zwischen 1935 und Anfang 1939 mit der Vermittlung des Menzel-Bestands von Behrens.[54] Am 12. Oktober 1939 nahm eine Abordnung der Hamburger Kunsthalle eine Besichtigung der Sammlung Behrens vor. Inzwischen hatte der Krieg begonnen und die Gemäldesammlung befand sich eingelagert im tiefstgelegenen Depot der im Vorjahr durch die Norddeutsche Kreditbank übernommenen Behrens-Bank. Zu diesem Anlass wurde eine Bestandsliste erstellt, die allerdings nur diejenigen Bilder anführte, die im *Verzeichnis der national wertvollen Kulturgüter* notiert waren. Ausser den bereits verkauften Werken von Menzel und einem Gemälde von Böcklin fehlten im gesichteten Bestand zwei Gemälde von Daubigny, die Franziska Behrens Anfang des Jahres als Diebstahl gemeldet hatte. Delacroix' *Die Auferweckung des Lazarus* befand sich bei der Besichtigung noch im Depot. Die am 13. Oktober 1939 an die Hamburger Verwaltung für Kunst- und Kulturangelegenheiten gesendete Aufstellung ist das letzte Dokument, das den Kern der Sammlung inklusive des Delacoix' in ihrem Zusammenhang verzeichnet (Abb. 10a/b).[55]

43. Vgl. Festschrift 1955, S. 41.

44. Vgl. STAHH, 351-11, Bestand Amt für Wiedergutmachung, Nr. 5408 (George Behrens) und 351-11, Bestand Amt für Wiedergutmachung, Nr. 6571 (Elisabeth [Ella] Behrens) sowie STAHH, 213-13, Bestand Landgericht Hamburg, Wiedergutmachungskammer, Nr. 28553 (George Behrens).

45. Vgl. Wiedergutmachungsstelle an Oberfinanzpräsident, 25. März 1948, in: STAHH, 314-15, Bestand Oberfinanzpräsident, Abl. 1998, B 37, Bl. 1. Zur Berechnung der Judenvermögensabgabe und der Reichsfluchtsteuer im Fall von George Behrens vgl. auch Köhler 2005, S. 430–431. Im Fall von Elisabeth Behrens waren die gezahlten Abgaben sogar noch höher: 136.500 RM Judenvermögensabgabe, 111.071 RM Reichsfluchtsteuer, 52.258 RM Auswandererabgabe, vgl. Wiedergutmachungsstelle an Oberfinanzpräsident, 25. März 1948, in: STAHH, 314-15, Bestand Oberfinanzpräsident, Abl. 1998, B 36, Bl. 1–6.

46. Vgl. Wiedergutmachungsamt an George Behrens: Teilbeschlüsse, 29. Februar 1952 und 9. Oktober 1952, in: STAHH 314-15, Bestand Oberfinanzpräsident, Abl. 1998, B 37, Bl. 413–414 und Bl. 435–441, sowie in: STAHH 314-15, Bestand Oberfinanzpräsident, Abl. 1998, B 36, Bl. 53 und Bl. 231.

47. Vgl. auch frühere Anfragen betreffend Rückerstattungen für die Kunstsammlung, in: STAHH, 351-11, Bestand Wiedergutmachungsamt, Nr. 5408.

48. Vgl. Handschriftliche Vermerke des Oberfinanzpräsidenten, 16. Februar 1939 und 17. März 1939, in: STAHH, 314-15, Bestand Oberfinanzpräsident, R1938, 2689, Bl. 40: «1a) Die Vermögenswerte des E.L. Gesamtgut gehören der Mutter des George Behrens, Frau Franziska Behrens. Diese ist nach Erklärung des Bevollmächtigten Weiss Mischling 1. Grades (der Sohn Behrens ist zu 75% Nichtarier).» und Bl. 60: «Laut Verfügung vom 4.3.1939 [...] sollte gegen das Ed. L. Behrens Gesamtgut S.A. [Sicherungsanordnung] erlassen werden [...]. Franziska Behrens ist Vorerbin und Mischling 1. Grades. Nacherben sind Frau E.B. und GB früherer [in Bleistift ergänzt] Inhaber der Firma E. Behrens + Söhne. Gegen beide besteht S.A. Eine S.A. gegen das Gesamtgut wird nicht für erforderlich gehalten, solange Weiss Verwalter bleibt + da Frau Behrens Mischling ist [in Bleistift ergänzt]. Diesem ist die Auflage zu erteilen, Veränderungen in der Rechtsnachfolge [...] durch die nichtarischen Nacherben anzuzeigen.»

49. Zur Situation von «jüdischen Mischlingen» fokussiert auf Hamburg

vgl. Beate Meyer, «Jüdische Mischlinge». Rassenpolitik und Verfolgungserfahrung 1933–1945, Hamburg 1999.

50. Vgl. Franziska Behrens an Reichsinnenminister, 23. Januar 1939, in: STAHH, 314-15, Bestand Oberfinanzpräsident, F110, Bl. 172–174. Einen weiteren Antrag stellte Franziska Behrens offenbar im Frühjahr 1940 für ihre Tochter, in der Hoffnung, ihr damit die Ablieferung der Wertgegenstände und letztlich auch die Auswanderung zu ersparen. Auf diesen bezog sich Elisabeth Behrens in einem Schreiben an den Oberfinanzpräsidenten, 30. Mai 1940, in: STAHH, 314-15, Bestand Oberfinanzpräsident, FVg8728, Bl. 10.

51. Vgl. Meyer 1999, bes. S. 32 und 103.

52. Vgl. Obenaus 2016, S. 296–297. und Köhler 2005, S. 288–290. Die Vorgänge sind geschildert in den Akten der Deutschen Reichsbank, in: BArch B, R 2501/9325.

53. Vgl. George Behrens an Reichsbankrat Treue, 11. Februar 1936, in: BArch B, R 2501/9325, Bl. 373–374.

54. Dokumentiert sind Angebote vom Oktober 1935 an die Galerie Heinemann, München, vgl. https://heinemann.gnm.de/de/recherche.html (25.11.2024), Kunstwerk-ID 43289–43291 und 43293–43296. Von diesen wurde die Gouache *Beati possidentes (Die glücklichen Besitzer)*, 1888, vor Juni 1938 an die Galerie Paffrath, Düsseldorf, verkauft, vgl. www.lostart.de/de/verlust/objekt/beati-possidentes-die-gluecklichen-besitzer/409877 (25.11.2024); *Der Hochaltar der Damenstiftskirche in München*, 1873, wurde zwischen Oktober 1935 und 1938 an Dr. P. Schmitz, Düsseldorf, verkauft, vgl. www.lostart.de/de/Verlust/409878 (25.11.2024); die Gouache *Sämtliche nicht bei der Sache*, 1886, wurde 1938 von Behrens direkt an Dr. P. Schmitz, Düsseldorf, veräussert, www.lostart.de/de/Verlust/313749 (25.11.2025). Die beiden Erstgenannten befinden sich seit 1955 respektive seit 1968 in der Sammlung Georg Schäfer (heute Museum Georg Schäfer in Schweinfurt). Eine Einigung mit den Erben wurde in diesen Fällen bislang nicht erzielt.

55. Wolf Stubbe an die Hamburger Verwaltung für Kunst- und Kulturangelegenheiten: Bericht und Liste, 13. Oktober 1939, in: HAHK, U 251, Schutz des national wertvollen Kunstbesitzes gegen die Ausfuhr 1919-1953, Bl. 18–19.

373

George Behrens i/Fa
L. BEHRENS & SÖHNE
HAMBURG 1
TELEGRAMM-ADRESSE: „ELBEHRENS"
FÜR DAS SEKRETARIAT: „BEHRPRIVAT"

HAMBURG, den 11. Februar 1936

SEKRETARIAT

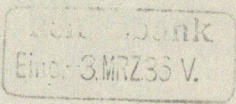
Reichsbank
Eing. 3. MRZ. 36 V.

Sehr verehrter Herr Reichsbankrat,

In der Anlage erlaube ich mir, Ihnen im
Original einen Brief meines Sachverständigen in Paris für die
ausländischen Bilder von Ed. L. Behrens Gesamtgut zu übersenden.

Ich habe in einem früheren Falle, wo das
Museum in Basel Bilder von mir für Ausstellungszwecke erbeten hatte,
eine Beteiligung angesichts der Schwierigkeiten, die die Erlangung
der Genehmigung mir gemacht hätte, abgelehnt. Dieses Mal habe
ich aber ein großes Interesse, meine Corots nach Paris zu schicken,
da eine Ausstellung derselben dort eine gute Reklame für den beab-
sichtigten Verkauf bilden würde. Wenn ich mich wegen der Genehmigung
direkt an den Reichs- und Preussischen Minister des Innern wenden
würde, so würde ich voraussichtlich eine ablehnende Antwort erhalten oder, falls dieselbe wider Erwarten zustimmend ausfallen
würde, würde sie sich so lange hinzögern, daß es für eine Versendung zu spät wäre.

Ich erlaube mir daher, Sie zu bitten, falls
es Ihnen möglich ist, einliegenden Brief mit einem befürwortenden
Schreiben an den Reichs- und Preussischen Minister des Innern
weiterzuleiten und ihn darauf hinzuweisen, daß meine Person, die Ihnen,
dem Herrn Präsidenten Schacht und den meisten Herren des Reichsbank-
Direktoriums genügend bekannt ist, die Gewähr dafür bietet, jeden

Abb.9a/b: Brief von George Behrens an die Reichsbank, Berlin, 11. Februar 1936

George Behrens   i/Fa
L. BEHRENS & SÖHNE
HAMBURG 1

374
2. BLATT ZUM BRIEF VOM 11.2.1936

AN Herrn Reichsbankrat Treue,
Berlin.

Verdacht, daß ich Werte in das Ausland verschieben will, auszu-
schalten. Auch besitzt meine Firma, wie Sie wissen, ein nicht
unbedeutendes Vermögen, das sich so gut wie ausschliesslich in
Deutschland befindet. Ich bin auch nötigenfalls gern bereit, ein
entsprechendes Depot in Altbesitz, Umschuldungsanleihe oder ähn-
lichem zu hinterlegen.

        Ich bitte Sie, gütigst entschuldigen zu wollen,
wenn ich mich in dieser Angelegenheit an Sie wende, aber ich weiss
sonst keinen Ausweg, um die gewünschte Genehmigung rechtzeitig
zu erhalten.

        Indem ich Ihnen im voraus für alles, was Sie in
dieser Angelegenheit für michtun werden, meinen verbindlichsten
Dank ausspreche, verbleibe ich

                    mit vorzüglicher Hochachtung
                Ihr sehr ergebener

Herrn
        Reichsbankrat T r e u e ,
        Reichsbank,
        Berlin SW 111.

Erlä

U 251

13.X.39

An die Verwaltung für Kunst- und
Kulturangelegenheiten, Hamburg

Betrifft: Verzeichnis der national wertvollen Kunstwerke -03209/51-.
            Bericht über die Sammlung Th. L. Behrens, Hamburg.

Am 12.-X. haben wir die noch im Besitz der Familie Behrens befindlichen, als national wertvoll angesprochenen Kunstwerke besichtigt. Diese Stücke befinden sich nicht mehr in der Wohnung der Frau Franziska Behrens, Hamburg, Fontenay 5, sondern sind auf Veranlassung von Frau Behrens in den am tiefsten gelegenen Tresor des Bankhauses Th. L. Behrens Söhne, Hermannstr. 31, verbracht worden. Die kleineren Stücke sind sorfältig in Seidenpapier gehüllt und in einer Kiste verpackt, während die grösseren von Tüchern geschützt an den Wänden aufgestellt wurden. Gegen diese Unterbringung ist nichts einzuwenden, Im Gegenteil die lockere Aufstellung der Objekte in dem sonst geräumten Tresor erschien im Vergleich mit den der öffentlichen Sammlung zur Verfügung stehenden Sicherheitsräumen recht günstig.

Folgende Stücke konnten durch Augenschein identifiziert werden:

```
J.B.C. Corot:  Gardeuse de vaches
    -"-         Landschaft mit Weiden
    -"-         Le Laboure
    -"-         Mädchenfigur
    -"-         Stimmungslandschaft
    -"-         Wasserlandschaft
C.H.F. Daubigny: Landschaft an der Oise
    -"-         Landschaft mit waschenden Frauen
    -"-         Waldlandschaft
E. de la Croix: Auferweckung des Lazarus
J. L. Dupré:   Marine
A. Menzel:     Prager Synagoge
  "     "      Synagoge
```

Das der Kunsthalle von der Behörde zur Verfügung gestellte Verzeichnis der national wertvollen Kunstwerke gibt jedoch eine bedeutend grössere Anzahl von Werken der Sammlung Behrens an. Inzwischen ist jedoch ein grosser Teil der im Verzeichnis aufgeführten Kunstwerke versteigert worden und zwar handelt es sich um folgende Stücke:

```
A. Böcklin: Diana  (angekauft im Febr. 39 durch die
                    Firma Almas in München)

A. Menzel:  Aus der Alt-Neu-Synagoge zu Prag (erworben 1936
                    von Dr. Schmitz Düsseldorf)
```

Abb.10a/b: Bericht und Liste von Wolf Stubbe an die Hamburger Verwaltung für Kunst- und Kulturangelegenheiten, 13. Oktober 1939

19

E r l ä

- 2 -

A. Menzel: Beati Possidentes. (erworben 1938 von der Kunst-
                    handlung Paffrath, Düsseldorf)
"   " : Hochaltar der Damenstiftskirche zu München.
                    (erworben von Dr. Schmitz, Düsseldorf)
"   " : Jardin des Plantes. (erworben 1936 durch die
                    Kunsthandlung Nicolai in Berlin)
"   " : Pariser Wochentag. (erworben 1936 durch das
                    Museum in Düsseldorf)
"   " : Landschaft. (erworben 1938 durch Propst,Mannheim)
"   " : Sämtliche nicht bei der Sache. (erworben 1938
                    durch Dr. Schmitz, Düsseldorf)

Die beiden im Verzeichnis aufgeführten Bilder von Daubigny

              "Abendlandschaft" und
              "Flusslandschaft"

sind nach Angabe von Frau Franziska Behrens Anfang 1938 gestohlen
worden. Von diesem Diebstahl ist durch Behrens sogleich eine Mitteilung an die Kriminalpolizei sowie ein Bericht an das Reichsinnenministerium gemacht worden. Den Bemühungen der Kriminalpolizei ist es bisher nicht gelungen, den entwendeten Stücken auf die Spur zu kommen.

Von den übrigen in der Sammlung Behrens noch befindlichen Stücken sollten u.E. die Bilder

              Dupré: Die Brücke
              Theodor Rousseau: Landschaft

nachträglich in das Verzeichnis der national wertvollen Kunstwerke
aufgenommen werden.

              Im Auftrage:

                 gez. Stubbe

Was in den Folgejahren mit diesem Werkbestand geschah, konnte nicht ermittelt werden. In den Akten der Oberfinanzdirektion wurde mehrfach darauf hingewiesen, dass das «Behrens Gesamtgut» einen Sonderstatus als «nicht-jüdisch» geniesse. Damit war es dem direkten Zugriff der nationalsozialistischen Autoritäten, also Beschlagnahmung und Enteignung vorenthalten, solange Franziska Behrens am Leben war.[56]

RÜCKGABEFORDERUNGEN BETREFFEND DIE EHEMALIGE SAMMLUNG BEHRENS

In den Jahren ab 2006/2007 trat die Erbengemeinschaft nach Behrens mit einer Reihe von Auskunftsbegehren und Restitutionsforderungen an internationale Institutionen heran, die Kunstwerke aus der ehemaligen Sammlung Behrens besassen. Dies führte zwischen 2008 und 2015 zu unterschiedlichen Einigungen, wobei konkrete Nachweise zu Zeitpunkt und Umständen der Veräusserungen für die Mehrheit der Werke fehlen. Die nachfolgende Zusammenstellung liefert eine Übersicht über die unterschiedlichen Fallkonstellationen und die daraus abgeleiteten Einigungen (Abb. 11a-f). Dabei ist zu beachten, dass die ersten drei aufgeführten Gemälde nach dem Krieg als Teil des ehemaligen «Sonderauftrag Linz» in die treuhänderische Verwahrung durch den Bund überführt worden waren. Díaz de la Peñas *Eurydike* war bei der Aufteilung der ehemaligen Sammlung Göring an die Bayerischen Staatsgemäldesammlungen überwiesen worden. Somit galten für diese vier Werke spezielle Rückgabekonditionen.[57]

● ARNOLD BÖCKLIN, *Die schlafende Diana von zwei Faunen belauscht*, 1877 (ehemals Bestand der Kunstverwaltung des Bundes): zum 1. April 1935 in das *Verzeichnis der national wertvollen Kunstwerke* aufgenommen. Vor Ende Februar 1939 durch das «E. L. Behrens Gesamtgut» verkauft an die Galerie Almas, München [Maria Almas-Dietrich], für den «Sonderauftrag Linz». Entscheid 2009: Restitution, nachfolgender Verkauf an die Stiftung Museum Kunstpalast, Düsseldorf, Begründung: NS-verfolgungsbedingter Verlust.[58]

● OSWALD ACHENBACH, *Reiter am Rigi (Gebirgstal mit Reitern)*, ohne Entstehungsjahr (ehemals Bestand der Kunstverwaltung des Bundes): Verkauf zu unbekanntem Zeitpunkt zwischen März 1935 und Februar 1939. Spätestens Ende Februar 1939 durch Maria Almas-Dietrich, München, an den «Sonderauftrag Linz» verkauft. Laut Aussage von 1951 von ihr zuvor «von Heinemann – Zinckgraf» [Galerie Heinemann, München] erworben. Entscheid 2009: Restitution auf Basis einer vergleichsweisen Einigung mit der Erbengemeinschaft. Begründung: Das Rechtsgeschäft lässt sich nicht mehr vollständig aufklären, erfolgte jedoch zu einer Zeit, als die Familie unter eindeutigem Verfolgungsdruck stand.[59]

● FRIEDRICH AUGUST VON KAULBACH, *Flora in der Landschaft schwebend*, um 1882 (ehemals Bestand der Kunstverwaltung des Bundes): Verkauf zu unbekanntem Zeitpunkt zwischen März 1935 und Mai 1941. Im Mai 1941 durch Maria Almas-Dietrich, München, an den «Sonderauftrag Linz» verkauft. Entscheid 2009: Restitution auf Basis einer vergleichsweisen Einigung mit der Erbengemeinschaft. Begründung: Das Rechtsgeschäft lässt sich nicht mehr vollständig aufklären, erfolgte jedoch zu einer Zeit, als die Familie unter eindeutigem Verfolgungsdruck stand.[60]

● NARCISSO VIRGILIO DÍAZ DE LA PEÑA, *Die verletzte Eurydike*, 1862 (ehemals Bayerische Staatsgemäldesammlungen, München): Verkauf zu unbekanntem Zeitpunkt zwischen März 1935 und Ende 1940. Am 4. Dezember 1940 von der Hamburger Kunsthändlerin Brigitte Fraunhofer an den Kunsthändler Walter Andreas Hofer verkauft. Über eine weitere Zwischenstation gelangte es in die Sammlung Hermann Göring. Entscheid 2013: Restitution. Begründung: Verkauf aufgrund von Behrens' Verfolgung als Jude. Die Umstände der Veräusserung lassen sich jedoch nicht mehr aufklären.[61]

● JEAN-BAPTISTE CAMILLE COROT, *Mädchen am Brunnen*, ohne Entstehungsjahr (ehemals Kröller-Müller Museum, Otterlo, heute Musée d'art et d'histoire de Genève): zum 1. April 1935 in das *Verzeichnis der national wertvollen Kunstwerke* aufgenommen. Verkauf zu unbekanntem Zeitpunkt zwischen Oktober 1939 und September 1941. Im September 1941 im Bestand des Kunsthändlers H. W. Lange (1904–1945) in Berlin nachgewiesen. Von diesem im Juni 1942 an das Kröller-Müller Museum, Otterlo, verkauft. Entscheid 2008/2009: Restitution. Begründung: Annahme eines NS-verfolgungsbedingten Vermögensverlusts.[62]

● ADOLPH VON MENZEL, *Pariser Wochentag*, 1869 (heute Stiftung Museum Kunstpalast, Düsseldorf): zum 1. April 1935 in das *Verzeichnis der national wertvollen Kunstwerke* aufgenommen. Im Juli 1935 im Auftrag von Behrens unter Vermittlung von Hermann Uhde-Bernays an die Galerie Paffrath, Düsseldorf, verkauft für 30.000 RM. Von dieser im August/September 1935 für 33.000 RM weiterverkauft an die Kunstsammlungen der Stadt Düsseldorf. Entscheid 2015: Restitution abgelehnt. Begründung: Aufgrund des frühen Zeitpunkts (Sommer 1935, also vor dem Erlass der «Nürnberger Rassengesetze») wird davon ausgegangen, dass es sich nicht um einen NS-verfolgungsbedingten Vermögensverlust handelt. Der Verkauf geschah auf Initiative der Familie Behrens, der Erlös erscheint angemessen, und es gibt keinen Hinweis darauf, dass die Familie nicht frei darüber hätte verfügen können.[63]

Von den hier aufgeführten Kunstwerken war lediglich das Bild von Corot zusammen mit dem von Delacroix bei der am 12. Oktober 1939 im Auftrag der Hamburger Kulturbehörde vorgenommenen Besichtigung der Sammlung Behrens noch im Depot vorhanden. Die beiden Werke von Menzel und Böcklin hingegen waren, wie oben erwähnt, bereits verkauft und sind in dem Bericht von Kustos Wolf Stubbe auch so aufgeführt.

Corots *Mädchen am Brunnen* (Abb. 11e) sowie eine weitere Gouache von Menzel, mit dem Titel *Prager Synagoge,* sind die einzigen Werke, die nachweisbar erst während der Kriegsjahre und somit nach George Behrens' Auswanderung nach Belgien aus der Sammlung ausgeschieden sind. Unter welchen Bedingungen diese Geschäfte zustande kamen, ob mit oder ohne Einverständnis der Familie, ist die entscheidende Frage. Menzels Gouache wurde Mitte der 1950er-Jahre von dem Schweinfurter Sammler Georg Schäfer (1896–1975) aus dem deutschen Kunsthandel erworben.[64] Bei dem Gemälde von Corot

56. Vgl. die in Anm. 48 zitierten Vermerke des Oberfinanzpräsidenten, in: STAHH, 314-15, Bestand Oberfinanzpräsident, R1938, 2689, Bl. 40 und Bl. 60.
57. Zum speziellen Status der ehemaligen Bestände der von Hitlers Kunstagenten für sein Projekt des geplanten «Führermuseums Linz» zusammengetragenen Kunstwerke sowie der Sammlung von Reichsmarschall Hermann Göring vgl. den Aufsatz zu Julius Freund im vorliegenden Band.
58. Vgl. https://kunstverwaltung.bund.de/SharedDocs/Provenienzen/ DE/8000_8999/8652.html, sowie www.duesseldorf.de/kulturamt/ provenienzforschung-der-landeshauptstadt-duesseldorf/auskunfts-und-restitutionsgesuche/1885 (28.11.2024).
59. Vgl. https://kunstverwaltung.bund.de/SharedDocs/Provenienzen/ DE/1000_1999/1659.html (28.11.2024).
60. Vgl. https://kunstverwaltung.bund.de/SharedDocs/Provenienzen/ DE/9000_9999/9179.html (28.11.2024).
61. Vgl. www.altertuemliches.at/files/pm_behrens.pdf (28.11.2024).
62. Vgl. www.restitutiecommissie.nl/en/recommendation/behrens/. Nach erfolgter Restitution gaben die Erben das Bild in die Auktion bei Sotheby's London: 19th Century European Paintings Including German, Austrian and Central European Paintings, The Orientalist Sale, Spanish Painting

and The Scandinavian Sale, 2. Juni 2010, Los 57, vgl. www.sothebys.com/ en/auctions/ecatalogue/2010/19th-century-european-paintings-including-german-austrian-and-central-european-paintings-the-orientalist-sale-spanish-painting-and-the-scandinavian-sale-l10101/lot.57.html (28.11.2024). Hier konnte das Gemälde für das Musée d'art et d'histoire de Genève angekauft werden (Inv. BA 2010-0001).
63. Vgl. Empfehlung der Beratenden Kommission NS-Raubgut in der Sache Erben nach George E. Behrens ./. Landeshauptstadt Düsseldorf, 3. Februar 2015: www.beratende-kommission.de/media/pages/empfehlungen/ behrens-landeshauptstadt-duesseldorf/c117a2080e-1701340881/15-02-03-empfelung-behrens-duesseldorf.pdf (5.12.2024). Henning Kahmann kritisiert die Argumentation, vgl. Ders./Varda Naumann, Anmerkung zur Empfehlung der Beratenden Kommission im Fall «Behrens ./. Düsseldorf», in: ZOV (Zeitschrift für offene Vermögensfragen) 2, 2015, S. 114–119, www.researchgate.net/ publication/330343422_Anmerkung_zur_Empfehlung_der_Beratenden_ Kommission_im_Fall_Behrens_Dusseldorf_gemeinsam_mit_Varda_ Naumann (28.11.2024).
64. Vgl. www.lostart.de/de/Verlust/409875. Eine Einigung mit den Erben wurde hier bislang nicht erzielt.

11a

11b

11c

11f

11d

11e

Abb. 11a–f: Rückgabeforderungen betreffend Gemälde der ehemaligen Slg. Behrens:
a. Arnold Böcklin, *Die schlafende Diana von zwei Faunen belauscht*, 1877, Öl auf
Leinwand, 77,4 × 105 cm, Stiftung Museum Kunstpalast, erworben mit Hilfe der
Landeshauptstadt Düsseldorf, der Bezirksregierung NRW, der Kunststiftung NRW,
der Kulturstiftung der Länder und des BMK; b. Oswald Achenbach, *Reiter am Rigi
(Gebirgstal mit Reitern)*, o.J., Öl auf Leinwand, 65,6 × 93,5 cm, Verbleib unbekannt;
c. Friedrich August von Kaulbach, *Flora in der Landschaft schwebend*, um 1882, Öl
auf Leinwand, 103 × 56 cm, Verbleib unbekannt; d. Narcisso Virgilio Díaz de la Peña,
Die verletzte Eurydike, 1862, Öl auf Leinwand, 42 × 34,5 cm, ehemals Bayerische
Staatsgemäldesammlungen, München, Verbleib unbekannt; e. Jean-Baptiste Camille
Corot, *Mädchen am Brunnen*, o.J., Öl auf Leinwand, 64,7 × 41,2 cm, Musée d'art et
d'histoire de Genève, Dépôt de la Fondation Jean-Louis Prevost & Fondation Gandur
pour l'art; f. Adolph von Menzel, *Pariser Wochentag*, 1869, Öl auf Leinwand,
48,5 × 69,5 cm, Düsseldorf, Stiftung Museum Kunstpalast

handelt es sich, im Gegensatz zu den anderen Werken, die an in Deutschland tätige Kunsthändler:innen verkauft wurden, um das einzige bislang bekannte Beispiel aus der Sammlung Behrens, das trotz der strengen Auflagen der 1919 erlassenen «Verordnung über die Ausfuhr von Kunstwerken» während der Herrschaft der Nationalsozialisten ins Ausland veräussert wurde. In diesem Fall fungierte der in die Auslandsgeschäfte der Nationalsozialisten eng verstrickte Berliner Kunsthändler Hans W. Lange als Vermittler. Interessant ist dabei, dass der Verkauf an das Museum Kröller-Müller in Otterlo ein Kompensationsgeschäft war. Auf Initiative des in den besetzten Niederlanden für Beschlagnahmungen von Kunstsammlungen und die Vermittlung von Kunstobjekten an Nazi-Grössen zuständigen Kajetan Mühlmann (1898–1958) hatte das Museum Werke aus seinem Bestand abgeben müssen. Das Arrangement war also durch die Kunstinteressen der nationalsozialistischen Machthaber motiviert.

Obgleich weder der genaue Zeitpunkt noch die Umstände, unter denen das Gemälde von Corot die Sammlung Behrens verliess, eruiert werden konnten, empfahl die niederländische Restitutiecommissie im Juli 2008 die Restitution an die Erbengemeinschaft Behrens. Es wurde dabei angenommen, dass ein Verkauf zwischen Oktober 1939 (Begutachtung in Hamburg) und September 1941 (Nachweis im Bestand von Hans W. Lange) angesichts der prekären Verfolgungssituation nicht als reguläres und freiwilliges Rechtsgeschäft gewertet werden kann.

SYNTHESE

Als Eckdaten für die Frage nach Zeitpunkt und Umständen des Ausscheidens von Delacroix' *Die Auferweckung des Lazarus* aus der Sammlung Behrens bleiben somit einerseits die Verzeichnung des Gemäldes auf der Liste vom 13. Oktober 1939, andererseits der Eintrag im Geschäftsbuch der Firma Wildenstein & Co., New York, bezüglich des Ankaufs bei Kurt M. Stern am 23. April 1954. Wie es in den Besitz des ursprünglich aus Frankfurt am Main stammenden jüdischen Kunsthändlers gelangte, der sich 1923 in Paris niederliess, bereits 1933 nach New York auswanderte und dort für Wildenstein tätig war, lässt sich nicht eruieren.[65]

In Zusammenhang mit einem Verkauf oder der Verleihung zu einer Ausstellung steht ein ehemals auf dem Schmuckrahmen des Bildes angebrachtes Klebeschild der Spedition André Chenue in Paris (Abb. 12). Zeitlich ist dieses anhand der Adress- und Telefonangaben in die Nachkriegszeit, zwischen Mitte der 1940er- und Mitte der 1960er-Jahre, zu datieren.[66]

Prinzipiell wäre auch für das Delacroix-Bild das Szenario einer Veräusserung während der Kriegsjahre denkbar. Sein Eintrag in das *Kulturgutverzeichnis* hätte allerdings auf offiziellem Wege nur einen Verkauf im Inland erlaubt. Naheliegend wäre eine Vermittlung durch die in den Vorkriegsjahren an Verkäufen aus der Sammlung Behrens beteiligten Kunsthändler:innen Hermann Uhde-Bernays oder Maria Almas Dietrich gewesen, die sich allerdings nicht nachweisen liess.[67]

Aufgrund der oben beschriebenen testamentarischen Verfügung war das Gemälde von Delacroix als «nicht-jüdischer Besitz» vor einer Beschlagnahmung geschützt. Wäre es vorstellbar, dass es unter Druck der Behörden oder von in den nationalsozialistischen

65. Zu Kurt Marco Stern vgl. Daily News, New York, 17. April 1962, S. 324, vgl. www.geni.com/people/Kurt-M-Stern/6000000010848911359 (27.11.2024) sowie den der weiteren Familiengeschichte Sterns gewidmeten Blog https://brotmanblog.com/2020/03/#fnref-21200-10 (27.11.2024).
66. Vgl. https://fr.wikipedia.org/wiki/Anciensindicatifs_t%C3%A9l%C3%A9phoniques_%C3%A0_Paris (28.11.2024). Es liess sich nicht ermitteln, ob die darauf neben dem Vermerk «8 tableaux» handschriftlich angebrachte

Abkürzung «WN 204» in Verbindung mit Wildenstein steht. Eine Anfrage bei Wildenstein & Co., New York, im August 2023 blieb ohne Antwort.
67. Für den Nachlass von Uhde-Bernays wurde eine Anfrage an das Deutsche Kunstarchiv in Nürnberg gestellt. In der Korrespondenz finden sich jedoch keine Erwähnungen von Mitgliedern der Familie Behrens oder ihren Verwaltern. In Bezug auf Almas-Dietrich sei Nadine Bauer, Berlin und Hamburg, gedankt, die sich in ihrer Dissertation mit der Kunsthändlerin befasste.

Kunsthandel verstrickten Akteur:innen aus dem Bestand entnommen wurde, ähnlich wie wohl im Fall von Corots *Mädchen am Brunnen* geschehen?[68] Ein unmittelbarer Verfolgungsdruck für die in Hamburg verbliebene Franziska Behrens bestand nicht. Indes war ihre privilegierte Situation keineswegs gesichert. Immer wieder, vor allem in den Jahren 1941/42 drohte eine Verschärfung der Gesetzeslage, welche die «jüdischen Mischlinge» gleich den «Volljuden» zu Verfolgten gemacht hätte.[69] Vor diesem Hintergrund kann zumindest nicht ausgeschlossen werden, dass sie dazu gezwungen wurde, bestimmte Werke aus dem Bestand zu verkaufen. In dem Fall hätte von Behördenseite allerdings ein konkretes Interesse an eben diesem Bild bestanden haben

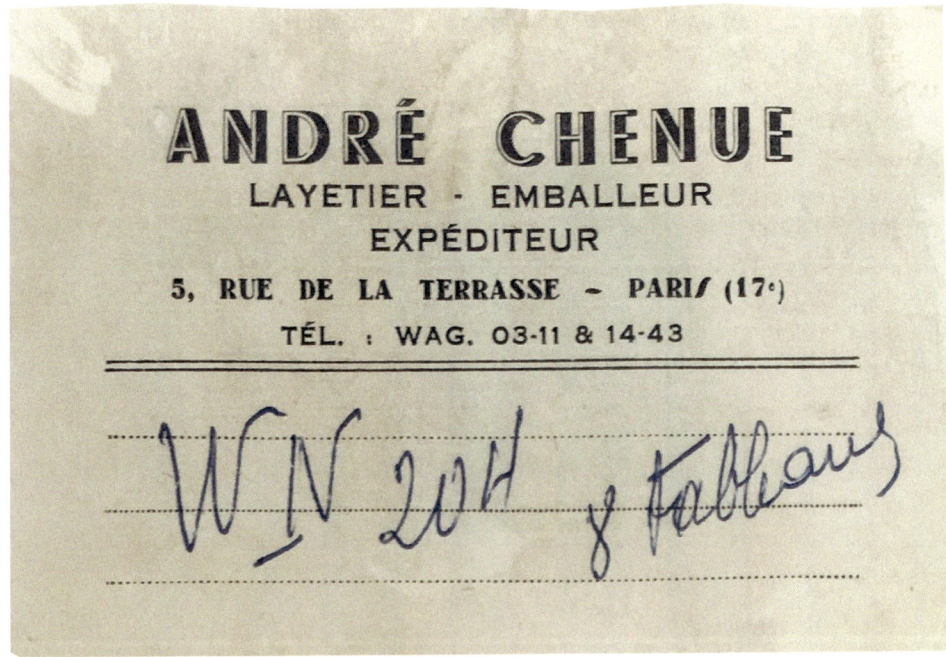

Abb. 12: Abgelöstes Etikett vom Schmuckrahmen des Delacroix-Gemäldes

müssen. Eine Motivation hätte die Übernahme in eine öffentliche Sammlung innerhalb des Deutschen Reichs oder der besetzten Gebiete darstellen können, wofür es jedoch im vorliegenden Fall keinerlei Anhaltspunkte gibt. Es wäre nur mit einem konkreten Auftrag einer machthabenden Instanz möglich gewesen, das Gemälde an den Ausfuhrbestimmungen vorbei als «Devisenbringer» ins Ausland zu verkaufen. Während des Kriegs hätte dies jedoch keine grossen Aussichten auf Erfolg gehabt.[70]

Alternativ wäre auch ein Verkauf nach dem Krieg denkbar. Bislang gab es zu der Frage, was mit den im Banksafe in der Hermannstrasse lagernden Kunstwerken über die Kriegsjahre hinweg geschah, keine Antwort.[71] Eine im Hamburger Staatsarchiv aufgefundene und hier erstmals publizierte Quelle belegt, dass zumindest Teile der Behrens'schen Sammlung nach 1945 noch erhalten waren. Dies geht aus einem wohl in den Sommer des Jahres 1946 zu datierenden Brief von Franziska Behrens an Rudolph Hieronymus Petersen (1878–1962), den ersten Hamburger Oberbürgermeister nach dem Krieg, hervor. Petersen war durch seine Mutter mit der Familie Behrens verwandt (Abb. 13).[72] Franziska Behrens schrieb:

> «Lieber Rudolph, Nachdem George nun wieder erbberechtigt geworden ist, hat Dr. Dehn alle unter Freundes Namen verwahrten Bilder und Gegenstände als in Georges Besitzung zurückgeschrieben. Ich bin Dir sehr dankbar, wenn der Dupré bei Dir bleiben kann, ich fürchte, ich werde in absehbarer Zeit keine Wohnung bekommen und in der N Kredit Bank habe ich noch so viele Bilder die gelüftet werden müssten [...]».[73]

Dies beweist, dass Bilder der Sammlung Behrens auf zwei Wegen den Krieg überstanden: zum einen durch Verteilung auf (nicht-jüdische) Freunde und Familienmitglieder, zum anderen waren offenbar tatsächlich mehrere Gemälde im Safe verblieben.

Als weitere wichtige Quelle erweist sich das am 12. Januar 1955 von George Behrens aufgesetzte Testament. In diesem erwähnt er unter den Einrichtungsgegenständen «Bilder», als deren Erbin er die mit ihm an seiner einstigen Vorkriegsadresse,

Fontenay 5, an der Aussenalster, wohnende Alice Cécile Hasperg bestimmte. Explizit nennt er zudem ein Gemälde von Corot, das er einem George Eduard Fahrenthold in Texas vermachte.[74] Wenngleich mit Ausnahme von Dupré und Corot keine Künstlernamen oder Werktitel genannt sind, erhöhen diese zwei Quellen die Wahrscheinlichkeit, dass das Basler Gemälde von Delacroix zu den Kunstwerken gehörte, die über die Zeit des Krieges hinweg gerettet werden konnten. In diesem Fall wäre George Behrens selbst der Verkäufer des Bildes gewesen, das 1954 direkt oder über eine Zwischenstation – etwa über Paris, wie das Etikett der Spedition Chenue besagt – in den New Yorker Kunsthandel gelangte.[75]

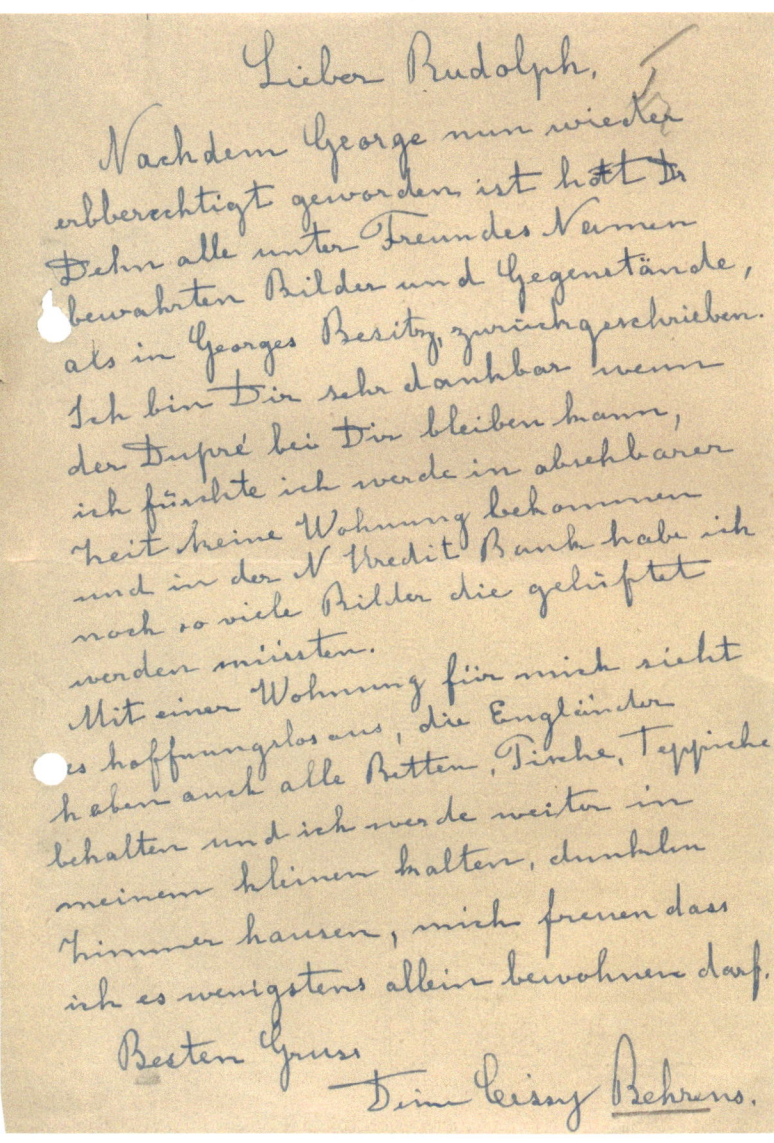

Abb. 13: Brief von Franziska Behrens an Rudolph Petersen, Sommer 1946

68. Laut Caroline Flick, Berlin, die sich seit Jahren intensiv mit dem in den Corot-Verkauf involvierten Berliner Kunsthändler H. W. Lange beschäftigt, findet sich in dessen Geschäftsakten keine Erwähnung des hier interessierenden Delacroix.

69. Vgl. Meyer 1999, bes. S. 97.

70. Bei der Zusammenstellung des Verzeichnisses von 1938 spielte das Argument des Devisenwerts in der Tat noch eine Rolle, wie das Beispiel einer weiteren von der Hamburger Kunsthalle für die Eintragung vorgeschlagenen Privatsammlung zeigt, in dem explizit erwähnt wurde, «dass Werke von Delacroix neuerdings sehr hoch eingeschätzt und bezahlt werden», vgl. Obenaus 2016, S. 298, Anm. 428.

71. So musste auch die Folgerung von Maike Bruhns, «[die Kunstsammlung] überstand den Krieg im Tresor der Hermannstrasse» (Bruhns 2001, S. 238) bislang, mangels Quellennachweisen der Autorin, als Hypothese verstanden werden. Die Sichtung des ins Hamburger Warburg-Haus übergebenen Archivs von Maike Bruhns sowie die mit dieser im August 2023 geführte E-Mail-Korrespondenz erbrachte keinen Beleg hierfür.

72. George Behrens, dessen schriftliche Überlegungen zur Rückkehr von Miami nach Hamburg sich im Privatnachlass von Petersen befinden, bezeichnet Rudolph Petersen als «Cousin», worunter wohl eher eine Verwandtschaft 2. Grades zu verstehen ist.

73. Franziska Behrens an Rudolph Petersen, o.D., in: STAHH, Familie Petersen (Rudolph Hieronymus 1878–1962), O 40, Bd. 1, A–B.

74. Freundlicher Dank an Ulrice Michelbrink, Düsseldorf, für den Hinweis auf diese Dokumente. Zu George Edward Fahrenthold (1915–2000) vgl. https://de.findagrave.com/memorial/22396636/george-edward-farenthold (28.11.2024).

75. Zwei weitere Gemälde aus der Sammlung Eduard Ludwig bzw. George Behrens, die ebenfalls als national wertvolle Kunstwerke verzeichnet und im Oktober 1939 noch im Hamburger Depot vorhanden waren, tauchten in jüngerer Zeit im Kunsthandel auf und können möglicherweise als Parallelfälle zum Gemälde von Delacroix gelten: Corot, *Landschaft mit Weiden/Vachères dans une prairie plantée de saules* (WVZ Robaut, III, Nr. 1532 / Heilbut 1891, S. 28) am 5. Mai 1998 bei Christie's New York als Los 28 versteigert. Zuvor war es 1976 durch die Hände der Newhouse Galleries in New York gegangen; sowie Daubigny, *Landschaft mit waschenden Frauen* (WVZ Hellebranth, Nr. 213 / Heilbut 1891, S. 31) am 6. April 1966 bei Sotheby's London versteigert, eingeliefert von Hall Establishment, London/Vaduz. Auch für diese beiden Werke liessen sich keine früheren Besitzangaben eruieren, sodass die Frage nach dem Zeitpunkt und den Umständen der Veräusserung aus der Sammlung Behrens nicht beantwortet werden kann.

VANESSA VON KOLPINSKI

INTERNATIONALE VERBINDUNGEN DER KUNSTHÄNDLER SILBERMAN UND LION VOR DEM HINTERGRUND EINER TAFEL AUS DER ALTDORFER-WERKSTATT

Die hier behandelte Tafel ist der Werkstatt Albrecht Altdorfers (1480–1538) zugeschrieben und zeigt das Martyrium des heiligen Erasmus in einer Landschaft. Soweit bekannt, ist das Motiv des frühchristlichen Bischofs Erasmus von Antiochia, dem von seinen Peinigern auf makabre Weise der Darm mit einer Winde aus der Bauchhöhle gezerrt wird, in dieser Form singulär im Œuvre Altdorfers beziehungsweise seiner Werkstatt. Wahrscheinlich war die Tafel Teil eines aufgelösten kleinen Altars. In Bezug auf die Figurenkomposition geht sie auf einen Holzschnitt von Lucas Cranach dem Älteren (1472–1553) zurück.[1]

Ein Blick in das Werkverzeichnis von Franz Winzinger zeigt eine lückenhafte Provenienzkette mit zwei jüdischen Eigentümern, die das Werk zwischen 1933 und 1945 ihr Eigen nannten. In der Hoffnung, die fehlenden Bausteine zwischen den Handwechseln ergänzen zu können und dabei einen NS-verfolgungsbedingten Verlust des Gemäldes auszuschliessen oder zu belegen, wurde die vorliegende Studie verfasst, die darüber hinaus einen weiteren jüdischen Besitzer offenlegt. Sie eröffnet einen Einblick in die Realität jüdischen Kunsthandels im 20. Jahrhundert.

Als erste Provenienzstation der Erasmus-Tafel wird von Winzinger die Sammlung Rudolf Bedö (1891–1978), Budapest, angegeben. Der jüdische Direktor des Chemie-Unternehmens Phoenix hatte in den 1920er- und 1930er-Jahren eine epochenübergreifende Sammlung zusammengestellt, die er trotz seiner jüdischen Herkunft bis 1944 vor dem Zugriff der mit den Nationalsozialisten verbündeten faschistischen Kollaborationsregierung in Ungarn schützen konnte.[2] Er liess sich in den 1940er-Jahren taufen und entging so dank der Unterstützung des Roten Kreuzes der Deportation. Einen Teil der Sammlung schickte er 1939 zur sicheren Verwahrung nach London. Einige dieser Objekte wurden später versteigert; die genauen Umstände sind nicht bekannt. Aus den in Budapest verbliebenen Sammlungsbeständen scheint es keine direkten Beschlagnahmungen durch die Nationalsozialisten oder deren ungarischen Partnerorganisationen gegeben zu haben. Ihre Reste wurden am 4. Mai 2009 von der Budapester Galerie Kieselbach verkauft.[3]

Laut Werkverzeichnis hat sich das Gemälde bis mindestens 1936 in einer «Sammlung Silbermann in Wien» befunden. Demnach ist es bereits vor der Besetzung Ungarns im März 1944 aus dem Besitz von Bedö ausgeschieden. Aufgrund ihrer ungarischen Wurzeln und der Verbindung zu Budapest sind vermutlich die Brüder Elkan (1892–1952) und Abris/Abraham Adolf (1896–1968) Silberman(n) mit dieser im Werkverzeichnis angegebenen Sammlung gemeint. Wegen ihrer jüdischen Herkunft wanderten die in Wien niedergelassenen Galeristen bis 1938 in die USA aus.[4]

Eine Anfrage zur nächsten Provenienzstation, der Auktion in der Galerie Fischer, Luzern, vom 17. bis 24. November 1951, ergab laut Angaben des Galeriearchivs, dass «Fred Lion, Paintings and Works of Art, 624 Madison Ave, Corner 59th Street, New York 22, N.Y» das Werk unter der Losnummer 2505 einlieferte.[5] Hierbei handelt es sich um den ältesten

1. Vgl. Franz Winzinger, Albrecht Altdorfer. Die Gemälde (Tafelbilder, Miniaturen, Wandbilder, Bildhauerarbeiten, Werkstatt und Umkreis), München/Zürich 1975, S. 128, Nr. 104. Zum Holzschnitt von Cranach aus dem Jahr 1506 vgl. Tilmann Falk (Hrsg.), Sixteenth Century German Artists: Hans Burgkmair, the Elder, Hans Schäufelein, Lucas Cranach, the Elder (The Illustrated Bartsch, Bd. 11 = ehem. Bd. 7), New York 1980, Nr. 59.

2. Vgl. Péter Molnos, Szenvedély és tudás (Bedö Rudolf műgyűjteménye), Kieselbach Galéria, Budapest 2010, in: www.kieselbach.hu/book/szenvedely-es-tudas?page=1. Bedö sammelte alte Plastik, Gemälde und Handzeichnungen, frühe Lithografien und Autografen, die er mit seinem Sammlerstempel versah. Er besass auch ungarische zeitgenössische Kunst.

3. Vgl. Molnos 2010, S. 327–328.

4. Laut Sophie Lillies Publikation zu Wiener Kunsthändlern der Zeit gab es in der Stadt zu dieser Zeit keine anderen Händler mit diesem Namen. Vgl. Sophie Lillie, Was einmal war. Handbuch der enteigneten Kunstsammlungen Wiens, Wien 2003. Zur Kunsthandlung von Stella Silbermann und Emanuel Glück vgl. Gabriele Anderl, «Kostbarkeiten gemischt mit Trödel ...». Die «Abwicklung» jüdischer Kunst- und Antiquitätenhandlungen in Wien während der NS-Zeit, in: Verena

Pawlowsky/Harald Wendelin (Hrsg.), Enteignete Kunst, Raub und Rückgabe: Österreich von 1938 bis heute, Wien 2006, S. 36–58.

5. Für die Recherche dieser Angaben danke ich Sandra Sykora, Galerie Fischer, Luzern. Fred Lion scheint seine Geschäftsadresse seit spätestens 1945 und bis frühestens 1959 an der Madison Avenue gehabt zu haben. Vgl. ancestry.com, Manhattan, New York, City Directory.

6. Meyer kaufte bei der Galerie Fischer 1965 Charles-François Daubigny, Weite Landschaft mit Bauernkarren, Öl auf Leinwand, 14 × 23,1 cm, Inv. G 1978.78, sowie Venus und Amor von Virgilio Narciso Diaz de la Peña (1807–1876), Öl auf Leinwand, 28,5 × 16,5 cm, Inv. G 1978.80 1958.

7. Vgl. Winzinger 1975, S. 128.

8. Das Geschäft war durchgehend in der Seilerstätte 16, im 1. Bezirk in Wien verortet. In Budapest befand sich die Galerie in der Ferdinandstrasse Nr. 6. Vgl. Antrag ans Handelsgericht auf Umwandlung einer Zweigniederlassung in eine Hauptniederlassung und Aenderung des Firmenwortlautes, 18. Juli 1930, in: WStLA, Reg. A50, 213, Bl. 4.

9. Vgl. Ebd.

ALBRECHT ALTDORFER (UM 1480–1538)

DAS MARTYIUM DES HL. ERASMUS UM 1518–1520

Werkstatt

Öl auf Tannenholz
37,5 × 31 cm
Nicht bezeichnet

Kunstmuseum Basel, Inv. G 1979.19
Legat Dr. August Meyer, Basel, 1977

PROVENIENZ:

Datum unbekannt:
Rudolf Bedö (1891–1978), Budapest

Datum unbekannt – mindestens 1936:
wohl Kunsthandlung E. & A. Silberman, Wien

Datum unbekannt – 24.11.1951:
Fred Lion (1886–1967), New York

17. – 24.11.1951:
Auktion Galerie Fischer, Luzern, Los 2505

24.11.1951 – 1977:
Dr. August Meyer (1903–1977), Basel,
angekauft bei der Auktion der Galerie Fischer

1977 – heute:
Kunstmuseum Basel, als Legat von
August Meyer erhalten

<u>Abb. 1a/b</u>:
Albrecht Altdorfer, Werkstatt,
Das Martyrium des hl. Erasmus, um 1518–1520,
recto und verso

der in den 1920er- und 1930er-Jahren im europäischen Kunsthandel aktiven Brüder Hans (1885–1956), Fred (1886–1967) und Louis (1884–1964) Lion. Seit wann sie im Besitz des Gemäldes waren, ist nicht bekannt.

Auf der Auktion bei Fischer 1951 wurde die der Altdorfer-Werkstatt zugeschriebene Tafel von Dr. August Meyer (1903–1977), einem Basler Internisten, ersteigert. Dieser vermachte das Werk nach seinem Tod 1977 mit 338 weiteren Objekten dem Kunstmuseum Basel. Recherchen zu anderen Werken seines Bestands suggerieren, dass seine Sammlung offenbar erst nach dem Zweiten Weltkrieg angelegt wurde.[6] Da aber die Erwerbsumstände vieler Werke noch ungeklärt sind, kann auch nicht ausgeschlossen werden, dass Meyer schon vor 1945 zu sammeln begann.

GALERIE SILBERMAN

Franz Winzinger, der Autor des Werkverzeichnisses, schreibt, dass sich *Das Martyrium des hl. Erasmus* im Jahr 1936 in einer «Sammlung Silbermann» in Wien befunden habe. Die Kunsthandlung von E. & A. Silberman ist sowohl die einzige Sammlung als auch das einzige Unternehmen, das unter diesem Namen im Segment Altmeister zur betreffenden Zeit in der österreichischen Hauptstadt aktiv war. Neben ihr gab es noch Stella Glück, geb. Silbermann, die ebenfalls eine kleine, weniger bedeutende Galerie in Wien führte. Sie agierte aber nur unter dem Namen ihres Ehemanns, weshalb es unwahrscheinlich ist, dass Winzinger auf sie rekurrierte.[7] Die Brüder Silberman hatten 1920 in Wien eine Filiale ihrer Budapester Kunsthandlung eröffnet, die sie 1930 zur Hauptniederlassung, inklusive Namensänderung unter Wegfall des zweiten «n», zu «E. & A. Silberman» machten.[8]

1928 gründete Abris (nun) Silberman eine Niederlassung in New York, die sich auf moderne und teilweise auch zeitgenössische Kunst spezialisierte (Abb. 2).[9]

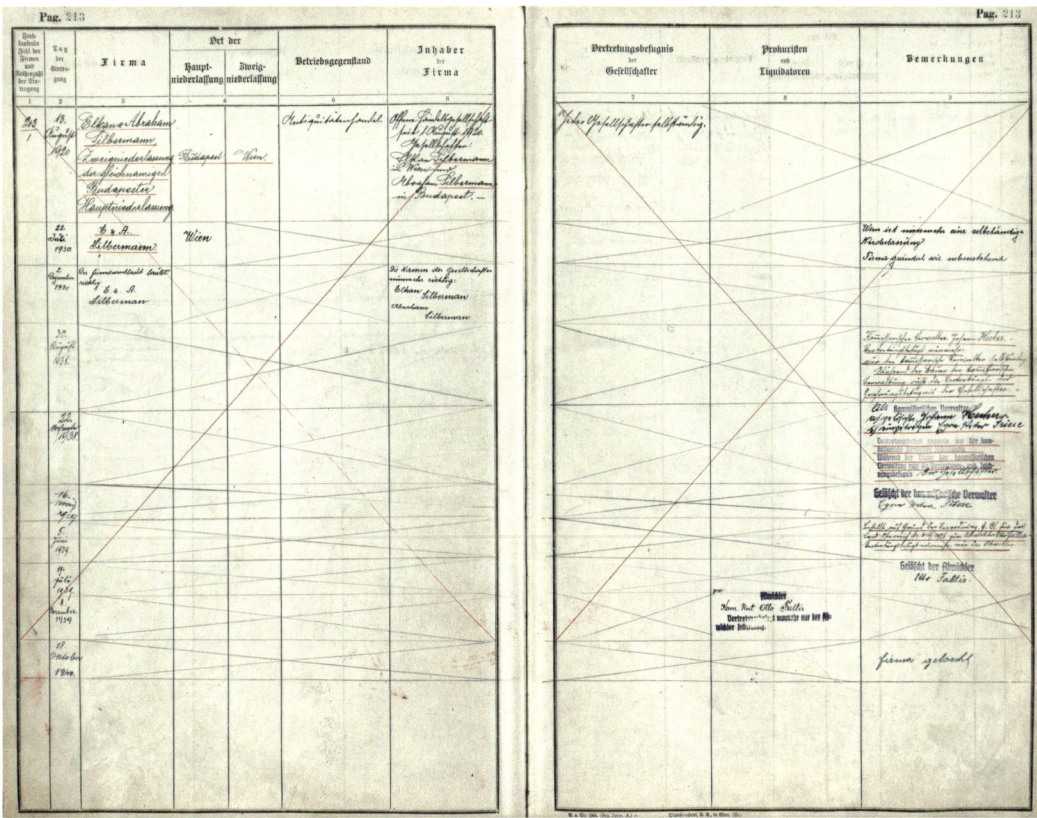

<u>Abb. 2</u>: Eintrag der Kunsthandlungen E. & A. Silberman im Wiener Handelsregister

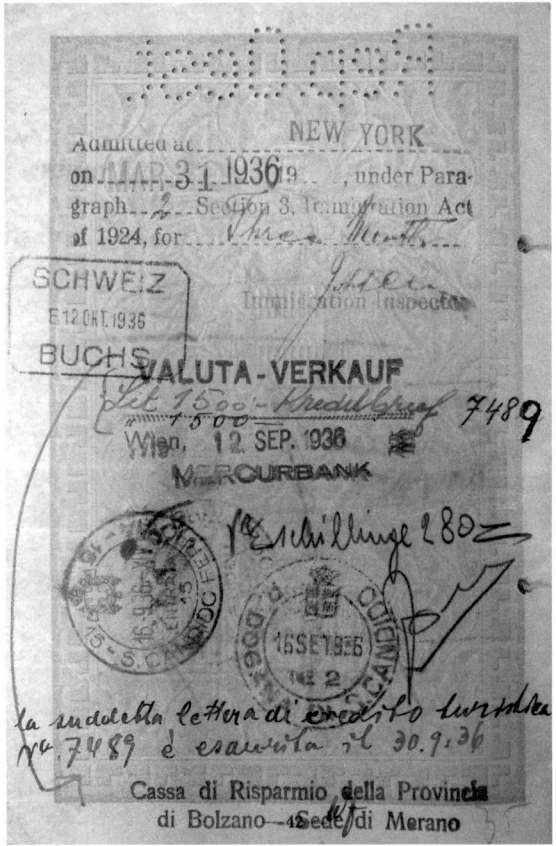
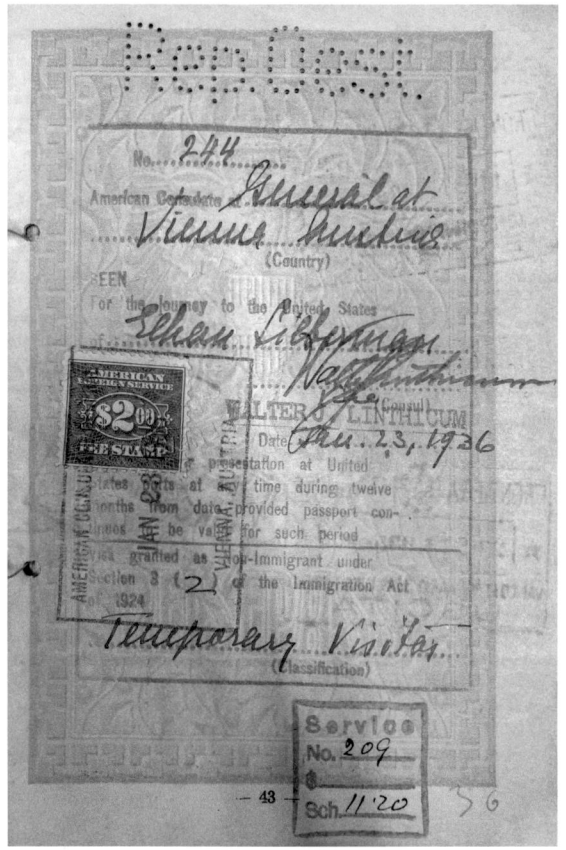

Abb. 3a–d: Reisepass Elkan Silberman, Deckblatt und Innenteil mit Reiseanträgen

Abris Silberman wanderte bereits 1934 nach New York aus. Sein Bruder folgte ihm am 30. März 1938 ab Cherbourg mit dem Passagierdampfer Queen Mary. Der im Österreichischen Staatsarchiv erhaltene Pass von Elkan Silberman bezeugt die äusserst rege Reisetätigkeit des Galeristen, der zwischen 1929 und 1938 mehr als 15 Reisen in sieben Staaten unternahm, darunter Italien, Belgien, Frankreich, Jugoslawien, USA, Ungarn und die Schweiz (Abb. 3a–d).[10]

Silbermans Wiener Galerie wurde im Herbst 1938 infolge des am 13. März des Jahres erfolgten «Anschlusses» Österreichs an das «Grossdeutsche Reich» zwangsweise liquidiert.[11] Mit der Abwicklung der Liquidation des Warenbestands wurden zunächst Johann Hecher, dann Peter Friese und zuletzt der Wirtschaftsprüfer Otto Faltis (1888–1974) betraut.[12] Friese erstellte im August 1939 eine Liste des vorhanden Galeriebestands, auf der die Altdorfer-Tafel nicht verzeichnet ist.[13] Offenbar war sie nicht (mehr) unter den noch im Warenlager vorhanden Kunstwerken, die Friese bei der Übernahme auffand. Hecher hatte bereits 1938 begonnen, Kunstwerke zu verkaufen. Den genauen Umfang der Veräusserungen konnte Friese aufgrund mangelnder Informationen aber nur schwer nachvollziehen.[14] Im Kontext der erzwungenen Abwicklungen von jüdischen Galerien in Wien ist zu konstatieren, dass in den Jahren 1939 und 1940 mehrere Konvolute an Kunstwerken im Wert von insgesamt 62.993,10 RM[15] als sogenannte «Schwedenverkäufe» von Österreich nach Schweden exportiert worden sind.[16] Auch aus der Sammlung Silberman wurden drei Werke als Kommissionware an das noch heute aktive Stockholmer Auktionshaus Bukowskis gegeben.[17] Wer genau die Abnehmer in Schweden waren, konnte bislang nicht ermittelt werden.

Faltis wurde mit der finalen Abwicklung aller jüdischen Kunsthandlungen in Wien betraut[18] und erzielte 36.762,01 RM für die Verkäufe von Kunstwerken und Kunstgewerbe der Galerie Silberman.[19] Drei bekannte Auktionen aus ihren liquidierten Beständen fanden über das Wiener Auktionshaus Dorotheum statt: eine Versteigerung des Wohnungsinventars im Juli 1938, eine Auktion am 31. Mai 1940[20] und eine weitere Auktion im Mai 1942.[21] Im Katalog der Mai-Auktion 1940 wird an erster Stelle ein Altdorfer zugeschriebenes Gemälde für 8.000 Schilling angeboten, das den «Gekreuzigten in der Landschaft» darstellt. Die Grösse und das Thema passen jedoch nicht zu dem Basler Werk (Abb. 4). Das Bundesdenkmalamt Wien wurde zu Restitutionsunterlagen und Ausfuhrgesuchen von Werken sowohl der Privatsammlung als auch der Kunsthandlung Silberman ohne gewinnbringendes Ergebnis für das vorliegende Gemälde befragt.[22] Ebenso konnte die Frage nach einer möglichen Datierung der Stempel der Österreichischen Zentralstelle für Denkmalschutz auf der Rückseite des Keilrahmens nicht beantwortet werden. Der auf der Tafel erhaltene Stempel kann lediglich auf einen Anbringungszeitraum zwischen 1934 und 1938

10. Vgl. Elkan Silberman: Reisepass, Ausreisestempel und handschriftliche Annotation der Abfahrtszeiten der Überseedampfer Aquitania, Normandie und Queen Mary, in: OeStA, AdR/E-uReang/Hilfsfonds/Abgeltungsfonds 2381
11. Vgl. Hopp 2012, S. 240, und Vermögensverkehrsstelle an Peter Friese, 10. November 1938, in: WStLA, Reg. A50, 213, Bl. 22.
12. Vgl. ebd.; Aenderungen bei einer bereits eingetragenen Firma, Löschung Johann Hecher, 22. November 1938 und Aktennotiz betr. Dolly Silbermann, z.Hdn. Herrn Menacher, 26. September 1967, in: OeStA, AdR/E-uReang/Hilfsfonds/ Abgeltungsfonds 2381, Bl. 40.
13. Vgl. Albin Lackner: Bericht, 11. August 1939 (Bilanzstichtag 8. August 1939), in: OeStA, AdR 06, VVSt, Kt. 997, St. 1835, Beilage 6: «Waren Vorräte».
14. Zwar gibt es eine Liste mit Einlieferungen zur Wohnungsauktion vom Juli 1938, aber darüber hinaus hat Hecher wohl noch mehr nicht deklarierten Warenbestand verkauft. Vgl. Dorotheum an das Bundesdenkmalamt Wien, 16. Mai 1950, in: BDA, Personenmappe, K47 PM Silberman Elkien [sic], Bl. 19.
15. Vgl. Generalbericht I: Beilage F, 20. April 1940, in: OeStA, AdR 06, VVSt, Kt. 997.
16. Vgl. Anderl 2006, S. 42.
17. Vgl. Albin Lackner: Bericht, 11. August 1939 (Bilanzstichtag 8. August 1939), in: OeStA, AdR 06, VVSt, Kt. 997, St. 1835, Beilage 5, S. 10, Bl. 46.
18. Vgl. Laconia Institut an Vermögensstelle, 20. Juli 1939, in: OeStA, AdR 06 3249.

19. Vgl. Beilage zum Generalbericht II, Anlage 3/ Bl. 5, 10. Mai 1941, in: OeStA, AdR 06, VVSt, Kt. 997.
20. Vgl. Versteigerung von Gemälden alter und neuer Meister, Aukt.-Kat. Dorotheum Wien, 31. Mai 1940, in: www.proveana.de/de/link/evt00000188, https://doi.org/10.11588/diglit.15798#0001 (3.2.2023).
21. Vgl. BDA, Personenmappe, K47 PM Silberman Elkien [sic]. Die einzige mögliche Auktion, die im Zuge der Recherchen gefunden werden konnte, fand am 18. und 19. Mai 1942 statt. Weder eine Tafel von Altdorfer noch ein Werk, das den heiligen Erasmus zum Thema hat, ist im diesem Katalog aufgeführt. Vgl. https://doi.org/10.11588/diglit.14082#0001 (3.2.2023). Laut II. Generalbericht des Abwicklers der Firma E. & A. Silberman, Otto Faltis, fand bereits am 21. April 1941 die letzte Überweisung von Auktionserlösen des Dorotheums auf das Konto der Vermögensverkehrsstelle statt, sodass unklar bleibt, ob das Datum der Mai-Auktion 1942 korrekt ist. Vgl. Generalbericht II, 10. Mai 1941, in: OeStA, AdR 06, VVSt, Kt. 997, S. 10
22. Auch der rückseitig erwähnten Zuschreibung an den Renaissancekünstler Filippo Lippi wurde vergeblich nachgegangen. Vgl. Vanessa von Kolpinski an Lisa Frank, Bundesdenkmalamt Wien, Januar 2022, in: KMB, Abt. Provenienzforschung, Dossier Silberman.

Dorotheum Wien / Kunstabteilung

I., Dorotheergasse 11, Fernruf R-25-0-18

Versteigerung

von

Gemälde alter und neuerer Meister, **Skulpturen, Antiquitäten, Ostasiatika, Büroeinrichtungsgegenständen,** Kassen und **Vervielfältigungsapparaten,** antiken und **Stilrahmen, Perserteppichen**

in den Räumen der ehemaligen Galerie

E. und A. Silberman, Wien, I., Seilerstätte 16.

Besichtigung: Donnerstag, den 30. Mai 1940, von 9 bis 18 Uhr.

Auktion: Freitag, den 31. Mai 1940, ab 15 Uhr.

Die erstandenen Gegenstände müssen wegen Räumung des Lokales am Samstag, dem 1. Juni 1940, in der Zeit von 9 bis 13 Uhr abgeholt werden, ansonsten erfolgt die Einlagerung und der Transport auf Rechnung und Gefahr der Ersteher.

An der Versteigerung können nur jene Kunsthändler teilnehmen, die vom Landesleiter der Reichskammer der bildenden Künste beim Landeskulturwalter Gau Wien durch Übersendung des Auktionsverzeichnisses eingeladen wurden.

Die Kunsthändler sind verpflichtet, den von der Kunstkammer ausgestellten Ausweis zum Nachweis der Handelsbefugnis mitzubringen.

Die Versteigerung geschieht gegen sofortige Barzahlung in Reichsmarkwährung. Vom Ersteher wird zum Meistbot ein Aufgeld von 20% eingehoben.

Die angesetzten Preise sind Ausrufpreise.

Freitag, den 31. Mai 1940.

Beginn 15 Uhr.

1 **Altdorfer Albrecht** (1480—1538 Regensburg), Der Gekreuzigte in der Landschaft, Öltempera auf Holz, 142×92. Expertise von Dr. Robert Eigenberger: Das umstehend abgebildete Bild ist mir genau bekannt und erscheint mir als eine charakteristische und ausgezeichnete Arbeit des Albrecht Altdorfer, der hier besonders in der prachtvollen Landschaft eine wunderbare Probe seiner Kunst abgelegt hat. Das Bild ist in allen Hauptpartien ganz besonders gut erhalten   8000,—
Nach Ansicht von Dörnhöffer und Feuchtmayr könnte es sich auch um ein Werk des nahestehenden Meisters M. S. handeln.

2 **Kreis Niccolo Alunno,** Bartholomeus und Bernhardin von Siena, Altarflügel mit doppeltem Dreieckgiebel und Rahmen, Öltempera auf Holz, 161×80   400,—

3 **Kreis Niccolo Alunno,** Franziskus und Johannes der Täufer, Altarflügel mit doppeltem Dreieckgiebel und Rahmen, Öltempera auf Holz, 161×81   400,—

4 **Kreis Niccolo Alunno,** Maria mit Kind, mittlere Altartafel, Öltempera auf Holz, 180×161   500,—

5 **Belgisch,** um 1850, Landschaft, bezeichnet Hoguet? Öl auf Leinwand, 29×41   40,—

6 **Bartolomeo Bimbi** (1648—1725), Blumenstilleben, bezeichnet A. Bimbi, Öl auf Leinwand, 86×117   350,—

6a **Bolognesisch,** Ende 17. Jahrh., drei Grisailleskizzen zu Pendentiffresken, jede 36×62   100,—

7 **Kreis Aelbert Bouts,** alte Kopie um 1600, Christus mit Stifter und dessen Schutzheiligen, Öl, Leinwand auf Holz, 46×58   250,—

8 **Brescianisch,** 16. Jahrh., Mann mit Pelzkragen, Öl auf Holz, 80×62   250,—

9 **Hans Canon** (1829—1885), Lautenspieler, bezeichnet Canon, datiert 1872, Öl auf Leinwand, 125×88   1000,—

10 **Art des Giacomo Francesco Cipper,** Bauernszene, Öl auf Leinwand, 92×117   200,—

11 **A. Delacroix** (1812—1868), Orientalin, bezeichnet A. Delacroix, Öl auf Holz, 45×36   250,—

12 **Deutsch, 16. Jahrh.,** Porträt der Königin Anna, alte Kopie, Öl auf Leinwand, 185×101   250,—

13 **Deutsch, um 1600,** Vera ikon, Öltempera auf Holz, 43×29   250,—

14 **Deutsch, um 1600,** Männerporträt, Öl auf Leinwand, 116×93   100,—

15 **Deutsch, 17. Jahrh.,** Hl. Michael, Öl auf Leinw., 74×54 10,—

16 **Deutsch, 17. Jahrh.,** Venus, Supraporte, Öl auf Leinwand, 106×156   10,—

17 **Deutsch, 17. Jahrh.,** Damenbildnis, Öl auf Leinwand, 60×50   150,—

18 **Deutsch, 17. Jahrh.,** Männerbildnis, Öl auf Leinwand, 75×64   20,—

19 **Deutsch, 17. Jahrh.,** Christus, Öl auf Leinwand, 66×50   50,—

20 **Deutsch, 17. Jahrh.,** Alter Mann, Öl auf Leinw., 37×34   30,—

21 **Deutsch, 17. Jahrh.,** Damenbildnis, Öl auf Leinwand, 129×90   200,—

22 **Deutsch, 17. Jahrh.,** Herrenporträt, Öl auf Leinwand, 70×55   35,—

23 **Deutsch, 17. Jahrh.,** Damenbildnis, datiert 1628, Öl auf Leinwand, 101×87   200,—

24 **Deutsch, um 1780,** Dame mit Notenblatt, Öl auf Leinwand, 83×68   120,—

25 **Deutsch, 18. Jahrh.,** Hl. Paulus im Kerker, Öl auf Leinwand, 173×120   20,—

26 **Deutsch, 18. Jahrh.,** Magdalena, Öl auf Leinwand, 87×69   100,—

27 **Deutsch, 18. Jahrh.,** Hl. Markus, Öl auf Leinw., 91×72 30,—

28 **Deutsch, 18. Jahrh.,** Hl. Hieronymus, Öl auf Leinwand, 52×42   80,—

29 **Deutsch, 18. Jahrh.,** drei Putti, Öl auf Leinw., 45×54 10,—

30 **Deutsch, 18. Jahrh.,** Die Überraschte, Guasch nach Farbstich, 22×26   15,—

Abb. 4: Versteigerung des Bestands der liquidierten Galerie E. & A. Silberman, Dorotheum Wien, 31. Mai 1940, Seite aus dem Auktionskatalog

eingegrenzt werden.[23] Das Gemälde wurde also in diesem Zeitraum aus Österreich ausgeführt; durch wen und wohin, muss allerdings offenbleiben (Abb. 5).

Für die Jahre 1938 und 1939 sind 24 Ausfuhrgesuche der Galerie Silberman im Bundesdenkmalamt verzeichnet. Eine Darstellung des heiligen Erasmus war jedoch nicht unter den angemeldeten Objekten. Dennoch kann davon ausgegangen werden, dass Elkan Silberman, trotz Liquidierung seines Kunsthandels, einige Werke in Sicherheit bringen beziehungsweise für sich gewinnbringend verkaufen konnte.[24] Dies deckt sich mit den Nachkriegsuntersuchungen des österreichischen Härtefonds, derjenigen Stelle, die für die Entschädigungszahlungen zuständig war. Sie erklärte:

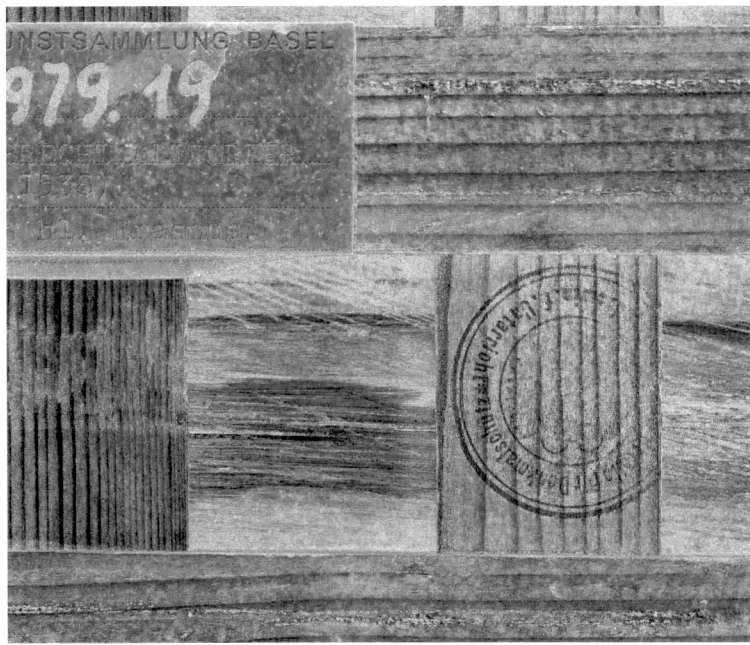

Abb. 5: Rückseitiger Stempel der Zentralstelle für Denkmalschutz in Wien (Detail)

> «Die Wiener Zentrale war an die New Yorker Filiale buchmässig stark verschuldet[25] und die hiesigen Aktiven bestanden zum Grossteil aus amerikanischer Kommissionsware (Gemälden, die zur Restaurierung nach Wien gebracht wurden). Viele dieser Gemälde wurden vom komm. Verwalter Peter Friese nach den USA zurückgeschickt und drei Gemälde wurden vom späteren Abwickler Otto Faltis dem Dorotheum zur Verwahrung übergeben (unter Depot Nr. 7536), mit einem Versicherungswert von RM 8000.- Das gesamte Lager an Gemälden u. Kunstgegenständen wurde lt. Auftrag der VVST [Vermögensverkehrsstelle] durch das Dorotheum zur Versteigerung gebracht, darunter 1 Bild von Altdorfer, das vom Dorotheum szt. mit RM 10.000.- belehnt war.»[26]

Das in diesem Zitat erwähnte Altdorfer-Gemälde ist nicht identisch mit der Tafel des heiligen Erasmus. Weder die Beschreibung noch die Massangaben des Auktionsloses stimmen mit ihr überein.[27] Es liegt vielmehr nahe, dass das genannte Bild mit demjenigen gleichzusetzen ist, das im vorherigen Abschnitt als Losnummer 1 der Auktion vom 31. Mai 1940 im Dorotheum erwähnt wurde.[28] Weiter wird in der Akte des Bundesdenkmalamts der Name des Rechtsvertreters der Brüder Silberman, Dr. Lajos Farkas, Budapest, erwähnt, an den um 1938 verschiedene Werke geschickt worden sein sollen. Auch diesem Hinweis wurde ergebnislos nachgegangen, denn es gibt keine Verlustmeldungen oder sonstige Informationen zu Kunstwerken in Verbindung mit diesem Namen.[29]

Die Nachkriegsdokumentation zur Sammlung Silberman im Bundesdenkmalamt geht zu grossen Teilen auf die Initiative von Elkan Silberman zurück. Er erkundigte sich nach dem Krieg nach seiner Habe und vermerkte: «Die Auffindung jeder Spur ist uns

23. Vgl. ebd.

24. Vgl. ebd., Bsp. ZI 75/1938: ein «Bild af. Holz (schw. Rahmen 29 × 37 cm)» sollte an Stöcklin, Basel, geschickt werden.

25. Vgl. Albin Lackner: Bericht, 11. August 1939, in: OeStA, AdR 06, VVSt, Kt. 997, S. 6 (7): «In der Bilanz des Stichtags 31. Dezember 1937 ist das Eigenkapital der Firmeninhaber mit S 101.314,15 [wohl Schilling], das sind 52% der Bilanzsumme, ausgewiesen. Während ein Betrag von S 91.633,85 als Kreditoren erschien.» Diese Kreditoren war die New Yorker Filiale der Silberman Galleries. «Demnach befand sich an diesem Stichtag das gesamte Vermögen der Firma im Besitze der Inhaber.» Dank an Sabine Loitfellner von der Israelitischen Kultusgemeinde in Wien für die Sichtung und Zurverfügungstellung des Materials aus dieser Akte.

26. Aktennotiz betr. Dolly Silbermann, z. Hdn. Herrn Menacher, 26. September 1967, in: OeStA, AdR/E-uReang/Hilfsfonds/Abgeltungsfonds 2381, Bl. 40.

27. Vgl. Versteigerung von Gemälden alter und neuerer Meister [...] in den Räumen der ehemaligen Galerie E. und U. Silberman, Aukt.-Kat., Wien, Dorotheum, Wien, 31. Mai 1940, Los 1, https://doi.org/10.11588/diglit.15798#0001 (6.9.2023).

28. Winzinger verzeichnet weiter keine Werke Altdorfers oder seiner Werkstatt, die eine Silberman-Provenienz aufweisen.

29. Zu Farkas wurden folgende Entschädigungs- und Wiedergutmachungsakten eingesehen, wobei nicht klar ist, ob sie der betreffenden Person zuzuordnen sind: Landesarchiv NRW, Duisburg, BR 3001 Nr. 100339 und LA Berlin, B Rep. 025-06, Nr. 504/66.

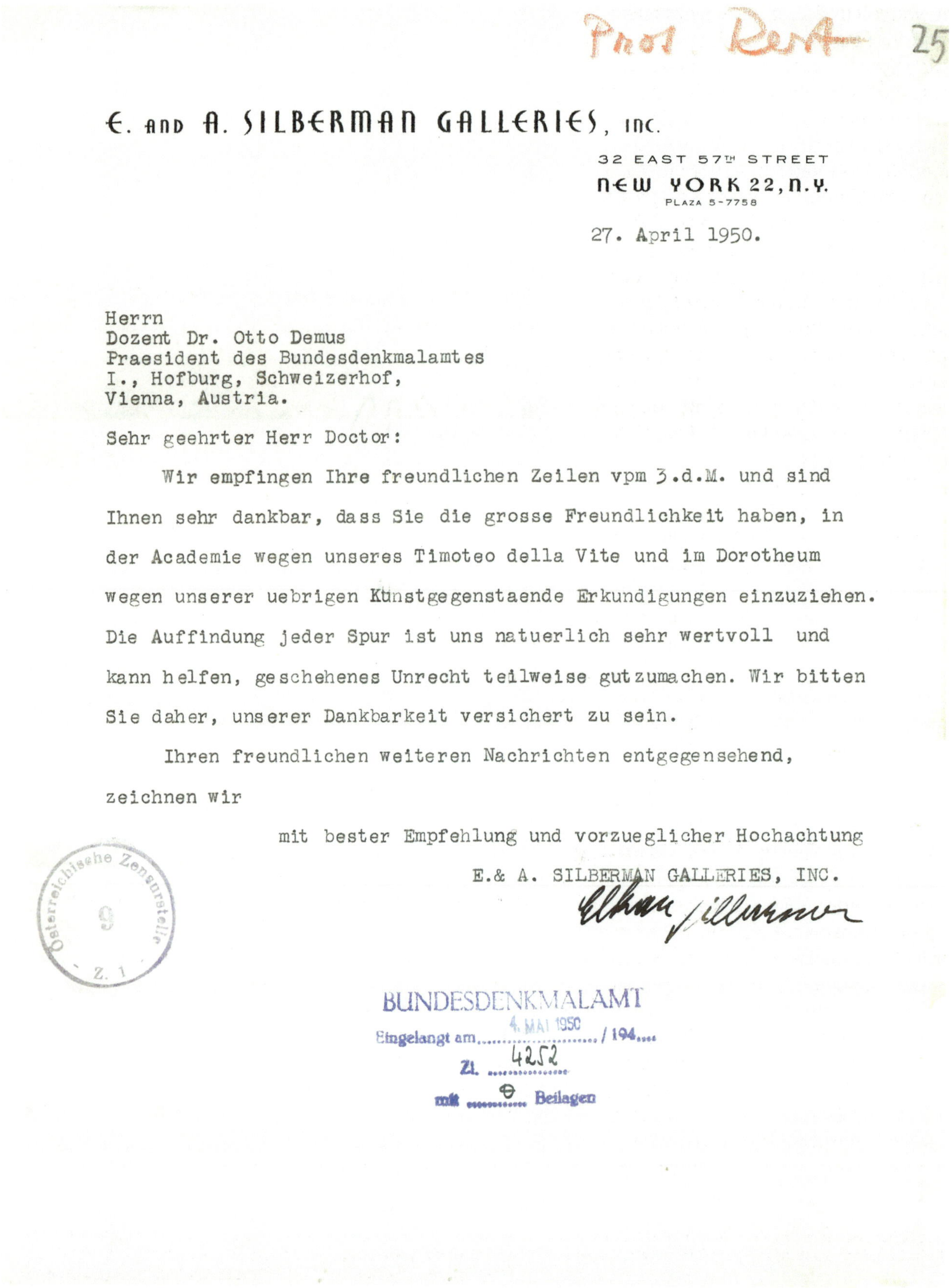

Prof. Rest   25

E. AND A. SILBERMAN GALLERIES, INC.

32 EAST 57TH STREET
NEW YORK 22, N.Y.
PLAZA 5-7758

27. April 1950.

Herrn
Dozent Dr. Otto Demus
Praesident des Bundesdenkmalamtes
I., Hofburg, Schweizerhof,
Vienna, Austria.

Sehr geehrter Herr Doctor:

    Wir empfingen Ihre freundlichen Zeilen vpm 3.d.M. und sind Ihnen sehr dankbar, dass Sie die grosse Freundlichkeit haben, in der Academie wegen unseres Timoteo della Vite und im Dorotheum wegen unserer uebrigen Kunstgegenstaende Erkundigungen einzuziehen. Die Auffindung jeder Spur ist uns natuerlich sehr wertvoll und kann helfen, geschehenes Unrecht teilweise gutzumachen. Wir bitten Sie daher, unserer Dankbarkeit versichert zu sein.

    Ihren freundlichen weiteren Nachrichten entgegensehend, zeichnen wir

      mit bester Empfehlung und vorzueglicher Hochachtung

        E.& A. SILBERMAN GALLERIES, INC.

Elkan Silberman

BUNDESDENKMALAMT
4. MAI 1950
Eingelangt am .... / 194....
Zl. 4252
mit .... Beilagen

Abb. 6: Anfrage Elkan Silbermans an das Bundesdenkmalamt Wien: Nachforschungen zu verlorenen Kunstobjekten, 27. April 1950

natürlich sehr wertvoll und kann helfen, geschehenes Unrecht teilweise gutzumachen.»[30] (Abb.6) Die Dokumentation zeigt ferner, dass neben den in der Galerie und aus der Privatwohnung beschlagnahmten Werken auch solche zurückverlangt wurden, die Elkan Silberman 1938 vor seiner Flucht beim Restaurator Emmerich Bergthold (1891–1966) in Wien zurückgelassen hatte. Einige der dort eingelagerten Objekte wurden mittels Vollmacht Elkan Silbermans im Jahr 1950 von einem «Herrn Lion» – so die handschriftliche Notiz auf dem Dokument – dort abgeholt.[31] Diese Person könnte mit einem der vor 1938 in München, Berlin und Tschechien aktiven Galeristen Hans, Louis oder Fred Lion übereinstimmen. Letzterer tritt nur ein Jahr später als nächster bekannter Eigentümer in der Provenienzkette des *Martyriums* als Einbringer zur Auktion bei der Galerie Fischer in Erscheinung (Abb. 7).

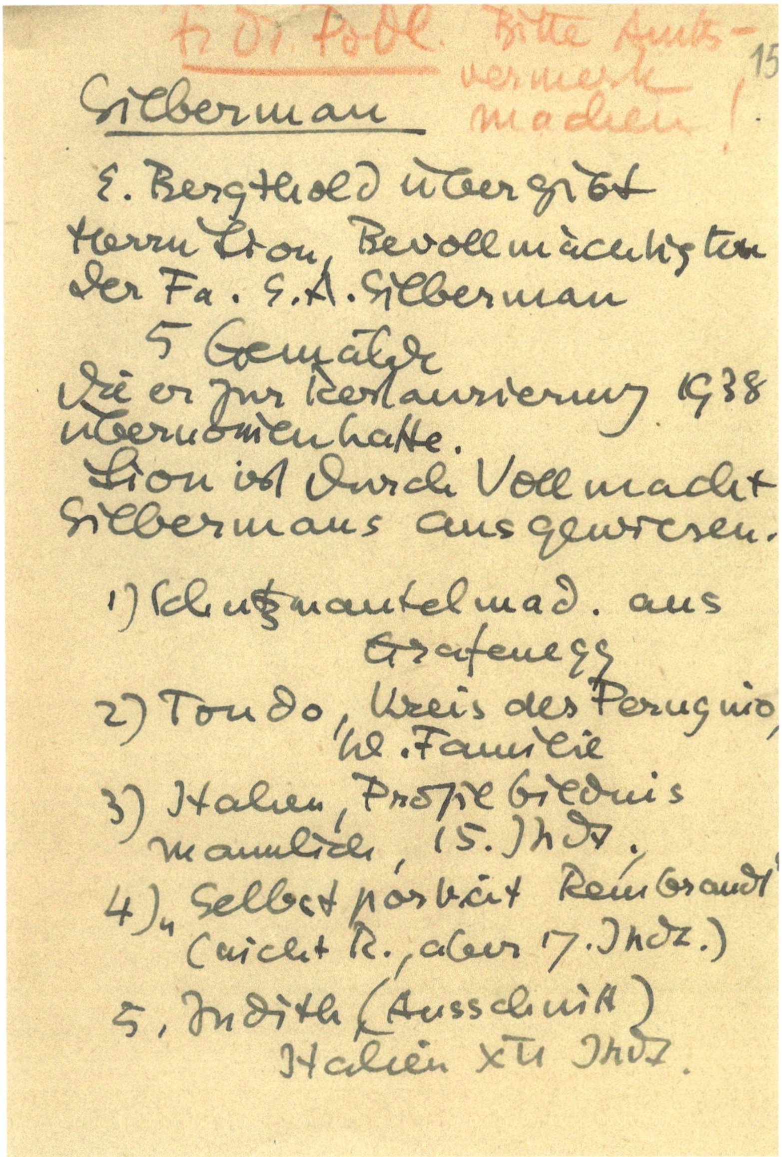

Da aus diesen grösstenteils von Silberman selbst angestossenen Untersuchungen nicht hervorging, wann die vorliegende Tafel der Altdorfer-Werkstatt aus der Sammlung Silberman ausschied und was mit ihr zwischen 1936 und 1951 geschah, wurden die Entschädigungsakten im Landesarchiv Berlin und des Österreichischen Abgeltungsfonds herangezogen.

Die Wiedergutmachungsansprüche von Elkan Silberman wurden nach seinem Ableben 1952 von seiner Frau Dora (Dolly) Silberman, geb. Weiss (1903–1984), angemeldet.[32] Dora Silberman war gebürtige Schweizerin und lebte mit ihrem Mann Elkan nach 1938 in New York.[33] Neben Entschädigungsforderungen für Kunstwerke und Kunsthandwerk wurden auch Anträge zur Entschädigung von Einrichtungsgegenständen, «Fahrzeugnissen» und der Arisierung der Kunsthandlung von ihr eingereicht. Die vorliegende Tafel wird unter den Verlustgegenständen nicht genannt. Die von Dolly Silberman in den Anträgen glaubwürdig vorgebrachten Verlustumstände wurden weder vom Wiedergutmachungsamt noch vom Abgeltungsfond anerkannt. Die Begründung war zum einen, dass die für die Kunstwerke erzielten Beträge zur Tilgung von Schulden verwendet wurden und zum anderen, dass sich nicht eindeutig nachweisen liess, dass die Objekte oder deren Verkaufserlös tatsächlich ins Deutsche Reich überführt wurden.[34]

Obwohl die Brüder Silberman grosse Bestände an Kunstwerken in Europa zurücklassen mussten und dafür nur unzureichend entschädigt wurden, war die New Yorker

Abb. 7: Handschriftliche Notiz über die Abholung eingelagerter Objekte durch «Herrn Lion», Bevollmächtigter der Firma E. & A. Silberman, o.D.

30. Vgl. Anfrage Elkan Silberman an den Präsidenten des Bundesdenkmalamts Wien, 27. April 1950, in: BDA, Personenmappe, K47 PM Silberman Elkien [sic], Bl. 25.
31. Vgl. Bundesdenkmalamt, Wien: Notiz, 2. August 1950, in: BDA, Personenmappe K47 Silberman Elkien [sic], Bl. 14–15.
32. Vgl. B Rep. 025-03, Nr. 2245/59–2247/59.
33. Vgl. www.geni.com/people/Dora-Dolly-Silberman/60000000082561447169.
34. Vgl. Wiedergutmachungsämter von Berlin: Beschluss, 22. Oktober 1959, in: LA Berlin, B Rep. 025-03, Nr. 2245/59–2247/59, und Zuerkennungskommission: Beschluss, 11. Februar 1963, OeStA, AdR/E-uReang/Hilfsfonds/Abgeltungsfonds 2381, Bl. 27–28.

Kunsthandlung E. & A. Silberman Galleries noch bis weit in die 1960er-Jahre erfolgreich im internationalen Geschäft tätig. Allein das Kunstmuseum Basel kaufte mindestens zwei Werke der klassischen Moderne von der florierenden Galerie.[35] Im jüngeren Restitutionsgeschehen fand trotz der geschilderten Bemühungen der Familie in der unmittelbaren Nachkriegszeit bislang keine weitere Rückgabe statt. Für ein allegorisches Gemälde von Franz Anton Maulbertsch, das sich in der Sammlung der Österreichischen Galerie Belvedere befindet, lässt sich ein berechtigter Anspruch der Erben nach Abris und Elkan Silberman nachweisen. Am 11. September 2009 empfahl der österreichische Kunstrückgabebeirat die Restitution, da aus den Liquidationsunterlagen der Firma Silberman ersichtlich wird, dass das Bild von dem Zwangsverwalter Egon Friese aus dem Bestand der «arisierten» Kunsthandlung an das Museum verkauft worden war. Aus Gründen der bislang ungeklärten Rechtsnachfolge befindet sich das Bild nach wie vor im Belvedere in Wien (Abb. 8).[36]

Abb. 8: Franz Anton Maulbertsch, *Allegorie auf Galizien und Lodomerien (Apotheose Polens)*, 18. Jh., Öl auf Leinwand, 72,5 × 107,5 cm, Österreichische Galerie Belvedere, Wien

Eine Analogie zum vorliegenden Fall herzustellen, ist kaum möglich, da die Basler Altdorfer-Tafel nicht in den Akten erwähnt wird. Der genaue Zeitpunkt, wann *Das Martyrium des hl. Erasmus* aus der Sammlung Silberman ausschied, bleibt unbekannt. Allerdings suggeriert der erwähnte Stempel eine Ausfuhr aus Österreich im Zeitraum 1934–1938. Somit stellt sich zusammenfassend die Frage, ob sich das Bild überhaupt in der Liquidationsmasse der Kunsthandlung befunden hat. Möglich wäre auch, dass die Tafel versteckt den Krieg überdauerte, dass Elkan Silberman das Werk in die USA exportieren und es dort abstossen konnte oder dass es noch vor der Liquidierung im Jahr 1938 verkauft worden ist.

35. Edgar Degas, *Le jockey blessé*, Öl auf Leinwand, 180,6 × 150,9 cm, Kunstmuseum Basel, G 1963.29 und Paul Cézanne, *Le Mont Sainte-Victoire vue des Lauves*, Öl auf Leinwand, 59,9 × 72,2 cm, Kunstmuseum Basel, G 1955.12.

36. Vgl. Beschluss des österreichischen Kunstrückgabebeirats, 11. September 2009, www.provenienzforschung.gv.at/beiratsbeschluesse/Silbermann_Abraham_Elkan_2009-09-11.pdf.

37. Vgl. Karin Leitner-Ruhe, Gudrun Danzer und Monika Binder-Krieglstein (Hrsg.), Restitutionsbericht 1999–2010, Universalmuseum Joanneum, Graz 2010, S. 58–59, www.lootedart.com/web_images/pdf2018/Restitutionsbericht%20Universalmuseum%20Joanneum,%20Graz%202010.pdf (27.4.22).

38. Vgl. https://provenienz.gnm.de/wisski/navigate/2161/view (27.4.2022).

39. Vgl. Anja Ebert, Louis, Hans und Fred Lion – Kunsthändler in München, Berlin und Marienbad, in: Anne-Cathrin Schreck (Hrsg.), Gekauft – Getauscht – Geraubt? Erwerbungen des Germanischen Nationalmuseums zwischen 1933 und 1945, Heidelberg 2019, S. 35–49, hier S. 35, in: https://doi.org/10.11588/arthistoricum.393 (27.4.2022).

40. Vgl. Déclaration Police des étrangers, o.D., in: AN, Pierrefitte-sur-Seine, 19940459/295, Louis Lion.

41. Vgl. Aufenthaltsverlängerungsantrag Département d'Ille et Vilaine, o.D., in: AN, Pierrefitte-sur-Seine, 19940459/295, Fritz Lion und Beschluss Rückerstattungsverfahren, 3. (?) Juni 1970, in: LA Berlin, B Rep. 025-08, Nr. 5959/59, Bl. 106.

42. Vgl. Hans Lion an Ministère de l'Intérieur, Service des Etrangers, 18. April 1940, in: AN, Pierrefitte-sur-Seine, 19940459/295, Hans Lion.

43. Vgl. Oberfinanzpräsident Wien-Niederdonau an Geheime Staatspolizei, 16. April 1943, in: OeStA, AdR/E-uReang FLD 14535. National Archives (NARA), Maryland, www.fold3.com/image/304751498/wash-spdf-int-1-document-9394-page-151-us-oss-washington-secret-intelligence-records-1942-1946n (6.2.2025); Records of the American Commission for the Protection and Salvage of Artistic and Historic Monuments in War Areas, 1943–1946, https://www.fold3.com/image/270237059 (6.2.2025). In dieser Liste von Personen, die an Karl Haberstock verkauft haben sollen, figuriert Hans Lion unter der Pariser Adresse rue du General Foy. In Horst Kesslers Publikation, die das vorhandene Material des Haberstock-Archivs untersucht, kommt der Name Lion allerdings nicht vor. Vgl. Christof Trepesch (Hrsg.), Karl Haberstock. Umstrittener Kunsthändler und Mäzen, München/Berlin 2008. Der lange Emigrationsweg von Louis Lion, seiner Frau und seinen Töchtern kann anhand folgender Akten nachvollzogen werden: The National Archives at Philadelphia, Philadelphia, PA, NAI Title: Declarations of Intention For Citizenship, 1/19/1842 –10/29/1959; NAI Number: 4713410; Record Group Title: Records of District Courts of the United States, 1685-2009; Record Group Number: The National Archives and Records Administration; Washington, D.C., Passenger and Crew Lists of Vessels Arriving at and Departing from Ogdensburg, New York, 5/27/1948 – 11/28/1972; Microfilm Serial or NAID: T715, 1897–1957, in: NARA, The National Archives, Kew, Surrey, England, BT27 Board of Trade: Commercial and Statistical Department and Successors: Outwards Passenger Lists; Reference Number: Series BT27-149782.

44. Vgl. Guy Stein: Bürgschaft für Hans Lion, 13. November 1939, in: AN, Pierrefitte-sur-Seine, 19940459/295, Hans Lion.

45. Vgl. Louis Lion: Steuererklärung, 29. März 1935, in: StAM, FinA 18294 (Louis Lion), S. 1.

KUNSTHANDLUNG
BRÜDER LION

Als nächster Besitzer der Tafel gilt Fred Lion. Dank Unterlagen der Galerie Fischer, in der das Werk 1951 zur Versteigerung kam, kann nachgewiesen werden, dass Fred Lion es zur besagten Auktion eingeliefert hat. Wie es in Lions Besitz gekommen war und ob er es eventuell lediglich als Kommissionsware übernommen hatte oder womöglich stellvertretend für einen anderen Eigentümer zur Versteigerung gab, konnte nicht festgestellt werden.

Die Familie Lion war eine bekannte Grösse vor allem im Münchner Kunsthandel.[37] Die als jüdisch geltenden Brüder Julius/Louis, Johannes/Johann/Hans/Jean/John und Friedrich/Fred/Fritz Lion (alle Namen tauchen gleichberechtigt in den historischen Dokumenten auf) gründeten ab 1922 Kunsthandlungen in München, mit Dependancen

Abb.9: Kunsthandlung Brüder Lion, Maximiliansplatz, München, o.J.

in Berlin und Marienbad. Ab den späten 1930er-Jahren waren sie in New York tätig.[38] Die Galeristen waren auf Gemälde, Skulpturen, Möbel und Kunsthandwerk vom Mittelalter bis ins 19. Jahrhundert spezialisiert.[39] Louis Lion war in erster Ehe mit Klara Einstein (1882–1945) verheiratet; 1921 ehelichte er Erna Munk (1894–1982), mit der er mehrere Töchter und einen Sohn hatte.[40] Sein Bruder Fred war mit Marguerite Bittner verheiratet. Das Paar hatte einen Sohn.[41] Der dritte Bruder, Hans Lion, lebte in einer Beziehung mit Hedwig Schreier (Abb.9).[42]

Die Brüder emigrierten mit ihren Familien ab 1937/38 über Wien, die Schweiz, schliesslich Frankreich, London und Chile nach New York und Oklahoma.[43] Hans Lion, der 1939 für einige Monate aus unbekannten Gründen im Camp de Bourg-Lastic bei Vichy interniert war, scheint nach seiner Freilassung die Kriegsjahre im unbesetzten Teil Frankreichs verbracht zu haben (Abb.10/11/12).[44]

ZWANGSSCHLIESSUNG UND LIQUIDIERUNG
DER KUNSTHANDLUNGEN LION

Obwohl Louis Lion in seiner Steuererklärung vom 29. März 1935 angab, dass er konfessionslos sei, wurden aufgrund seiner jüdischen Abstammung nach 1935 sukzessive sämtliche Filialen der Kunsthandlungen in München, Berlin und Marienbad zwangsweise geschlossen.[45] Die Kunstwerke wurden auf unterschiedlichen Wegen unter Zwang veräussert und teilweise zugunsten des Deutschen Reichs liquidiert.

Die Berliner Dependance, die von Fred Lion geleitet wurde, musste bereits 1933 schliessen. Eindrücklich legt Anja Ebert in ihrem Aufsatz zur Kunsthandlung Lion dar, dass der Druck der nationalsozialistischen Regierung besonders in München bereits 1935 so stark gewesen ist, dass der Handel mit Kunst für jüdische Händler:innen zusehends verunmöglicht wurde. Die Brüder sahen sich mit der Aufforderung konfrontiert, binnen weniger Wochen ihren gesamten Warenbestand zu veräussern.[46] Zum 31. Dezember 1936 meldeten sie ihren Kunsthandel ab.

Einige Monate bevor die Brüder ihr Geschäft aufgaben, versuchten sie erstmalig über die Münchner Galerie Heinemann (wohl erfolglos) Kunstwerke des 19. Jahrhunderts zum Verkauf zu geben.[47] Am 19. März 1937 sollen dann im Zuge der Liquidierung des Warenbestands auf Veranlassung des Finanzamts München 851 Objekte der Kunsthandlung Brüder Lion im Kölner Kunsthaus Lempertz versteigert worden sein.[48] In dem einzigen für dieses Datum infrage kommenden Auktionskatalog ist kein Altdorfer-Gemälde oder altmeisterliches Tafelbild mit dem Thema des heiligen Erasmus verzeichnet. Auch die erhaltenen Nachkriegsunterlagen enthalten keine Korrespondenz des Kunsthauses Lempertz mit den Brüdern Lion, die sich nachweislich bei anderen Auktionshäusern nach ihrem Gut und den entsprechenden Auktionsmöglichkeiten erkundigten.[49]

Einige Restposten der Kunsthandlung Lion sind im Frühjahr beim Münchner Auktionshaus Hugo Ruef verauktioniert worden. Andere Bestände wurden zur Deckung von Verbindlichkeiten als Bezahlung abgegeben.[50]

Unterlagen des Bundesdenkmalamts Wien belegen, dass Louis Lion 1937 begann, Objekte von München aus ausser Landes zu bringen.[51] Er liess diese als Transitgut über Wien spedieren, da die Ausfuhr dorthin einfacher war. Einige der Werke, die er über Wien verschickte, wurden dort 1938 von der Zentralstelle für Denkmalschutz festgesetzt, eingezogen und der Österreichischen Galerie Belvedere zum Kauf angeboten.[52] Verschiedene Wiener Spediteure mussten bei ihnen eingelagerte Kunstwerke der Brüder Lion an die «Verwaltungsstelle jüdischen Umzugsgutes der Gestapo» (Vugesta) abgeben, andere lagerten Werke bis nach 1945 ein und verschickten die verbliebenen Objekte erst nach dem Krieg zu den Brüdern nach New York.[53]

Neben dem Entzug von Kunstbesitz wurden auch die Münchner Immobilien der Brüder Lion im Dezember 1941 zu Gunsten des Deutschen Reichs verkauft.[54] Die Brüder besassen mehrere Immobilien in der Stadt, deren Mieteinnahmen halfen, das Geschäft zu betreiben und laufende Kosten zu decken. Am 15. Dezember 1941 wurde das Vermögen von Hans, Louis und Fred Lion komplett eingezogen und die Immobilien zu Gunsten des Deutschen Reichs verkauft. Vor Februar 1940 waren von Louis Lion bereits 10.000 RM Judenvermögensabgabe gefordert worden, weitere 8.000 RM fielen für Hans und 26.500 RM für Fred Lion an.[55] Allein für Hans Lion geht aus den Akten hervor, dass er mit 30.900 RM Reichsfluchtsteuer belastet wurde.[56] Es ist nicht ganz klar, ob die Beträge möglicherweise aus den liquidierten Vermögenswerten der Brüder bezahlt wurden. Eine Entschädigung für diese diskriminierenden Steuern wird in keiner der Nachkriegsakten erwähnt.

ANSPRÜCHE UND ENTSCHÄDIGUNGEN DER FAMILIE LION

Nach 1945 strengten die Brüder Lion verschiedene Wiedergutmachungs- und Entschädigungsprozesse an. Louis Lion erklärte im August 1956, dass er lediglich Wiedergutmachungsansprüche für seine Wohnungseinrichtung und Kunstsammlung gestellt habe. Dem Antrag wurde stattgegeben und er erhielt von der Oberfinanzdirektion München einen Betrag von 56.800 DM.[57] Die Entschädigungszahlung wendete er für seinen Lebensunterhalt in New York auf, da er und Fred in der Emigration beruflich nur mässig erfolgreich waren. Sie arbeiteten als Kommissionäre im Kunsthandel, konnten aber mangels Kapitals kein selbständiges Geschäft mit eigenem Warenbestand mehr eröffnen.[58] Als Kommissionär trat Louis Lion bereits im Dezember 1942 bei einer Auktion von Parke Bernet Galleries in Erscheinung.[59]

Darüber hinaus erhielt Louis Lion nach dem Krieg vier kleine Rokoko-Figuren aus den Wiener Museumsdepots zurück, deren Ausfuhr 1938 verweigert worden war. Die

Abb. 10: Louis Lion, Passfoto, o.J.

Abb. 11: Fritz Lion, Passfoto, o.J.

Abb. 12: Hans Lion, Foto aus dem Einreiseantrag nach Frankreich, o.J.

Objekte waren im Zuge eines möglichen Ankaufs an die österreichischen Museen übergeben und dann einbehalten worden.[60]

Entschädigungszahlungen für den Verlust der über 300 Kunstwerke, die in Marienbad und bei einer Prager Spedition eingelagert worden waren, wurden nicht geleistet, da die Antragssteller ihre Verbringung ins Deutsche Reich nicht nachweisen konnten – dies, obwohl Zeugen 1965 bestätigten, dass die Kunstwerke aus der Spedition, in der sie grösstenteils lagerten, zur lokalen Gestapo-Zentrale verbracht worden waren.[61] Das am Ende des Rückerstattungsverfahrens im Juni 1971 gefällte Urteil wirkt höchst tendenziös und rekurriert auf Fragen der Zuständigkeit und der Beweislast. Es stützt sich exklusiv auf die Zeugenaussage von Heinrich Baudisch,[62] einen in der Tschechoslowakei wegen Kriegsverbrechen gesuchten Deutschen, und ignoriert wichtige andere Hinweise.[63]

Auch von den Brüdern Lion einer Bank zu Dekorationszwecken leihweise überlassene und in deren Safe verbliebene Kunstwerke (darunter ein Gemälde von Claude Monet) konnten nach dem Krieg nicht wieder aufgefunden werden. Die Leihgaben wurden zur Tilgung von Steuerschulden Hans Lions 1939 weit unter dem von ihm angegebenen Versicherungswerten verkauft.[64] Alle Werke des Kunsthandels der Gebrüder Lion sind mit einer schwarzen oder blauen Aufschrift/Nummerierung versehen – auf dem Rückseitenträger der Basler Tafel aus der Altdorfer-Werkstatt findet sich allerdings keine entsprechende Markierung. Das deutet darauf hin, dass sich das Werk wohl nicht vor 1938 im Besitz der Familie Lion befand, es sei denn, die Aufschrift mittels des «schwer entfernbaren [...] Oelstift[s]» wäre mutwillig abgefeilt worden, wofür es keine augenscheinlichen Hinweise gibt.[65] Auf der von Fred Lion bereitgestellten Liste von in der Tschechoslowakei verlorenen Kunstwerken scheint das Altdorfer-Bild auch nicht aufzutauchen. Allerdings sind die darin vermittelten Angaben bis auf wenige Ausnahmen extrem generisch.

Das Gerichtsverfahren gegen das Münchner Auktionshaus Ruef, das Gegenstände aus der Münchener Filiale der Lions versteigert hatte und dessen Inhaberin einige Objekte selbst übernahm, wurde zur Herausgabe der noch vorhandenen Objekte (ein Leuchter und

46. Ebert 2019, S. 37–41 (https://doi.org/10.11588/arthistoricum.393, 27.4.2022).

47. Vgl. Galerie Heinemann online, Germanisches Nationalmuseum; unter https://heinemann.gnm.de/de/recherche.html (6.2.2025) sind, bei Eingabe der folgenden Nummern, die betreffenden Gemälde zu finden: 39940, 39941, 40705, 45930 und 44563. Ob sie verkauft wurden, lässt sich über die Datenbank nicht erkennen.

48. Vgl. Louis Lion: Antrag nach dem Bundesentschädigungsgesetz (BEG), 24. September 1955, Anlage 2, Sonderschilderung des Entschädigungstatbestands, in: BHStA, LEA 2385, Bl. 9-10. Hierbei handelt es sich wohl um folgende Versteigerung: Antike Möbel, Antiquitäten aller Art, Gemälde alter und neuzeitlicher Meister, Orientteppiche aus rheinischem und süddeutschem Besitz, Aukt.-Kat. Kunsthaus Lempertz, Joseph Hanstein, Math. Lempertz Antiquariat, Köln, 18.–20. März 1937, in; https://doi.org/10.11588/diglit.8515#0017 (16.1.2023). Das Auktionshaus Lempertz konnte keine weiteren Informationen zur Identifizierung der Auktion oder der eingebrachten Lose beitragen.

49. Freundliche Auskunft von Carsten Felgner, Kunsthaus Lempertz, 12. Januar 2023.

50. Vgl. Ebert 2019, S. 46, dort zit. n. Süddeutsche Treuhandgesellschaft AG an Finanzamt München Süd, 27. September 1938, in: StAM, FinA 18292 (Hans Lion), Bl. 30-33.

51. Vgl. Louis Lion an das Bundesdenkmalamt, 19. September 1948, in: BDA, Personenmappe K40-2 PM Lion Louis, Bl. 20.

52. Vgl. Erlass an das Bundesministerium für Unterricht, 22. November 1950, in: BDA, Personenmappe K40-2 PM Lion Louis, Bl. 2.

53. Vgl. Emil Scholz an das Bundesdenkmalamt, 12. Januar 1949, in: BDA, Personenmappe K40-2 PM Lion Louis, Bl. 12.

54. Vgl. Oberfinanzpräsident Berlin an die Dienststelle für die Einziehung verfallener Vermögenswerte, 15. Dezember 1941, in: BLHA, Potsdam, Rep. 36 A II, Nr. 23572.

55. Vgl. Joseph Landstorfer an das Finanzamt Moabit West, 15. Februar 1940, in: BLHA, Potsdam, Rep. 36 A II, Nr. 23572. Die Formulierung im Schreiben lässt die Annahme zu, dass die 18.000 RM für alle Brüder lediglich Teilbeträge darstellten.

56. Vgl. Hermann Strasser, eingesetzter Verwalter für die Brüder Lion, an das Finanzamt Moabit West, 26. Juni 1941, in: BLHA, Potsdam, Rep. 36 A II, Nr. 23572, S. 2.

57. Protokoll der Sitzung in der Wiedergutmachungskammer vor dem Landgericht München, 3. August 1954, Staatsarchiv München, WB Ia 1717.

58. Vgl. Louis Lion an die Oberfinanzdirektion München, 28. August 1956, in: Verwaltungsamt für innere Restitution, München, O 5210 BA 991 43 (heute in: BArch K). Zit. n. BADV, Akte: Brüder Lion.

59. Vgl. Notable Paintings Including an Important Frans Hals from the Frank D. Stout Collection [...] and other owners, Aukt.-Kat., Parke-Bernet Galleries, New York, 3. Dezember 1942, Lose 1, 2, 3, 7, 16, 17 und 23 Mit bestem Dank an Lucian Simmons und Julia Rickmeyer für die Scans aus dem annotierten Exemplar des Katalogs.

60. Vgl. Vermerk Bundesdenkmalamt, 2. Dezember 1950, in: Bundesdenkmalamt Wien, K40/2 PM Lion.

61. Beglaubigte Übersetzung aus dem Tschechischen, Betrifft Nachforschung nach Bildwerken, 9. Dezember 1965, in: LA Berlin, B Rep. 025-8, Nr. 5959/59, Bl. 131.

62. Vgl. hierzu auch Meike Hopp, Kunsthandel im Nationalsozialismus: Adolf Weinmüller in München und Wien, Wien/Köln/Weimar 2012, bes. S. 204–214.

63. Vgl. Heinz H. Eckert (Rechtsanwalt von Louis Lion) an die Wiedergutmachungsämter von Berlin, 18. April 1962, in: LA Berlin, B Rep. 025-8, Nr. 5960/59.

64. Vgl. Beschluss Rückerstattungsverfahren, 3. (?) Juni 1970, in: LA Berlin, B Rep. 025-8, Nr. 5959/59, Bl. 106. Die zum Beschlusszeitpunkt bereits verstorbenen Brüder Louis und Fred (Hans starb bereits 1956) sind von den Witwen Margarete und Erna Lion sowie von Guido Mario Lion (Sohn von Fred und Margarete) beerbt worden.

65. Fred Lion an Heinz Eckert, 17. Februar 1964, in: LA Berlin, B Rep 025-8, Nr. 5959/59–5961/59, Bl. 10 (erhalten über BADV, OFD Berlin): «Dieses Erkennungszeichen besitzt jedes einzelne unserer Gemaelde, Aquarel [sic] und Zeichnungen und ist auf der Rueckseite eines jeden Bildes in der rechten oberen Ecke zu finden. Diese Erkennungszeichen sind unsere Lagernummern, welche mit sehr schwer entfernbaren schwarzen oder blauen Oelstift sehr deutlich bei Hand auf die Rueckseite geschrieben wurden. Beispiel einer Nummer: 350/H oder 350/HF. Die Nummern koennen zwischen 350/ bis 2572/ laufen.»

ein Gemälde im Schätzwert von 3.000 RM) verurteilt. Die Bundesrepublik Deutschland wurde zu einer Zahlung von 5.000 RM als Schadensersatz für das entzogene Bibliotheksgut zur Verantwortung gezogen (Abb. 13a-c).[66]

Fred Lion wurden die Emigrationskosten 1960 mit 5.600 DM rückwirkend erstattet.[67] Als Wiedergutmachung für seine Verluste im beruflichen Fortkommen wählte er jährliche Rentenzahlungen in Höhe von 7.200 DM.[68]

Darüber hinaus strengte Hans Lion nach Kriegsende zum Teil erfolgreiche Verfahren gegen Privatpersonen an, die Kunstwerke aus seinem oder dem ehemaligen Besitz der Kunsthandlungen Lion besassen.[69] Eine Madonnenskulptur aus Hans Lions Eigentum fand durch die Beschlagnahme der Vugesta beim Bundesdenkmalamt Wien Eingang in das Kunstdepot im Salzbergwerk Altaussee.[70] Dort überdauerten Tausende Kunstobjekte, die unter anderem für das von Adolf Hitler geplante «Führermuseum» in Linz vorgesehen waren, den Krieg.[71] Drei Jahre lang bemühte sich Hans Lion bei der Finanzdirektion Oberösterreich um Rückgabe dieses Objekts, was 1949 tatsächlich gelang.[72]

Die Enteignungen der deutschen Immobilien der Familie Lion wurden in Gegenrechnung der von Dritten zu begleichenden Hypothekenschulden teilweise entschädigt und teilweise für nichtig erklärt.[73]

Aus den zahlreichen Wiedergutmachungsbegehren der Brüder Lion geht hervor, dass die verschiedenen Versuche, ihr im Ausland entzogenes Eigentum zurückzuerlangen, sogar nach eindeutigen Hinweisen über den Verbleib, grösstenteils erfolglos blieben. Die Begründungen für die Abweisung ihrer Anträge auf Entschädigung sind bis heute wenig nachvollziehbar.

VERBINDUNGEN ZWISCHEN DEN FAMILIEN LION UND SILBERMAN

Die eingangs erwähnte, 1938 an «Herrn Lion» ausgestellte Vollmacht zur Abholung der Werke aus Silbermans Besitz beim Restaurator Emmerich Bergthold in Wien stellt wahrscheinlich die Verbindung zur gleichnamigen Familie von Fred Lion, dem Einlieferer in die Auktion 1951 bei der Galerie Fischer in Luzern dar. Eine Bekanntschaft der Kunsthändlerfamilien Silberman und Lion über den Handel in Wien und später New York ist wahrscheinlich. Josef Lion (1851–1940), der Onkel der Brüder Lion, war im Wiener Kunsthandel aktiv.[74] Der in Wien geborene Louis Lion versuchte ab 1937 seine Habe über Wien nach Frankreich spedieren zu lassen. Mehrere Liegenschaften der Familie Lion in Österreich sind bekannt. Eine Verbindung der Familie nach Wien ist also nachgewiesen. Weiter belegen die Passagierlisten der Schiffsverbindung zwischen New York und Frankreich, dass Fred Lion sowohl zum Zeitpunkt der Abholung von Silbermans Objekten beim Bundesdenkmalamt im Jahr 1950 in Europa weilte,[75] als auch, dass er erst einen Monat vor Auktionsbeginn bei

66. Vgl. Wiedergutmachungskammer beim Landgericht München: Protokoll, 3. August 1954, in: StAM, WB Ia 1717, Bl. 106.

67. Vgl. Vergleichsvorschlag, 30. November 1960, in: LABO Berlin, Reg. Nr. 317037, D130.

68. Vgl. Rentenakte, Anrechnungsübersicht, 20. August 1957, in: LABO Berlin, Reg. Nr. 317037.

69. Vgl. Rückstellungskommission beim Landesgericht: Erkenntnis (gotisches Kunstgewerbe), 17. April 1952, in: WStLA, A41 C 115, und Rückstellungskommission beim Landgericht: Erkenntnis (Klimt-Gemälde «Fische»), 14. Januar 1962, in: WStLA, A41 C 675.

70. Das Objekt wird als «Wachauer Madonna, Österreich, 1520» bezeichnet, ohne weitere Angaben. Vgl. Hans Lion an die Finanzdirektion für Oberösterreich, 14. Februar 1947, in: OÖLA, Lion FLD-BV Film 13.

71. In der Datenbank des Deutschen Historischen Museums wird kein Werk mit dieser Beschreibung geführt. Die Datenbank versammelt die Karteikarten der Fundobjekte aus den Kunstbergungsdepots der Alliierten, den sog. Central Collecting Points. Auch das zum «Führermuseum» erschienene Referenzwerk verzeichnet keine solche Skulptur. Vgl. Birgit Schwarz, Hitlers Museum: Die Fotoalben «Gemäldegalerie Linz»: Dokumente zum «Führermuseum», Wien/Köln/Weimar 2004.

72. Vgl. Rückstellungsbescheid, 9. Juli 1949, in: AT-StLA-FLD-Rückstellungen-L17-351-1949, S. 3.

73. Vgl. Vergleich der Wiedergutmachungskammer München, 13. Februar 1951, in: StAM, WB Ia 482, Bl. 123, und Wiedergutmachungsbehörde: Freilassungsverfügung, 27. Juni 1950, in: StAM, Vermögenskontrolle München Stadt, 1821.

74. Auch die Kunsthandlung von Josef Lion wurde von Otto Faltis liquidiert. Auf der Liste der von ihm verkauften Werke von Josef Lion kommt keines vor, das mit dem hier verhandelten übereinstimmen könnte. Vgl. Schätzungsprotokoll, 9. Juli 1939, in: ÖStA, AdR/E-uReang/VVST/997 Abwickler Hemerka (Josef Lion).

75. Aus verschiedenen Unterlagen geht hervor, dass Fred Lion nach dem Krieg während seiner Aufenthalte in Europa ausgiebig reiste und nicht nur im Ankunftsland Frankreich verblieb. So vermerkt dies beispielsweise eine Karteikarte aus dem Nachlass des Münchner Kunsthändlers Julius Böhler (1860–1934): «Fred Lion Paintings and Works of Art, 51 hier gewesen sucht franz. Impressionisten». Die Familie Lion war bereits seit den frühen 1920er-Jahren Kunde bei Böhler. Vgl. Kundenkartei Fred Lion, in: ZIKG, München, Böhler Archiv.

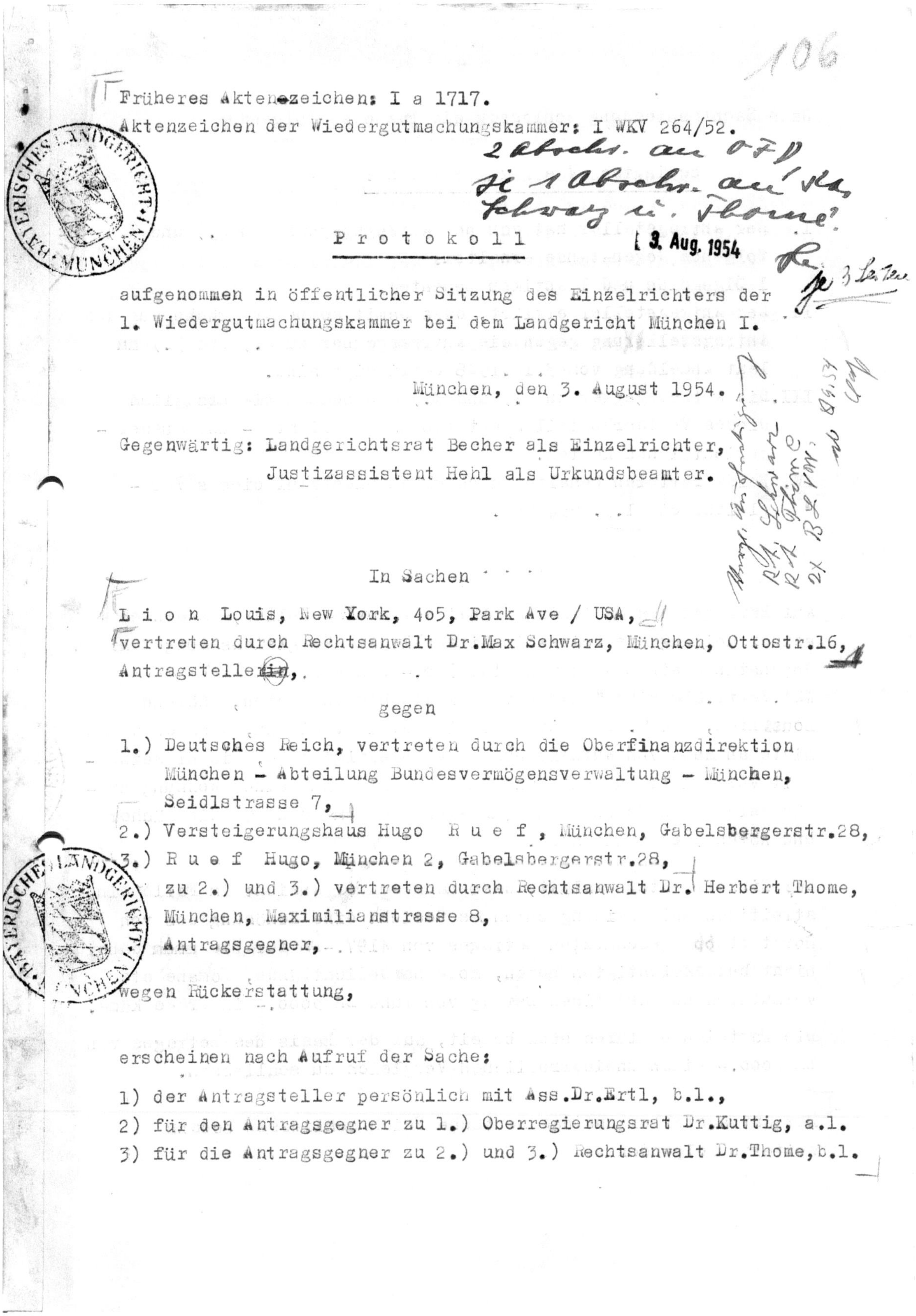

Früheres Aktenzeichen: I a 1717.
Aktenzeichen der Wiedergutmachungskammer: I WKV 264/52.

P r o t o k o l l   [3. Aug. 1954

aufgenommen in öffentlicher Sitzung des Einzelrichters der
1. Wiedergutmachungskammer bei dem Landgericht München I.

München, den 3. August 1954.

Gegenwärtig: Landgerichtsrat Becher als Einzelrichter,
             Justizassistent Hehl als Urkundsbeamter.

In Sachen

L i o n Louis, New York, 405, Park Ave / USA,
vertreten durch Rechtsanwalt Dr.Max Schwarz, München, Ottostr.16,
Antragstellerin,

gegen

1.) Deutsches Reich, vertreten durch die Oberfinanzdirektion
    München - Abteilung Bundesvermögensverwaltung - München,
    Seidlstrasse 7,
2.) Versteigerungshaus Hugo R u e f , München, Gabelsbergerstr.28,
3.) R u e f Hugo, München 2, Gabelsbergerstr.28,
    zu 2.) und 3.) vertreten durch Rechtsanwalt Dr. Herbert Thome,
    München, Maximilianstrasse 8,
    Antragsgegner,

wegen Rückerstattung,

erscheinen nach Aufruf der Sache:

1) der Antragsteller persönlich mit Ass.Dr.Ertl, b.l.,
2) für den Antragsgegner zu 1.) Oberregierungsrat Dr.Kuttig, a.l.
3) für die Antragsgegner zu 2.) und 3.) Rechtsanwalt Dr.Thome, b.l.

Abb. 13a: Protokoll der Wiedergutmachungskammer am Landgericht München, Rückerstattungssache Louis Lion versus Deutsches Reich, 3. August 1954

Nach Sachbesprechung schlossen die Parteien folgenden

bedingten V e r g l e i c h :

I. Der Antragsteller hat von den Antragsgegnern zu 2.) und 3.)
    folgende Gegenstände erhalten:
    1 Ölgemälde und 1 antiken Leuchter.
II. Der Antragsteller erklärt, dass damit seine Ansprüche aus der
    Antragstellung gegen die Antragsgegner zu 2.) und 3.) hm
    laut Anmeldung vom 3.12.1948 befriedigt sind.
III.Die Antragsgegner zu 2.) und 3.) übernehmen die bezüglich
    dieses Verfahrensteiles entstandenen Gerichts – und ausser –
    gerichtlichen Kosten.
IV. Beide Parteien behalten sich einen Widerruf dieses Ver –
    gleichs bis 1.9.1954 vor.

v.u.g.

Auf Befragen des Gerichts erklärt der Antragsteller, dass nach
seiner Meinung die beiden in Ziffer I. des Vergleichs aufgeführten
Gegenstände einen Wert von etwa 5oo.–DM haben.
ASt.Vertr.übergibt " Liste von Bibliothek und Noten,gehörend
Louis Lion, USA ". Der Antragsteller erklärt hierzu, dass er diese
Liste an Hand von Aufzeichnungen angefertigt habe, die er seinerzeit vor seiner Auswanderung über die hier in seiner Wohnung zu –
rückgelassenen Gegenstände (unteren anderem auch für die Bücher
und Noten) erstellt habe.

Der Einzelrichter erklärt, dass nach seiner Ansicht im Falle einer
streitigen Entscheidung durch das Gericht eine Erhöhung des von
Horst Stobbe geschätzten Betrages von 4197.–DM für die macm dabei
nicht berücksichtigten Noten, modernen Gedichtbände, Romane etc.
vermutlich nur auf einen Betrag von rund DM 5000.– in Frage käme.

Die Parteien erklären sich bereit, auf der Basis des Betrages von
DM 5000.– einen unwiderruflichen Vergleich zu schliessen.

Der Antragsteller und das Deutsche Reich schliessen sodann
weiteren folgenden

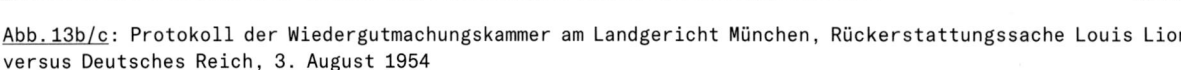

Abb. 13b/c: Protokoll der Wiedergutmachungskammer am Landgericht München, Rückerstattungssache Louis Lion versus Deutsches Reich, 3. August 1954

107

V e r g l e i c h :

I. Das Deutsche Reich verpflichtet sich, nach Massgabe der künftigen bundesgesetzlichen Regelung der Reichsverbindlich – keiten Ersatz zu leisten für die Entziehung von Büchern und Noten laut Aufstellung des Antragstellers vom 20.6.1953.

II. Die Parteien verpflichten sich, bei der durch die bundes- gesetzliche Regelung zu bestimmenden Abgeltungssumme davon auszugehen, dass die Verbindlichkeit des Deutsches Reiches für die Entziehung der Gegenstände laut vorstehender Ziff.I. ihrem Nennbetrage nach DM 5ooo.–

i.W.-fünftausend Deutsche Mark –

beträgt.

III.Der Verwertungserlös ist dabei berücksichtigt. Etwaige Wieder – gutmachungsansprüche wegen des nicht in die freie Verfügung gelangten Kaufpreises bestehen nicht.

IV. Hiermit sind sämtliche Ansprüche bezüglich der in diesem Vergleich aufgeführten Vermögensgegenstände nach REG oder sonstigen gesetzlichen Bestimmungen ausgeglichen.

V. Gerichtskosten trägt das Deutsche Reich; im übrigen trägt jede Partei ihre aussergerichtlichen Kosten selbst.

V.u.g.

Es ergeht folgender

B e s c h l u s s :

Die Sache wird zu weiteren Behandlung (insbesondere Festsetzung des Geschäftswertes) an die Kammer zurückverwiesen.

Der Einzelrichter: Der Urkundsbeamte:

Sämtliche Parteien bestellen Prot.Abschriften (OFD. 2 Stück).

Fischer im November 1951, wieder zurück in New York gewesen ist.[76] Er hätte das der Altdorfer Werkstatt zugeschriebene Gemälde also leicht in Fischers Auktion platzieren können. Abraham Silberman kam am 15. Juni 1951 ebenfalls aus New York in London an, und war somit zeitgleich mit Fred Lion in Europa gewesen. Gemeinsam könnten sie die Versteigerung bei Fischer veranlasst haben.

Trotz intensiver Archivrecherchen sowohl zu (Elkan) Silberman als auch zu den Brüdern Lion muss abseits der Hypothesen festgestellt werden, dass weiterhin unklar bleibt, wie sich die (berufliche) Verbindung der Brüder Lion zur Familie Silberman gestaltet hat. Darüber hinaus konnte nicht herausgefunden werden, wohin die Altdorfer-Tafel aus dem Besitz der Familie Silberman nach dem im Werkverzeichnis genannten Datum «1936», verbracht wurde, und wie sie in der Schweiz durch Fred Lion zur Auktion gelangte.

VERBINDUNGEN IN DIE SCHWEIZ

Neben der ersten Möglichkeit, dass die Brüder Silberman das hier verhandelte Gemälde zwischen 1933 und 1938 im freien Handel in Österreich vor ihrer Emigration veräusserten, wurde bereits das zweite Szenario einer möglichen Enteignung diskutiert. In dem die Liquidierung der Galerie dokumentierenden Material hat sich kein Hinweis auf das Basler Bild erhalten. Die dritte Überlegung wäre, dass die Brüder Lion im Auftrag von Elkan und Abraham Silberman in die Sicherstellung beziehungsweise die Nachkriegsauktion in der Schweiz involviert waren. Interessanterweise lassen sich sowohl bei der Familie Lion als auch über Elkan Silbermans Schweizer Frau Dolly verschiedene Verbindungen in die Eidgenossenschaft nachweisen. Aufgrund der Einlieferung der Tafel im November 1951 zur Auktion bei der Galerie Fischer in Luzern wurde die dortige Dokumentation geprüft. Alles deutet darauf hin, dass die Verbindung zwischen den Brüdern Lion und der Galerie Fischer mindestens ab Ende der 1930er-Jahre bestand und die Lions spätestens ab 1937 mehrfach versuchten, Objekte über Fischer zu veräussern.[77] Laut Restitutionsbericht des Grazer Joanneums hat die Galerie Fischer 1937 eine zwielichtige Rolle beim Verkauf von Kunstwerken aus dem ehemaligen Besitz der Galerien Lion gespielt.[78] Die Brüder Lion wurden laut eigener Aussage von Fischer um einen Anteil am Verkauf von vier gotischen Tafeln ans Joanneum geprellt. 1950 einigten sie sich in einem Vergleich mit Fischer und tätigten in Folge weitere Geschäfte mit ihm.[79] Der Briefwechsel Fischers mit den Brüdern Lion offenbart, dass ihr geschäftliches Verhältnis 1951 völlig intakt war.[80]

Die Brüder Lion tauchen auch in den Akten des Kunsthauses Zürich auf, sowohl als Einlagerer eines Kunstwerks, als auch als Auftraggeber für Transporte und Einfuhrgesuche, die die Genfer Galerie Max Moos (1880–1976) für sie erledigte.[81] Hinweise auf den Verbleib der Basler Tafel lassen sich dadurch zwar nicht rekonstruieren, dennoch suggerieren diese Verbindungen, dass die Firma bereits in den 1930er-Jahren gut vernetzt war und die Schweiz den Brüdern als Handels- und Transitort diente.

Auch über den Schweizer Käufer der gotischen Tafel auf der Auktion liessen sich keine weiteren Umstände zu ihrer Provenienz recherchieren. Dr. August Meyer, ein Basler Internist, sammelte zwischen spätestens 1947 und bis mindestens 1969 über 300 Kunstwerke, von Gemälden alter Meister bis hin zu Papierarbeiten der klassischen Moderne.[82] Nach seinem Tod 1977 vermachte er die Objekte dem Kunstmuseum Basel.

SYNTHESE

Aufgrund der weiterhin bestehenden Provenienzlücken zwischen den verschiedenen Besitzern während der 1930er- bis in die 1950er-Jahre, die trotz intensiver Recherchen nicht geschlossen werden konnten, erfolgt die abschliessende Beurteilung der Werkbiografie der Tafel aus der Altdorfer-Werkstatt unter Vorbehalt. Die Wahrscheinlichkeit, dass sich die beiden für die Jahre 1936 und 1951 nachgewiesenen Besitzer kannten, ist sehr hoch. Fred Lion könnte das Werk im Zuge seiner Reise nach Europa im Auftrag der Brüder Silberman bei Fischer eingeliefert haben. Diese Hypothese wird durch die von den Brüdern Silberman 1950 erstellte Vollmacht an «Herrn Lion» gestützt. Verschiedene andere Szenarien, die entweder ein Versteck oder eine Einlagerung des Werks zum Inhalt haben, sodass es vor Raub und Zwangsverkauf sicher war, scheinen möglich. Obwohl die Tafel nicht in den Liquidierungs- oder Wiedergutmachungsunterlagen der Kunsthändler auftaucht, kann auch nicht gänzlich ausgeschlossen werden, dass sie beispielsweise aus dem Galeriebestand der Brüder Silberman zwangsverkauft und von einem unbekannten Dritten erworben wurde. Anschliessend könnte sie 1951 von Fred Lion als Kommissionär im Auftrag eines Dritten bei Fischer eingeliefert und veräussert worden sein.

All diese Überlegungen müssen zum gegenwärtigen Zeitpunkt Hypothesen bleiben, da nicht belegt ist, dass die Tafel überhaupt jemals enteignet oder zwangsverkauft wurde. Die Recherchen zu den Kunsthändlern haben ergeben, dass die frustrierenden Bemühungen in der Nachkriegszeit, Kunstwerke zurückzuerlangen – oder zumindest eine Entschädigung für das entstandene Unrecht zu erhalten–, oftmals erfolglos blieben. In diesem Zusammenhang sollte Elkan Silbermans Bemerkung, dass jede Spur hilfreich sein könne, besonders nachdenklich stimmen, lassen doch die historischen Akten kaum erkennen, dass die Behörden etwaigen Spuren gründlich nachgegangen wären und Unrecht ehrlich anerkannt wurde.

76. Vgl. Passenger and Crew Lists of Vessels Arriving at and Departing from Ogdensburg, New York (5/27/1948 - 11/28/1972), Ankunft: 7. Oktober 1950, in: NARA, Microfilm Serial or NAID: T715, 1897-1957; Passenger and Crew Lists of Vessels and Airplanes Departing from New York, New York (07/01/1948-12/31/1956), Abfahrt: 8. Mai 1951, in: NARA, NAI Number: 3335533; Record Group Number: 85, Series Number: A4169; NARA Roll Number: 116; Passenger and Crew Lists of Vessels Arriving at and Departing from Ogdensburg, New York, (5/27/1948 - 11/28/1972), Ankunft: 15. Oktober 1951, in: The National Archives and Records Administration, Washington, D.C, Microfilm Serial or NAID: T715, 1897-1957.
77. Da die Korrespondenzsammlung der Galerie Fischer mit Ausnahme des Jahres 1939 erst ab 1948 einsetzt, wurden die Jahre 1948 bis 1951 untersucht. Freundliche Mitteilung von Sandra Sykora, Archiv Galerie Fischer, Luzern, 9. Juli 2022. Mindestens ein Los wurde in einer Auktion im Juli 1937 zum Verkauf angeboten, weitere wiederum als Kommissionsware im Jahr 1939.
78. Vgl. Leitner-Ruhe/Danzer/Binder-Krieglstein 2010, S. 58–59.
79. Vgl. Rückstellungskommission für Steiermark beim Landesgericht für ZRS, 26. Januar 1950, in: AT-StLA, LGZRS-Graz-RK-546-1949, S. 4.
80. Sandra Sykora, die die Recherchen in der Galerie Fischer betreibt, schrieb dazu Folgendes: «Das [eine mögliche Einlagerung des Altdorfers bei der Galerie Fischer während der Kriegsjahre] ergibt sich leider nicht aus den konsultierten Akten zu

dieser Auktion. Mit Schreiben vom 8. Juli 1951 schreibt Fred Lion (noch von der Adresse Sistrans 88 bei Innsbruck) an die Galerie Fischer, er habe bei seinem ‹dortsein› (er meint damit wohl einen Besuch in Luzern) vergessen, seine Adresse in New York zurückzulassen, falls man noch Rückfragen wegen des Gemäldes Altdorfer stellen wolle. Er befinde sich bis Ende August an der genannten Adresse, dann bis 25.09. in Paris, sodann in NY an der Madison Avenue. Die folgende Korrespondenz bezieht sich nur noch auf die Abrechnung des Gemäldes; Fred Lion bat darum die erzielten CHF 3527,5 per Check zu zahlen. In der Akte ist die Check-Nr. 192087 vermerkt.»
Ob die möglicherweise erhaltene Korrespondenz zu den Altartafeln des Joanneums genauere Umstände der Transaktion ablesen lassen, wurde hingegen nicht kommentiert, sodass es weiterhin unklar bleibt, wie die Geschäfte zwischen Fischer und den Gebrüdern Lion abgewickelt wurden. Vgl. Sandra Sykora an Vanessa von Kolpinski, 9. Juli 2022, in: KMB, Abt. Provenienzforschung, Dossier Sammlung Lion.
81. Vgl. Kunsthaus Zürich, Archiv, Depotbuch 7. August 1934–31. Dezember 1934, S. 193, Eintrag Galerie Lion 25. September 1934, und Journal Brouillard 1931-1941, 8. Oktober 1935, in: Bibliothèque d'art et d'archéologie, Genf, Galerie Moos, GMO A.001.005.018.
82. Vgl. Protokoll der Kunstkommissionssitzung, 21. Dezember 1978, in: KMB, Archiv, B 002.001.002.000.

VANESSA VON KOLPINSKI

GLOBAL IM VISIER.

DIE ENTZIEHUNG DER VERMÖGENSWERTE VON GUSTAV ALTMANN UND EINE WINTER-LANDSCHAFT VON CAMILLE PISSARRO

2013 erhielt das Kunstmuseum Basel das Gemälde *L'Étang de Montfoucault, effet d'hiver* von Camille Pissarro als grosszügiges Geschenk aus Privatbesitz (Abb. 1). Die Schenkerin, Verena Knecht (*1931), hatte es von ihrem Vater, dem Basler Chemiker Oskar Knecht (1882–1976), geerbt. Dieser hatte die Winterlandschaft 1949 von der Zürcher Kunsthändlerin Maria Vincent (1893–1981) erworben.[1]

In den Ankaufsunterlagen ist als Vorbesitzer «Gustave M. Altmann» genannt. Der aus Paris stammende Bankier Gustav(e) Michel Altmann (1875–1962) war Teilhaber einer jüdischen Privatbank in Hamburg. Bereits vor 1933 hatte er begonnen, seinen Lebensmittelpunkt zurück nach Frankreich zu verlagern. Ab 1935 wurden er und sein Cousin, der Mitinhaber des Bankhauses war, infolge der nationalsozialistischen Rassengesetze diskriminiert und verfolgt. Altmann wurde dabei als «Halbjude» eingestuft. Ab 1938 besass er die liechtensteinische Staatsbürgerschaft und 1943 gelang ihm die Übersiedelung aus dem besetzten Paris nach Vaduz. Darüber, ob und wann er den Pissarro erworben und unter welchen Umständen er das Bild veräussert hat, fehlt allerdings jede Auskunft. In der vorliegenden Studie wird versucht, die Informationen zu den Eigentumsverhältnissen zwischen dem im Werkverzeichnis aufgeführten Berliner Kaufmann Bernhard Koehler (1849–1927)[2] und dem erwähnten Verkauf durch Maria Vincent im Jahr 1949 zu ergänzen, um die Frage eines möglichen NS-verfolgungsbedingten Verlusts zu klären.

DIE PROVENIENZ VON CAMILLE PISSARROS *L'ÉTANG DE MONTFOUCAULT*

In den 1870er-Jahren dokumentierte der Künstler Camille Pissarro bei verschiedenen Aufenthalten in der Region das Leben in der Umgebung des kleinen Weilers Montfoucault, an der Grenze zur Normandie. Die so entstandenen Gemälde bilden eine seiner produktivsten Schaffensphasen ab. Den winterlichen Weiher hat er mehrfach gemalt. Eine weitere, ein Jahr später entstandene Fassung (heute in der Yoshino Gypsum Collection in Tokyo) ist motivisch eng verwandt, jedoch etwas grösser im Format und detaillierter ausgearbeitet (Abb. 2).

Abb. 2: Camille Pissarro, *L'Étang de Montfoucault*, 1875, Öl auf Leinwand, 114 × 110 cm, Yoshino Gypsum Collection, Tokyo

Nach Pissarros Tod im Jahr 1903 ist das Kunstwerk innerhalb seiner Familie erst an Julie Pissarro (1838–1926) und dann an Georges Henri Manzana-Pissarro (1871–1961) vererbt worden, bis die Pariser Galerie Bernheim-Jeune es 1905 angekauft hat (Abb. 3). Der nächste nachgewiesene Eigentümer des Werks war der aus einer Berliner Kaufmannsfamilie stammende Sammler Bernhard Koehler.[3] Als Mäzen der deutschen modernen Kunst begann er ab 1910 intensiv zu sammeln. Um sich «eine Sammlung französischer Bilder für seine Galerie anzulegen», besuchte er schon im Sommer 1908 während einer Reise nach Paris die Galerien von Joseph (1870–1941) und Gaston Bernheim-Jeune (1870–1953), Ambroise Vollard (1865–1939) und Paul Durand-Ruel (1831–1922). Auch das vorliegende Werk war offenbar Teil der auf dieser Reise getätigten Erwerbungen.[4] Bis wann es in der Sammlung Koehlers verblieb, ist nicht geklärt. Bernhard Koehler jun. (1882–1964) erbte zwar nach

Abb. 3: Etikett der Pariser Galerie Bernheim-Jeune auf der Rückseite von Pissarros *L'Étang de Mountfoucault*

CAMILLE PISSARRO (1830–1903)

L'ÉTANG DE MONTFOUCAULT, EFFET D'HIVER
1874

Öl auf Leinwand
60 × 73 cm
Signiert und datiert unten links:
C. Pissarro. 1874

Kunstmuseum Basel, Inv. G 2013.37
Schenkung zum Andenken an Julie
und Oskar Knecht-Senglet, 2013

PROVENIENZ:

1903 – 1904:
Julie Pissarro (1838–1926), im Erbgang von
ihrem Ehemann Camille Pissarro erhalten

1904 – 1905:
Georges Henri Manzana-Pissarro (1871–1961),
Louveciennes, im Erbgang von seiner Mutter
Julie Pissarro erhalten

1905 – circa 1908:
Galerie Bernheim-Jeune, Paris, angekauft bei
Georges Manzana-Pissarro

circa 1908 – Datum unbekannt:
Bernhard Koehler (1849–1927), Berlin,
angekauft bei Galerie Bernheim-Jeune, Paris

Datum unbekannt – vor 1949:
vermutlich Gustav Altmann (1875–1962) und
Berthe Altmann (1883–1967), Hamburg/Paris/
Vaduz

Datum unbekannt – 26.1.1949:
Maria Vincent (1893–1981), Zürich, angeblich
angekauft von Gustav und Berthe Altmann

26.1.1949 – 1973:
Dr. Oskar Knecht-Senglet (1882–1973),
Binningen, angekauft bei Maria Vincent

1973 – 1978:
Julie Knecht-Senglet (1890–1978), Binningen,
im Erbgang von Oskar Knecht-Senglet erhalten

1978 – 2013:
Verena Knecht (*1931), Binningen, im Erbgang
von Julie Knecht-Senglet erhalten

2013 – heute:
Kunstmuseum Basel, als Schenkung von Verena
Knecht zum Andenken an Julie und Oskar
Knecht-Senglet

<u>Abb. 1a/b</u>:
Camille Pissarro,
L'Étang de Montfoucault, effet d'hiver, 1874,
recto und verso

dem Tod seines Vaters im Jahr 1927 dessen Kunstbestand, musste aber aufgrund wirtschaftlicher Schwierigkeiten bald darauf einige impressionistische Bilder verkaufen, darunter vermutlich auch dieses Werk; belegt ist dies bislang aber nicht.[5]

Als nächster bekannter Eigentümer käme Gustav(e) Michel Altmann in Frage. Die Information «Aus Vaduz, aus Besitz Gustave M. Altmann» findet sich als Zusatz in Bleistift auf einer Unbedenklichkeitserklärung, die Maria Vincent dem Basler Chemiker Oskar Knecht ausstellte, als sie ihm das Bild 1949 verkaufte.[6] Die Deutsche, zeitweilig in Paris und ab 1944 in Zürich lebende Maria Vincent, die sich als Amateurhändlerin betätigte, erwähnte jedoch nicht, wie und wann Pissarros *Étang* von Altmann in ihren Besitz gelangt war. Faktisch sind die genauen Eigentumsverhältnisse für den Zeitraum zwischen circa 1908 und 1949 intransparent.

DIE FAMILIE ALTMANN: WEGE INS EXIL UND ÜBERSEEVERBINDUNGEN

Abb. 4: Gustav Altmann, Hamburg, 1904

Der in Paris geborene Gustav Michel Altmann war ein international operierender Geschäftsmann mit Beteiligungen an verschiedenen Banken und weltweit vernetzten Finanzunternehmen. In Deutschland ist vornehmlich die Bank Ludwig Tillmann OHG in Hamburg zu nennen, die er mit Otto Strassburger (1878–1943) und seinem Cousin Georg Tillmann (1882–1941) führte und die über einige Immobilien als Sicherheiten verfügte.[7] In Paris eröffnete Altmann die Bank Gumal (Akronym von Gustav Michel Altmann) und investierte über die Firma Nocher SARL (abgeleitet vom dem Mädchennamen seiner Frau) in verschiedene Unternehmen, wie die in Hamburg ansässige Firma Hernsheim & Cie A.G., die Beteiligungen an westafrikanischen Plantagen hielt. Altmann war ein geschickter Investmentbanker, der seine Beteiligungen in einem Netz aus verschiedenen Firmen und Banken international anzulegen wusste.[8] Darüber hinaus besass er ein international breit diversifiziertes Wertpapierportfolio, das von der Chase Bank und der Banque Internationale de Commerce in Paris verwaltet wurde.[9] Er war mit der Französin Berthe, geb. Nocher (1883–1967), verheiratet (Abb. 4).

Damit die fünf Kinder der Familie in französischsprachiger Umgebung aufwachsen konnten und weil die antifranzösische Stimmung in Deutschland ab den 1920er-Jahren sowohl in der Schule als auch in der Arbeitswelt zunahm, verlagerte die Familie ihren Lebensmittelpunkt bereits vor 1931 von Hamburg nach Paris.[10]

1. Vgl. Maria Vincent an Oskar Knecht, 26. Januar 1949, in: KMB, Archiv, Erwerbungen 2013, G 2013.37.

2. Vgl. Joachim Pissarro/Claire Durand-Ruel Snollaerts, Pissarro. Catalogue critique des peintures / Critical Catalogue of Paintings, 3 Bde., Mailand/Paris 2005, Bd. 2, S. 292–293, Nr. 390.

3. Vgl. ebd.

4. Vgl. Silvia Schmidt-Bauer, Die Sammlung Bernhard Koehler, in: Andrea Pophanken/Felix Billeter (Hrsg.), Die Moderne und ihre Sammler, Berlin, 2001, S. 267–286, hier S. 269.

5. Zum weiteren Schicksal der Sammlung von Bernhard Koehler jun., vgl. ebd., S. 283–284: «Bei einem der schwersten Bombenangriffe auf Berlin am 3. Februar 1945 wurden die Fabrik und sein Wohnhaus unwiederbringlich zerstört und mit ihm ein Großteil dieser unvergleichlichen Sammlung [...]. Nur durch die frühen Verkäufe während der Weltwirtschaftskrise und die partielle Auslagerung mehrerer expressionistischer Werke während des 2. Weltkriegs, sowie durch die Verwahrung eines Teils seiner Sammlung von impressionistischen Werken im Depot der Berliner Nationalgalerie sind insgesamt rund einhundert Werke aus der ehemaligen Sammlung Koehler erhalten geblieben [...]. Während der Nachkriegswirren im besetzten Berlin gelangten die im Depot der Nationalgalerie eingelagerten Werke des französischen Impressionismus [...] als ‹Beutekunst› in das Puschkin-Museum in Moskau und in die Staatliche Eremitage in Sankt Petersburg».

6. Vgl. Maria Vincent an Oskar Knecht: Unbedenklichkeitserklärung, 26. Januar

1949, in: KMB, Archiv, Erwerbungen 2013, G 2013.37 (Pissarro, *L'Étang de Montfoucault*).

7. Der Name der Firma geht auf den Onkel Gustav Altmanns, den Bankier Ludwig Tillmann zurück. Die mit Bank- und Investmentgeschäften betraute Firma Ludwig Tillmann wurde 1929 aufgrund der Bankenkrise einvernehmlich stillgelegt. Die drei Gründer gingen fortan ihren eigenen Geschäften nach, die Firma blieb allerdings bestehen. Vgl. Antrag auf Wiedergutmachung, 29. Juli 1955, in: STAHH, 351-11, Bestand Amt für Wiedergutmachung, Nr. 2914, Anlage 1, sowie Robert Altmann, Memoiren, Mailand 2000, S. 7.

8. Einige der Investmentunternehmen betrieb er gemeinsam mit Ludwig Tillmann, wie die Ingela und die Indisch-Afrikanische Compagnie N.V. Amsterdam. Vgl. Handels- und Landbau-Aktiengesellschaft an Devisenstelle, Hamburg (Abschrift), 16. Juli 1938, in: STAHH, 314-15, Bestand Oberfinanzpräsident, F32, Bd. 1, Bl. 25, und Oberfinanzpräsident Hamburg an Reichswirtschaftsminister, Berlin, 4. März 1939, in: STAHH, 314-15, Bestand Oberfinanzpräsident, R1938, 0987, Bl. 48–49.

9. Vgl. Empfehlungsschreiben der Direktoren der Banque internationale de Commerce und der Chase Bank, Paris, an Schweizerischen Gesandten, Paris, 5. Dezember 1939, in: BAR, E2200.41-04#1000/1683#117*.

10. Vgl. Altmann 2000, S. 12–13.

Spätestens 1932 soll der gesamte Hausrat dort angekommen sein.[11] Gleichzeitig behielt Altmann ein Standbein in Hamburg und führte seine dortigen Geschäfte weiter.

1933 erhielt er den Bescheid, dass seine Hamburger Firma, Ludwig Tillmann OHG, zur Deckung der im August 1933 erhobenen Reichsfluchtsteuer gepfändet werden solle, obwohl er Deutschland offiziell noch gar nicht verlassen hatte.[12] In direkter Folge dieses Bescheids wanderte Gustav Altmann komplett nach Frankreich aus und galt als steuerlich abgemeldet. Dennoch behielten die Familienmitglieder vorerst die deutsche Staatsangehörigkeit.

Im Zuge der drohenden Kriegsgefahr, der nationalsozialistischen Verfolgung in Deutschland und einer damit möglicherweise erforderlichen Flucht, begann Gustav Altmann aus Frankreich heraus bereits 1936 mit der Suche nach alternativen Staatsangehörigkeiten. Nach mehreren erfolglosen Versuchen, gültige spanische, schwedische und sogar haitianische Pässe für den Fall einer etwaigen Besetzung Frankreichs zu erhalten, gelang es ihm schliesslich, sich und seine Familie am 25. Februar 1938 auf legalem Weg in Liechtenstein einbürgern zu lassen.[13] Die finanzielle Unterstützung beim Bau eines Schulhauses in der Gemeinde Ruggell gereichte ihm dabei zum Vorteil (Abb. 5).[14] Der älteste Sohn, Robert Altmann (1915–2017), der sich später als Verleger, Künstler und Kunstkritiker einen Namen machte, resümierte in seinen Memoiren: «Die Einbürgerung ging dann glatt vonstatten. [...] Meine Familie konnte sich mit dem Liechtensteiner Pass in Sicherheit bringen.»[15] Bis zur offiziellen Einbürgerung in Vaduz sollten allerdings fünf Jahre vergehen, während derer die Situation der Familie durch kriegsbedingte und politische Bedrohungen immer prekärer wurde.

Ab Dezember 1939 versuchte Altmann mittels Empfehlungen der Chase Bank, der Banque Internationale de Commerce in Paris und des Fürstlichen Liechtensteinischen Regierungschefs ein Visum für die Schweiz zu erlangen, vermutlich um seinen Sohn Robert in Genf zu besuchen und von dort nach Liechtenstein weiterzureisen.[16] Ein handschriftlicher Vermerk «Probabilité d'arrestation» auf der Rückseite der Empfehlung der liechtensteinischen Regierung gibt den Grund für sein Gesuch an: «Gustave Altmann [...] a été menacé d'être arrêté par Gestapo.»[17] Dieser Kommentar stammt wahrscheinlich aus dem Sommer 1940, also kurz nach Beginn der deutschen Besetzung der französischen Hauptstadt, und nimmt Bezug auf folgenden von Altmann selbst formulierten Bericht:

«Als Garant einer kaufmännischen Firma bin ich Mieter der Büroräumlichkeiten, gelegen im 2. Stock des Bürohauses 9, Bd. Haussmann. Bei der Eingangstür war ein Schweizer Schutzbrief angeschlagen. Bei meiner Rückkehr nach Paris am 17. Juli fand ich die ganze Etage mit Einschluss meiner Büroräume militärisch besetzt. [...] Ich habe in Erfahrung gebracht, dass man die Möbel nebst allen [sic] Büroinventar (Teppichen, Bildern, Schreibmaschinen usw.) in Besitz genommen und die Dossiers, Bücher und Schriften durchsucht und gleichfalls beschlagnahmt hat. Man behauptet [...] Briefe gefunden zu haben, die Kritiken der deutschen Verhältnisse enthalten. [...] ich erkläre, dass ich niemals direkt oder indirekt politisch tätig gewesen bin und dass die inkriminierten schriftlichen an mich gerichteten Äusserungen, die in Privat- oder Geschäftsbriefen von ausserhalb Deutschlands enthalten sein könnten, vermutlich lange zurück liegen.»[18]

Abb. 5: Altes Schulhaus Ruggell, Liechtenstein, um 1940

Altmann verfügte demnach über einen persönlichen Schutzbrief, der ihn als liechtensteinischen Bürger gegenüber der Gestapo vor Durchsuchungen dieser Art und weiterem Schaden bewahren sollte. Nach dem im oben zitierten Brief geschilderten Vorfall zweifelte er dessen Wirksamkeit aber offen an. Aus der nachfolgenden Korrespondenz zwischen Gustav Altmann in Paris und seinem Sohn Robert in Genf, die über das Eidgenössische Politische Departement lief, liessen sich die beiden gegenseitig wissen, dass sie wohlauf seien. Robert wollte zunächst helfen, seinen Vater in die Schweiz zu bringen.[19] Kurz darauf, im März 1941, befand sich ersterer dann aber bereits in Madrid, wohin er in einem von einer Polizeieskorte begleiteten und verplombtem Zug durch Frankreich gereist war.[20] Auch die Schweiz bot der Familie Altmann offenbar keine Sicherheit mehr. Robert hatte über seinen Grosscousin Georg Tillmann aus New York heraus für sich und seinen Vater kubanische Visa erhalten. Die Reise von Madrid nach Kuba trat er jedoch alleine an (Abb. 6).[21]

Abb. 6: Robert Altmann in Havanna, 1941

Gustav Altmann hielt sich bis 1943 weiter in Paris auf. Zwar hatte er, wie oben geschildert, bereits seit 1938 die liechtensteinische Staatsangehörigkeit, glaubte aber zunächst noch an die Widerstandskraft der französischen Armee. Zudem war nach Kriegsausbruch eine Ausreise nach Liechtenstein mit der Familie ohne Visum über die Schweiz erschwert.[22]

Dass Gustav Altmann durch die Beschlagnahme seiner Büroräume nicht nur öffentlich Opfer eindeutig antisemitisch motivierter Schikanen war, sondern im Hintergrund auch von Seiten der französischen Behörden über Jahre hinweg teils verdeckte, teils offene Ermittlungen gegen ihn geführt wurden, zeigt ein Dossier der französischen Fremdenpolizei. Darin werden drei verschiedene Untersuchungen gegen ihn und seine Familie erwähnt, die bereits 1932 begannen und ihm Kollaboration mit russischen Spionen sowie weitere politisch verdächtige Handlungen vorwarfen. Die Verfahren der antideutsch gesinnten französischen Behörden mussten letztlich alle aus Mangel an Beweisen eingestellt werden, aber seine Situation wurde mit der Besetzung von Paris zunehmend lebensbedrohlich.[23]

Nach 1940 wurde es schwer, aus Frankreich nach Liechtenstein zu gelangen, bis 1943 eine von der Schweiz organisierte Rückführung aller Bürger:innen aus Frankreich eingeleitet wurde, bei der als einzige liechtensteinische Familie auch die Altmanns miteinbezogen wurden. Dass die Schweizerische Gesandtschaft in diesem Fall im Namen des

11. Vgl. Landgericht Hamburg, Zwischen-Urteil, 2. Mai 1960, in: STAHH, 213-13, Bestand Landgericht Hamburg, Wiedergutmachung, Nr. 31337, S. 3.

12. Vgl. Antrag auf Wiedergutmachung, 29. Juli 1955, in: STAHH, 351-11, Bestand Amt für Wiedergutmachung, Nr. 2914, Anlage 1.

13. Vgl. Altmann 2000, S. 18, sowie Haut Commissaire de la République Française au Cameroun an Schweizer Konsul, Léopoldville, 7. Juli 1949, in: BAR, E2200.147#1000/206#6*, S. 2.

14. Laut Auskunft von Jürgen Schindler, Archiv der Gemeinde Ruggell, vom 19. August 2024 wurde der Schulbau grösstenteils aus Einwanderertaxen finanziert. Mit einer Summe von 50.000 CHF betrug der Anteil der Familie Altmann rund ein Fünftel der Baukosten.

15. Altmann 2000, S. 18.

16. Vgl. Gustav Altmann an Eidgenössisches Departement, 5. Dezember 1939, in: BAR, E2200.41-04#1000/1683#117*.

17. Fürstlicher Regierungschef an Schweizerische Gesandtschaft, Paris, 20. Dezember 1939, o. S., in: BAR, E2200.41-04#1000/1683#117*.

18. Gustav Altmann an Schweizerische Gesandtschaft, Paris, 25. Juli 1940, in: BAR,

E2200.41-04#1000/1683#117*.

19. Vgl. Eidgenössisches Politisches Departement an Schweizerischen Gesandten, Paris, 6. November 1940, in: BAR, E2200.41-04#1000/1683#117*.

20. Vgl. Altmann 2000, S. 19.

21. 1946 erhielt Robert Altmann die kubanische Staatsbürgerschaft. Wann genau er Kuba wieder verliess, um sich erneut in Frankreich niederzulassen, ist nicht geklärt. Laut Einzelfallabklärung im Zuge des schweizerisch-kubanischen Entschädigungsabkommens hielt er sich bis 1946 in Kuba auf, wohingegen ein anderes Schreiben erst 1949 als Jahr der Übersiedlung nach Frankreich nennt. Vgl. Schweizerisch-kubanisches Entschädigungsabkommen vom 2. März 1967, Zusammenfassung betr. Robert Altmann und Aktennotiz, 21. Juni 1962, in: BAR, E2200.176#1986/3#25*.

22. Vgl. Altmann 2000, S. 18.

23. Zu den diversen Anschuldigungen gegen Altmann vgl. Präfekt des Bezirks Seine-et-Oise an den französischen Innenminister, 7. Dezember 1933, sowie Polizeidirektor an den Präfekten des Bezirks Seine-et-Oise, 27. Mai 1940, in: AN, Pierrefitte-sur-Seine, 19940432/127.

Fürstentums Liechtenstein aktiv wurde, erklärt sich dadurch, dass Liechtenstein keine eigenen diplomatischen Interessenvertretungen besass und in konsularischen Angelegenheit bis heute mit der Schweiz zusammenarbeitet. Gustav und seine Tochter reisten daraufhin nach Vaduz; seine Frau blieb in Frankreich, da der jüngste Sohn erkrankt war und nicht reisen konnte. Erst einige Wochen später folgten die beiden über Basel (Abb. 7).[24]

Seine finanziellen Angelegenheiten in Frankreich konnte Altmann aus Liechtenstein heraus, gemessen an den Umständen, erstaunlich gut regeln. So gelang es ihm, sowohl aus der Liquidierung seiner Wertpapierdepots als auch aus der «Abwicklung» seiner Bank Gumal ab 1940 Mittel freizusetzen, die «zur Sicherung seines Lebensunterhaltes» dienten.[25]

POLITISCHE AUSWIRKUNGEN AUF DIE FAMILIE ALTMANN IN DER EHEMALIGEN KOLONIE KAMERUN

Die Familie Altmann war in den 1930er-Jahren nicht nur von Mehrfachdiskriminierungen durch das nationalsozialistische Regime in Deutschland betroffen, sondern sah sich, wie oben beschrieben, auch in Frankreich sowie bei Firmenbeteiligungen in Übersee mit Problemen konfrontiert. Dass diese nicht aus antisemitischen Motiven resultierten, sondern auch durch politische Umwälzungen im Weltgeschehen bedingt waren, zeigt das Beispiel der Palmölplantagen in der damals französisch verwalteten Kolonie Kamerun.

Über verschiedene Firmenanteile und Bankdarlehen der Firma Ludwig Tillmann hielt Gustav Altmann Beteiligungen an Palmölplantagen in Kamerun, die in Deutschland 1938 über die dort registrierten Firmen die Begehrlichkeiten des Oberfinanzpräsidenten in Hamburg weckten.[26] Durch umsichtige Verschiebungen von Verbindlichkeiten gelang es Altmann, vor der französischen Justiz glaubhaft zu machen, dass die an der Plantage beteiligten Firmen französisch seien. So konnte er sie vor dem Zugriff der Nationalsozialisten schützen.[27]

Doch dieser zunächst errungene Erfolg, Eigentum in Kamerun mittels Schuldverschreibungen an französische Firmen vor einer Beschlagnahme zu bewahren, gereichte Altmann bereits wenig später zum Nachteil. Aufgrund der frankophilen Gesetzgebung, welche die Liquidierung von «Feindvermögen» autorisierte, wurde das Fremdvermögen deutscher Firmen ab September 1939 eingezogen.[28] Obwohl das französische Gericht geurteilt hatte, dass Altmanns deutsche Firmen Schuldner französischer Unternehmen waren, wurden die Plantagen wegen der Verbindung zu einem vormals deutschen Unternehmen unter Sequester gestellt.[29] Somit gingen wertvolle Einnahmen aus den Plantagen für Jahre verloren. Bereits ab 1947 versuchte Altmann, die Beschlagnahme aufzuheben und weitere Massnahmen der Kameruner Verwaltung zu unterbinden.[30]

Sowohl das Ausstellen eines Schutzbriefes als auch Altmanns schlussendliche «Repatriierung» nach Liechtenstein deuten darauf hin, dass die Schweizer Behörden ihm unterstützend zur Seite standen.

24. Vgl. Altmann 2000, S. 18.

25. Vgl. Eugène Traverse an Commissariat générale aux questions juives, 8. Januar 1942, in: AN, AJ/40/829 und H. Snozzi an Gustav Altmann, 28. August 1944 und 31. Mai 1945, in: BAR, E2200.41-04#1000.1683#117*.

26. Vgl. Adolph Jensen an den Oberfinanzpräsidenten Hamburg, 22. Dezember 1938, und Finanzamt Hamburg Altstadt an Oberfinanzpräsident Hamburg, 20. Mai 1942, in: STAHH, 314-15, Bestand Oberfinanzpräsident, R1938, 0987.

27. Vgl. République française, Ordonnance de référé, 8. Juli 1939, in: STAHH, 314-15, Bestand Oberfinanzpräsident, R1938, 0987.

28. Vgl. Déclaration André Mauduit de Larive, 10. Juni 1948, in: BAR, E2200.147#1000.206#6*.

29. Vgl. Französisches Konsulat, Léopoldville, an das französische Aussenministerium, 7. Juni 1950, in: BAR, E2200.147#1000/206#6*.

30. Vgl. Schweizerische Gesandtschaft, Paris an Schweizerisches Konsulat,

Léopoldville, 23. März 1950, in: BAR, E2200.147#1000/206#6*.

31. Kamerun hatte zu der Zeit keine schweizerische Gesandtschaft, an die Altmann sich wenden konnte, sodass die nächstgelegene Botschaft in der Demokratischen Republik Kongo bemüht wurde.

32. Vgl. Eidgenössisches Politisches Departement an die Fürstlich Liechtensteinische Gesandtschaft, 2. Februar 1951, in: BAR, E2801#1968/84#2249*.

33. Vgl. Haut Commissaire de la République Française au Cameroun an Schweizerisches Konsulat, Brazaville, 7. Juli 1949, in: BAR, E2200.147#1000/206#6*.

34. Schweizerische Gesandtschaft, Paris an Schweizerisches Konsulat, Léopoldville, 7. Juni 1950, in: BAR, E2200.147#1000/206#6*.

35. Ebd. Vgl. auch Schweizerische Gesandtschaft an Minister des Eidgenössischen Politischen Departements, 16. Januar 1951, in: BAR, E2801#1968/84#2249*.

36. Schweizerisches Konsulat, Léopoldville an Schweizerische Gesandtschaft, Paris, 10. Mai 1950, in: BAR, E2200.147#1000/206#6*.

Auch nach dem Krieg intervenierte die Schweizer Gesandtschaft in Frankreich über das Schweizer Konsulat im heutigen Kinshasa (vormals Léopoldville), nachdem sich Altmann hilfesuchend an sie gewandt hatte.[31] Er bemühte sich zu diesem Zeitpunkt, eine vom französischen Staat angekündigte Versteigerung seiner Plantagen in Kamerun zu verhindern.

Trotz Einschaltung verschiedener französischer Ministerien und Konsulate wurden die Plantagen im Jahr 1949 verkauft, entgegen den ausdrücklichen Weisungen seitens der Schweizer Gesandtschaft. Den vorliegenden Akten sind hierzu nur widersprüchliche Begründungen zu entnehmen: So soll weder klar gewesen sein, dass Altmann als Liechtensteiner der alleinige Eigentümer war, noch dass die deutsche Firma Hernsheim zum Zeitpunkt des ursprünglichen Sequesters 1939 von französischen

Abb. 7: Berthe und Gustav Altmann mit ihren Kindern in Liechtenstein, 1943

Kreditgebern (Gumal und Nocher) abhing.[32] Was 1939 vor dem französischen Gericht als Forderungen einer französischen Firma gegenüber der deutschen Société Hernsheim anerkannt worden war, wurde nach 1945 gegen den Firmeninhaber gewendet. Nun wurde Altmann die Verschleierung der wahren Nationalität der Firmen Nocher und Gumal vorgeworfen. Die französisch-kamerunischen Stellen beschuldigten ihn, nicht am Fortkommen der Plantagen interessiert gewesen zu sein und rechtfertigten den Sequester des gleichen Jahres. Der Verkauf 1949 galt somit als legitim.[33]

Über eine darüber hinaus die Person Altmanns diffamierende Nachricht aus den eigenen Reihen, nämlich durch den schweizerischen Konsul in Léopoldville, empörte sich der schweizerische Gesandte in Paris und setzte sich vehement für den Verleumdeten ein:

> «Il n'y a aucune raison de croire que M. Altmann ait antidaté quelque document que ce soit. Son attitude est simplement celle d'un israélite qui a fait tout son possible pour que l'Allemagne des Nazis ne puisse mettre la main sur ses biens. Toutes ses déclarations ont été abondamment prouvées par des documents indiscutables.»[34]

Die bizarre Situation der Enteignung eines jüdischen Geschäftsmannes, der sich mittels der französischen Rechtsstaatlichkeit vor dem NS-Regime zu schützen suchte, um dann von dem ihn angeblich Schützenden enteignet zu werden, rief einen kleinen diplomatischen Skandal zwischen der Schweiz und Frankreich hervor.[35] Altmann versuchte, den Verkauf der Plantagen entweder rückgängig zu machen, für nichtig erklären zu lassen oder entschädigt zu werden.[36] Nach 1951 bricht die Dokumentation des Vorgangs ab, und es bleibt unklar, ob die Familie für diesen späten Entzug in irgendeiner Form Kompensation erfahren hat.

POLITISCHE AUSWIRKUNGEN AUF DIE FAMILIE ALTMANN IM KOMMUNISTISCHEN KUBA

Gustav Altmann hatte bereits bei der Machtübernahme der Nationalsozialisten dafür Sorge tragen können, dass ihm zumindest Teile seiner finanziellen Mittel auch im Ausland zur Verfügung standen. Ausser Reichweite des Machtbereichs der Nationalsozialisten lagerte er bei der Banco Nacional in Kuba ein Vermögen ein, das sein Sohn Robert 1961 nach Europa zu transferieren suchte. Es bestand hauptsächlich aus Goldmünzen im Wert von circa 40.000 USD und war von der kubanischen Regierung eingezogen, sein Banksafe geöffnet worden. Legitimiert wurde dieser Entzug durch die kommunistische Gesetzgebung, welche die Beschlagnahme von kubanischem Privatvermögen möglich machte.[37] Da Robert Altmann mittlerweile die kubanische Staatsbürgerschaft erlangt hatte, gab es für ihn selbst keine Möglichkeit, sich gegen die Konfiszierungen durch den eigenen Staat zu wehren. Zum wiederholten Male wurde das Eidgenössische Politische Departement bei dem Versuch, ein erneutes Unrecht zu verhindern, um Hilfe gebeten.[38]

Vor dem Hintergrund, dass die Schweiz Kuba als autonomen Staat mit eigener Rechtsordnung anerkannt hatte,[39] war es juristisch nur folgerichtig, dass der Entzug von Robert Altmanns Anteil am familiären Vermögen legalisiert wurde. Für Altmanns Eltern konnte hingegen eine Erstattung ihrer jeweiligen Anteile erreicht werden, da die Argumentation, dass die Münzen Robert Altmann nicht allein gehörten, schliesslich (wenn auch widerwillig) von der kubanischen Regierung akzeptiert wurde. 1970 einigte man sich auf die Vergleichssumme von 30.000 USD (128.850 CHF) an Gustav Altmanns Witwe und ihre Tochter.[40]

Abb. 8: Alma del Banco, *Berthe Altmann*, o.J., Privatbesitz

RÜCKGABEN UND ENTSCHÄDIGUNGEN AN DIE FAMILIE ALTMANN IN DEUTSCHLAND NACH 1945

Bereits 1945 erhob Gustav Altmann erste Restitutionsansprüche gegen den deutschen Staat im Hinblick auf seine in Hamburg und Berlin befindlichen Grundstücke.[41] 1958 beantragte er dann formal Entschädigungen für die 1939 endgültig auf 231.610 RM festgesetzte und gezahlte Reichsfluchtsteuer.[42] Diesen Betrag hatte er seinerzeit nicht nur aus dem liquide vorhandenen Vermögen beglichen, sondern auch durch die Pfändung der Firma Ludwig Tillmann abgezahlt. Die Steuer wurde ihm erstattet. Darüber hinaus waren acht Grundstücke, die Altmann mindestens zum Teil gehörten, unter Zwangsverwaltung gestellt und zwischen 1940 und 1942 verkauft worden.[43] Verschiedene Vergleiche und alternative Lösungen mit den Käufern der Grundstücke aus ehemaligem Altmann-Besitz ergaben zum einen Restitutionen der Immobilien und zum anderen eine Entschädigungssumme von circa 40.000 DM.[44]

KUNSTBESITZ UND VERÄUSSERUNG

Grundsätzlich ist über den Kunstbesitz von Gustav und Berthe Altmann wenig bekannt. Die wohlhabende Familie war kunstaffin und mit zahlreichen Künstler:innen befreundet. Nachweislich besassen sie in Hamburg Werke von Erich Hartmann, Otto Fischer-Trachau und Anita Rée. Berthe Altmann kam sehr wahrscheinlich durch eigene künstlerische Aktivitäten in Kontakt mit Kunstschaffenden. Besonders eng war ihr Verhältnis zur expressionistischen Hamburger Malerin Alma del Banco, die sie auch porträtierte (Abb. 8).[45] Auch in Liechtenstein tat sich die Familie später im künstlerischen Bereich mäzenatisch hervor.

Wie umfangreich der Kunstbesitz vor 1945 genau war, konnte bislang nicht eruiert werden. Aus Gustav Altmanns Aussagen bezüglich der Beschlagnahme seiner Büroräume, die weiter oben zitiert wurden, geht hervor, dass er dort «Bilder» hängen hatte.[46]

Auch Sohn Robert war mit Künstlern und Literaten seiner Zeit befreundet und wurde zu einem Förderer und Verleger von künstlerischen Büchern, die Druckgrafiken mit Poesie verbanden. In seiner Biografie gibt er an, über den Kunsthistoriker und Impressionismus-spezialisten John Rewald (1912–1994), mit dem ihn eine lange Freundschaft verband, in New York einige Papierarbeiten von Pablo Picasso, Paul Gauguin, Mary Cassatt, Camille Pissarro und Paul Klee erworben zu haben. Diese Werke verblieben bis mindestens zum Jahr 2000 in seiner Sammlung.[47]

PISSARROS WINTERLANDSCHAFT IN DER SAMMLUNG ALTMANN?
Wann genau das Gemälde *L'Étang de Montfoucault* von Pissarro in den Besitz der Familie gelangte und wie lange es dort verblieb, liess sich trotz umfassender Bemühungen nicht eru-ieren. Die Formulierung aus der Unbedenklichkeitsbescheinigung von Maria Vincent, «aus Vaduz aus Besitz Gustav M. Altmann»,[48] (Abb. 9) lässt annehmen, dass der Verkauf durch Alt-mann ab 1943 zustande kam, dem Jahr, in dem er nach Vaduz übergesiedelt war.[49] Wie es ihm gelingen konnte, Kunst aus Frankreich auszuführen, ist unklar, allerdings konnte er wahrschein-lich bei der von der Schweiz organisierten Bürgerrückführung 1943 Hausrat mitnehmen.

2018 fand eine Ausstellung zur Sammlung von Robert Altmann im Kunstmuseum Vaduz statt.[50] Über das Museum konnte so der Kontakt zu zwei Verwandten hergestellt wer-den, die sich intensiv mit der Geschichte der Familie befasst haben. Beiden war der Besitz eines Pissarro-Gemäldes völlig unbekannt. Die Richtigkeit der schriftlichen Angabe von Maria Vincent, dass sie das Werk von Gustav Altmann erwarb, wurde sogar infrage gestellt, da die noch lebenden Familienmitglieder über den Kunstbesitz Gustav Altmanns relativ gut informiert zu sein glauben und ihnen lediglich Ankäufe von damals noch lebenden, also zeit-genössischen, Künstlern bekannt sind. Werke von Künstlern des 19. Jahrhunderts scheint Altmann laut Angaben der Familie nicht gesammelt zu haben. Hingegen ist in Familien-kreisen eine «Madame Vincent» überliefert, wenngleich ohne fassbaren Kontext. So ist eine Verbindung zwischen Maria Vincent und der Familie Altmann zumindest plausibel. Da der

37. Vgl. Schweizer Botschafter, Havanna, an Chef des Rechtsdienstes des Eidgen. Politischen Departements, Bern, 17. Mai 1961, in: BAR, E2200.176#1986/3#25*. Genannt wurde hier die «Instruccion Administrativa No. 15» vom 16. Februar 1961, die als Folge die Leerung aller Banksafes vorsah, die «Resolución 71 de 1961», die die zwangsweise Einwechselung aller Goldmünzen betraf und die «Resolución 125 de 1961», als Zusatz zum «Circular General No. 763 a la Ley No. 930 de 23 febrero de 1961», die sich auf die Handhabe von Vermögen und im Ausland lebenden Inhaber bezog. Speziell die Ausfuhr von Juwelen und Gold-münzen wurde durch die «Resolución 132» vom 26. April 1961 verboten. All diese neuen Gesetze wurden im Zuge der kubanischen Revolution als Antwort auf die sich 1960/61 verschärfenden Massnahmen seitens der USA verabschiedet und trieben besonders die Verstaatlichung und Enteignung von Privatver-mögen voran. Wenngleich im Fall der Familie Altmann nicht relevant, soll an dieser Stelle erwähnt werden, dass die Konfiszierungen in Kuba während der Revolution und nach 1959 auch im Land befindliche private Gemäldesammlun-gen betrafen. Viele Kunstwerke wurden aus privatem Eigentum in kubanischen Staatsbesitz überführt und hauptsächlich im Museo de Bellas Artes und im Museo de las Artes Decorativas in Havanna verwahrt. Mit dem Zusammenbruch der Sowjetunion begann die kubanische Regierung, vermehrt Kunstwerke zu verkaufen, um schnell Gelder freizusetzen. Objekte dieser Beschlagnahmen wurden hauptsächlich über Kanada und Europa verkauft. Auch heute noch erkennen die Erben der betroffenen Familien die Beschlagnahmungen durch die kubanische Regierung nicht an und versuchen, ihre Besitztümer zurückzu-erhalten. Auf juristischem Wege ist dies, wenn überhaupt, nur möglich, wenn der Geschädigte zum Zeitpunkt der Enteignung eine ausländische Nationalität hatte. Vgl. Mari-Claudia Jiménez, The Future: Restituting Looted Cuban Art, in: Proceedings of the Annual Meeting (American Society of International Law), Bd. 109, 2015, S. 116–123.
38. Vgl. Schweizerisch/kubanisches Entschädigungsabkommen vom 2. März 1967, Zusammenfassung betr. Robert Altmann, in: BAR, E2200.176#1986/3#25*.
39. Vgl. Attestation des Generalkonsuls von Kuba, Paris, 6. Oktober 1967, in:

BAR, E2200.176#1986.3#25*.
40. Vgl. Schweizerisch/kubanisches Entschädigungsabkommen vom 2. März 1967, Zusammenfassung betr. Robert Altmann, S. 2, 14. Mai 1970, in: BAR, E2200.176#1986/3#25*.
41. Vgl. Landgericht Hamburg: Zwischen-Urteil, 2. Mai 1960, in: STAHH, 213-13, Bestand Landgericht Hamburg, Wiedergutmachung, Nr. 31337, S. 3.
42. 1933 wurde die Steuer zunächst auf 125.000 RM, festgelegt, 1937 dann nach oben auf 412.500 RM korrigiert. Vgl. Hanseatisches Oberlandgericht, Beschluss, 8. Februar 1956, in: STAHH, 213-13, Bestand Landgericht Hamburg, Wiedergutmachung, Nr. 1850.
43. Vgl. Vergleichsvorschlag, 1. August 1956, in: STAHH, 351-11, Bestand Amt für Wiedergutmachung, Nr. 2914.
44. Zunächst hatte das Amt für Wiedergutmachung in Hamburg den Antrag auf Entschädigung der Reichsfluchtsteuer abgelehnt; daraufhin zogen die Anwälte Altmanns vor das Hamburger Landesgericht. Die dort beschlossenen Entschädigungen wurden zuletzt vom Hanseatischen Oberlandesgericht bestätigt. Vgl. Teilbescheid, S. 3, 11. Oktober 1960; Brief Amt für Wiedergutmachung an Verwaltungsamt für innere Restitution, 19. Dezember 1960, und Bescheid, 29. Mai 1964, alle in: STAHH, 351-11, Bestand Amt für Wiedergutmachung, Nr. 2914.
45. Vgl. Altmann 2000, S. 8–10.
46. Vgl. Gustav Altmann an Schweizerische Gesandtschaft, Paris, 25. Juli 1940, in: BAR, E2200.41-04#1000/1683#117*.
47. Vgl. Altmann 2000, S. 16.
48. Maria Vincent an Oskar Knecht, 26. Januar 1949, Unbedenklichkeits-erklärung, in: KMB, Archiv, Erwerbungen 2013, G 2013.37 (Pissarro, *L'Étang de Montfoucault*).
49. Vgl. Altmann 2000, S. 18.
50. Aus der Sammlung Robert Altmann (1915–2017), Verleger und Mäzen, Ausstellungsbroschüre, Kunstmuseum Liechtenstein, Vaduz, 23. Februar – 13. Mai 2018, o. S.

Kontakt zwischen Robert und Gustav Altmann zwischen 1942 und 1945 nur eingeschränkt möglich war, wäre es auch denkbar, dass der Verkauf des Gemäldes im Zuge der Übersiedlung von Paris nach Liechtenstein stattfand, ohne dass der Sohn davon wusste. Wenn das Werk in Frankreich erworben wurde und im Pariser Büro von Gustav Altmann hing, wäre es durchaus möglich, dass es Familienmitgliedern nicht bekannt gewesen ist.

In jedem Fall bekräftigten die Familienmitglieder, dass sich Altmann trotz der hohen Kosten der Übersiedelung nach Liechtenstein nie in akuter finanzieller Not befunden habe und somit ein forcierter Verkauf von Kunstwerken quasi ausgeschlossen werden kann.[51] Bis heute befinden sich einige der Gemälde und Plastiken in Familienbesitz, die von Gustav und Berthe Altmann in Hamburg vor 1931 erworben wurden und bei ihren mehrfachen Umzügen nicht verloren gegangen sind.

MARIA VINCENT ALS VERKÄUFERIN DES GEMÄLDES

Maria Vincent, geschiedene Schmid und geschiedene Poensgen,[52] war seit Juni 1943 mit dem Schweizer Literaturkritiker, Regisseur und Schriftsteller Emmanuel Vincent verheiratet.[53] Ihre «Aussteuer» aus Paris soll wichtige Bilder enthalten haben, die sie in Zürich, wohin sie allein im Frühjahr 1944 übersiedelte, verkaufen wollte.[54] Die Schweizer Behörden warfen ihr vor, einen dubiosen Bilderhandel zu betreiben. Diesbezüglich war 1944 sogar ein Verfahren gegen sie eingeleitet worden. Wegen ihrer engen Beziehungen zu einer gewissen Gräfin Esther Pidoll war sie der Spionage verdächtig und wurde für kurze Zeit vom schweizerischen Nachrichtendienst beobachtet. Nachgewiesen werden konnten Maria Vincent die unlauteren Geschäfte jedoch nicht.[55]

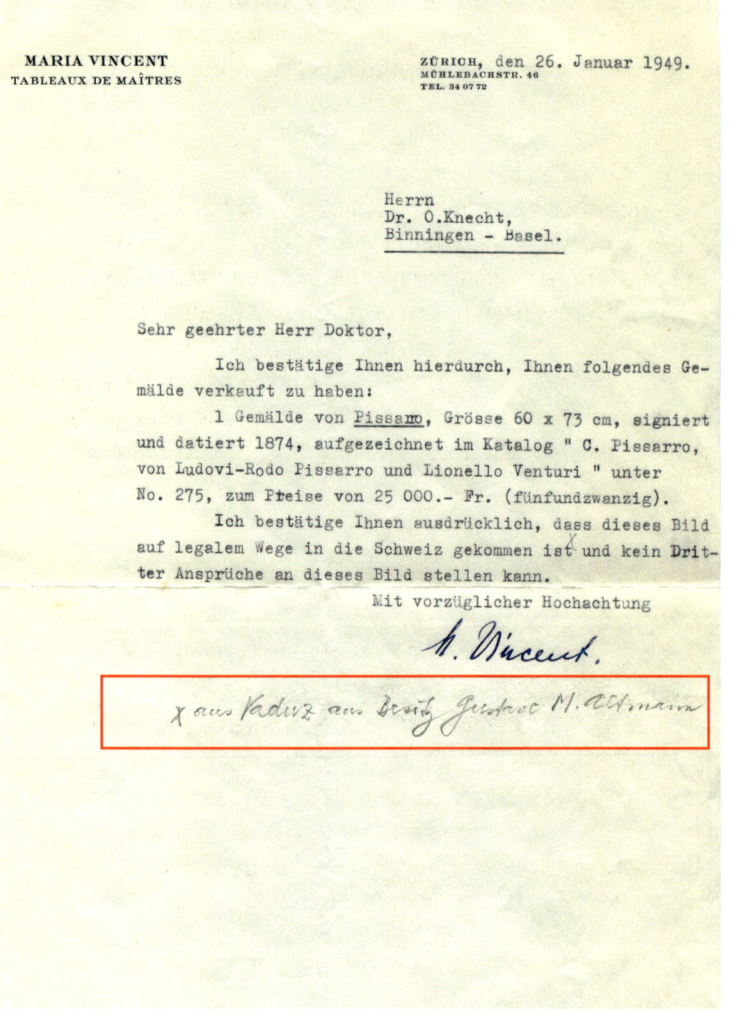

Abb. 9: Unbedenklichkeitserklärung von Maria Vincent für Pissarros *L'Étang de Montfoucault*, 26. Januar 1949

Nach dem Zweiten Weltkrieg und im Zuge der Raubgut-Prozesse geriet Maria Vincent ein zweites Mal ins Visier der Schweizer Behörden, da sie Beziehungen zum jüdischen Galeristen Fritz Heinemann (1905–1983) unterhielt, dem sie nach dem Krieg ein sogenanntes Liebesgabenpaket (schweizerische Bezeichnung für ein Care-Paket von Zivilisten aus neutralen Ländern nach Deutschland) nach München schickte und mit dem sie über verschiedene Bilderverkäufe sowie Exportmöglichkeiten im Austausch stand.[56] Heinemann war nach längerem Exil in Luzern 1946 in die bayerische Hauptstadt zurückgekehrt. Vincent und er kannten sich wahrscheinlich aus der Schweiz.[57] Im Zuge der Untersuchungen des Schweizer Nachrichtendienstes wurde ein Besuch der Wohnung Maria Vincents vorgenommen. Der zu diesem Anlass erfasste Bericht hielt fest, dass «es sich bei den meisten Objekten um älteren, aus Paris stammenden Besitz [handelte], der im Jahre 1946, nach erfolgter Kontrolle durch die Franzosen, in die Schweiz eingeführt wurde. Nach unseren Feststellungen waren keine von uns gesuchten Kunstobjekte (Raubgut) darunter.»[58]

1946 meldete sich Maria Vincent als Kunsthändlerin in Zürich an.[59] Wie es ihr, offenbar ohne fachliche Ausbildung, gelang, bis 1959 in dieser Branche aktiv zu bleiben, ist unklar. Bereits in Paris muss sie in gehobenen Kreisen verkehrt haben, denn laut handschriftlicher Auskunft in den Verkaufsunterlagen kannte sie die Familie Altmann aus «Pariser Zeit». Auch ihr Warenbestand zeugt von einem Interesse an französischer Kunst. So verkaufte sie beispielsweise mehrere Werke namhafter Impressionisten an Oskar Knecht.[60]

SYNTHESE

Nach den hier dargelegten Untersuchungen zu einer abschliessenden Bewertung zu gelangen, fällt auch nach der Sichtung von umfassendem Archivmaterial in Hamburg, Paris, Basel und Bern noch schwer. Die Provenienzangabe von Maria Vincent bleibt der einzige Beleg für eine Voreigentümerschaft der Familie Altmann an dem Pissarro-Gemälde. Weder der Ankaufszeitpunkt durch Gustav Altmann ist bekannt noch der Zeitpunkt und die Umstände, die zu seinem Verkauf geführt haben. Es scheint, dass er das Werk während der 1940er-Jahre veräusserte, als er bereits in Liechtenstein war. Ein Verkauf vor dem Fortzug aus Paris ist allerdings ebenfalls nicht ausgeschlossen.

Dass der Bankier und seine Familie von der nationalsozialistischen Regierung verfolgt wurden und ihr in Deutschland verbliebenes sowie in verschiedene aussereuropäische Länder verbrachtes Vermögen zumindest zum Teil eingezogen wurde, ist eindeutig belegt. Trotz dieser Massnahmen war es der Familie finanziell möglich, verschiedene Pässe und Überseeschiffspassagen zu organisieren sowie Freunde und Verwandte vor den Vernichtungslagern der Nationalsozialisten zu retten. Auch in Kuba lagerte zu jenem Zeitpunkt ein beträchtliches Vermögen in Gold. Finanzielle Schwierigkeiten scheinen für die Familie zu keinem Zeitpunkt bestanden zu haben.

Wiedergutmachungsleistungen für die Reichsfluchtsteuer sind gezahlt worden, wobei unklar bleibt, ob eine Entschädigung für die von französischer Seite versteigerte Palmölplantage in Kamerun erfolgt ist. Ansprüche der Familie auf Restitution oder Kompensation von durch die Nationalsozialisten entzogenen oder während der Flucht verlorenen Kunstwerken hat die vorliegende Untersuchung nicht aufgedeckt. Die Verbindungen zur Kunstszene wurden in der nächsten Generation durch Gustav Altmanns Sohn Robert weitergeführt, der noch bis zu seinem Tod 2017 als Sammler, Mäzen, Maler und Verleger aktiv war und ein gewisses Renommee genoss. Der Umstand, dass in dieser Zeit keine Ansprüche erhoben wurden – zumal vor dem Hintergrund, der in den 2000er-Jahren ausgeprägten medialen Berichterstattung zu Kunstraub und -restitution – sowie die Aussagen der noch lebenden Familienmitglieder bekräftigen den Schluss, dass der Verkauf des Gemäldes *L'Étang de Montfoucault* nicht als NS-verfolgungsbedingt einzustufen ist.

51. Die Informationen dieses Abschnitts wurden in einem Telefonat mit Vanessa von Kolpinski am 26. Juni 2023 vermittelt; weiterhin gehen sie auf einen Austausch im Sommer 2024 zurück. Es hat sich kein Material erhalten, das die Umstände eines solchen Verkaufs erhellen könnte. Vgl. auch Cyril Deicha, Vielfalt unter einem Dach. Anekdoten aus dem Haus 144, Vaduz 2024 (= Vaduzer Geschichten 2/2024).
52. In erster Ehe war sie mit Herbert Poensgen verheiratet, mit dem sie einen Sohn namens Herbert hatte, der in einem Institut in Lausanne zur Schule ging. In zweiter Ehe war sie mit dem durch das NS-Regime ausgebürgerten Armin Schmid verheiratet, der für die Flucht das honduranische Bürgerrecht erwarb. Vgl. Bericht, 31. Mai 1944, in: BAR, E4320B#1990/266#4908*.
53. Vgl. Polizeikorps des Kantons Zürich an den Nachrichtendienst, 17. April 1946, in: BAR, E4320B#1990/266#4908*. Die Ehe mit Vincent wurde bereits im November 1947 wieder geschieden. Vgl. auch den Forschungsbericht zu Provenienzforschung Neuerwerbungen Museumsberg Flensburg ab 1933, www.proveana.de/de/person/vincent-marie (6.2.2025).
54. Vgl. Bericht, 31. Mai 1944, in: BAR, E4320B#1990/266#4908*.
55. Vgl. Polizeikorps des Kantons Zürich an den Nachrichtendienst, 17. April 1946, in: BAR, E4320B#1990/266#4908*. Zu der gleichfalls vom Nachrichtendienst überwachten Gräfin Pidoll konnten leider keine nennenswerten Informationen ermittelt werden.

56. Vincent ersuchte Heinemann um Einschätzungen als Kunstexperte und entlohnte ihn mit dem Care-Paket. Heinemann war in der Leostr. 9 in München gemeldet, Maria Vincent in der Mühlebachstr. 46 in Zürich. Vgl. American Legation, Joint Commission, Bern: Aktennotiz, 14. Mai 1948, und Brief Fritz Heinemann an Maria Vincent, 29. April 1948, in: BAR, E7160-07#1968/54#1915*.
57. Vgl. Judith Csiki, Fritz David Heinemann, www.kunstgeschichte.uni-muenchen.de/forschung/ausstellungsprojekte/archiv/einblicke_ausblicke/biografien/heinemann/index.html (6.2.2025). Heinemann wurde laut Fremdenpolizei in der Schweiz wegen Veruntreuung von zwei Gemälden gesucht und meldete im April 1946 Konkurs seiner in Luzern geführten Kunsthandlung an. Vgl. Fremdenpolizei an Schweizerische Verrechnungsstelle, 6. April 1948, in: BAR, E7160-07#1968/54#1915*.
58. Spezialbureau Aktennotiz, 4. Mai 1948, in: BAR, E7160-07#1968.54#1915*.
59. Vgl. Forschungsbericht zu Provenienzforschung Neuerwerbungen Museumsberg Flensburg ab 1933, www.proveana.de/de/person/vincent-marie (6.2.2025).
60. Ein Beispiel ist das Gemälde *Chemin tournant à Sèvres*, 1879, von Alfred Sisley (1839–1899), 46,6 × 56 cm, Öl auf Leinwand, vgl. www.kornfeld.ch/g365/d3701101570_Alfred-Sisley-Chemin-tournant-%C3%A0-S%C3%A8vres.html (6.2.2025). Für dieses Bild liegt eine Bestätigung der Schweizerischen Verrechnungsstelle von 1947 vor, dass das Werk keine Raubkunst sei.

VANESSA VON KOLPINSKI

«ES HÄTTE NIE ZUM KONKURS KOMMEN BRAUCHEN [...].»

RICHARD SEMMELS KUNSTVERKÄUFE AUF DER FLUCHT

Anlässlich der Ausstellung *Camille Pissarro. Das Atelier der Moderne* im Kunstmuseum Basel (Winter 2021/2022) wurde Kontakt zu dem Riehener Sammler Dr. Klaus Berlepsch für die Leihgabe des Gemäldes *La Maison Rondest, L'Hermitage, Pontoise* (1875) (Abb. 1) gesucht. Berlepsch befürwortete nicht nur das Leihgesuch, sondern entschied sich dazu, das Werk dem Kunstmuseum zu schenken.[1] Nach Sammlungseingang wurde die Provenienz des Bildes geprüft. Aufgrund der ehemaligen Voreigentümerschaft des jüdischen Unternehmers Richard Semmel (1875–1950), der seine Kunstsammlung ab 1933 im Exil verkauft hatte, lag der Verdacht eines «Fluchtgut»-Verkaufs nahe.

Das Gemälde entstand 1875 und fällt somit in die Zeit zwischen 1866 und 1883, als Pissarro grösstenteils in der Kleinstadt Pontoise wohnte. Nachdem es 1921 aus dem Nachlass von Camille Pissarros Witwe Julie Pissarro (1838–1926) an die gemeinsame Tochter Jeanne Bonin Pissarro (1881–1948) geschenkt wurde, gelangte es 1924 im Kunsthandel Rudolf Bangel in Frankfurt am Main zur Auktion.[2] An wen es dort verkauft wurde, ist unklar. In der Folge wurde es 1933 als Eigentum des deutsch-jüdischen Unternehmers Richard Semmel auf einer Auktion bei Mensing & Fils (Muller) in Amsterdam angeboten.[3] Wann genau er das Werk von wem erworben hatte, konnte nicht in Erfahrung gebracht werden. Auf der Auktion in Amsterdam wurde es wahrscheinlich nicht zugeschlagen. Im Oktober 1933 lag das Bild dann in Basel bei der Galerie Raeber vor, zu der es als Kommissionsware von der Zürcher Galerie Tanner gelangte. Raeber verkaufte das Gemälde umgehend für 4.900 CHF an den Riehener Sammler Walther Hanhart (1901–1974).[4] Hanhart vererbte das Werk 1974 an seine Tochter, die mit Klaus Berlepsch verheiratet war. Anfang 2021 schenkte es der inzwischen verwitwete Berlepsch dem Kunstmuseum Basel (Abb. 2).[5]

Die Galerie Dr. Raeber in Basel

befasst sich seit über zehn Jahren mit dem Ankauf, dem Verkauf und der Vermittlung von künstlerisch wertvollen Werken der Malerei, der Zeichenkunst und der Plastik. Ihr spezielles Arbeitsgebiet ist die französische und schweizerische, auch deutsche Kunst des 19. und 20. Jahrhunderts. — Von früheren Epochen führt sie insbesondere Werke der altdeutschen Kunst des 15. und 16. Jahrhunderts. Allein im Bereiche der Handzeichnung pflegt sie alle Schulen vom ausgehenden Mittelalter bis zur Gegenwart.

CAMILLE PISSARRO
(1830—1903)
La maison de Pissarro à Pontoise
Lw. Oel. H 54 : B 46 cm - sig. r. u.: C. Pissarro 75
Privatbesitz, Basel

Abb. 2: Ausstellungskatalog Galerie Dr. Raeber, Oktober 1937, S. 1 und S. 10, Leihgeber: Walther Hanhart

CAMILLE PISSARRO (1830–1903)

LA MAISON RONDEST, L'HERMITAGE, PONTOISE
1857

Öl auf Leinwand
55 × 46 cm
Monogrammiert und datiert
unten rechts: C. Pissarro 75

Kunstmuseum Basel, Inv. G 2021
Schenkung von
Dr. Klaus Berlepsch, Riehen 2021

PROVENIENZ:

1904 – 1921:
Julie Pissarro (1838–1926), im Erbgang von
ihrem Ehemann Camille Pissarro erhalten

1921 – Datum unbekannt:
Jeanne Pissarro-Bonin (1881–1948), Paris, als
Schenkung von ihrer Mutter Julie Pissarro
erhalten

12.2.1924:
Auktion, Auktionshaus Rudolf Bangel,
Frankfurt am Main, Los 175

Datum unbekannt – 1933:
Richard Semmel (1875–1950),
Berlin/Amsterdam

13.6.1933:
Auktion Richard Semmel, Mensing & Fils
(Frederik Muller & Co) Amsterdam, Los 24
(wahrscheinlich nicht verkauft)

nach Juni 1933 – Oktober 1933:
Galerie Tanner, Zürich

Oktober 1933:
Galerie Dr. Willi Raeber, Basel

Oktober 1933 – 1974:
Dr. Walther Hanhart (1901–1974), Riehen,
angekauft bei Galerie Raeber

1974 – 2007:
Ursula Berlepsch, geb. Hanhart (1933–2007),
Riehen, im Erbgang von ihrem Vater erhalten

2007 – 2021:
Dr. Klaus Berlepsch (1931–2022), Riehen,
im Erbgang mit seiner Frau, Tochter von
Walther Hanhart, erhalten

2021 – heute:
Kunstmuseum Basel, als Schenkung von
Klaus Berlepsch erhalten

<u>Abb.1a/b</u>:
Camille Pissarro,
La Maison Rondest, L'Hermitage, Pontoise, 1875,
recto und verso

ANSPRUCH

Die Abteilung Provenienzforschung am Kunstmuseum Basel existiert seit Januar 2021. Erst mit ihrer Einrichtung und der 2022 von der Kunstkommission verabschiedeten *Strategie Provenienzforschung* wurde die standardisierte Überprüfung von Neuzugängen in die Sammlung etabliert. Nachdem im Zuge der Inventarisierung des Gemäldes die Voreigentümerschaft Richard Semmels festgestellt worden war (das Bild war auf der Website www.lostart.de als NS-verfolgungsbedingter Verlust gemeldet, allerdings mit abweichendem Titel und ohne Abbildung), kontaktierte Museumsdirektor Josef Helfenstein am 9. November 2022 den Erbinnenvertreter nach Richard Semmel. Er zeigte das gesuchte Gemälde im Besitz des Kunstmuseums an und avisierte, nach Abschluss der Tiefenerschliessung, die Ergebnisse des historischen Sachverhalts darlegen zu wollen. Bei nachgewiesenem Handlungsbedarf werde eine «gerechte und faire» Einigung im Sinne der Washingtoner Prinzipien erfolgen.

<u>Abb.3</u>: Claire und Richard Semmel in St. Moritz, 1924/25

ZUR BIOGRAFIE RICHARD SEMMELS

Richard Semmel war ein deutsch-jüdischer Textilunternehmer. Er war mit Claire (Clara Cäcilie; 1879–1945), geb. Brück, kinderlos verheiratet (Abb.3).[6] Semmel stammte aus Sobótka in Niederschlesien, im heutigen Polen, und hatte drei Schwestern, Selma, Lisbeth und Elfriede, sowie einen Bruder, Jacob (1879–1945), der im Februar 1945 im KZ Bergen-Belsen ums Leben kam.[7]

Semmel lebte mit seiner Frau in Berlin-Dahlem in der Cecilienallee 19–21 in einer Villa, die von einem grossen Garten mit Gästehaus und Tennisplatz umgeben war. Die Einrichtung war luxuriös, wie Innenaufnahmen des Hauses belegen.[8] Die Wände zierten Kunstwerke alter sowie neuerer Meister, hauptsächlich Gemälde (Abb.4/5). Als Unternehmer machte Semmel sein Vermögen in der Textilbranche. Er besass die Berliner Wäschefabrik Arthur Samulon G.m.b.H. in der Magazinstrasse 15–16 und war wohl Teilhaber der Textor AG in St. Gallen.[9] Semmel stieg 1905 in die Wäschefabrik als Gesellschafter ein und verhalf dem Unternehmen zu beträchtlicher Grösse und entsprechender Umsatzstärke. Zeitweise waren dort an die 600 Angestellte tätig (Abb.6/7/12).[10] Hinzu kam die Arthur Samulon Grundstücks G.m.b.H.; ihr gehörten Berliner Grundstücke am Zirkus und am Schiffbauerdamm.[11]

1. Vgl. Protokoll der Kunstkommissionssitzung, 24. März 2021, in: KMB, Archiv, B 002.001.045.000. Das Zitat in der Überschrift stammt aus einem Brief von Richard Semmel an Max Lilie, 10. November 1935, in: SAA, 736_138.
2. Vgl. Sammlung französischer Impressionisten und deutsche Meister des XIX. und XX. Jahrhunderts: aus deutschem Museumsbesitz, Rudolf Bangel, Frankfurt am Main, 12. Februar 1924, Los 175 (mit Abb.); Ludovic Rodo Pissarro/Lionello Venturi, Camille Pissarro. Son art – son œuvre, 2 Bde., Paris 1939, Bd. 1, S. 122, Nr. 299, Abb. Bd. 2, Tf. 299 («Notre maison de paysan, Hermitage, Pontoise»); Joachim Pissarro/Claire Durand-Ruel Snollaerts, Pissarro. Catalogue critique des peintures / Critical Catalogue of Paintings, 3 Bde., Mailand/Paris 2005, Bd. 2, S. 295, Nr. 395, Abb. S. 295.
3. Collection d'un amateur: tableaux modernes de l'école française des XIXe et XXe siècles, direction Mensing & Fils (Frederik Muller & Cie.), Amsterdam, 13. Juni 1933, S. 6, Nr. 24 (mit Abb.).
4. Vgl. Galerie Raeber, Kommissionswaren: K78, S. 54, in: SIK-ISEA, HNA 213A.2.
5. Vgl. Protokoll der Kunstkommissionssitzung, 24. März 2021, in: KMB, Archiv und Jahresbericht 2021, S. 17; mündliche Überlieferung: Dr. Klaus Berlepsch,

über Josef Helfenstein.
6. Vgl. Deutsches Reichs-Adressbuch für Industrie, Gewerbe und Handel, 1934, Bd. IV: Adressen-Verzeichnis von Berlin, Brandenburg, Mecklenburg, Pommern, Grenzmark, Schlesien, Danzig, Ostpreussen.
7. www.ancestry.com/family-tree/person/tree/179411065/person/112402309801/facts www.stolpersteine-berlin.de/de/pacelliallee/19/richard-semmel (30.11.2022).
8. Vgl. Anhang zum Schreiben von Rechtsanwalt Bruno Schmitz, 11. Oktober 1957, in: LABO Berlin, Reg. Nr. 72711, D 60.
9. Textor AG, St. Gallen, Obergraben 44. Vgl. Präsident des Landesfinanzamts Berlin an Dr. Ludwig Freundlich, 22. August 1934 in: SAA, 736_138; Einwohnerkartei 1934, Eintrag Claire und Richard Semmel, in: Stadtarchiv St. Gallen, 5/711/90, Nr. 7562. Semmels Rolle in der Textor AG ist nicht ganz eindeutig.
10. Vgl. Grete Gross: Lebenslauf Richard Semmel, 26. Juli 1955, in: LABO Berlin, Reg. Nr. 72711, M24.
11. Hierbei handelt es sich um die Adressen Schiffbauerdamm 2 und Am Zirkus 8.

Abb.4: Villa Richard Semmel, Cecilienallee 19/21 (heute Pacelliallee), Berlin, o.J.

Abb.5: Innenausstattung eines Salons in der Villa Richard Semmel, Berlin, o.J.

Abb.6: Damenwäschefabrik Arthur Samulon, Blick in den Innenhof, Berlin, o.J.

Abb.7: Damenwäschefabrik Arthur Samulon, Aussenansicht, Berlin, o.J.

Zum Zeitpunkt der Machtübernahme Adolf Hitlers befand
sich Semmel in St. Gallen und wurde bei seiner Rückkehr
im Frühjahr 1933 bereits am Berliner Bahnhof vor drohenden Repressalien gegen ihn gewarnt. So kehrte er nicht in
seine Firma oder das Haus zurück, sondern hielt sich bis zu
seiner Emigration in die Niederlande im Juni 1933 in einem
Berliner Hotel auf. Laut eigener Aussage emigrierte Semmel
nicht nur aus Gründen der «rassischen» Verfolgung, sondern
auch weil ihm Nähe zu Sozialdemokraten vorgeworfen wurde.[12] Ab November 1933 war Semmel mit seiner Frau in den
Niederlanden offiziell gemeldet, seit März 1934 wohnhaft in
Amsterdam, Stadionweg 59.[13] Im Juni 1939 sind die beiden
über Paris nach Santiago de Chile ausgewandert. Da ihm das
Klima dort nicht bekam, zog das Ehepaar im Mai 1941 nach
New York.[14] Die Lebensbedingungen der Semmels in den USA
waren geprägt von Armut und schlechter Gesundheit.[15] Am
19. August 1946 wurde Richard Semmel in New York, gemeldet
unter der Adresse 230 West End Avenue, eingebürgert.[16] Eine
Bekannte aus Berliner Zeiten, Grete Gross, geb. Eisenstaedt
(1887–1958), kümmerte sich um den erkrankten Semmel und
wurde von ihm, nach Claire Semmels Tod, aus Dankbarkeit
als Alleinerbin eingesetzt (Abb. 8).[17]

Abb.8: Grete Gross und Richard Semmel im Central Park,
New York, 1948

EXKURS: FINANZIELLE SITUATION

Die Situation der Wäschefabrik und der Grundstücksgesellschaft kann aus unterschiedlichen Quellen rekonstruiert werden. Die Firma hatte ein Kapital von 500.000 RM und
setzte 1932 zwei Millionen RM um.[18] Richard Semmel bediente für seine Unternehmen seit
vielen Jahren laufende Kredite bei der Deutschen und der Dresdner Bank. Diese Kredite
dienten branchenüblich der Zwischenfinanzierung für Lieferungen von Stoffen und die
weitere Geschäftsabwicklung und wurden immer wieder verlängert.[19] Von Januar bis April
1933 verzeichnete die Wäschefabrik einen Umsatzrückgang von 260.000 RM gegenüber
dem gleichen Zeitraum im Jahr 1932. Im Frühjahr 1933 forderte die Deutsche Bank höhere Sicherheiten für den bei ihr bestehenden Kredit.[20] Als alleiniger Gesellschafter einer
Offenen Handelsgesellschaft haftete Richard Semmel mit seinem Vermögen und nahm
daraufhin Hypotheken auf sein Haus in Dahlem und eine weitere Immobilie auf, die im
Juni 1933 zugunsten der Deutschen Bank eingetragen wurden.[21]

Die Textilfirma Arthur Samulon befand sich somit seit spätestens 1933 in finanziellen Schwierigkeiten. Bereits in diesem Jahr konnte Richard Semmel die mit den
Anteilsinhabern der Firma (den Erb:innen des verstorbenen Ernst Samulon) vereinbarten Zinsraten nicht mehr zahlen. Die Anteilseigner forderten daraufhin den gesamten Schuldenbetrag, den Semmel bei ihnen hatte, zurück.[22] Um die Gläubiger der
deutschen Textilfirma befriedigen zu können, wurde eine Art Ringtausch der Hypotheken-
Ansprüche auf Berliner Immobilien seines zweiten Betriebs, der Semmel'schen Firma
Arthur Samulon Grundstücks G.m.b.H., vorgenommen. Semmel trat die Forderungen
von 70.000 RM an die Deutsche Bank ab, die diese wiederum im August 1934 an die
in St. Gallen gemeldete Firma Textor AG abtrat. Die Textor AG wurde dann als Gesamt-
schuldnerin eingesetzt, um die Forderungen der Samulon'schen Erb:innen in monat-
lichen Ratenzahlungen zu begleichen.[23] Bereits wenige Monate später wurden dann statt
der Textor AG die Erb:innen nach Arthur Samulon als Anspruchsteller:innen der Hypotheken auf die Berliner Grundstücke eingetragen.[24] Warum dies geschah, ist nicht ganz

geklärt. Es scheint, dass die Textor AG nach August 1934 keine Tilgungszahlungen mehr vornahm und seit spätestens Januar 1939 insolvent war.[25]

Darüber hinaus strengten im August 1933 sowohl die Deutsche Bank als auch die Dresdner Bank eine Klage zur Schuldenrückzahlung über 360.000 RM respektive 150.000 RM an.[26] Da Richard Semmel seinen Wohnsitz ins Ausland verlegt hatte, reichten die Banken einen Arrestantrag ein und liessen die Einrichtungsgegenstände seiner Berliner Villa pfänden.[27] Darunter waren nicht nur Möbel, Weine und ein Fahrzeug, sondern auch rund 40 Gemälde sowie Papierarbeiten. Genaue Details zu den Kunstwerken sind nicht verzeichnet, sodass eine Identifizierung nicht möglich ist.[28] In Semmels Haus waren also nach seiner Emigration in die Niederlande noch Kunstwerke vorhanden, die zur Deckung des von den Banken geforderten Teilbetrags gepfändet wurden. Im September 1934 wurde das Mobiliar samt Kunstgegenständen aus der Villa gegen die Schuldumschreibung auf das Fabrikgrundstück der Firma Samulon in der Magazinstrasse wieder freigegeben.[29]

Im Juli 1934 hatte Semmel seine Immobilie in der Cecilienallee durch seine Berliner Anwälte an den Konservenfabrikanten Wilhelm Kühne (†1943) verkaufen lassen. 1949 reklamierte Semmel diesen Verkauf beim Wiedergutmachungsamt, da er den gezahlten Verkaufspreis von 170.000 RM für zu niedrig hielt, insbesondere im Vergleich zum Einheitswert von 301.600 RM.[30] Die Witwe Wilhelm Kühnes verteidigte den Ankauf vehement, mit dem Hauptargument, dass der von Semmels Anwälten geforderte Preis nicht nach unten verhandelt wurde und ein Familienmitglied Semmels nicht nur bei den Verhandlungen vertreten war, sondern sich auch in einem Brief an die Kühnes nachträglich für das gute Gelingen bedankte.[31] Beide Parteien brachten eidesstattliche Zeugenerklärungen vor, die den jeweiligen Standpunkt unterstützten, sodass allein aus der vorgenommenen Akteneinsicht kein Urteil darüber getroffen werden kann, wie der Verkaufspreis und das Verfolgungsschicksal vor dem Hintergrund hoher, eventuell bereits vor 1933 bestehender Schulden zu bewerten ist. Da sich die beiden Parteien schliesslich auf einen Vergleich einigten, ist eine abschliessende Rechtsprechung nicht erfolgt. Der Vergleich sah eine Zahlung von 40.000 DM an Grete Gross vor, als Alleinerbin des inzwischen verstorbenen Richard Semmel.[32]

12. Vgl. Recommendation regarding Semmel, report number RC 1.75, Restitutions Committee, The Netherlands, Abschnitt 3. www.restitutiecommissie.nl/en/recommendation/semmel/ (30.11.2022).

13. Vgl. Herkomst gezocht, https://herkomstgezocht.nl/nl/vw-collectie/madonna-met-kind-en-johannes-1 (30.11.2022) und Benno Stokvis an Schaden-Enquête-Commissie, 13. Oktober 1947, in: SAA, 736_138.

14. Vgl. Benno Stokvis an Inspector der Belastingen to Amsterdam, 2. April 1952, in: SAA, 736_138.

15. Vgl. Recommendation regarding Semmel, report number RC 1.75, Restitutions Committee, The Netherlands, Abschnitt 3. www.restitutiecommissie.nl/en/recommendation/semmel/ (30.11.2022).

16. Vgl. Soundex Index to Petitions for Naturalization filed in Federal, State, and Local Courts located in New York City, 1792–1989. New York, NY: The National Archives at New York City (zit. n. www.ancestry.com).

17. Vgl. Kopie des Testaments, New York, 1951 (kein genaues Datum), in: SAA, 736_138.

18. Vgl. Kontobuch Max Lilie 1919–1932, in: SAA, 736_138; Meyer: Vermerk zu Richard Semmel, 25. Mai 1956, und Henry Peck: Eidesstattliche Erklärung, 3. Dezember 1955, beide in: LABO Berlin, Reg. Nr. 72711, D28 und D31–D32.

19. Vgl. Protokolle Vorstandssitzungen Dresdner Bank, 25. August 1932, in: National Archives, Washington, D.C., Military Agency Records: Captured Records, National Archives Collection of Foreign Records Seized, Records of the Dresdner Bank, RG 242, T-83, Roll 116.

20. Vgl. Meyer an Direktor Trunk, Erklärung Dr. Ludwig Freundlich betr. Arthur Samulon, 7. Oktober 1933, in: BArch B, R8119-F P 11550.

21. Zum Grundstück Berlin-Dahlem, Cecilienallee, 1922–1951, vgl. Grundbuch Dahlem: Grundbuch von Dahlem Nr. 38, Blatt 1084, in: Amtsgericht Schöneberg II.

22. Vgl. Dr. Horowitz an Richard Semmel (Firma Arthur Samulon), 27. Dezember 1933, in: SAA, 736_138. Die Erbinnen waren: Ilse Auerbach, Anna

Auerbach, Annemarie Etlinger, Frau Wohl, geb. Auerbach.

23. Vgl. Erklärung der Textor AG, St. Gallen, o.D., in: SAA, 736_138.

24. Vgl. Dr. Ludwig Freundlich an Richard Semmel, 4. Dezember 1934, in: SAA, 736_138.

25. Vgl. Anlage: Abschrift Angelegenheit Auerbach Berlin, 31. Januar 1939, in: SAA, 736_138.

26. Vgl. Antrag Deutsche Bank und Dresdner Bank, auf Anordnung des dringlichen Arrestes an Landgericht Berlin, 25. August 1933, in: BArch B, R8119-F P 11550.

27. Vgl. Arrestbefehl, 26. August 1933, in: BArch B, R8119-F P 11550.

28. Verzeichnis der gepfändeten Gegenstände, 30. August 1933, in: BArch B, R8119-F P 11550.

29. Vgl. Deutsche Bank an Dr. Ludwig Freundlich, 24. September 1934, in: BArch B, R8119-F P 11550.

30. Vgl. Bruno Schmitz (RA Semmel) an das Wiedergutmachungsamt, 2. August 1950, Bl. 21, in: LA Berlin, B Rep. 025-08 Nr. 32.50, Bl. 21. Der Einheitswert eines Grundstücks berechnet sich aus dem durchschnittlichen Wert des Grundstücks in einer bestimmten Lage und den darauf befindlichen Immobilien. Dies ist für Steuer- und Vermögensfragen relevant. Allgemeine Verwaltungsvorschrift über die Richtlinien zur Bewertung des Grundvermögens 1966 (BewR Gr 17, § 77), in: Neue Wirtschaftsbriefe, NWB, https://datenbank.nwb.de/Dokument/76541_17/ (9.5.2023).

31. Vgl. Max Wolter (RA Therese Kühne) an Wiedergutmachungsamt, 11. Januar 1951, in: LA Berlin, B Rep. 025-08 Nr. 32.50, Bl. 64.

32. Vgl. Bruno Schmitz (RA Semmel) an Wiedergutmachungsamt, 12. September 1950, in: LA Berlin, B Rep. 025-08 Nr. 32.50, Bl. 35. Bzgl. des Erbvorgangs vgl. Amtsgericht Berlin Charlottenburg, Erbschein nach Ilse Kauffmann, geb. Kleemann, 13. Januar 2011, beglaubigte Kopie vorliegend in: KMB, Abt. Provenienzforschung, Dossier Sammlung Semmel, Erbdokumente.

Die im Amsterdamer Staatsarchiv erhaltene Korrespondenz zeigt, dass Semmel durch die finanziellen Schwierigkeiten, die bereits 1933 bestanden, grosse Mühe hatte, seine Gläubiger aus den Niederlanden, später aus Chile und New York, zu befriedigen, umgekehrt aber auch die ihm zustehenden Geldbeträge einzufordern. Während der Schriftverkehr mit ehemaligen Rechtsvertretern und Kreditoren in den frühen 1930er-Jahren noch freundlich geführt wurde und Semmel redlich bemüht war, seine Schulden zu begleichen, wird im Laufe der Zeit unter Ausweitung der NS-Repressalien die wachsende Dringlichkeit und Verzweiflung spürbar.[33] Semmel wird zunehmend defensiv, erkennt Forderungen nicht an und macht den Verwaltern seiner Berliner Firma Vorwürfe, seine Interessen nicht gut zu vertreten haben.[34] Im Sommer 1935 erklärte er in mehreren Schreiben an seinen ehemaligen Prokuristen Max Lilie:

> «Es ist sehr schmerzlich für mich und Sie können es zu Ihrem Glück nicht ermessen, was es heisst im fremden Lande in engsten Verhältnissen in einer Pension sein Leben zu fristen. Hätte ich nicht die drückenden Verpflichtungen übernommen um deren Erfüllung ich kämpfe, ich wäre schon längst nicht mehr da.»[35]
> «[Ich] arbeite mit meiner Frau von früh bis abends um die bescheidenen Lebensansprüche zu befriedigen.»[36]

Ab 1940 drängte Semmel darauf, auch die letzten verbliebenen Besitztümer in Amsterdam durch seinen Rechtsvertreter Benno Stokvis (1901–1977) verkaufen zu lassen. Von den Erlösen bezahlte er Kreditoren, Steuern, Einlagerungs- und Versicherungsgebühren sowie Stokvis' Gehalt.[37] Auch sein Bruder, Jacob Semmel, der sich mit seiner Frau ebenfalls in Amsterdam niedergelassen hatte, war aufgrund der schlechten Konjunktur und Geschäftslage für jüdische Unternehmer in finanziellen Schwierigkeiten, wie Stokvis Semmel mitteilte: «Er hat mir bloss in Hinsicht auf Ihre und seine Lage den Vorschlag gemacht, ihm in Anbetracht der Situation noch ein zweites Gemälde in Pfand zu geben [...].»[38]

Doch auch diese Verkaufsversuche blieben ohne Erfolg. Vgl. Richard Semmel blieb selbst gegen seinen Bruder hart, indem er Stokvis gegenüber mehrfach wiederholte, dass Jacob ihm so viel schulde und wiedergutzumachen habe.[39] Jacob Semmel, der auch während der deutschen Besatzung in den Niederlanden blieb, wurde aufgefordert, im Dezember 1942 zwei Gemälde seines Bruders zur «Verwertung» an die Amsterdamer Bank Lippmann, Rosenthal & Co. (LiRo) auszuhändigen, was er auch tat.[40] Wenig später wurden er und seine Frau nach Bergen-Belsen deportiert.[41]

SEMMELS KUNSTSAMMLUNG
Entgegen der Darstellung seiner Anwälte nach dem Krieg, dass Semmel völlig mittellos aus Deutschland floh, ist belegt, dass er unter bislang nicht geklärten Umständen grosse Teile seiner mehr

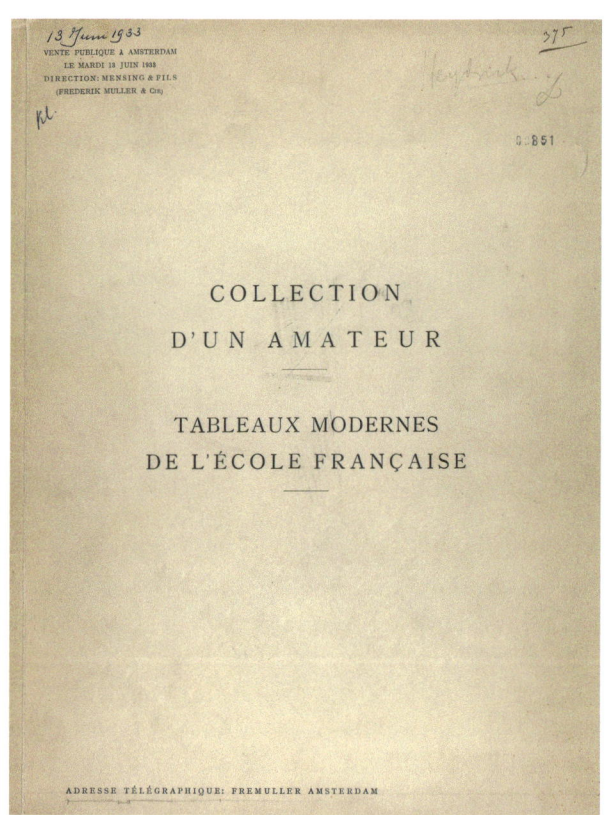

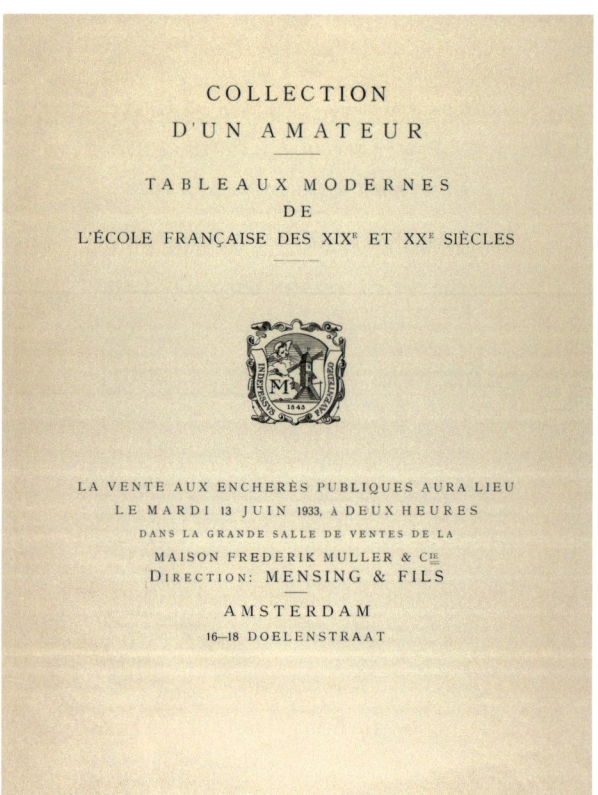

Abb.9a/b: Katalog zur Auktion am 13. Juni 1933 bei Mensing & Fils, Amsterdam, Einband und Titelblatt

als 100 Werke umfassenden Kunstsammlung spätestens im Juni 1933 in die Niederlande überführt hatte. Wann genau diese Sammlung angelegt wurde und welche Bezugsquellen existierten, konnte nicht eruiert werden.[42] Einzelne Ankäufe über Kunsthändler wie die Galerie Heinemann, München, bezeugen allerdings, dass Semmel bereits 1917 über Kunstbesitz verfügte.[43] Ausstellungsleihgaben zwischen 1925 und 1930 geben weitere punktuelle Einblicke in seine Sammlung. So verlieh er 1925 zur Ausstellung *Gemälde Alter Meister aus Berliner Besitz*, die im Kaiser-Friedrich-Museum in Berlin veranstaltet wurde, sechs Kunstwerke.[44] Weitere Leihgaben zu Ausstellungen 1929 in der Galerie Dr. Schäffer[45] und 1930 in der Orangerie in Paris[46] folgten. 1928 kaufte Semmel in der Impressionisten-Ausstellung der Galerie Goldschmidt in Berlin ein weiteres Pissarro-Gemälde.[47] In dem 1930 erschienen Artikel von Paul Wescher (1896–1974) über die Sammlung Semmel wird weder das gegenständliche Gemälde noch ein Händler für andere Pissarro-Werke angegeben.[48] Der Text lässt allerdings vermuten, dass Richard Semmel die Kunstwerke von den Altmeistern bis zur klassischen Moderne Mitte der 1920er-Jahre gekauft hat. So soll er Gemälde aus der ehemaligen Sammlung Camillo Castiglioni besessen haben, die 1925 über Mensing & Fils bei Muller in Amsterdam und 1930 in Berlin bei Paul Graupe/ Hermann Ball gehandelt worden waren. Des Weiteren bezog er vom Amsterdamer Kunsthändler Pieter de Boer Ende der 1920er-Jahre Werke alter Meister.[49] Es wäre also möglich, dass Semmel den vorliegenden Pissarro bei der Auktion in Frankfurt bei Bangel 1924 direkt erwarb.[50]

Zur Finanzierung seines Lebensunterhalts und zur Deckung von Verbindlichkeiten in Deutschland lieferte Semmel im Juni und November 1933 Kunstwerke bei Mensing & Fils (Muller & Cie) in Amsterdam zur Auktion ein (Abb. 9a/b). Zwar erscheint Semmels Name im Titel keines der beiden Kataloge.[51] Handschriftliche Annotationen auf dem Einband des Katalogs der November-Auktion belegen allerdings, dass zumindest mehrere Werke aus seinem Eigentum stammten. Es ist laut der niederländischen Restitutiecommissie zwar nicht eindeutig gesichert, dass die gesamte Auktionsmasse der November-1933-Auktion der Sammlung Semmel zuzuordnen ist, jedoch ein «substantieller Anteil». Der Sammlername konnte laut Argumentation des Anwalts der Erbinnen nach Richard Semmel nicht, auf dem Titel der Auktionskataloge figurieren, da Semmel die

33. Hier wären etwa die Forderungen von Max Lilie, Semmels ehemaligem Buchhalter und Prokuristen sowie von Dr. Ludwig Freundlich, seinem Anwalt, zu nennen. Vgl. Max Lilie an Richard Semmel, 10. Juni 1939 und Dr. Ludwig Freundlich an Richard Semmel, 20. Mai 1938, beide in: SAA, 736_138.

34. Vgl. Richard Semmel an Benno Stokvis, 17. Juni 1939: «Bei dem Umsturz 1933 stellte sich L.[ilie] sehr auf das Nazi-System ein, weil er als Halbarier besonders vorsichtig sein wollte. Durch diese Einstellung hat er dem Geschäft sehr geschadet.» Und Semmel an Lilie, 10. November 1935: «Es hätte nie zum Konkurs kommen brauchen, wenn Berliner, Kantorovich [?], Lerche etc. die Interessen der Firma verantwortungsvoll zur richtigen Zeit vertreten hätten.», in: SAA, 736_138.

35. Semmel an Lilie, 25. Juni 1935, in: SAA, 736_138.

36. Semmel an Lilie, 17. Juli (?) 1935, in: SAA, 736_138.

37. Vgl. S. J. Mak van Waay an Benno Stokvis, 20. August 1940, in: SAA, 736_138.

38. Benno Stokvis an Richard Semmel, 26. August 1941, in: SAA, 736_138.

39. Vgl. Richard Semmel an Benno Stokvis, 6. August 1941, und Richard Semmel an Benno Stokvis, 5. November 1945, in: SAA, 736_138.

40. Vgl. Lippmann, Rosenthal & Co. an Jacob Semmel, 16. Juli 1942, in: SAA, 736_138. Die Bank LiRo war nach 1940 nur noch eine Scheinbank und gilt heute als «wichtigstes Instrument der Enteignung» in den Niederlanden. Vgl. Jean-Marc Dreyfus, Die Enteignung der Juden in Westeuropa, in: Constantin Goschler/Philipp Ther (Hrsg.), Raub und Restitution. Frankfurt am Main 2003, S. 49.

41. Vgl. Benno Stokvis an Richard Semmel, 24. Juli 1945, in: SAA, 736_138 und www.oorlogsbronnen.nl/tijdlijn/Jacob-Semmel/02/139317 (12.4.2023).

42. In den folgenden Abschnitt sind einige Informationen zur Kunstsammlung aufgenommen worden, die das Kunstmuseum Basel über den Rechtsvertreter der Erbinnen nach Grete Gross übermittelt wurden.

43. Vgl. Lagerbuch Kommission, Ausgangsdatum 27. Dezember 1917, in: Archiv Galerie Heinemann, Germanisches Nationalmuseum, Nürnberg, Kommissionsnummer 15160, http://heinemann.gnm.de/de/kunstwerk-30173. htm (21.9.2023). Neun weitere Werke wurden über die Galerie Heinemann in Kommission angeboten bzw. gehandelt.

44. Vgl. Gemälde Alter Meister aus Berliner Besitz, Ausst.-Kat., Akademie der Künste, Kaiser-Friedrich-Museums-Verein (Juli – August 1925), Kat. Nr. 115, 140, 233, 369, 382, 435.

45. Vgl. Die Meister des holländischen Interieurs, Ausst.-Kat., Galerie Dr. Schäffer, Berlin (April – Mai 1929). Semmel wird als Leihgeber erwähnt.

46. Vgl. Centenaire de la naissance de Camille Pissarro, Ausst.-Kat., Musée de l'Orangerie, Paris (Februar – März 1930), Nr. 136, 137, 138.

47. Vgl. Impressionisten Sonderausstellung, Ausst.-Kat., Galerie M. Goldschmidt, Berlin (Februar – März 1928), Kat. Nr. 49.

48. Vgl. Pantheon, Bd. 5, Januar – Juni 1930, S. 275–278.

49. Dies wird aus den Vorprovenienzen zu de Boer deutlich, die ca. ein Dutzend Kunstwerke aus der ehemaligen Semmel-Sammlung aufweisen, die bei Lost Art verzeichnet sind.

50. In Berlin scheint sich Semmel nicht als besonderer Kunstmäzen hervorgetan zu haben; so wird er weder in der Tagespresse noch als Leihgeber zu Ausstellungen in der Nationalgalerie genannt. Geprüft wurden hier die Zeitschriften Die Weltkunst, Pantheon und die Findmittel des Berliner Zentralarchivs.

51. 13. Juni 1933, Auktion Richard Semmel, Muller & Cie, Amsterdam und 21. November 1933, Auktion Richard Semmel, Muller & Cie, Amsterdam. Annotierte Exemplare befinden sich im Rijksbureau voor Kunsthistorische Documentatie, Den Haag.

Werke ohne Exportlizenz aus Deutschland ausgeführt hatte.[52] Ein Datum dieser Ausfuhr ist nicht bekannt.[53] Da im Werkverzeichnis Pissarro in der Provenienz von *La Maison Rondest* allerdings auch Semmel als Besitzer aufgeführt wird und zeitgenössische Quellen Pissarro-Gemälde in seiner Sammlung erwähnen, wird davon ausgegangen, dass Semmel der Einlieferer zur Auktion am 13. Juni 1933 bei Mensing in Amsterdam war.[54]

Neben den zwei Auktionen 1933 gelangten bis 1943 auch mehrere Semmel-Werke über die LiRo in Amsterdam zum Verkauf.[55] Die genauen Umstände der Verkäufe sowie der Export der Kunstwerke aus Deutschland konnten nicht geklärt werden, da sich offenbar keine Unterlagen der Firma Muller & Cie erhalten haben.[56] Es spricht nichts dagegen, dass Semmel über die Verkaufserlöse der Auktionen 1933 im noch unbesetzten Holland frei verfügen konnte.

Die 17 über die LiRo veräusserten Kunstwerke, die sowohl alte Meister als auch einige moderne Werke umfassten, wurden von der infolge der Besetzung Hollands unter deutsche Verwaltung gestellten Bank eingezogen und deutlich unter dem von Semmel geschätzten Wert von 18.900 Gulden für lediglich 3.480 Gulden verkauft.[57] Semmels Erbin Grete Gross, erhielt von der LiRo eine Entschädigung über den letztgenannten Betrag.[58] Sachverständige weigerten sich nach dem Krieg, eine höhere Entschädigung an Semmel zu empfehlen, da sich einige der Bilder als Fälschungen entpuppten.[59] Semmel wies diese Behauptungen entschieden zurück.

Richard Semmel selbst liess neben Stokvis zwischen 1939 und 1941 über Kunsthändler wie Mak van Waay Objekte aus seinem Besitz verkaufen, wobei einige Verkaufs-

52. Vgl. Recommendation regarding Semmel, report number RC 1.75, Restitutions Committee, The Netherlands, Abschnitt 4.1., www.restitutiecommissie.nl/en/recommendation/semmel/ (30.11.2022).

53. In der Publikation von Maria Obenaus, die sich mit dem *Verzeichnis der national wertvollen Kunstwerke* und entsprechenden Ausfuhrverboten beschäftigt, wird die Sammlung Richard Semmels nicht erwähnt. Vgl. Maria Obenaus, Für die Nation gesichert? Das «Verzeichnis der national wertvollen Kunstwerke». Entstehung, Etablierung und Instrumentalisierung 1919–1945, Berlin 2016.

54. Vgl. Pissarro/Durand-Ruel Snollaerts 2005, Bd. 2, S. 295, Nr. 395, Abb. S. 295 und Rodo Pissarro/Venturi 1939, Bd. 1, S. 122, Nr. 299, Abb. Bd. 2, Tf. 299 («Notre maison de paysan, Hermitage, Pontoise»). Im folgenden Artikel werden Pissarro-Gemälde in der Sammlung Semmel erwähnt, ohne auf einzelne Werke einzugehen: Max Osborn u.a., Berlins Aufstieg zur Weltstadt. Ein Gedenkbuch, hrsg. v. Verein Berliner Kaufleute und Industrieller, Berlin 1929, S. 304.

55. Vgl. Herkomstgezocht, Bsp. https://herkomstgezocht.nl/en/vw-collection/vaas-met-bloemen-28 (7.12.2022) und Benno Stokvis an LiRo, 23. Dezember 1946, in: SAA, 736_138.

56. Vgl. Recommendation regarding Semmel, report number RC 1.75, Restitutions Committee, The Netherlands, Abschnitt 4.4. www.restitutiecommissie.nl/en/recommendation/semmel/ (30.11.2022).

57. Hierbei handelte es sich um Werke der folgenden Künstler: Joos de Momper, Jan Josef Horemans, David Teniers, Marco Basaiti, Sir Henry William Beechey, Honoré Daumier, je zwei Arbeiten von Gustave Courbet und Frédéric Samuel Cordey, Othon Friesz und Cornelis Jonson van Ceulen d. Ä; Charles Camoin (?), Lucien Adrion, Frans Pourbus, Lesser Ury. Vgl. Benno Stokvis an LiRo, 23. Dezember 1946, und Benno Stokvis an Richard Semmel, 2. Oktober 1945, in: SAA, 736_138. Zudem wurden auch Gebrauchsgegenstände aus dem Besitz Semmels verkauft.

58. Vgl. Grete Gross an Benno Stokvis, 28. September 1955, und Benno Stokvis an Semmel, 23. Oktober 1950, beide in: SAA, 736_138.

59. Vgl. Benno Stokvis an Semmel, 12. September 1946, in: SAA, 736_138.

60. Vgl. Benno Stokvis an Kunsthandel P. de Boer, 9. Dezember 1940, in: SAA, 736_138.

61. Vgl. Sarah Cartwright/Peter C. Sutton, Reclaimed. Paintings from the Collection of Jacques Goudstikker, New Haven 2008, S. 47–51.

62. Die Website Herkomst gezocht listet Objekte, die nach dem Zweiten Weltkrieg aufgrund von mangelnden Provenienzinformationen in die sogenannte Nederlands Kunstbezit-collectie (NK) übergingen. Analog zur Kunstverwaltung des Bundes in Deutschland verwaltet diese Stelle die Objekte mit ungeklärter Herkunft zwischen 1933 und 1945, die in Deutschland ab 1945 aufgefunden wurden und aufgrund der Verbindung zu den Niederlanden dorthin repatriiert worden sind.

Vgl. https://herkomstgezocht.nl/en/nk-collection/family-portrait (24.4.2023).

63. Hierbei handelt es sich um das *Familienporträt*, ehemals Caspar Netscher zugeschrieben (NK 1636), ein Stillleben aus dem 17. Jahrhundert (NK 2412) und *Mädchenköpfe* von Berthe Morisot. Das *Familienporträt* (NK 1636) aus dem vorherigen Besitz Goudstikkers, welches in der Datenbank zur in den besetzten Gebieten tätigen Kunstrauborganisation Einsatzstab Reichsleiter Rosenberg verzeichnet ist, vermerkt folgende Vorprovenienzen «coll. Von Hochberg, 1924. coll. R. Semmel, Berlijn. cert. H[ofstede]. de Gr[oot]. inkoop niet bekend, Semmel.» Zusammen mit einem Stillleben aus dem 17. Jahrhundert (NK 2412) ist das *Familienporträt* mit der Vorprovenienz Semmel 2006 in einer Sammelrestitution mit über 200 Werken an die Nachkommen nach Goudstikker restituiert worden – dies obwohl laut Webseite der Nederlands Kunstbezit-collectie nicht klar ist, seit wann Goudstikker das *Stillleben* (NK 2412) besass, sodass Semmel möglicherweise der Erstgeschädigte wäre.
Zu Morisot vgl. Inventaris van het Archief van Jacques Goudstikker en Desi Goudstikker-Halban, in: SAA, 341. https://archief.amsterdam/inventarissen/scans/1341/3.1/start/90/limit/10/highlight/5 (9.12.2022). Im Adressbuch Goudstikkers ist Semmel nicht vermerkt.
Zu Netscher und dem unbekannten *Stillleben*, vgl. www.errproject.org/jeudepaume/card_view.php?CardId=73841 (9.5.2023), vgl. auch Catalogue des Nouvelles Acquisitions de la Collection Goudstikker, Ausst.-Kat. Amsterdam (8 novembre 1930 – 13 décembre 1930); Kunstkring, Rotterdam (20 décembre 1930 – 3 janvier 1931), Nr. 47; Deutsches Historisches Museum, München, Central Collecting Point, Mü Nr. 9097. Restitutions Committee, Recommendation regarding the Goudstikker Collection, report number: R.C. 1.1.5, https://www.restitutiecommissie.nl/en/recommendation/goudstikker/ (9.12.2022).

64. Im Katalog von Cartwright und Sutton zu den restituierten Goudstikker-Werken ist hingegen keine Vorprovenienz von Semmel zu finden. Es bleibt unklar, wann genau und warum Semmel die Werke an Goudstikker verkaufte.

65. Der gleiche Preis wird in einem Exemplar, das sich im Archiv von Sotheby's Amsterdam befindet, genannt. Der Abgleich des Katalogs für andere Losnummern hat Diskrepanzen bei den Schätzwerten ergeben.

66. Anfragen beim Schweizerischen Institut für Kunstwissenschaft (SIK–ISEA) in Zürich und bei den Kunsthändlern Johannes Nathan, Walther Feilchenfeldt und Eberhard Kornfeld verliefen bzgl. eines Nachlasses der Galerie ohne Ergebnisse.

67. Vgl. Gottfried Tanner, Zürich. In Memoriam, Zürich 1958, S. 4–5, in: SIK-ISEA, Dossier Galerie Tanner.

68. Vgl. Enrique Mallen (Hrsg.), Online Picasso Project, Sam Houston State University, 1997–2023, OPP.01:016 und (14.4.2023).

69. Vgl. Galerie Raeber, Kommissionswaren: K78, S. 54, in: SIK-ISEA, HNA 213A.2.

versuche über die noch heute existie-
rende Kunsthandlung P. de Boer auch
vergeblich blieben.[60] Die Erlöse der Verkäufe über Stokvis standen Semmel zur
freien Verfügung.

Ein weiterer Verkaufsweg, der
für Kunstwerke der Sammlung Semmel
nachgewiesen werden konnte, ist der
Absatz über den Amsterdamer Kunsthändler Jacques Goudstikker (1897–
1940). Goudstikker war ebenfalls jüdisch
und musste 1940 aus den Niederlanden
fliehen. Seine Kunstsammlung und der
umfassende Galeriebestand wurden
zu grossen Teilen nach 1940 beschlagnahmt.[61] Laut der niederländischen
Datenbank Herkomst gezocht[62] stand
Semmel in Bezug auf den Verkauf von
mindestens drei Werken bereits vor 1933
mit Goudstikker in Kontakt.[63] Dies legt

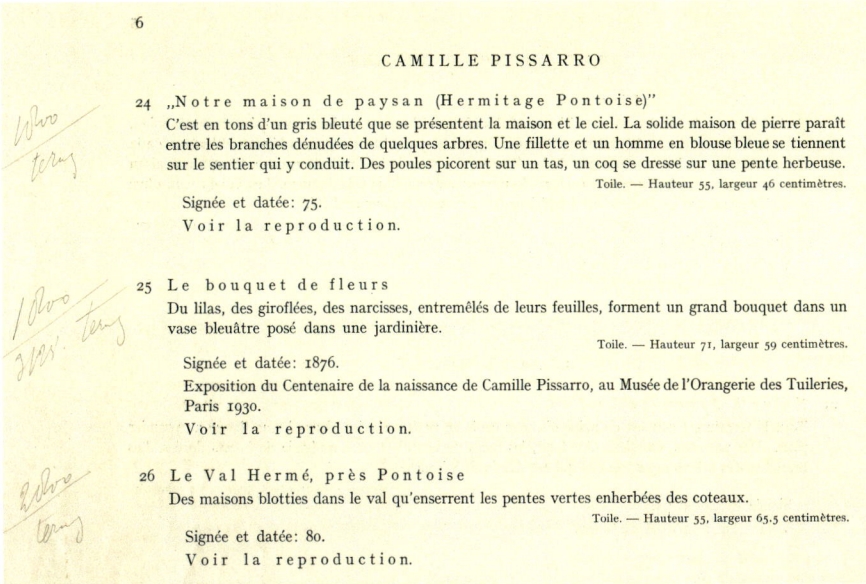

Abb. 10: Detail der Katalogseite mit Werken von Camille Pissarro
Annotationen «1800 [fl.], terug [= zurück]»

nahe, dass Semmel sich auch schon vor 1933 von einigen Werken aus seiner Sammlung
trennte.[64] Diese Verkäufe und die frühe Verbindung zum niederländischen Kunsthandel
schliessen folglich nicht aus, dass die Kunstwerke auch schon vor Semmels Emigration
1933 in den Niederlanden lagerten.

AUKTIONEN AUS DER SAMMLUNG SEMMEL

Das Gemälde *La Maison Rondest* wurde auf der Auktion bei Mensing & Fils am 13. Juni
1933 angeboten, aber wahrscheinlich nicht zugeschlagen. In einem handschriftlich annotierten Auktionskatalog, der sich im Rijksbureau voor Kunsthistorische Documentatie
in Den Haag erhalten hat, ist neben dem ursprünglichen Schätzpreis von 1.800 fl. (Gulden) auch das Wort «terug» vermerkt. Daher ist anzunehmen, dass das Werk nicht verkauft wurde (Abb. 10).[65]

Nur drei Monate nach der Auktion ist das Bild bei der Basler Galerie Raeber als
Kommissionsware der Zürcher Galerie Tanner nachgewiesen. Dokumente der Galerie von
Gottfried Tanner (1880–1958), die eventuell erhellen könnten, wie die Verkaufsabwicklung
stattfand, konnten nicht ausfindig gemacht werden.[66] Tanner war international gut vernetzt und bereiste regelmässig europäische Grossstädte, um Kunst zu kaufen.[67] Semmel
hielt sich wegen der Textor AG des Öfteren in der Schweiz auf – eine Bekanntschaft der
beiden ist somit denkbar. So könnte Semmel nach der erfolglosen Auktion in Amsterdam einige der nicht verkauften Kunstwerke in Zürich in Kommission gegeben haben,
wie ein weiteres Beispiel aus der Juni-Auktion 1933 bei Mensing bezeugt. Das Gemälde
Marchande des fleurs dans la rue von Pablo Picasso, unter der Losnummer 23 angeboten,
gelangte laut Werkverzeichnis über Tanner an den schottischen Sammler William
McInnes (1868–1944).[68] Es bleibt anzunehmen, dass Semmel in den Niederlanden 1933 die
jeweiligen Verkaufspreise erhalten hat. Die Verkaufsbücher des Galeristen Willi Raeber
(1897–1976) belegen das Kommissionsgeschäft und den gezahlten Preis von 4.900 CHF.
Auch hier hat sich keine zugängliche Korrespondenz mit Tanner oder eventuell Semmel
selbst erhalten, die genaueren Aufschluss über das Geschäft geben könnte.[69] Eine Anzeige
in der Gazette de l'Hôtel Drouot für die Auktion bei Muller in Amsterdam bezeugt, dass es
Potenzial für eine internationale Resonanz und ein Kaufinteresse hätte geben können, was

allerdings beides angesichts der hohen Rücklaufrate, die aus den annotierten Exemplaren der Auktionskataloge ersichtlich wird, ausgeblieben zu sein scheint.[70] Offenbar erhielt Semmel nicht den gewünschten Preis für *La Maison Rondest* und versuchte daher, das Werk in der Schweiz über Tanner und Raeber zu veräussern. Im Vergleich mit Schätzpreisen im annotierten Verkaufskatalog von Muller 1933 mit den Durchschnittswerten für Pissarro-Gemälde, die im gleichen Jahr in Paris veräussert wurden, zeigt sich, dass die in Paris gezahlten Preise deutlich über dem von Semmel geforderten lagen.[71]

Dadurch, dass er offenbar nicht darauf angewiesen war, einen niedrigen Preis für das Werk zu akzeptieren, kann angenommen werden, dass Semmel Tanner den Verkaufswert nach seinen Vorstellungen vorgegeben hat. Aufgrund der fehlenden Unterlagen der Galerie Tanner kann nicht beantwortet werden, welchen Betrag Semmel nach dem Verkauf des Gemäldes genau erhielt. Gewiss ist allerdings eine Kommission von 400 CHF, die Raeber bekam, wie das Verkaufsbuch ausweist. Tanner hatte ihm das Werk für 4.500 CHF übergeben (Abb. 11).[72] Der Schätzpreis von 1.800 Gulden entsprach im Oktober 1933 etwa 1.079 US-Dollar (3.748 CHF).[73] Es ist unklar, wieviel Provision Tanner von den 4.500 CHF bekam. Wenn man annimmt, dass es die üblichen 15%, also circa 700 CHF waren, bekam

54								54
Ordn.-No.	Datum 1933	Gegenstand (genau bezeichnet bezw. beschrieben)	Name und Wohnung des Verkäufers	Ankaufs-Preis	Name und Wohnung des Käufers	Verkaufs-Preis	Bemerkungen	
K 64	März 28	H. Brühlmann, Frühlingshaus	Gal. Tanner, Zürich	3000.–	—	zurück	Aug. 33	
K 65	28	do., Rosenstilleben	do.	1500.–	—	zurück	Aug. 33	
K 66	April 28	H. Baldung, h. Christophorus	Gut. Nebehay, Wien	4700.–	A. T. Christ, Basel	5200	Mai 33	500.–
K 67	Mai 13	P. Cézanne, Landschaft	R. Gérard, Paris	ƚ.90000	—	zurück		
K 68	16	M. Vlaminck, Stilleben	Gal. Aktuaryus, Zürich	750	—	zurück		
K 69	20	Renoir, Stilleben	Gal. Anclet, Paris	ƚ 23000	—	zurück		
K 70	20	Thoma, Bildnis S. Eiser	W. Schumann & Co., Frankfurt	2000.–	—	zurück		
K 71	Juli 3	H. Stöcklin, Erdbeerstrauss	P. Schulthess, Basel	320.–	F. Schmid, Aarau	360.–	Aug. 33	40.–
K 72		do., Stilleben	do.	700.–	—	zurück	Mai 34	
K 73		F. Hodler, Zeichnung	do.	400.–	—	zurück	Mai 34	
K 74	5	Umkreis 1450, Christ i. d. Welt	Ch. A. de Burlet, Berlin	1800.–	A. T. Christ, Basel	3200.–	Aug. 33	1400.–
K 75	Aug. 19	P. Gauguin, Landschaft	Gal. Tanner, Zürich	6500.–	—	zurück		
K 76	Sept. 15	Sisley, Landschaft	W. R. Pfister, Zürich	400.–	Kunstmuseum, Luzern	650.–	Nov. 33	250.–
K 77	15	Wolf Huber, Landschaft	A. T. Christ, Basel	4500.–	—	zurück	Aug. 34	
K 78	Okt. 3	C. Pissarro, Landschaft Pontoise	Gal. Tanner, Zürich	4500.–	h. Hanhart, Riehen	4900.–	Okt. 33	400.–
K 79	"	Frère, Landschaft, Balconie		300.–				
K 80	"	do., Strasse in Paris			—	zurück		
K 81	"	do., altes Haus		130.–	Schumann, Basel	200.–	Mrz. 34	
K 82	"	Stilleben m. Retorte, do.			—	zurück		
K 83	"	9 F. Hodler, Berglandschaft	Girtanner, R. Waynosti, Zürich	1000.–	A. J. Frihelin, Rorschach	1600.–	Nov. 33	600.–
K 84	"	14 Sisley, Gare de Meudon	Fl. Schulthess, Basel	2500.–	—	zurück	Nov. 33	

Abb. 11: Galerie Dr. Raeber, Kommissionswaren: Ankauf Oktober 1933 von Galerie Tanner, Verkauf Oktober 1933 an Dr. Hanhart, Riehen

Semmel ungefähr den handschriftlich annotierten Schätzpreis der Auktion in Amsterdam.[74] Mit 3.562 US-Dollar pro Pissarro-Gemälde auf dem Pariser Kunstmarkt 1933 im Vergleich zu 1.079 US-Dollar für das Werk aus der Semmel-Sammlung war der Pariser Durchschnitt allerdings mehr als drei Mal so hoch wie der vermutete Verkaufspreis über Tanner. Es erschliesst sich somit nicht, weshalb Semmel nicht auf den französischen Markt ausgewichen ist. Dass er aber die Wahl hatte, zu welchem Preis er das Werk auf welchem Markt verkaufte, belegt die Verbringung und Veräusserung des Gemäldes von Amsterdam in die Schweiz.

Ein weiteres Beispiel, das dies untermauert, stellt das Gemälde *Madonna mit Landschaft* von Marco Basaiti (1470–1530) dar. Dieses Bild wurde 1936 über die Genfer Galerie Moos zum Verkauf angeboten, scheint aber für den von ihm verlangten Preis nicht zugeschlagen worden zu sein.[75] Daraufhin brachte Semmel es wieder nach Amsterdam, wo es bis zum Einzug und Verkauf durch die LiRo 1943 verblieb.[76]

Über die Galerie Moos verkaufte Semmel zwischen 1934 und 1938 in fünf Auktionen circa 47 Werke seiner Sammlung, vor allem die Rückläufer aus den Juni- und November-Auktionen in Amsterdam 1933.[77] Die Verkaufsbücher der Genfer Galerie von Max Moos (1880–1976) belegen darüber hinaus, dass Semmel weitere Werke in Kommission gab, die zuvor nicht auf Auktionen angeboten worden waren.[78] Einen Grossteil der noch bei Moos lagernden Bilder schickte der Galerist laut Inventarbuch am 13. Februar 1939 an Semmel zurück.[79] Andere Werke aus dem ehemaligen Semmel-Besitz verblieben bei Moos. So verkaufte er 1945 einen *Blumenstrauss* von Pissarro über M. Knoedler & Co. in New York.[80]

Weitere Auktionen, in denen Objekte aus der ehemaligen Sammlung Semmel zum Verkauf standen, fanden im November 1938 bei Muller in Amsterdam und 1944 in New York statt.[81] Ob Semmel zum Zeitpunkt der Auktion 1938 noch ihr Eigentümer war, ist nicht geklärt.[82] Die angebotenen Werke der Auktion in Amsterdam 1938 stammten laut Titel aus der Sammlung «M.-Ant. W. M. Mensing (1866–1936)» beziehungsweise seinem

70. Vgl. Gazette de l'Hôtel Drouot, 23. Mai 1933, https://bibliotheque-numerique. inha.fr/idviewer/59635/237 (2.5.2023). Aus den annotierten Katalogen im RKD geht hervor, dass mehr als die Hälfte der Werke entweder aus dem Verkauf zurückgezogen wurden oder die Limiten nicht erreichten.

71. Laut der Gazette de l'Hôtel Drouot kann der Durchschnittspreis mit 17.100 FF für ein Gemälde beziffert werden. Viele der verkauften Werke stammten allerdings entweder aus renommierten Sammlungen oder waren erstklassig. Es ist also möglich, dass die Preise überhöht waren.

72. Vgl. Galerie Raeber, Kommissionswaren: K78, S. 54, in: SIK-ISEA, HNA 213A.

73. Vgl. Federal Reserve Bank of America, Foreign Exchange rates, 1933, https://fraser.stlouisfed.org/title/62/item/20643/toc/308471?start_page=40 (14.4.2023).

74. Vergleiche mit Ankäufen des Kunstmuseums Basel zwischen 1940 und 1945 haben gezeigt, dass die Händler jeweils eine Provision von 12–20% erhalten haben. Vgl. Protokoll der Kunstkommissionssitzung, 2. September 1940, in: KMB, Archiv, B 001.001.018.000, und Protokoll der Kunstkommissionssitzung, 1. Oktober 1946, in: KMB, Archiv, B 001.001.019.000.

75. Vgl. Tableaux des écoles allemande, anglaise, espagnole [...] provenant des collections de M. le Dr. C. T. van Valkenburg, Amsterdam, de M. F. Uhlenbroek, Arnehm et de M. R. S., Amsterdam, ainsi que d'autre provenance [...], Aukt.-Kat., Galerie Moos, Genf (23. Mai 1936), Los 39, https://doi.org/10.11588/diglit.13230 (24.4.2023).

76. Vgl. Lost Art-Datenbank, www.lostart.de/de/Verlust/572185 und Herkomst gezocht, https://herkomstgezocht.nl/en/vw-collection/madonna-met-kind-en-johannes-1 (24.4.2023), HR 21443/3a. Bei Herkomst gezocht ist der Künstlername falsch als «Basarki» angegeben. Semmel versuchte den Basaiti 1940 aus Chile über seinen Anwalt Stokvis verkaufen zu lassen, was allerdings nicht gelang. Vgl. Benno Stokvis an Richard Semmel, 24. April 1940, in: SAA, 736_138.

77. Vgl. Tableaux, dessins, aquarelles et gouaches des écoles hollandaise, flamande, [...] provenant des collections de Mr. W. F. J. Laan, Château Singraven, Aukt.-Kat., Galerie Moos, Genf (9. Juni 1934), https://doi.org/10.11588/diglit.8668 (2.1.2025); Sammlungen Jan W. Vos, Amsterdam und H. Schauwecker, Brüssel, Aukt.-Kat., Galerie Moos, Genf, 7. Dezember 1935: https://doi.org/10.11588/diglit.8734#0005$ (2. Mai 2023); Tableaux des écoles allemande, anglaise, espagnole [...] provenant des collections de M. le Dr. C. T. van Valkenburg,

Amsterdam, de M. F. Uhlenbroek, Arnehm et de M. R. S., Amsterdam, ainsi que d'autre provenance [...], Aukt.-Kat., Galerie Moos, Genf (23. Mai 1936), https://doi.org/10.11588/diglit.13230 (2.5.2023); Tableaux anciens des écoles anglaise, française, hollandaise, [...] provenant des collections de feu M. Paul Chavan, Aukt.-Kat., Galerie Moos, Genf (20. März 1937), https://doi.org/10.11588/diglit.8659#0039 (2.5.2023); Collection Ernest Ponti (Bd. 1): Tableaux anciens des écoles allemande, anglaise [...], Aukt.-Kat., Galerie Moos, Genf (2. April 1938), https://doi.org/10.11588/diglit.8732 (2.5.2023).

78. Vgl. Galerie Moos, Liste de tableaux, 1939–1942, S. 6–7, in: Bibliothèque d'art et d'archéologie, Genève, BAA GMO A-1-1-4. Als Beispiel wäre hier ein Selbstporträt von Max Liebermann zu nennen, das mit anderen, auf Auktionen unverkauften Werken am 13. Februar 1939 an Semmel zurückgegeben wurde. Die annotierten Kataloge geben auch Aufschluss darüber, welche Werke tatsächlich zugeschlagen wurden. Aus ihnen wird ersichtlich, dass die Angaben des Auktionsberichts, der in der Weltkunst vom 12. Januar 1936 erschien, fehlerhaft sind. Vgl. Deutsche Kunst- und Antiquitätenmesse (Hrsg.), Die Weltkunst, Nr. 2, 12. Januar 1936, https://doi.org/10.11588/diglit.45711#0017 (2.5.2023).

79. Vgl. Galerie Moos, Liste de tableaux, 1939–1942, S. 6, in: Bibliothèque d'art et d'archéologie, Genève, BAA GMO A-1-1-4.

80. Vgl. Lost Art-Datenbank, www.lostart.de/de/Verlust/572264 (2.5.2023) und Knoedler Stock Books, no. 3261, p. 107, in: Getty Digital Collections, 9_ A2681-A4782, https://rosettaapp.getty.edu/delivery/DeliveryManagerServlet?dps_pid=FL4156976 (2.5.2023).

81. Vgl. Lost Art-Datenbank, www.lostart.de/de/Verlust/572204 (2.5.2023), Kende Galleries of Gimbel Brothers, New York, 19. Mai 1944, Los 57 und Collection De Feu M. Ant. W. M. Mensing D'Amsterdam: catalogue des tableaux anciens, Aukt.-Kat., Mensing Amsterdam, 15. November 1938, Lose 40 (Hals), 49 (Hoop), 77 (Palamedesz) und 81 (Peeters).

82. Neben der Möglichkeit, dass Semmel zum Zeitpunkt dieser beiden Auktionen noch Eigentümer der Werke war, ist auch denkbar, dass ihm die Werke schon nicht mehr gehörten und eine dritte Person sie zum Verkauf anbot. Aus einem Briefwechsel mit seinem Anwalt Stokvis geht hervor, dass er sich aus Kosten- und Praktikabilitätsgründen *gegen* [Herv. d. Verf.] eine Übersendung seines Kunstbesitzes von Amsterdam nach New York entschied. Vgl. Richard Semmel an Benno Stokvis, 28. Juli 1941, in: SAA, 736_138.

Nachlass. Dieser war gleichzeitig der Auktionator der beiden Versteigerungen aus Semmels Eigentum 1933 gewesen. Neben der Möglichkeit, dass Semmel die Werke selbst zu dieser Auktion einlieferte, scheint es alternativ auch plausibel, dass Mensing die vier Werke entweder bereits im November 1933 zu der Auktion einlieferte oder dass er die vier Objekte im Zuge der Auktion 1933 für sich selbst erworben hatte und 1938 erneut anbot.

Eindeutig belegt ist, dass Semmel sieben Werke zur Auktion der Kende Galleries 1944 in New York einlieferte.[83] Sein Name firmiert sowohl im Auktionstitel als auch in den angegebenen Provenienzen. Keines der Werke wurde zuvor über Auktionen oder Kommissionsgeschäfte angeboten. Wie es dazu kam, dass Semmel die Werke nach New York verschickte, obwohl eindeutig belegt ist, dass er andere in Amsterdam verbliebene Objekte nicht spedieren liess, ist unklar. Möglicherweise lagerten sie dort bereits vor seiner Emigration über Chile nach New York oder er liess sie sich über andere Wege nachschicken, etwa über ihm bekannte Kunsthändler. Die Geschäftspapiere von Herbert Kende (1908–1977), Auktionator in New York, die darüber eventuell Auskunft geben könnten, sind laut derzeitigem Kenntnisstand nicht aufbewahrt worden. Kende gründete 1940 die New Yorker Galerie mit seiner Mutter Melanie (*1872–?). Sie betrieben bereits vor 1938 eine gemeinsame Kunsthandlung in Wien, mussten aber aufgrund ihrer jüdischen Abstammung fliehen.[84] Semmel könnte also innerhalb des deutschsprachigen Exilantenkreises Verbindungen zu Kende geknüpft haben.

NACHKRIEGSSITUATION

Für die Klärung der Frage, ob Richard Semmel seine Kunstsammlung aufgrund von Verfolgungsmassnahmen durch die NS-Regierung verkaufen musste, oder ob die Schulden anderweitig bedingt waren, ist es von Interesse zu eruieren, ob er 1933 beispielsweise bereits Steuerschulden aus dem Vorjahr hatte, wie die Familie Kühne als Käuferin seiner Villa in der Cecilienallee behauptete. Die Nachkriegsuntersuchungen zu Semmels finanzieller Situation haben zwar einige Punkte erhellen können, dennoch bleiben die genauen Geschehnisse und (Um-) Strukturierungen der verschieden Firmen und etwaiger Schulden vor 1933 undurchsichtig. Die obligatorische Reichsfluchtsteuer, die von Bürger:innen bei Abmeldung aus Deutschland gezahlt werden musste, wurde für Richard Semmel auf 224.975 RM festgelegt. Diese enorme Höhe ergab sich aus dem beim letzten Steuerbescheid angegebenen Vermögen und betrug davon 25%.[85] Am 29. November 1937 wurde die Summe auf 20.000 RM herabgesetzt und für bezahlt erklärt.[86] Die Judenvermögensabgabe (Juva) wurde am 2. August 1939 auf Basis des Vermögens von Richard Semmel mit Stand vom 1. Januar 1931 erhoben und auf 224.750 RM festgelegt.[87]

83. Vgl. Valuable Paintings by Old Masters and XIX Century Artist from the Collections of Richard Semmel, New York City and Esther Louise Palmer, Montclair, New Jersey, Kende Galleries of Gimbel Brothers, New York, 19. Mai 1944, Lose 14, 44, 56, 57, 58, 59, 60.

84. Vgl. Meike Hopp, Kunsthandel im Nationalsozialismus: Adolf Weinmüller in München und Wien, Wien/Köln/Weimar 2012, S. 238.

85. Wann der letzte Steuerbescheid erging und auf welche Angaben/Schätzungen sich diese Berechnungen stützten, geht aus den Akten nicht hervor. Vgl. Dorothee Mußgnug, Die Reichsfluchtsteuer 1931–1953 (Schriften zur Rechtsgeschichte, Heft 60), Berlin 1993, S. 20.

86. Vgl. Finanzamt Zehlendorf an Karl Lerche, 29. September 1937, in: LABO Berlin, Reg. Nr. 72711, D4. Lerche war der Geschäftsführer der Wäschefabrik ab November 1934.

87. Vgl. Bescheid des Wiedergutmachungsamt Berlin, 18. Oktober 1957, in: LABO Berlin, Reg. Nr. 72711, D50 verso.

88. Vgl. ebd., D 50 verso-D51.

89. Vgl. Vermerk, 29. März 1956, in: LABO Berlin, Reg. Nr. 72711, D24.

90. Vgl. Vermerk, 25. Mai 1956, in: LABO Berlin, Reg. Nr. 72711, D28.

91. Laut Ermittlungen der Industrie- und Handelskammer wurde der Betrieb der Grundstücks-G.m.b.H. bereits 1934 eingestellt. Vgl. Meyer: Vermerk, 25. Mai 1956, in: LABO Berlin, Reg. Nr. 72711, D28.

92. Vgl. Rudolf Worch Steuerrat an Entschädigungsamt Berlin, 6. April 1957, in: LABO Berlin, Reg. Nr. 72711, D44.

93. Vgl. Hauptfinanzamt von Berlin an Rechtsanwalt Bruno Schmitz, 31. August 1955, in: LABO Berlin, Reg. Nr. 72711, D11. Die beim Finanzamt Moabit West erhaltene Erhebung der Juva belegt keinen Zahlungseingang. Vgl. Berechnung der Judenvermögensabgabe, 2. August 1939, BADV, JuVa_922-6611, Richard Semmel (Abgabe der Akte ans Landesarchiv Berlin, Signatur derzeit noch unbekannt).

94. Vgl. Wiedergutmachungsamt Berlin: Bescheid, 18. Oktober 1957, in: LABO Berlin, Reg. Nr. 72711, D50.

95. Die Dresdner Bank reduzierte die Bürgschaft 1934 von 600.000 RM auf 100.000 RM. Vgl. Wiedergutmachungsamt Berlin: Bescheid, 18. Oktober 1957, in: LABO Berlin, Reg. Nr. 72711, D51.

96. Vgl. Vergleich, 15. Januar 1963, in: LABO Berlin, Reg. Nr. 72711, E13.

Eine nachträgliche Beurteilung im Jahre 1955 zu den diskriminierenden Zahlungen mit Hilfe möglicher Kassenunterlagen des früheren Finanzamts Moabit-West konnte zum damaligen Zeitpunkt nicht erfolgen, da laut Auskunft des Hauptfinanzamts keine relevanten Unterlagen mehr vorhanden waren:

> «Wie sich aus der Judenvermögensakte ergibt, erfolgte die Veranlassung auf Grund des Vermögens des Erblassers [Richard Semmel] am 1. Januar 1931. Tatsächlich war im Jahr 1938 inländisches Vermögen nicht mehr vorhanden, wie auch der frühere Bevollmächtigte des Erblassers, Herr Karl Lerche, in einem Schreiben an das Finanzamt Moabit-West vom 28. Juli 1939 bestätigt. [...] Es muss vielmehr mit an Sicherheit grenzender Wahrscheinlichkeit angenommen werden, dass die veranlagte Judenvermögensabgabe niedergeschlagen wurde, zumal in der noch vorhandenen Akte des Finanzamt Moabit-West eine Zahlung nicht vermerkt ist.»[88]

ENTSCHÄDIGUNGEN BETREFFEND RICHARD SEMMELS UNTERNEHMEN

Wie bereits im Zusammenhang mit den Ansprüchen der Erbengemeinschaft nach Arthur Samulon erwähnt, hatte Richard Semmel zwei Firmen, die Wäschefabrik Arthur Samulon G.m.b.H. und die Arthur Samulon Grundstücks G.m.b.H. Die Belege der Akten, die in der Nachkriegszeit zusammengetragen wurden, zeigen, dass ein Konkursverfahren für die Wäschefabrik Arthur Samulon G.m.b.H. bereits am 5. Juli 1935 eröffnet wurde.[89] Die Konkursanmeldung vom 9. Juni 1937 für die Grundstücks-G.m.b.H. wurde vom Amtsgericht Berlin zurückgewiesen, da «eine Kosten des Verfahrens deckende Masse nicht vorhanden ist.»[90] So war also vor Festlegung der Juva am 2. August 1939 dem Handelsregisteramt bereits klar, dass ein Vermögen von Richard Semmel in Deutschland nicht mehr existierte, was die Finanzbehörden wohl erst später bemerkten. Dies würde das Erlassen der Restzahlung der Reichsfluchtsteuer erklären.[91] In einer Erklärung des Sachbearbeiters, der das Erlassen der restlichen Reichsfluchtsteuer 1937 unterzeichnete, stellte dieser 1957 klar, dass Semmel erhebliche Verluste sowohl bei der Veräusserung seines Grundbesitzes und Betriebsvermögens als auch beim Verkauf des Privathauses in Berlin-Dahlem hinnehmen musste.[92] Letztlich konnte nicht nachgewiesen werden, dass die Juva tatsächlich entrichtet wurde.[93] Das Entschädigungsamt zahlte nach dem Krieg eine Entschädigung von 4.000 DM an Semmels Erbin Grete Gross nur für die beglichene Reichsfluchtsteuer.[94] Auch der Antrag auf Entschädigung des Verlusts der Wäschefabrik wurde abgelehnt. Das Wiedergutmachungsamt argumentierte, dass nicht nur die oben genannte Problematik der Ausbezahlung der Anteilsinhaber an der Wäschefabrik Ursache für Semmels finanzielle Schwierigkeiten war. Vielmehr kam hinzu, dass er 1933 auch für die Bürgschaft zur Verantwortung gezogen wurde, die er in Höhe von 600.000 RM für seinen Bruder Jacob Semmel und dessen Firma Semmel & Friedländer übernommen hatte.[95] So kamen mehrere Forderungen auf einmal auf ihn zu, die zum Zeitpunkt der nur langsam abebbenden Weltwirtschaftskrise und der einsetzenden Diskriminierung jüdischer Geschäfte nicht zu bewältigen waren. Ob die Forderungen an die Firma Semmel & Friedländer durch die Bank gerechtfertigt waren, beziehungsweise ob der Zeitpunkt kurz nach der Machtübernahme der Nationalsozialisten etwas mit der jüdischen Herkunft der Firmeninhaber zu tun hatte, wurde im Verfahren nicht untersucht.

Als Entschädigung für den anerkannten Schaden im beruflichen Fortkommen ist 1963 ein Vergleich über 40.000 RM geschlossen und an Grete Gross' Tochter Ilse Kauffmann ausbezahlt worden.[96]

Abb. 12: Aufnahmen aus den Betrieben der Firma Arthur Samulon, Reklame

Aus den Wiedergutmachungsakten geht auch hervor, dass das beim Berliner Bankhaus Fetschow und Söhne verwahrte Guthaben von 6.292 RM, das Grete Gross als Erbin Semmels 1957[97] versuchte geltend zu machen, bereits 1954 an die Jewish Restitution Successor Organization (JRSO), die Vorgängerin der Claims Conference, ausgezahlt worden war.[98] Als Treuhandgesellschaft in den amerikanischen Sektoren (und Berlin) hatte die JRSO Vermögensansprüche jeglicher Art von ihnen bekannten jüdischen Verfolgten gegenüber den deutschen Behörden geltend gemacht, die von diesen selbst bis zum 30. Mai 1950 nicht beansprucht worden waren. Dies geschah vor dem Hintergrund, die Verjährungsfristen im Sinne der möglichen Antragsteller:innen einzuhalten. Grete Gross konnte sich in der Folge gegen Nachweis der Erbberechtigung an diese Treuhandgesellschaft wenden und sich das Vermögen auszahlen lassen.[99]

Noch in den 1990er-Jahren wurde von den Erb:innen nach Jacob Berliner bestritten, dass Grete Gross' Tochter, Ilse Kauffmann, die Erbberechtigte sei.[100] Per Beschluss des Amtsgerichts Schöneberg von 1997 wurde nach amerikanischem Recht jedoch der Erbschein für Ilse Kauffmann bestätigt.[101]

BEREITS ERWIRKTE «GERECHTE UND FAIRE» LÖSUNGEN

Niederlande
Im Restitutionsantrag der Erbinnen nach Richard Semmel an die niederländische Restitutiecommissie wurde argumentiert, dass Richard Semmel seine Kunstsammlung in den Niederlanden verkaufen musste, um seine Firmen zu retten. Diese fanden aufgrund der staatlichen Aufrufe in Deutschland, nicht bei Juden zu kaufen, weniger Abnehmer:innen für ihre Waren; gleichzeitig forderte die NS-Regierung, dass keine Mitarbeitenden entlassen werden durften, um so die Ausgaben zu senken (Abb. 12). Die Erlöse der Auktionen seien in Folge darauf verwandt worden, die Reichsfluchtsteuer zu begleichen.[102] Im Fazit der Restitutiecommissie, die mehrere Ansprüche zu Werken, welche an der November-Auktion 1933 aus der Sammlung Semmel verkauft wurden, behandelte, wurde der ungewollte Verlust der Kunstwerke als direkte Konsequenz der nationalsozialistischen Regierung beziehungsweise Semmels durch sie erfahrene Verfolgung anerkannt.[103] In der verbindlichen Empfehlung von 2013 wurde allerdings das Interesse der Erbinnen im Vergleich zum Interesse des Museums geringer gewichtet und das in Rede stehende Gemälde (Jan van Scorel, *Madonna mit wilden Rosen*, um 1530) als für die städtische Sammlung unentbehrlich erklärt.[104] Argumente gegen die Anspruchsstellenden waren die weder verwandtschaftlich noch freundschaftlich geprägte Beziehung der Erbinnen zu Richard Semmel und seiner Familie sowie zu seinem Kunstbesitz. Weiterhin wurde der nicht erfolgte Versuch Semmels respektive Grete Gross', die Kunstwerke wiederzuerlangen, geltend gemacht. Die Kommission sprach sich abschliessend gegen die Restitution der Kunstwerke aus. Diese Empfehlung wurde jedoch 2014 aufgrund von Verfahrensfehlern annulliert.[105] Nach heftiger Kritik an der gleichberechtigten Interessenabwägung der Antragsstellenden und des Museums wurde im Jahr 2022 die Wegleitung der niederländischen Restitutiecommissie mitsamt den Kriterien zur Bewertung von NS-verfolgungsbedingt entzogenen Kunstgegenständen überarbeitet.[106]

Australien
2014 ist das ehemals Vincent van Gogh zugeschriebene Werk *Porträt eines Mannes* von der National Gallery of Victoria (NGV) in Melbourne, Australien, an die Erbinnen nach Richard Semmel restituiert worden.[107] Das Werk wurde in der Juni-Auktion 1933 in Amsterdam zum Verkauf angeboten. Die NGV stützte ihre Argumentation zum

97. Vgl. Senator für Finanzen an die Wiedergutmachungsämter von Berlin, 10. Oktober 1957, Bl. 10, in: LA Berlin, B Rep. 025-02 Nr. 3380.55_147 WGK 410.61, Bl. 10.
98. Am 3. November 1954 wurde laut dem Senator für Finanzen das Geld an die Jewish Trust Cooperation for Germany überwiesen. Vgl. Jewish Trust Corporation for Germany an das Wiedergutmachungsamt, 23. Juli 1954, in: LA Berlin, B Rep. 025.03 Nr. 15483.IRSO, Bl. 3–7. Die Conference on Jewish Material Claims Against Germany (Claims Conference) vertritt (in Abwesenheit) die materiellen Interessen jüdischer Geschädigter der Shoah.
99. Vgl. Senator für Finanzen an die Wiedergutmachungsämter von Berlin, Bl. 10, 10. Oktober 1957, in: LA Berlin, B Rep. 025-02, Nr. 3380.55_147 WGK 410.61. Grete Gross hat gegenüber dem Entschädigungsamt von Berlin als Erbin Semmels auch eine Entschädigung für die Abgabe der Reichsfluchtsteuer in Höhe von 20.000 RM beansprucht, vgl. Antrag Entschädigungsamt Berlin, 20. September 1957, Bl. 12, in: LA Berlin, B Rep. 025-02, Nr. 3380.55_147 WGK 410.61, Bl. 12.
100. Vgl. Bruno Schmitz an Wiedergutmachungsämter Berlin, Bl. 32, 4. Mai 1960, in: LA Berlin, B Rep. 025-02, Nr. 3380.55_147WGK410.61.
101. Vgl. Erbschein, 19. September 1997, in: LA Berlin, B Rep. 025-08 Nr. 32.50, Bl. 150.
102. Vgl. Recommendation regarding Semmel, report number RC 1.75, Restitutions Committee, The Netherlands, Abschnitt 4.3. www.

restitutiecommissie.nl/en/recommendation/semmel/ (30.11.2022) und BINDING OPINION, report number RC 3.131, Restitutions Committee, The Netherlands, Abschnitt 7.4, www.restitutiecommissie.nl/en/recommendation/madonna-with-wilds-roses-by-jan-van-scorel-semmel-centraal-museum/ (30.11.2022).
103. Vgl. BINDING OPINION, report number RC 3.131, Restitutions Committee, The Netherlands, Abschnitt 7.6, www.restitutiecommissie.nl/en/recommendation/madonna-with-wilds-roses-by-jan-van-scorel-semmel-centraal-museum/ (30.11.2022).
104. Ebd.
105. Vgl. The Central Registry of Information on Looted Cultural Property 1933–1945, www.lootedart.com/news.php?r=R0JPCN146821 (25.4.2023).
106. Vgl. New Decree Establishing the Restitutions Committee and Restitutions Committee Regulations, vgl. www.restitutiecommissie.nl/en/news/new-decree-rc/ und www.restitutiecommissie.nl/wp-content/uploads/2022/05/Decree-RC-per1December2021.pdf (6.4.2023). Erläuternd dargestellt bei Gert Jan van den Bergh/Martha Visser/Auke van Hoek, Netherlands, in: Art Law Review 2021, S. 225–243, und Reinier Russel, New rules restitution policy also apply old cases, in: www.russell.nl/en/publication/new-rules-restitution-policy-also-apply-to-old-cases/ (6.4.2023).
107. Vgl. BBC News, Portrait becomes Australia's first Nazi art restitution, 30. Mai 2014, www.bbc.com/news/entertainment-arts-27634262 (25.4.2023).

Restitutionsentscheid unter anderem auf die von der niederländischen Restitutiecommissie publizierte Begründung, dass es sich bei den Auktionen 1933 um NS-verfolgungsbedingte Verkäufe handelte.[108] Der Kausalzusammenhang zwischen NS-Verfolgung und Verkauf schien gegeben. Dass Semmel der Eigentümer und Einlieferer der Auktionen war, wurde von der NGV im Gegensatz zur Restitutiecommissie nicht angezweifelt, sondern direkt vorausgesetzt.

International

Mehrere Museen in Deutschland und der Schweiz haben bereits «gerechte und faire Lösungen» für Kunstwerke aus der ehemaligen Sammlung Semmel gefunden. Im internationalen Kunsthandel bei den Auktionshäusern Christie's und Sotheby's wurden zahlreiche Vergleiche für Werke aus Privatbesitz geschlossen. Über die genaue Aufteilung der Auktions- oder Verkaufserlöse wird offiziell selten Auskunft erteilt. Gängig scheint die Praxis, den Nettoerlös des Verkaufs in Relation zur Eindeutigkeit der NS-Verfolgungsbedingtheit des Rechtsgeschäfts (sowohl bei NS-Raubkunst als auch bei «Fluchtgut») zwischen Einlieferer und Anspruchssteller zu teilen.[109] Bei Zweifeln oder Uneindeutigkeit der NS-Verfolgungsbedingtheit des Rechtsgeschäfts verschieben sich die Prozentsätze entsprechend.

SYNTHESE

Das Gemälde *La Maison Rondest* von Camille Pissarro wurde in der Auktion vom 13. Juni 1933 bei Mensing & Fils gehandelt. Für die von Richard Semmel in diese Auktion eingelieferten Werke ist aufgrund seines nachgewiesenen

und international anerkannten Verfolgungsschicksals ein Kausalzusammenhang zwischen Verkauf und Verfolgung gegeben (Abb. 13).[110] Ob Semmel bereits vor Juni 1933 aus anderen Gründen als der NS-Verfolgung Verkaufsabsichten hegte, ist hingegen nicht geklärt. Belegt sind einzelne Veräusserungen an Kunsthändler wie Jacques Goudstikker auch schon vor der Machtübernahme der Nationalsozialisten. Die Behauptung Therese Kühnes, dass sich Semmel schon vor 1933 dauerhaft ausser Landes befunden habe, konnte bislang nicht bestätigt werden; einzelne Aufenthalte in der Schweiz und Frankreich sind hingegen nachweisbar.[111] Zu welchem Zeitpunkt die rund 130 Objekte und somit auch *La Maison Rondest* ins Ausland verbracht wurden, ist nicht geklärt. Möglicherweise erfolgte der Transfer bereits vor 1933.

Semmel versuchte, das Gemälde zunächst bei der öffentlichen Auktion in Amsterdam zu verkaufen, erzielte aber offenbar nicht den gewünschten Preis. In den Niederlanden hatte er die freie Wahl, wo, an wen und für welche Summe er das Kunstwerk veräusserte. Von diesem Recht machte er in der Folge Gebrauch und schickte das Pissarro-Gemälde zwischen Juni und Oktober 1933 aus den Niederlanden in die Schweiz, um es über die Galerie Tanner in Zürich verkaufen zu lassen. Es besteht kein Grund zur Annahme, dass Semmel den Verkaufserlös auf dem freien Markt nicht erhalten hätte und nicht darüber verfügen konnte. Wieviel er durch den Verkauf über die Kunsthändler Tanner und Raeber allerdings genau erhielt, ist aufgrund fehlender Unterlagen nicht nachvollziehbar. Semmels wirtschaftliche Situation zum Zeitpunkt des Verkaufs ist auch nach eingehender Prüfung der Nachkriegsunterlagen nicht eindeutig zu beurteilen. Sowohl die Folgen der Weltwirtschaftskrise als auch die sich gegen jüdische Unternehmen verschärfenden diskriminierenden Massnahmen schadeten Richard Semmels Firmen. Die Unmöglichkeit, sein Geschäft in Deutschland aus dem Exil heraus einflussnehmend zu steuern und die hohen Abgaben, die er als jüdischer Bürger zu zahlen gezwungen war, brachten ihn persönlich und seine Unternehmen so weit in Schwierigkeiten, dass der Konkurs nicht mehr abgewendet werden konnte. Zur Deckung einzelner Verbindlichkeiten und zur Finanzierung des Lebensunterhalts verkaufte Semmel seine Kunstsammlung. In einem Versuch, seinen Bruder zu unterstützen, übernahm er zudem Teile von dessen Schulden, was zu weiteren finanziellen Engpässen führten. Da er auch bei anderen Kunstwerken die Möglichkeit wahrnahm, sie in der Schweiz zu verkaufen, ist anzunehmen, dass seine Vermögensinteressen durch den Kunsthändler Gottfried Tanner gewahrt wurden. Schliesslich verkaufte Semmel auch über die Genfer Galerie Moos, was belegt, dass er selbst entscheiden konnte, an wen er welchen Verkaufsauftrag in welcher Höhe vergab. Die ungefähren Umrechnungen der Erlöse zwischen Schweizer Franken und Gulden haben ergeben, dass der handschriftlich notierte Schätzpreis im Auktionskatalog vom 13. Juni 1933 über 800 Gulden in etwa dem Verkaufspreis in der Schweiz samt Kommission entsprochen haben kann.

Zwei in öffentlichen Institutionen (Restitutiecommissie und NGV) verhandelte Untersuchungen haben bereits anerkannt, dass es sich bei den Transaktionen 1933 im Zuge der Auktionen über Mensing um NS-verfolgungsbedingte Verluste handelt. So kann auch im vorliegenden Fall nach den vorangegangenen Untersuchungen bestätigt werden, dass die Veräusserung von *La Maison Rondest* durch Semmel einen NS-verfolgungsbedingten Verkauf darstellt, auch wenn nicht eindeutig belegt ist, dass der Konkurs seiner Firmen rein auf die diskriminierenden Massnahmen zurückzuführen ist. Der Schaden an seinem wirtschaftlichen Fortkommen ist aber zu respektieren, da er nicht die Möglichkeit hatte, sich vor Ort in Berlin um die Firmen zu kümmern und so den Konkurs aktiv abzuwenden respektive die Geschäfte nachträglich für sich dienlich abzuwickeln. Das Kunstmuseum Basel hat diese Umstände anerkannt und sich 2024 gütlich mit den Erbinnen nach Richard Semmel geeinigt. Nach Zahlung einer Entschädigungssumme ist seine Eigentümerschaft an dem Gemälde heute rechtmässig.

108. Vgl. Statement regarding Head of a man, 29. Mai 2014, www.ngv.vic.gov.au/wp-content/uploads/2014/05/Statement-and-QAs.pdf (25.4.2023).
109. Vgl. Vincent Noce, French court orders Christie's to restitute a Nazi-looted painting sold in London, in: The Art Newspaper, 1. Februar 2023, www.theartnewspaper.com/2023/02/01/french-court-orders-christies-to-restitute-a-nazi-looted-painting-sold-in-london (5.5.2023): «The auction house proposed to put the work on sale and equally share the proceeds between both parties.»
110. Hier ist vor allem die Argumentation im Entscheid der holländischen Restitutionskommission zu nennen: Recommendation regarding Semmel, report number RC 1.75, Restitutions Committee, The Netherlands, www.restitutiecommissie.nl/en/recommendation/semmel/ (2.1.2025) und BINDING OPINION, report number RC 3.131, Restitutions Committee, The Netherlands, www.restitutiecommissie.nl/en/recommendation/madonna-with-wilds-roses-by-jan-van-scorel-semmel-centraal-museum/ (30.11.2022).
Dieser Argumentation folgte 2014 die National Gallery of Victoria (NGV) in Melbourne und restituierte das vormals Vincent van Gogh zugeschriebe Werk *Porträt eines Mannes* an die Erben nach Richard Semmel. Vgl. BBC News, Portrait becomes Australia's first Nazi art restitution, 30.5.2014, www.bbc.com/news/entertainment-arts-27634262 (25. April 2023), und Statement regarding Head of a man, 29. Mai 2014, www.ngv.vic.gov.au/wp-content/uploads/2014/05/Statement-and-QAs.pdf (25.4.2023).
111. Vgl. Richard Semmel an Max Lilie, 17. Dezember 1933, in: SAA, 736_138.

AN	Archives nationales de France, Paris
Archiv Galerie Fischer, Luzern	Archiv Galerie Fischer, Galerie Fischer Auktionen AG, Luzern
ASOR	Archiv der Sammlung Oskar Reinhart, Winterthur
AT-StLA	Landesarchiv Steiermark
BAR	Schweizerisches Bundesarchiv
BArch B	Bundesarchiv Berlin
BArch K	Bundesarchiv Koblenz
BDA	Bundesdenkmalamt Wien
BADV	Bundesamt für allgemeine Dienste und offene Vermögensfragen
BHStA	Bayerisches Hauptstaatsarchiv
BLHA	Brandenburgisches Landeshauptarchiv, Potsdam
DNB, Deutsches Exilarchiv	Deutsche Nationalbibliothek, Deutsches Exilarchiv 1933–1945, Frankfurt am Main
GNM, DKA	Germanisches Nationalmuseum Nürnberg, Deutsches Kunstarchiv
HAC	Commerzbank, Historisches Archiv
HAHK	Historisches Archiv Hamburger Kunsthalle
KMB	Kunstmuseum Basel
KMW	Kunst Museum Winterthur
LA Berlin	Landesarchiv Berlin
LABO Berlin	Landesamt für Bürger- und Ordnungsangelegenheiten, Berlin
LASp	Landesarchiv Speyer
LfF-AfW	Landesamt für Finanzen – Amt für Wiedergutmachung Saarburg
LHAKo	Landeshauptarchiv Koblenz
MoMA	Museum of Modern Art
NARA	The National Archives and Records Administration
OeStA, AdR	Österreichisches Staatsarchiv, Archiv der Republik
OÖLA	Oberösterreichisches Landesarchiv, Linz
RKD	Rijksbureau voor Kunsthistorische Documentatie
SAA	Stadsarchief Amsterdam
SALU	Stadtarchiv Luzern
StALU	Staatsarchiv Luzern
SIK-ISEA	Schweizerisches Institut für Kunstwissenschaft
SMB-ZA	Staatliche Museen zu Berlin, Zentralarchiv
StaBS	Staatsarchiv Basel-Stadt
STAHH	Staatsarchiv Hamburg
StAM	Staatsarchiv München
UBH	Universitätsbibliothek Basel Hauptbibliothek
WStLA	Wiener Stadt- und Landesarchiv
ZIKG, München	Zentralinstitut für Kunstgeschichte, München
Archiv ZKG/KHZ	Archiv Zürcher Kunstgesellschaft/Kunsthaus Zürich

Abkürzungen

EPD	Eidgenössisches Politisches Departement
ERR	Einsatzstab Reichsleiter Rosenberg
Juva	Judenvermögensabgabe
NSDAP	Nationalsozialistische Deutsche Arbeiterpartei
NZZ	Neue Zürcher Zeitung
OFD	Oberfinanzdirektion
OFP	Oberfinanzpräsident
RGBl	Reichsgesetzblatt
RMVP	Reichsministerium für Volksaufklärung und Propaganda

GZ. 4252/1950, fol. 25: S. 217
Dorotheum Wien / Universitätsbibliothek Heidelberg
(Digitalisat): S. 214
Wiener Stadt- und Landesarchiv, 2.3.3.B76.50.213: S. 211
Wikimedia: S. 123 (oben), 132, 133 (unten)
Kunst Museum Winterthur, Stiftung Oskar Reinhart
© Foto: SIK-ISEA, Philipp Hirz: S. 83
Archiv der Sammlung Oskar Reinhart «Am Römerholz»,
Winterthur: S. 85
© Erben nach Max und Klara Wistinetzki: S. 20, 21, 22,
26, 27
Kunsthaus Zürich: S. 30 (links), 46, 50, 116
Archiv Zürcher Kunstgesellschaft / Kunsthaus Zürich,
Negativarchiv, 10.70.10 - NA 06846, Foto: Walter Dräyer:
S. 48 (unten)

Aus folgenden Publikationen wurden Abbildungen entnommen:
Robert Altmann, Memoiren, Mailand 2000, S. 36: S. 233
Cyril Deicha, Vielfalt unter einem Dach. Anekdoten
aus dem Haus 144, Vaduz 2024 (= Vaduzer Geschichten
2/2024): S. 236
Adolph Donath, Technik des Kunstsammelns, Berlin 1925
(= Bibliothek für Kunst- und Antiquitätensammler, Bd. 28),
S. 136: S. 81
Du. Schweizerische Monatsschrift, Juni 1942, Nr. 6, S. 2
(© Aufnahme Galerie Fischer, Luzern. Foto: Hans Staub):
S. 94
Festschrift 175 Jahre L. Behrens & Söhne, Hamburg,
1780–1955, Hamburg 1955 (Exemplar der Hamburger
Kunsthalle), S. 16: S. 186; S. 24: S. 187 (links); S. 26, 27, 31:
S. 188
Matthias Greulich, «Max Emden – auch Leben ist eine
Kunst» (Texte zu Hamburg), Onlinemagazin, 19. April 2019,
http://textezuhamburg.com/sie-muessen-sich-um-max-
emden-kuemmern/ (25. April 2025): S. 123 (unten)
Emil Heilbut, Die Sammlung Eduard L. Behrens zu
Hamburg: Catalog, München, 1891: S. 186, 204 (Abb. 11b/c)
Burckhardt Leonhard (Hrsg.), 100 Jahre Holznacht.
Festschrift 1. August 2018, S. 34: S. 157 (links oben)
Nikolaus Meier, Ars una. Der Kunsthistoriker Otto Fischer
(1886–1948), in: Reutlinger Geschichtsblätter, Jg. 2011, N.F.,
Nr. 50, S. 147–208, S. 185: S. 155 (oben links)
Galerie Dr. Raeber, Dufourstrasse 29, Basel, Bestands- und
Verkaufskatalog, Oktober 1937: S. 242
Die Weltkunst, Jg. XVI, Nr. 9/10, 1. März 1942, S. 5: S. 93

Die Herausgeberin und die Redaktion haben sich bemüht, sämtliche Bildrechte einzuholen. Sollten Rechteinhaber:innen versehentlich nicht berücksichtigt worden sein, werden ihre Ansprüche selbstverständlich im Rahmen der üblichen Vereinbarungen abgegolten.

Impressum

PUBLIKATION

Herausgeberin:
Tessa Rosebrock

Kunstmuseum Basel
St. Alban-Graben 16
CH-4051 Basel
www.kunstmuseumbasel.ch

Text- und Bildredaktion:
Katharina Georgi-Schaub und Tessa Rosebrock

Projektmanagement Verlag:
Luzie Diekmann, Berlin

Herstellung Verlag:
Anja Haering, Berlin

Lektorat:
Michael Konze, Köln

Grafik, Satz und Lithografie:
Harald Pridgar, Frankfurt am Main

Schriften:
Stanley und GT America Mono

Papier:
Gardapat Bianca 135 gm²

Druck und Bindung:
Grafisches Centrum Cuno GmbH & Co. KG, Calbe (Saale)

Verlag:
Deutscher Kunstverlag
Genthiner Straße 13
D-10785 Berlin
www.deutscherkunstverlag.de
Ein Unternehmen der Walter de Gruyter GmbH
Berlin/Boston
www. degruyter.com

Fragen zur allgemeinen Produktsicherheit:
productsafety@degruyterbrill.com

Die deutsche Nationalbibliothek verzeichnet diese Publikation in der Deutschen Nationalbibliografie; detaillierte bibliografische Angaben sind im Internet unter http://dnb.dnb.de abrufbar.

Library of Congress Control Number:
2025936584

ISBN 978-3-422-80277-3

Abbildung Umschlag: Henri Rousseau, *La muse inspirante le poète/ Apollinaire et sa muse*, 1909, Öl auf Leinwand, 146,2 × 96,9 cm, Kunstmuseum Basel, Inv. 1774 (Detail); Protokoll der Kunstkommissionssitzung, 2. September 1940, in: KMB, Archiv, B 001.001.018.000, S. 169.

KUNSTMUSEUM BASEL

Danke an das gesamte Team des Kunstmuseums Basel. Die folgenden Abteilungen und Personen haben das Entstehen der Publikation besonders unterstützt.

Direktorin:
Elena Filipovic

Leiterin Kunst und Wissenschaft sowie Kupferstichkabinett:
Anita Haldemann

Leitung Art Care (a. i.):
Caroline Wyss Illgen

Leiterin Marketing und Development:
Mirjam Baitsch

Kurator:in Alte Meister:
Bodo Brinkmann; seit 1. April 2025 (a. i.):
Rahel Müller

Kuratorin 19. Jahrhundert/Klassische Moderne:
Eva Reifert

Kurator Programme:
Daniel Kurjaković

Leiterin Provenienzforschung:
Tessa Rosebrock

Leiter Archiv und Bibliothek:
Rainer Baum

Leiterin Sammlungsmanagement:
Svenja Held

Leiterin Presse und Kommunikation:
Karen N. Gerig

Digitale Kommunikation:
Ana Brankovic und Suad Demiri

Marketing:
Vera Reinhard und Christian Selz

Wissenschaftliche Fotografie:
Max Ehrengruber und Jonas Schaffter

Restaurierung:
Sophie Eichner, Annegret Seger

Studienraum, Bildrechte und Reproduktionen:
Annika Baer und Iris Müller

Mitglieder der Kunstkommission (April 2025):
Prof. Dr. Felix Uhlmann
Prof. Dr. Ralph Ubl
Silvia Bächli
Prof. Dr. Andreas Beyer
Christoph Gloor
Harry Gugger
Prof. Dr. Ute Holl
Claudia Müller
Dr. h.c. Maja Oeri
Dr. Heinrich A. Vischer